L'HUMANISME

DE

BOSSUET

BOSSUET, EVEQUE DE CONDOM
Portrait peint par MIGNARD

THÉRÈSE GOYET

L'HUMANISME

DE

BOSSUET

I

LE GOÛT DE BOSSUET

LIBRAIRIE C. KLINCKSIECK

PARIS

A LA MEMOIRE
DE MES PARENTS

AVANT-PROPOS

> Tous philosophes et sages antiques, pour
> bien sûrement et plaisamment parfaire le
> chemin de connaissance divine et chasse de
> sapience, ont estimé deux choses nécessai-
> res : guide de Dieu et compagnie d'homme.
>
> RABELAIS, *Le Cinquième Livre*,
> Chap. XLVII.

Il ne semble pas possible dans un avant-propos d'exposer d'une manière satisfaisante les déterminations reçues du mot « humanisme » : en tête d'un livre déjà long, une telle entreprise paraîtrait longue, et d'ailleurs elle dérouterait l'attention qu'il nous faut bien réclamer en faveur de notre sujet précis.

Des deux termes dont le rapprochement compose notre titre, le substantif abstrait ne nous paraît pas le plus important. Son acception, et même son existence, résultent, somme toute, des conventions tacites ou expresses, régnant chez les philologues... Nous nous bornerons donc aux remarques nécessaires pour accorder clairement notre *Humanisme de Bossuet* à de telles conventions.

Pour nous c'est le nom de Bossuet qui commande notre méthode, en tant qu'il détermine concrètement le substantif général auquel il est attaché comme complément. Or, ce nom est généralement plus estimé par les lecteurs de goût que par les philosophes de profession. Et nous ne pensons pas que cette réputation de Bossuet soit mal fondée, mais plutôt qu'elle ne l'est pas assez. Les lecteurs, hommes de goût, qui lui attribuent une excellence en quelque sorte absolue « dans l'ordre des écrivains » [1], nous voudrions les inviter à chercher plus en profondeur les racines de leur contentement, et à ceux qui regrettent de ne pas trouver dans les mouvements sublimes ou les claires expositions de Bossuet, la cohérence d'un système, original ou originalement adapté, nous dirons qu'il existe d'heureux cas d'ingénuité où la manière de dire est style de pensée, où les beaux mouvements sont produits par l'orientation *personnelle* vers la vérité, ce qui est l'âme de la recherche philosophique.

Car les systèmes les mieux venus ne présentent que les solidifications, au niveau de la dialectique, de cette résolution initiale de l'homme, et leur formulation dépend des contingences, qui elles-mêmes les limitent entre les frontières des inquiétudes contemporaines. Mais le désir puissant de la vérité s'incorpore vivant dans les mots inimitables que les hommes créateurs de leur style ont bonnement proférés, durant l'accomplissement de leurs devoirs d'état.

---

[1] Paul VALÉRY, *Sur Bossuet*, dans *Variété* (Ed. de la Pléiade, p. 498).

Pour répondre cependant aux exigences conjointes de la philologie et de la philosophie, nous proposerons, dès l'entrée, les caractères nécessaires et suffisants dont nous devons vérifier la présence, si nous voulons ranger notre étude, qui est variée, sous la seule bannière du mot « humanisme ».

Littré ne reçoit le substantif que dans son supplément de 1877, et lui donne pour première acception :

La culture des belles-lettres, des humanités (*humaniores litterae*),

et, comme justification, deux textes qui rapportent ce sens aux activités du XVIᵉ siècle que nous résumons couramment aujourd'hui par la dénomination historique d'Humanisme [2].

Cet emploi colle très étroitement aux sens du nom concret, qui sont plus anciens et plus développés, comme nous le verrons bientôt.

Deuxième acception :

Théorie philosophique qui rattache les développements historiques de l'humanité à elle-même [3].

L'acception philosophique ainsi motivée est étroite ; le mot dut évoquer pour les lecteurs de 1877 l'idée d'une sorte d'athéisme humanitaire.

En somme, le mot ne paraît convenir au français des honnêtes gens que dans son premier sens, où il est appuyé par un adjectif substantivé de fort bon aloi.

Dans le dictionnaire même nous trouvons :

HUMANISTE s.m. || 1° Celui qui étudie les humanités dans un lycée, collège. || 2° Celui qui sait, qui enseigne les humanités ; en ce sens, ne se dit guère qu'avec une épithète. Un bon, un savant humaniste.

Nous ne relevons pas le troisième sens présenté par Littré qui, dérivé du premier, se rapporte aux conceptions opposées de l'enseignement qui s'affrontaient alors en Allemagne.

Le premier sens est spécifique : comme la classe des « humanités » dans les collèges des Jésuites est traditionnellement l'avant-dernière classe du cycle littéraire — notre actuelle classe de Seconde —, les « humanistes » sont à proprement parler une catégorie d'élèves, ou, si l'on veut élargir, tous les étudiants en lettres, mais ils portent ce titre occasionnellement, encore moins pour signifier une qualité durable ou une profession.

Il est évident que seul le deuxième sens de Littré peut être appliqué à un adulte, et à un écrivain occupé de sujets généraux comme le fut Bossuet. Et justement l'exemple de Littré pour ce sens est pris de Bossuet et, ce qui se trouve très important, Bossuet employait le mot pour carac-

---

[2] Citations de LITTRÉ, Louis LÉGER, *Rev. historique*, t. II, p. 229 et H. BLAZE DE BURY, *Rev. des Deux-Mondes,* 15 mars 1877, p. 273.
[3] Référence de Littré à la *Revue Critique,* 5 septembre 1874, page 156. « Rattache » et « historiques » sont tout à fait vagues. Malheureusement, nous n'avons pu retrouver le texte : Il semble que la référence de Littré soit erronée.

tériser un des hommes représentatifs de l'Humanisme au sens historique. Bossuet se replace dans l'état d'esprit public au XVIe siècle quand il qualifie Mélanchton de « grand humaniste » [4].

Pour élargir normalement un mot en le délivrant de son étroite limitation historique, il n'est que de recourir aux écrivains qui n'ont pu songer à l'acception historique, pour la raison très forte qu'ils appartenaient au temps où se produisait le phénomène que les historiens baptiseraient plus tard. Ainsi ont-ils pu *créer* le vocable qui resterait pour désigner ce phénomène ; ou bien s'ils l'employaient déjà, c'était en témoins ingénus et d'autant meilleurs de ses virtualités naturelles. Un auteur de la fin du XVIe siècle a donc pu indiquer en passant — ce qui est bien plus probant qu'une démonstration orientée — que l'application aux belles-lettres devait former une compétence en matière d'humanité, nettement distincte de l'exercice théologique. La justification historique, donnée par Littré, va nous mettre sur la voie d'un élargissement ainsi enraciné. Elle est tirée de Montaigne :

> Qu'il se voit plus souvent cette faute, que les théologiens écrivent trop humainement, que cette autre que les humanistes écrivent trop peu théologalement [5].

Tant que le substantif abstrait évoque à la pensée les hommes d'après lesquels il a été formé, sa compréhension s'élargit correctement, et son acception reste contrôlable. Mais cette sûreté a disparu dans le langage d'aujourd'hui. L'emploi large du mot humaniste a dégénéré en inflation. S'il fallait auparavant s'entendre avec tous ceux qui le prennent pour enseigne, le philologue ne commencerait jamais sa besogne propre de description au sujet *d'un* humaniste. Mais Bossuet a tout de même l'antériorité, et nous en profitons.

Nous ne rejetons point l'expérience de près de trois siècles qui interfèrent entre lui et nous. Quand nous le voudrions, nous ne le pourrions pas, tant à cause de ce que nous sommes devenus par l'effet de ces trois siècles qu'en raison de ce qu'il fut lui-même en résultat des siècles accumulés avant lui. Même si nous disposions de l'imagination de Michelet pour le ressusciter, cette résurrection serait encore un mirage : quoi que nous fassions, Bossuet *n'est* pas notre contemporain. Son langage et le nôtre communiquent, certes, avec une exactitude proportionnée à la fidélité de notre attention, mais l'écart — dans le temps — de nos points de vue impose une constante correction dans l'optique de nos jugements.

---

4 BOSSUET, *Œuvres*, t. III, p. 220, *Histoire des Variations*, IV, § 31. Voir la citation complète de Bossuet dans le texte du chapitre LA PHILOLOGIE DU PRÉCEPTEUR, n° (156) et la note très importante qui complète les coordonnées posées par Littré.
5 Pour le rapport du langage de Bossuet à celui de Montaigne, voir encore la note sus-indiquée. La citation de Littré se trouve dans les *Essais*, au l. I, Ch. XLVI, *Des prières* (p. 313, dans l'édition Thibaudet, de la Pléiade, 1937). C'est un texte de 1588. Il nous semble que Montaigne y défend l'utilité - et l'innocuité - d'un livre tout profane comme le sien, tout en égratignant les « théologiens » dont les arguments et le style sont parfois plus profanes qu'ils ne se l'imaginent. Et, dans un clin d'œil faraud, Montaigne nous laisse entendre que lui-même à l'occasion, il est capable d'écrire « théologalement ».

Rien ne serait plus fatigant pour le lecteur que cette mise au point ostensiblement répétée. Aussi proposons-nous dès maintenant une seconde convention sur l'acception philosophique du mot « humanisme », afin d'obvier — autant qu'humainement se peut — aux illusions d'une annexion par anachronisme.

De toutes les définitions des philosophes se rapportant à leurs philosophies personnelles, que propose André Lalande dans son *Vocabulaire*, n'importe laquelle pourrait nous être utile à titre de comparaison, mais nous ne pouvons en retenir aucune comme dénominateur propre de Bossuet. C'est le dénominateur *commun* entre les philosophies que nous cherchons. Nous proposons de choisir cette formule :

> L'on ne saurait sans doute trouver une définition plus compréhensive de l'humanisme que celle-ci : « un *anthropocentrisme réfléchi* qui, partant de la connaissance de l'homme, a pour objet la mise en valeur de l'homme ; — exclusion faite de ce qui l'aliène de lui-même, soit en l'assujettissant à des vérités et à des puissances *supra-humaines,* soit en le défigurant par quelque utilisation *infra-humaine* » [6].

Mais Bossuet n'ayant point du tout songé à ajuster sa pensée selon une norme laïque de la philosophie, il nous faut encore faire accepter quelques précisions restrictives sur les clauses adoptées.

1) Si nous cherchons un « anthropocentrisme » chez Bossuet, il ne peut être que relatif et ne comporte jamais l'exclusion, même à titre provisoire, du rayonnement de Dieu créateur, source et centre de tout bien.

2) Bossuet nous parlera sans cesse d' « assujettir » la raison, puissance proprement humaine, à la foi, influence évidemment « suprahumaine ». Expliquons-nous sur cet assujettissement :

Si le surnaturel doit nécessairement « assujettir » le naturel, non par le consentement d'une obéissance vraiment libre mais par la tyrannie qui le « défigure », aucun croyant n'a jamais été humaniste et la discussion serait close avant de commencer. Mais, en fait, quelles que soient les outrances du langage, inévitablement impropre s'il veut être persuasif, ce pessimisme absolu est précisément impossible à quiconque croit en Dieu. Le croyant ne peut souhaiter la défiguration de l'œuvre bonne du Dieu bon ! Seulement, cette volonté générale de respect ne fait pas nécessairement de lui un humaniste [7].

C'est dans cette marge de liberté — où le choix est indifférent au point de vue strict du salut —, c'est dans le vaste champ des vérités que les théologiens appellent douteuses, et les philosophes laïcs vérités relatives, que nous posons notre propre discussion.

---

[6] *Entretiens d'Eté de Pontigny*, X\ année, 1927, p. 26 (élaboration collective). Dans André LALANDE, *Vocabulaire technique et critique de la philosophie*, 6ᵉ édition, p. 423, P.U.F., 1951. Ce sont les auteurs qui soulignent.
[7] C'est dans nos Conclusions seulement que nous pourrons établir nos critères définitifs et relativement à Bossuet. Voir en ce lieu, particulièrement la note (129).

Et qu'il nous soit permis de plaider la légitimité de cette position avec les mots, un peu ambigus parce qu'ils sont prégnants, mais les mots savoureux d'un écrivain que les philosophes et les philologues, à l'unanimité, tiennent pour la réussite accomplie de l'humanisme. Car il se trouve à la jonction — historique et personnelle — des deux sens du mot. Bossuet ne l'a guère aimé... mais on peut dire qu'il ne le connaissait pas.

Montaigne est revenu en 1595 gloser sa pensée de 1588, par laquelle il avait malicieusement distingué les domaines — et les défauts ! — respectifs des « théologiens » et des « humanistes ». Humaniste appelle alors en lui l'adjectif « humain », et il veut qu'on entende humain comme : profane, non justiciable des tribunaux théologiques, distinct des corollaires de la foi et rigoureusement personnel. Mais l'intention de prudence ne l'empêche pas de revenir à son dessein majeur : toute déclaration occasionnelle tourne chez lui en confidence sur la philosophie des *Essais* et sur le choix équilibré qu'il a fait en tant qu'homme :

> Je propose les fantaisies humaines et miennes, simplement comme humaines fantaisies, et séparément considérées, non comme arrêtées et réglées par l'ordonnance céleste, incapables de doute et d'altercation : matière d'opinion, non matière de foi ; ce que je discours selon moi, non ce que je crois selon Dieu, comme les enfants proposent leurs essais : instruisables, non instruisants ; *d'une manière laïque,* non cléricale, *mais très religieuse toujours* [9].

Nous n'avons pas besoin de dire que Bossuet n'a jamais songé à écrire ses « fantaisies » et que, même dans ses écrits de pure philosophie, il n'envisageait pas des vérités « séparément considérées » des conséquences intellectuelles de la foi, bien que le mode du raisonnement pût en être distingué. Nous ne proposerons pas son humanisme comme une philosophie laïque ! Seulement il peut y avoir « une manière laïque..., mais très religieuse toujours », d'interpréter une pensée qui s'essaie elle-même à comprendre toute la vie. Car il a dû arriver à ce « théologien » d'écrire « humainement » : « trop humainement », comme raille Montaigne, et ce fut par mégarde ou par faiblesse passionnelle ; « humainement » aussi, par nécessité, parce qu'il s'adressait à des hommes insensibles à la géométrie des abstractions ; « humainement » encore, par une décision de sa volonté et avec l'encouragement de son cœur. L'application de Bossuet dans le domaine profane est considérable.

Si Bossuet a été humaniste au sens philosophique du mot, nous ne pouvions évidemment pas le savoir avant d'engager notre entreprise. Nous courions le risque de découvrir à la fin qu'il ne l'était pas... Cependant, nous avons assumé volontiers ce risque parce que la considération extérieure des circonstances historiques nous apprenait qu'il avait eu la possibilité d'être *un* humaniste au premier sens du mot : son siècle, le siècle classique attenant au siècle de l'Humanisme historique, vénérait les belles-

---

8 MONTAIGNE, Texte de 1595, *loc. cit.* n. (5). C'est nous qui soulignons.

lettres ; lui-même avait été « nourri » dans les meilleures écoles ; enfin et surtout, ses fonctions de précepteur du Dauphin l'ont amené à chercher la philosophie dans l'étude des « *l i t t e r a e   h u m a n i o r e s* » traditionnelles. Si l'on n'élève un homme jusqu'à sa dignité adulte qu'en l'accompagnant des meilleures pensées profanes, Bossuet a dû se dire que c'était le signe d'une intention divine tournée vers « la mise en valeur de l'homme ». On n'est pas professeur si l'on n'accorde pas un crédit, au moins provisoire, aux richesses de la nature humaine. La carrière de Bossuet nous garantissait donc une chance d'aboutir à un résultat positif.

Mais allons plus loin dans la franchise. La considération objective — et froide — des données historiques n'aurait jamais suffi à nous engager dans une tâche qui s'annonçait par rapport à nous et que, sagement, on nous annonçait comme monumentale. Il est tout à fait vrai qu'on ne cherche, du moins on ne cherche de bon cœur, que ce qu'on a déjà trouvé. Mais Bossuet lui-même nous encourageait, et cela, dès que nous avons commencé à articuler notre pensée — nous n'exagérons aucunement — Bossuet nous encourageait à chercher dans l'équilibre de sa parole, le choix équilibré qui permet à l'homme de traverser la vie, parmi les luttes de la foi et les hésitations de la politique, sans orgueil comme sans désespoir :

Mais quoi, Messieurs, tout est-il donc désespéré pour nous ?
. . . .

Il ne faut pas permettre à l'homme de se mépriser tout entier. . . . .
. . . .

Loin de nous les héros sans humanité !

D'abord, nous avons cru en l'optimisme de Bossuet, en son optimisme suffisant. Et c'est ici que nous avons joie à dire que l'encouragement décisif nous est venu de Monseigneur Calvet, à qui nous sommes redevable de notre toute première connaissance de Bossuet, et qui, plus tard, lorsque nous avons résolu de renouveler à fond cette connaissance, en demandant à la Faculté des Lettres de Paris l'inscription de notre point de vue personnel, a été le premier à approuver notre choix, comme sujet de thèse principale, de « l'humanisme de Bossuet ».

Il devrait être aisé de réunir ce que Dieu a uni. Voilà ce que nous nous répétons depuis exactement vingt ans : *Grande mortalis aevi spatium !* Et en effet, à aucun moment, nous n'avons trouvé notre entreprise *en elle-même* difficile. Car il ne s'agissait pas d'affronter notre auteur sur des problèmes qu'il ne se serait point posés lui-même, et pour lesquels ses réponses ne seraient devenues adéquates que par de multiples et laborieuses transpositions. Mais c'était à lui de nous fournir l'ordre de l'explication, en rapport avec l'ordre des difficultés que l'existence avait opposées, et offertes en aliment, à la progression harmonieuse de sa pensée.

Ainsi, nous n'avions pas directement cherché à contribuer à l'histoire de l'humanisme en France, mais nous avons trouvé un humaniste qui portait à tout moment la marque de son temps, d'un siècle fécondé, et encore troublé, par les remous de l'Humanisme historique, tout mêlés à ceux de la Réforme. Et, bien que nous n'ayons pas entrepris une biographie intellectuelle, l'ordre chronologique s'est imposé à nous, en combinaison avec l'ordre systématique. La confiance absolue de Bossuet en la Providence ne devait-elle pas nous astreindre à respecter « la suite des histoires » ?

Comme premier signe de ce respect, nous ne citons jamais un texte sans en rappeler la date, au moment où nous commençons les citations quand il s'agit d'un ouvrage imprimé, au retour de chaque sermon pour un texte prononcé, et pour chaque fragment de la correspondance.

Secondement, l'ordre du temps commande l'agencement de nos parties principales : d'abord le Goût de Bossuet, puis l'Humanisme philosophique, parce que l'orateur — c'est-à-dire l'homme de lettres — s'est élevé le premier et qu'il s'est à peu près effacé, du moins dans ses traces écrites, devant le philosophe chargé de penser l'éducation royale : sur les six volumes des textes oratoires, un volume suffit pour les sermons (conservés par écrit) qui sont postérieurs à l'entrée de Bossuet dans le préceptorat. Naturellement, nous n'avons pas laissé le tome VI en dehors des études où nous considérons l'activité oratoire d'avant la période de philosophie : c'est la même activité qui s'y continue, et si, par le jeu contraire, le reflet de l'exercice concomitant dans la philosophie s'y trouve reporté, on ne saisira que mieux l'unité de la personnalité toujours en marche.

Enfin, dans chacune de nos deux parties, l'ordre systématique se conforme autant que possible à l'ordre dans lequel Bossuet a découvert les domaines successifs où il devait appliquer son esprit.

Le premier chapitre de LA FORMATION HUMANISTE ne pouvait être évidemment qu'un chapitre d'histoire, une préparation, par les témoignages externes, à connaître le goût en élaboration du jeune Bossuet. Ce goût se dégage directement des textes produits à l'âge adulte, qui sont les discours de la chaire, avec leur justification rhétorique (chap. II : L'INSTITUTION ORATOIRE) ; puis les commentaires, replacés dans leurs circonstances, au sujet du préceptorat (chap. III : LA PHILOLOGIE DU PRÉCEPTEUR) ; enfin, un ensemble divers de production littéraire que nous groupons par affinités, en prenant pour point de départ la réception à l'Académie (1671) avec son cortège d'obligations envers le langage profane (chap. IV : LITTERAE HUMANIORES).

Quant à l'Humanisme philosophique, il ne pouvait se distribuer aussi facilement selon l'ordre des circonstances. La plupart des fruits de son enseignement, Bossuet n'a pu lui-même les dispenser au public : Sa *Politique* et son traité *De la Connaissance de Dieu et de soi-même* sont posthumes. Mais il a publié, aussitôt l'éducation du Dauphin achevée, son *Discours sur l'Histoire Universelle* (1681). Nous commençons donc par présenter ses conceptions historiques (chap. I : LA SUITE DES HISTOIRES) ;

puis la gradation en généralité concentrique nous fait placer l'étude de politique et de morale (chap. II : La Science civile), et enfin l'étude de philosophie générale (chap. III : La Divine Philosophie).

Nous pensons bien que les titres choisis pour nos chapitres paraîtront nouveaux, peut-être insolites. Ce n'est pas de notre part une recherche précieuse, mais notre dessein même exigeait un renouvellement des vocables sous lesquels nous entendions ranger la vie d'une pensée qui s'explique, selon l'ordre de son déroulement temporel ou de son élargissement réel. Notre plus grande patience a été d'attendre que se présente à nous le vocabulaire, intelligible à nos contemporains, qui fût connaturel à l'esprit de Bossuet, soit parce qu'il en avait manié les éléments ou les assemblages, dans sa tradition de langue latine, soit parce qu'il l'a forgé lui-même : c'est le cas des trois titres de notre seconde partie. Nous avons eu la fortune de rencontrer, dès 1949, les notes inédites que Bossuet avait amassées en lisant Platon et Aristote ; leur déchiffrement et leur préparation en vue d'une édition nous ont pris beaucoup de temps, mais nous ne le regrettons pas. Cette édition était d'ailleurs prête et avait reçu son permis d'imprimer en 1955. Tout en la mettant au point, nous avons appris à travailler, littéralement, en la compagnie de Bossuet.

Notre texte se présente par grandes masses : sept chapitres en tout, répartis en sections numérotées, elles-mêmes distribuées en articles d'importance assez inégale. Il ne nous a pas échappé que certains chapitres, surtout dans la deuxième partie, auraient pu s'appeler livres, ou même ils auraient pu constituer des livres indépendants. Mais ils étaient tous essentiels dans l'horizon de l'humanisme, et plutôt que de les en écarter, nous avons préféré patienter un peu plus jusqu'à ce qu'ils aient constitué leur relative autonomie dans la dépendance du principe organisateur. De plus, le difficile agencement par grands centres d'intérêt avait l'avantage d'être solide : nous le retrouvions toujours en place chaque fois que nous revenions prendre notre composition qui fut, hélas ! fort discontinue. Que dans chaque chapitre nous résumions tout l'horizon selon chaque nouveau point de vue, le lecteur y trouvera peut-être une certaine lenteur de déroulement. Nous l'assurons que ce ne sont point des répétitions. D'ailleurs, les intitulés précis des nombreux articles doivent permettre à chacun de repérer rapidement l'explication particulière dont il peut avoir besoin.

L'activité de Bossuet dans son préceptorat remplit notre étude, et elle en fait aussi la limite chronologique. Nous incluons en elle toutes les œuvres qui en sont découlées, à quelque date qu'elles aient paru, ou même reçu leur achèvement. Mais nous ne refusons pas la comparaison avec les textes postérieurs. Nous y recourons toutes les fois que la pensée vient s'y achever *distinctement,* quand même ce serait pour s'y détruire. Mais, malgré cette interprétation libérale de la limite chronologique, notre étude d'humanisme laisse en dehors de sa considération les œuvres qui sont, dans leur signification d'ensemble, manifestement contraires à l'optimisme humaniste : les *Maximes et réflexions sur la Comédie,* le *Traité de la Concupiscence,* la *Défense de la Tradition,* etc... Et nous n'expliquons aucune des grandes luttes personnelles de Bossuet, qui se pressent nombreuses à partir de 1694.

Notre tableau d'humanisme s'attache donc aux aspects positifs de son œuvre, comme aux années heureuses de son activité. Certes, nous laissons voir que les ombres cernent la lumière, et souvent même nous expliquons la pensée par ses limitations ; mais enfin l'anti-humanisme personnel de Bossuet ne se dégage pas de notre étude. Or, notre époque, sensibilisée par les différentes « crises de la conscience européenne », serait mieux disposée à comprendre historiquement les causes de ses échecs, et plus près de ressentir les mouvements de ses tristesses. Nous-même, pendant un assez long temps, nous avons préféré le revers de Bossuet, et nous espérions l'exposer dans une troisième partie : les Crises de l'Humanisme. Mais dès que la rédaction de notre Humanisme eut été vraiment mise en train, nous avons compris qu'elle nous occuperait assez longtemps et que, d'ailleurs, cette exposition se suffirait à elle-même, tandis que la troisième partie projetée ne pouvait se former qu'à la suite et dans l'éclairage des deux premières. La méthode en eût été d'ailleurs fort différente, car l'histoire générale et la biographie, à ce moment, reprenaient le pas sur les textes : au lieu de se dégager lui-même des événements, Bossuet vieilli leur répond, comme un vaincu qui n'a rien perdu visiblement encore, sinon l'initiative...

Nous laisserons en attente ce projet, qui nous émeut toujours, d'une « vieillesse de Bossuet ». Bien des entreprises restent ouvertes, dont une des plus utiles serait une biographie serrée, fondée sur les documents d'archives. Nous pensons aussi que le catholicisme commun de Bossuet recevra bien des déterminations utiles d'une étude précise de sa spiritualité personnelle, prise comme elle est dans le cours du temps.

Les compléments que nous souhaiterions, quant à nous, porter à notre humanisme, ce serait l'édition critique de ces grandes œuvres du préceptorat dont nous avons reçu tant de lumière.

Si, au moment de l'achèvement, le dur labeur ne nous laisse que le souvenir d'un don progressivement approfondi, ou d'un bonheur patient mais sans esclavage, nous en rendrons grâces à la « compagnie » humaniste qui ne nous a jamais laissé douter de notre vocation relativement à Bossuet et au service de l'humanisme. Les maîtres à qui nous avons demandé conseil, quand nous étions encore étudiante à Lyon, nous ont ouvert le champ. M. René Jasinski, d'abord, a bien voulu accepter le patronage d'un sujet dont il ne nous cachait pas l'étendue imposante. Après son départ, M. le Professeur Lebègue n'a pas hésité à prendre la lourde responsabilité en suspens, et sa patience a toujours efficacement soutenu mon jugement.

Le R.P. de Dainville et M. le chanoine Martimort ont bien voulu relire notre étude sur le collège de Dijon, et nos débuts ont grandement bénéficié de leur expérience.

Dernièrement, M. Jacques Truchet nous a donné le plaisir de sa belle *Prédication de Bossuet.* Notre *Institution Oratoire,* qui devait fouler le même terrain que le sien, était alors rédigée depuis dix ans, et nous avons eu la satisfaction de découvrir que nos points de vue complémentaires aboutissaient bien souvent à une commune interprétation du christianisme de Bossuet, à travers ses procédés de persuasion. La thèse de M. Truchet fournit un état présent des connaissances sur Bossuet le meilleur possible, et nous prendrons la permission d'y renvoyer le lecteur afin d'alléger de ce devoir notre bibliographie, qui pourra s'orienter plus simplement vers le recensement de ses propres moyens de preuve.

Et pour finir je dirai, laissant cette fois le pluriel d'impersonnalité, que l'effort ne fut pas seulement le mien. Tant de sollicitude de ma famille et de mes amis, à Besançon et à Paris, m'a permis de soutenir matériellement ces longues années d'ascèse ! Tant d'espérances affectueuses ont voulu plus que moi-même l'achèvement libérateur. Plus que toute autre chose, je voudrais ne les avoir pas déçues...

A Paris, le 9 juillet 1962.

RENSEIGNEMENTS PRATIQUES.
DE LA PRÉSENTATION DES TEXTES.

La ponctuation et l'orthographe des textes cités sont toujours conformes aux usages actuels. La ponctuation est celle des éditions critiques, ou des éditions qui font autorité, quand il y en a ; dans les autres cas, nous changeons le moins possible la ponctuation originale, et pour raisons de clarté.

Dans le latin, la distinction scolaire entre *i* et *j*, *u* et *v* est observée.

Dans nos citations les soulignements sont notre fait et marquent nos intentions.

Quand ils sont le fait de l'auteur nous prévenons expressément.

De même, nous avons la responsabilité des traductions, à moins que le nom du traducteur ne soit mentionné.

Les chiffres des références à la Bible sont toujours ceux de la Vulgate et les différents livres sont désignés par leurs abréviations usuelles.

Les titres des ouvrages grecs et latins sont donnés dans leur forme française la plus connue, à moins que la forme latine, pour saint Augustin par exemple, ne soit plus répandue.

TEXTES DE BOSSUET ET LEURS DÉSIGNATIONS

Nous avons utilisé couramment les *Œuvres complètes* de BOSSUET, précédées de son histoire par le Cardinal DE BAUSSET, et de divers éloges... par une société d'ecclésiastiques (Bar-le-Duc, Louis Guérin, 12 volumes in-4°, 1870).

Elles sont désignées par l'abréviation *Œuvres,* ou même simplement par le numéro du tome. Mais la référence est la plus explicite possible : titre de l'œuvre particulière — en abrégé —, numéro du livre et autres divisions marquées par l'auteur.

— Cependant, les *Poésies* de Bossuet, latines et françaises, sont citées d'après l'édition de F. LACHAT, t. XXVI, in-8°, Vivès, 1864.

Pour les œuvres de Bossuet qui ont fait l'objet de meilleures éditions, voici leur liste, dans l'ordre des abréviations qui les signalent :

Comédie = *Maximes et Réflexions sur la Comédie,* éd. Ch. URBAIN et F. LÉVESQUE, dans *L'Eglise et le Théâtre,* Grasset, 1930.

Concupiscence = *Traité de la Concupiscence,* éd. URBAIN et LÉVESQUE, Les Belles-Lettres, 1930.

Corr. = *Correspondance,* de Bossuet, éd. URBAIN et LÉVESQUE, Hachette, 1909-1926, 15 volumes.

H.U. = *Discours sur l'Histoire Universelle,* éd. JACQUINET, Belin, s.d.

O.O. = *Œuvres Oratoires,* éd. critique par J. LEBARQ, revue et augmentée par URBAIN et LÉVESQUE, Desclée de Brouwer, 1926, 7 volumes.

Oraison, Second traité = *Instructions sur les Etats d'Oraison, Second traité,* éd. LÉVESQUE, Firmin-Didot, 1897.

Autres titres de Bossuet en abrégé

A.E. = *L'Apocalypse avec une explication.*
Avert. = *Avertissements aux Protestants.*
Conn., Connais. = *De la Connaissance de Dieu et de soi-même.*
Elév. = *Elévations sur les Mystères.*
Lib. Arb. = *Traité du Libre-Arbitre.*
Médit. = *Méditations sur l'Evangile.*
O.f. = Oraison funèbre.
Polit. = *Politique tirée de l'Ecriture Sainte.*
Var., Variations = *Histoire des Variations des Eglises Protestantes.*

Les autres abréviations de titres ne doivent pas faire difficulté.

Pour les références complètes aux autres auteurs, se reporter à la bibliographie systématique et à l'index complet des auteurs cités.

Autres abréviations usuelles

B.N. = Bibliothèque Nationale.
D.T.C. = *Dictionnaire de Théologie Catholique.*
F.fr., Fonds français = Fonds français des Manuscrits, à la B.N.
F. latin = Fonds latin.
Ms., Mss = Manuscrit, Manuscrits.
N.a.fr. = Nouvelles acquisitions françaises, des mss, à la B.N.
R.H.L. = *Revue d'Histoire Littéraire de la France.*

D'autres conventions de désignations sont expliquées au lieu où elles apparaissent.

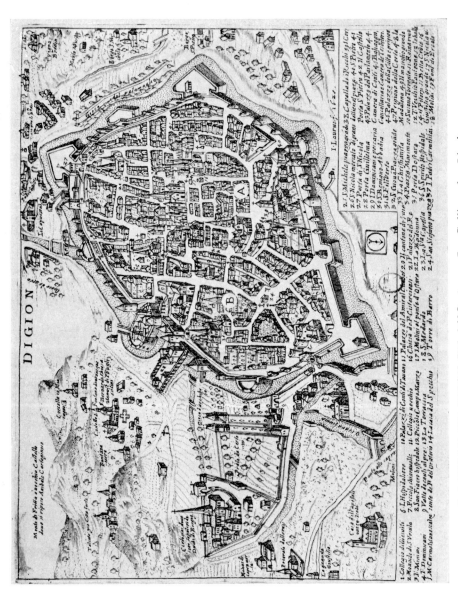

LA VILLE DE DIJON EN 1628. A. — Le Collège des Jésuites
B. — Saint-Jean et la maison natale de Bossuet

PREMIÈRE PARTIE

LE GOUT DE BOSSUET

Chapitre I.

LA FORMATION HUMANISTE.

I. — Dijon.

Il paraît impossible, à moins de recourir à la divination du romancier, de raconter l'enfance de Jacques-Bénigne Bossuet. Ici, point de « souvenirs d'enfance et de jeunesse » ni d' « apologie pour soi-même » : Si Bossuet regarde quelquefois en arrière dans sa vie, c'est pour l'évaluer « *sub specie aeterni* », ce n'est point pour ranimer ce temps qui est « la vie d'une bête »[1], ni pour s'enchanter des délices intimes de la naissante personnalité. Même les événements religieux que nous connaissons de sa jeunesse sont rares, mais il est vrai qu'ils ont la force sacrée d'un « caractère » : c'est le grand-père Jacques Bossuet écrivant dans le livre de raison de la famille le jour de la naissance de l'enfant, le 27 septembre 1627, ces paroles du Deutéronome : « *Circumduxit eum, et docuit, et custodivit quasi pupillam oculi* »[2] : c'est le baptême reçu ce même jour, dont Bossuet (il faisait erreur) célébrera l'anniversaire le jour de la Saint-Michel ; c'est surtout la découverte de la Bible à 14 ou 15 ans, dans la bibliothèque de son oncle[3], le seul souvenir, on peut le dire, qu'ait voulu garder Bossuet, et qu'il a souvent rappelé. Mais comment naquit la vocation sacerdotale, en accord sans doute avec les visées de la famille qui lui ménage un bénéfice, et ce que fut l'éveil de sa piété personnelle, Bossuet n'en a rien confié à personne, et c'étaient choses trop ordinaires pour les contemporains qui ne s'en sont point inquiétés. On sait que l'évêque de Langres, Zamet, qui, lié avec la famille, était le parrain de sa sœur Madeleine, lui donna la tonsure le 6 décembre 1635 — Jacques-Bénigne avait huit ans — et vraisemblablement Zamet lui conféra en même temps les sacrements de confirmation

---

[1] *O.O.*, I, 11 ; septembre 1648, Brièveté de la vie.
[2] Bausset, *Histoire de Bossuet*, dans *Œuvres*, I, p. 2. — Le cardinal de Bausset avait sous les yeux en 1814, des documents qui se sont perdus depuis.
[3] Ledieu, I, *Mémoires*, p. 13.

et d'eucharistie [4] ; nous aimons à penser, avec Rébelliau [5], que l'acte où ses parents ne voyaient peut-être qu'une « inscription » eut pour l'enfant valeur d'engagement, surtout avec l'aide attentive de ses maîtres jésuites. Ce ne serait pas étonnant dans une nature si profonde et si clairement décidée, mais nous pouvons seulement y rêver.

Nous aurons moins de faits encore pour jalonner son développement intellectuel. Rappelons vite, pour n'en plus parler, cette mémoire heureuse qui retient les vers de Virgile « sans nombre » [6] que lui fait apprendre son oncle Claude Bossuet, et l'histoire du « bos suetus aratro » que relate Papillon dans sa *Bibliothèque des auteurs de Bourgogne,* et qu'il tenait de Pierre Dumay, camarade de Bossuet [7]. Mais d'un élève si glorieux, au fond nous ne savons rien, et c'est en procédant de l'extérieur que nous devons chercher les influences qu'il subit dans ses profondeurs d'enfant. Il nous faut interroger l'histoire locale, regarder le cadre, observer les mœurs et l'entourage et, autant que nous le pourrons, nous demander quels furent les livres profanes et les modèles du goût qu'on lui proposa comme une introduction à l'humanité.

Le milieu natal.

Qu'un homme, aussi volontairement enraciné dans toutes les traditions que l'est Bossuet, appartienne à sa terre et ne s'explique que par elle, on peut le penser, et le patriotisme bourguignon le soutient. Mais cette intuition ne doit pas être tenue pour démonstration. Tout de même, Bossuet a quitté sa ville natale à 15 ans, à la rentrée scolaire de 1642, et il n'y est jamais revenu qu'en passant.

Pour la formation du goût autant que pour l'instruction du jeune homme, la province ne pouvait suffire. Un historien comme Roupnel, qui se place au centre de la vie bourguignonne pour comprendre la Bourgogne, reconnaît que la personnalité littéraire de la province va s'affaiblissant à mesure que monte le classicisme. Au début du siècle, la littérature populaire est fort intéressante ; de 1635 à 1655 environ, c'est le silence de la mort, parmi les ravages de la guerre ; puis la capitale « vieillotte » de 20 000 habitants s'éteint dans le rayonnement trop vif du soleil central. « Si la grandeur politique de la royauté est faite pour ainsi dire des apports spontanés de la province, la splendeur littéraire du règne semble bien ne relever que de Paris et de la cour [...]. Les Dijonnais lettrés de la fin du XVIIe siècle sont d'élégants humanistes ou des disciples plus laborieux que doués. » [8]. Ainsi,

qu'aurait pu donc offrir à cet écrivain [le classique], la Bourgogne dénuée ? qu'a-t-elle pu donner à un Bossuet ? On dira sans doute qu'elle

---

[4] L.-N. PRUNEL, *Sébastien Zamet,* p. 373, et n. 3.
[5] RÉBELLIAU, *Revue des Deux-Mondes,* 15 nov. 1922, voir pp. 379-380.
[6] LEDIEU, I, p. 12.
[7] Jacques LAURENT, dans *Les Etablissements des Jésuites en France depuis quatre siècles.* T. II, col. 33-107, *Collège des Godrans.* Cette notice nous a été communiquée, en manuscrit, par son auteur, dès 1949.
[8] G. ROUPNEL, *Les populations de la ville et de la campagne dijonnaises au XVIIe siècle,* p. 67.

lui a donné son tempérament et son caractère, sa race, le terrain inalié-
nable, les mille générations mortes sur qui pousse une vie avec ses fruits.
Certes cela peut se dire. Mais je n'aurai pas l'indiscrétion de le croire [9].

Ces restrictions faites, qui nous permettront d'ouvrir en leur temps
les autres portes que franchit Bossuet, convenons qu'il est puissant, le
milieu où grandit l'enfant, et qu'elle est bien intéressante, cette province
natale. Elle n'est pas heureuse, non plus que les autres provinces de France
à cette époque, et peut-être se signale-t-elle même par ses malheurs. La
Ligue l'a profondément déchirée, puisque Mayenne était son gouverneur
depuis 1574. En 1630, quand un édit royal établit les aides en Bourgogne, éclate l'émeute des vignerons Lanturelus, que le père de Bossuet dut
contribuer à apaiser. Puis c'est la guerre de Trente Ans, particulièrement
atroce ici, au voisinage de la Lorraine, qui est peu sûre, et de la Franche-
Comté, boulevard de l'Empire et repaire de tous les pillards.

> La dévastation de la plaine bourguignonne a duré, non pas six semaines,
> mais vingt ans, de 1636 à 1656, et [...] elle fut le fait de nombreuses
> invasions partielles [...]. En 1636, nulle part dans la plaine bourgui-
> gnonne, les champs ne furent ensemencés [10].

La ville de Dijon sans doute est à couvert, mais la campagne est si proche
de la ville en ce temps-là ! Le flot des misères reflue, et comme ces grands
bourgeois anoblis sont d'abord des propriétaires terriens, Jacques-Bénigne
a pu voir, chez son oncle Claude Bossuet par exemple, à Aizerey, à quelques kilomètres de Saint-Jean-de-Losne, le glorieux « Saint-Jean-belle
défense » du siège de 1636, où se signalèrent quelques-uns de ses parents
du côté maternel [11], il a pu voir de ses yeux les spectacles qui ont navré
Vincent de Paul. Et comme on comprend sa reconnaissance et son enthousiasme plus tard envers Condé qui fit la conquête de la Franche-Comté,
et envers Louis XIV qui, par l'annexion, « l'entreprise militaire la plus
utile de son règne » selon Roupnel [12], assura la couverture de la Bourgogne, naguère pauvre marche piétinée.

La guerre de partisans n'est pas suspendue par les traités de West-
phalie, et la Fronde prend la suite. Par chance, les Condés gouvernent la
Bourgogne depuis 1631, bien résolus à la traiter en apanage, tandis que
les populations, au contraire, accrochent l'espoir de leur salut et de leur
repos à l'autorité royale ! Mais Jacques-Bénigne Bossuet, pendant ces
années-là, habitera Paris, où les affaires d'ailleurs ne vont guère mieux.
Je suppose seulement que les malheurs de chez lui, qui atteignent personnellement son frère Antoine [13], le touchent davantage, comme ils font
à nous, et que c'est en se représentant le déchirement de sa province qu'il
comprend le trouble de la France.

La difficulté aujourd'hui, quand nous essayons de comprendre cette
époque, est de faire entrer dans le même tableau deux images bien éloi-

---

9 Roupnel, *op. cit.*, p. 11.
10 *Ibid.*, pp. 21, 42.
11 J. THOMAS, *Les Bossuet en Bourgogne*, p. 67.
12 Roupnel, *op. cit.*, p. 26.
13 J. Thomas, *op. cit.*, p. 80.

gnées : d'une part, les misères infinies de la guerre et, d'autre part, l'essor intellectuel et le développement social du siècle de Louis XIII. Le temps du *Cid* est celui de Corbie et de Saint-Jean-de-Losne ! C'est là un des paradoxes de la réalité humaine, comme la floraison de Sophocle, d'Euripide et d'Aristophane pendant la guerre du Péloponèse. Il faut bien croire que ces années terribles sont quand même des années d'espérance en Bourgogne également, car Dijon ne se tient point pour une ville morte. Un vigoureux dessein de Contre-Réforme l'anime alors, qui se marque par toutes sortes de fondations religieuses, de caractère généralement pratique. En 1581, en pleine Ligue, les jésuites assumant le testament d'Odinet Godran, avaient ouvert leur collège qui, dès 1582, réunit 700 élèves, pour une ville de 3 591 feux (en 1580), soit environ 18.000 âmes [14]. L'évêque de Langres, Zamet, aime Dijon, où il voudrait voir ériger un évêché [15]. C'est à Dijon que Jeanne de Chantal entend François de Sales et qu'elle forme ses grandes résolutions. Les fondations hospitalières et charitables s'y multiplient. La compagnie du Saint-Sacrement sera établie à Dijon par M. de Renty en 1649, et l'on trouvera, parmi les noms des dames associées, celui de Mme Bossuet, maîtresse des requêtes, et belle-sœur de notre Bossuet [16]. Et pour bien s'appuyer sur la terre et prendre possession du temps, on construit, hardiment, intensément [17]. Aujourd'hui encore, Dijon est dans la plaine la ville aux cent clochers. Cependant, la ville n'a point le caractère mystique que donnent à des cités plus hautement médiévales les grandes cathédrales dédiées à Notre-Dame. C'est la ville des ducs, cousins des rois de France, somptueux et profanes, et celle des parlementaires réservés, les uns et les autres, bâtisseurs, pour leur gloire ou pour leur commodité. Jacques-Bénigne Bossuet naît sur la paroisse Saint-Jean, qui « était réputée le quartier des riches bourgeois » [18], à quelques pas de la fine église du xve siècle, que les siècles ont depuis considérablement alourdie et appauvrie. En 1638, Bénigne Bossuet, qui n'a pu entrer au Parlement de Dijon où ses parents et alliés sont trop nombreux, est appelé par son oncle maternel Antoine de Bretaigne au Parlement de Metz que vient de créer Richelieu [19]. Soit pour des raisons matérielles, soit pour faciliter leurs études, il laissa ses fils Antoine et

[14] J. Laurent, notice.
[15] Prunel, *Sébastien Zamet,* L. III, chap. II. — Vers 1630. Le projet échoue surtout à cause des protestations égoïstes du chapitre de Langres.
[16] *Ibid.,* p. 308.
[17] Cf. OURSEL, *Architectures et Architectes à Dijon au* xviie *siècle,* dans *Le Progrès de la Côte-d'Or* ,7 déc, 1940. « La capitale de la Bourgogne, encore toute agitée des souvenirs des guerres de Religion et des luttes de la Ligue, avait une vie religieuse intense, bien étroitement conjuguée avec la vie religieuse du royaume. Dijon tenait sa place, et sa bonne place, dans le mouvement général de l'idée catholique ; ses monuments sont le reflet de cette attitude. [...] Ils traduisent du moins une foi, une vitalité, une prospérité même, dont nous ne saurions en dehors d'eux, restituer exactement la force et l'ampleur. Nous ne pouvons, en effet, oublier que, à cette époque, de telles constructions ont à peu près le caractère de grands travaux publics. Et, à ce point de vue, il est peu de périodes qui aient en notre ville connu pareille abondance de vastes entreprises. »
[18] Roupnel, *Les populations...,* p. 120. Bossuet est né au n° 10 de la place. Les églises Saint-Philibert et Saint-Bénigne sont à moins de deux cents mètres.
[19] Ledieu, I, p. 12.

Jacques-Bénigne aux soins de son frère aîné Claude Bossuet, seigneur d'Aizerey et conseiller au Parlement de Dijon. Claude Bossuet habitait au n° 7 de l'actuelle rue de l'Ecole-de-Droit ; le collège des Godrans, actuellement Bibliothèque publique de Dijon, est au n° 5. Cependant, la première instruction de Jacques-Bénigne dut être domestique, il apprit à lire sans doute à la maison avec ses frères et sœurs — car les jésuites ne se chargent pas des classes élémentaires — et c'est en 1636 seulement qu'il devient leur élève. Et c'est ici que nous devrions commencer l'histoire de sa pensée.

Le collège des Godrans.

Que notre prétention toutefois s'accompagne d'un sourire, car nous ne saurons pas très précisément quelles « nourritures terrestres » les jésuites de Dijon présentèrent à l'ardente docilité de ce parfait élève. Le *Ratio studiorum* est un programme d'études, mais indicatif : les circonstances locales et la personnalité des professeurs comptaient tout autant, et si l'on voulait voir dans ce code une description de la réalité, l'erreur serait la même que de se représenter la vie de nos établissements scolaires à travers les programmes officiels et les circulaires ministérielles. Sans négliger les textes qui dirigent l'obéissance ou coordonnent l'initiative des professeurs, il faut d'abord regarder les lieux et interroger les hommes.

C'est un des beaux collèges de province et un des plus importants par son recrutement dans les classes influentes de la société et par son effectif [20]. En plein cœur de la ville et chevauchant la limite de l'ancien « castrum divionense », il a daigné conserver une tour gallo-romaine avec laquelle s'harmonisent fort bien les solides et commodes constructions du temps de Louis XIII. Au premier regard, il nous rappelle qu'Ignace de Loyola n'avait point fondé son ordre pour la plus grande gloire des belles-lettres. Les préoccupations d'apostolat contiennent et limitent le service de l'Humanisme, et le collège n'est pas seulement pour l'instruction des écoliers : huit salles de classe seulement, et point des plus grandes, avec une salle de réception des étrangers et une belle salle des déclamations où le public est autorisé à venir admirer, lors des soutenances de thèses, l'éloquence des grands écoliers. Le confort n'est pas excessif : pas une cheminée pour le chauffage, sauf dans la salle de réception ; et la cour de récréation, quadrilatère d'une trentaine de mètres de côté, nous paraît bien mesquine pour les jeux de ces grandes bandes d'écoliers. Mais, au premier étage, la longue bibliothèque des Pères, aux solives peintes, et, communiquant directement avec la rue, les belles salles des congrégations : celle des messieurs et celle des artisans, où les Pères animent des groupements dijonnais que nous appellerions aujourd'hui d'action catholique. Autour du jardin, ils édifieront vers la fin du siècle un cloître pour la promenade où l'on imagine les Pères allant et venant en compagnie de leurs visiteurs : amis, dirigés spirituels, anciens élèves.

20 Cf. Laurent, notice, col. 50 : « Ouvert en principe à toute la jeunesse de la province qui fait des études, il ne souffre aucune concurrence dans la petite capitale provinciale où il est peuplé essentiellement par la clientèle des robins de palais et de basoche ; il a ainsi l'occasion d'élever, à peu d'unités près, tous les fils de la haute robe. »

Dieu surtout a la belle part et la chapelle est magnifique [21]. Achevée en 1619 [22] et placée sous l'invocation de l'Assomption et de saint Bernard, c'est un beau vaisseau de 33 mètres de long, dans le style ogival, à la fois sage et fleuri, qui ne fut pas tellement rare au début du XVIIᵉ siècle. Moins sombre qu'elle ne l'est aujourd'hui et richement décorée, elle devait connaître de beaux offices et aussi solliciter doucement la dévotion individuelle dans ses nombreuses chapelles latérales. Il est impossible que le jeune Jacques-Bénigne, qui n'a que quelques pas à franchir et une porte à pousser, ne l'ait pas considérée comme sa véritable paroisse, la terre nourricière de son âme jouxtant paisiblement celle de son esprit.

Les études littéraires.

Ce fut donc dans une bibliothèque que Bossuet commença à vivre dès l'âge de sept ans.

Cette affirmation un peu lourde du cardinal de Bausset [23] n'est pas fausse, concernant ce milieu de magistrats liseurs et érudits. Jacques-Bénigne Bossuet est cousin du grand érudit Claude Saumaise [24]. « A Dijon, le mérite de l'esprit semble être un des caractères des citoyens », dira Voltaire [25]. De la maison de son oncle au collège, il y a continuité, morale autant que matérielle, et l'enfant n'aura pas connu de dépaysement. Pour lui, dans l'une et l'autre de ses maisons, il trouve la même foi catholique absolue, la même morale sereine, la même respectabilité sociale, et... les mêmes livres latins.

Que la culture de l'esprit coïncide avec l'étude et l'emploi de cette langue fondamentale, et qu'on n'accède à la civilité que par la porte latine, ce préjugé humaniste avait été admis sans répugnance par les éducateurs jésuites, soucieux, pour agir sur leur temps, de s'accorder avec lui. Le latin est le fond de leur enseignement ; on peut même dire qu'il est la matière unique de cet enseignement, lequel est littéraire parce que les humanistes

[21] *Ibid.*, col. 58-59 : « Les dix chapelles étaient meublées d'autels et de rétables plus ou moins somptueux, et leurs parois couvertes une profusion de tableaux, dont les principaux en rapport avec leurs patronages respectifs. D'autres tableaux décoraient les galeries, dont le plus important, de dix pieds, se voyait au grand mur de la tribune des orgues : une *Présentation de la Vierge*. Plusieurs de ces œuvres étaient de Quentin, de Jean Boucher. »
[22] *Ibid.*, col. 57. « Le Collège des Godrans a été conçu et bâti en partie sur les plans de l'anonyme architecte du duc de Mayenne. » Et non sur le plan envoyé de Rome dès 1585, Pierre MOISY, *Les Eglises des Jésuites de l'Ancienne Assistance de France*, Rome 1958, t. I, p. 198. Martellange est étranger à la construction, mais quand il vint à Dijon en 1610, elle était en train. Il put la critiquer et prendre des dessins. Cf. *Plans des Maisons et des Eglises qui appartenaient aux Jésuites avant leur suppression*, B. N., Estampes = Hd 4, t. I, p. 188. Voir aussi dans Moisy, t. II, les planches VII D, XII A, XXXI A, LXI A, LXVI B. — Photographies dans E. FYOT, *Dijon, son passé évoqué par ses rues*, pp. 373, 376 (Dijon, Damidot, 1928).
J'ai été aimablement guidée à l'intérieur du Collège des Godrans, devenu Bibliothèque publique de Dijon, par M. Gras, Bibliothécaire en chef, dont les explications m'ont été fort précieuses.
[23] Bausset, *Vie de B.*, l. I, II, p. 3.
[24] Cf. sur Claude Saumaise, *Corr.*, I, Appendice, pp. 416-417, n. 6.
[25] Cité par l'abbé DEBRIE, *La vie littéraire à Dijon au XVIIIᵉ siècle*. Cf. Laurent, notice citée : « Dijon est en France l'une des principales cités des livres ; dans la société parlementaire surtout, l'amour des beaux livres était intimement lié au goût des beaux hôtels, on y mettait une part de sa fortune, et il s'était créé en forme de galeries, de multiples bibliothèques familiales. »

qui l'ont instauré, croyaient que les mots choisis et les formes ordonnées peuvent seuls conduire l'esprit, encore informe et confus, dans les dédales ineffables de la pensée. Pas de culture sans bibliothèque ancienne : ce truisme est alors aussi familier et naturel aux religieux qu'aux hommes du monde, et aux théologiens conservateurs, autant qu'aux poètes créateurs.

> Selon la tradition médiévale, fortifiée par l'humanisme et favorisée par le développement de l'imprimerie, on ne conçoit pas d'instruction ni d'éducation de l'esprit autrement que par le moyen d'un texte. [...] Quelle que soit la matière des programmes, enseigner c'est expliquer un livre faisant autorité [26].

Mais comme les bibliothèques aussi peuvent être des dédales (et plus d'un Renaissant s'y est perdu !) les Jésuites — ce fut leur génie — donnèrent un fil conducteur aux enfants, afin qu'ils sachent s'orienter, une fois adultes, sur la voie de leurs fins principales [27].

La parole, pour apprendre à penser, s'apprend avant la pensée : la rhétorique précédera donc la philosophie, et la grammaire, appuyée et nourrie de la poésie, précédera la rhétorique. C'est pourquoi il faut des programmes coordonnés et progressifs, et les Jésuites, avec leur *Ratio atque institutio studiorum,* sont les premiers en date des « planificateurs » de notre système scolaire. Grâce à ces précieux textes administratifs, nous pourrons nous faire une idée de ce que furent les premiers exercices intellectuels de leur élève, Jacques-Bénigne Bossuet.

Il fut reçu au collège en 1636 à l'âge de neuf ans accomplis [28], ce qui n'est pas précoce à l'époque, et il y restera jusqu'à la fin de sa rhétorique en 1642. Il est entré en sixième et il ne semble pas qu'il ait brûlé aucune étape, comme cela se faisait parfois en cours d'année [29]. Il n'a point ébloui ses maîtres de Dijon, comme le jeune Louis de Bourbon, duc d'Enghien, quelques années auparavant, avait ébloui ses maîtres de Bourges, entrant en quatrième à huit ans et demi, passant en troisième à neuf ans à peine, et achevant sa rhétorique à douze ans [30-31]. Bossuet a de longs sillons à tracer, mais il n'a point de Rocroy à gagner, et il n'est pas prince. Qu'il prenne donc son temps. Croyons-en le condisciple et les maîtres qui ont rappelé sa patience, son labeur, et l'heureuse application de sa mémoire. Son génie n'a rien bousculé. Comme tout le monde, il a traduit un peu, lu beaucoup et entendu expliquer par ses régents dans l'exercice de « prélection » : en cinquième, les lettres faciles de Cicéron, y ajoutant, en quatrième, les poèmes simples d'Ovide ; en troisième, les lettres de Cicéron, les traités *De Amicitia* et *De Senectute,* des extraits d'Ovide Tibulle, Properce, quelques *Eglogues* de Virgile et les *Géorgiques ;* en seconde, ou classe d'humanités, les ouvrages philosophiques de Cicéron et ses discours les plus faciles, César, Salluste, Tite-Live, Quinte-Curce, Virgile, moins les *Eglogues* et le IVᵉ livre de l'*Enéide,* les odes d'Horace

---

26 F. de DAINVILLE. *La naissance de l'humanisme moderne,* p. 90.
27 *Id., ibid. ;* cf. tout le chapitre II, sur « l'Ordre des études ».
28 H. FOUQUERAY, *Histoire de la Compagnie de Jésus en France,* t. V, p. 208.
29 Dainville, *op. cit.,* p. 285.
30-31 H. CHÉROT, *Trois éducations princières, passim.*

et des poètes choisis — c'est, on le voit, la classe littéraire la plus importante ; en première, enfin, ou rhétorique, les meilleurs poètes et historiens, mais encore et surtout les œuvres oratoires de Cicéron [32].

Les élèves des Jésuites ne sont astreints à aucun examen extérieur, mais les Pères sont obligés de soutenir leur réputation vis-à-vis de l'Université [33]. Cette double condition favorise à la fois l'initiative et l'émulation. Les professeurs interprètent donc le *Ratio* de leur mieux ; ils cèdent souvent aux exigences locales et c'est ainsi qu'ils conservèrent en France le vieux Despautère [34]. Les collèges avaient une certaine autonomie et ils tâchaient de se suffire pour les manuels avec les ressources intellectuelles de la province. Pour les textes, le détail des études est impossible à établir, et peut-être n'y a-t-il vraiment rien à regretter. Ce n'est pas l'influence de tel ou tel texte qu'on recherche à un moment donné : c'est l'effet de la masse qu'on escompte ; c'est la latinité qu'on vise globalement. Sur ce but, qui n'est point la préparation pratique à la vie, tout le monde était d'accord, et les collèges de l'Université n'étaient pas plus modernes [35]. Avec les mêmes fleurs, on composait parfois d'autres bouquets [36], mais, à un moment ou à un autre, c'étaient toujours les mêmes textes indiscutés, et quelque peu émoussés, qui se présentaient. Cet humanisme des régents est sans prétention philosophique ; les Jésuites ont aussi tendu à le débarrasser de la vaine érudition dont on chargeait inhumainement la mémoire des jeunes écoliers [37]. Les devoirs écrits étaient très courts, simples exercices de vérification [38]. Leurs thèmes latins sont faciles, et les vers latins demandent une oreille bien habituée plutôt qu'un gros effort d'intelligence et d'art. On répète beaucoup dans ces classes nombreuses où les « décurions » doivent forcément relayer le maître, et l'on compte sur l'habitude lentement acquise, bien plus que sur l'étonnement curieux des contacts qu'aurait savamment ménagés quelque gouverneur d'Emile.

Le latin qui véhicule tout : l'histoire, la géographie, la rhétorique et la morale, et même laisse passer, en clandestinité bien protégée, la langue maternelle [39], le latin se présente-t-il encore à l'âme neuve des écoliers comme le revêtement d'une grande civilisation païenne ? Les moins intel-

[32] C'est le programme du *Ratio*, qui le donne classe par classe, dans l'ordre descendant, « quinque scholarum gradus », pp. 97 à 168. Traduction commentée dans Fouqueray, *op. cit.*, t. II, Appendices.
[33] Cf. Dainville, *op. cit.*, p. 288.
[34] Cf. Dainville, *op. cit.*, p. 95.
[35] Cf. E. DURKHEIM, *L'évolution pédagogique en France*, t. II, p. 118.
[36] Cf. le programme des cours au Collège de Navarre, pour l'année 1684, B.N., Fonds latin 9962, f° 125. Remarquer en rhétorique les livres III et IV de l'*Enéide*. A cette date et en ce lieu, on était donc un peu plus hardi.
[37] Cf. Dainville, *op. cit.*, p. 66 « Ils confirmaient l'option d'Ignace dans le débat que partageait les doctes en deux camps, les cicéroniens épris d'élégance latine, et les érudits, amateurs de recherches positives. Sans médire de l'humanisme de science qu'ils considèrent comme un humanisme pour adultes, ils lui préfèrent l'humanisme de formation. » Cf. aussi p. 251 *in fine*. Et le *Ratio* lui-même, p. 149, pour la classe d'humanités : « Eruditio modice usurpetur, ut ingenium excitet interdum, ac recreet *non ut linguae observationem impediat.* » Et pour la rhétorique : « Eruditio denique ex historia et moribus gentium, ex auctoritate scriptorum, et ex omni doctrina, *sed parcius ad captum discipulorum accersenda.* » (p. 134).
[38] Dainville, *op. cit.*, pp. 128-129, 190.
[39] *Ibid.*, pp. 292-293. Cf. aussi G. DUPONT-FERRIER, *La vie quotidienne d'un collège parisien...*, t. I, p. 137.

ligents des élèves, les esprits que rien ne saurait inquiéter, l'acceptent sans doute comme une convention sociale et la qualification professionnelle du maître qu'il est indispensable de subir. Mais ceux qui ont le sens de l'art, le goût natif et la sympathie ouverte, ceux-là en sont-ils troublés ? Pour ma part, en ce qui concerne Bossuet, je serais tentée de répondre que non. Nous aurons l'occasion de comparer les moyens qu'il employa plus tard lui-même pour le Dauphin, mais, pour ce qui est de sa propre formation, nous ne voyons nulle part qu'il ait reproché à ses maîtres de cultiver la jeunesse sur une terre de perdition, ni qu'il ait taxé ces catholiques austères et zélés, de contradiction. Contre le paganisme scolaire, aucune révolte en lui, ni celle des aspirations pratiques d'un âge nouveau, ni celle du sens chrétien. Le paradoxe est plutôt que, d'une part, lui, croyant traditionaliste, il ait fait, de la religion avec la Bible, une découverte *personnelle* — découverte plus étonnante qu'aucun « revival » protestant — et que, d'autre part, l'artiste si personnel qu'il va devenir, ait été initié aux belles-lettres par une tradition, belle sans doute, mais qu'un long usage approche de la routine.

La question des études grecques est plus difficile. A l'égard de cet enseignement, les Jésuites ont varié, manifestant d'abord de la méfiance [40], puis l'utilisant vigoureusement pour la défense de la religion et d'un idéal littéraire plus relevé que la culture commune [41] ; mais ils ne pouvaient toujours venir à bout de la paresse des écoliers et de la mauvaise volonté des familles qui n'en voient pas l'utilité. Pour ce qui est des connaissances grammaticales, le *Ratio* même n'est pas ambitieux : il met au programme de rhétorique des auteurs difficiles : Démosthène, Platon, Thucydide, Homère, Hésiode, Pindare, saint Grégoire de Nazianze, saint Chrysostome, et saint Basile — on remarquera la part faite aux Pères grecs, alors que les Pères latins, de style moins pur, n'avaient rien du tout. Mais c'est en s'appuyant sur le latin et en s'enfonçant dans les textes eux-mêmes qu'on doit progresser dans la langue grecque. La grammaire, d'ailleurs encore mal élucidée, se fait modeste et va aussi lentement qu'elle fait dans les horaires pauvres d'aujourd'hui : en troisième seulement, on achève la morphologie, et encore en exceptant les formes particulières, et l'étude de la syntaxe commence en seconde fort modestement [42]. Le temps réservé au grec était du reste fort réduit comparativement au

---

[40] « Mal impressionné par les exemples nombreux qu'on lui avait rapportés d'Allemagne ou qu'il avait vus lui-même à Paris, d'étudiants que l'étude du grec avait égarés et entraînés vers les nouveautés doctrinales, Ignace nourrissait à leur égard quelque défiance. *Qui graecizabant, lutheranizabant*, notait Bobadilla. » (Dainville, *op. cit.*, p. 25).

[41] *Ibid.*, p. 46.

[42] Pour connaître la précision technique avec laquelle les professeurs de grammaire ajustent leur enseignement aux forces de leurs élèves, il est bon de citer le *Ratio* lui-même. (Je suis l'ordre croissant des études).
En cinquième (considérée comme la plus basse classe de grammaire et subdivisée).
« Graece vero, inferior quidem ordo legere ac scribere ; superior vero nomina simplicia, verbum substantivum, et barytonum ediscet. » (p. 163).
En quatrième : « Ex Graecis ad hanc scholam pertinent nomina contracta, verba circumflexa, verba in Mi, et faciliores formationes.
Ad praelectiones vero [...] si Praefectus censeat, Graecus Catechismus, aut Cebetis tabula. » (p. 157).

latin [43]. En fait, la qualité des études grecques dépendait des collèges et des régents, et le Collège des Godrans paraît avoir honorablement mérité de l'hellénisme [44]. Si c'est à Navarre que Bossuet « apprit le grec à fond » [45], on peut croire que sa première instruction lui avait donné de solides bases grammaticales et le désir de lire de bons auteurs.

Quant au mode de vie que les Jésuites imposaient à leurs élèves, il ne différait pas sensiblement des habitudes de la bourgeoisie sérieuse du temps : lever tôt, coucher tôt, longues heures sédentaires, et il se conformait à peu près forcément aux pratiques des collèges de l'Université : repas rapides, longues études, courtes récréations, fort peu de plein air [46]. Cependant, la Société, venue plus tard dans un siècle plus vieux, a réagi contre le culte superstitieux de l'étude, et les lectures forcenées des humanistes de la Renaissance. Les heures de scolarité avaient été réduites et aménagées, comme en témoigne un horaire du collège de Billom [47], et leurs écoliers ne couraient pas plus que les nôtres le risque d'une usure intellectuelle prématurée par tension excessive ; du reste, ils ne sont pas tiraillés entre divers professeurs et leur attention n'est pas distendue par la trop grande diversité des matières. Et l'on ne gaspille pas la personnalité créatrice avant que celle-ci ne soit formée : l'effort requis est surtout d'attention à la grammaire et de surveillance de soi, qualité dont la possession assurera à nos classiques de précieuses réserves pour leurs grandes dépenses « poétiques ». On compte sur les bonnes habitudes de l'intelligence. Il n'est pas jusqu'aux longues séances solitaires d'étude qui ne doivent convenir au tempérament méditatif et concentré de Jacques-Bénigne Bossuet. Fort heureusement, la famille est là pour enrichir d'un sens vivant ce que cette « ascèse » (je prends le mot au sens étymologique

En troisième : « In Graecis autem octo partes orationis, seu quaecumque rudimentorum nomine continentur, dialectis ac difficilioribus annotationibus exceptis. » (p. 151).
En classe d'humanités : « Graecae linguae pars illa ad hanc scholam, quae syntaxis proprie dicitur : curandum praeterea ut mediocriter scriptores intelligant, et scribere aliquid Graece norint. » (p. 143).
Et pour la première, ou rhétorique : « Ex Graecis ad Rhetoricam pertinet syllabarum maxime dimensio, et plenior auctorum et dialectorum cognitio. » (p. 134).
On voit que, fort heureusement, on n'attend pas la perfection de la théorie pour commencer le maniement pratique de la langue, mais la lecture des auteurs ne l'emporte pas de beaucoup sur la mesure des syllabes.
[43] La mesure était fort variable. Cf. Dainville, op. cit., p. 44-45.
[44] Laurent, notice. A Dijon « Le grec est en honneur, et dans les derniers temps, M. de Berbisey réserve encore un prix pour le catéchisme récité en grec et en latin, un autre pour la traduction du latin en grec, en rhétorique et en humanités ; un pour les préceptes grecs dans les classes de grammaire. La culture hellénistique des Godrans éclate dans le canoniste Jacques Fevret, Nicaise, Bouhier, La Monnoye, J.-B. Bazin, Pierre-Henri Larcher ; cependant il semble que les études grecques, contrariées par l'esprit utilitaire, une certaine paresse, la mode, aient été moins défendues, moins imposées, et que des élèves s'en soient dispensés ; en 1756, le régent de la classe de rhétorique, au témoignage de N. Foulon, demande des volontaires afin de les pousser dans l'étude du grec. »
Malheureusement, pour tous les établissements des Jésuites, et sur la vie intellectuelle de la Bourgogne, nous avons beaucoup plus de renseignements du XVIIIe que du XVIIe siècle. Il ne faut pas oublier que le XVIIIe siècle a vu la baisse catastrophique des études classiques si bien méprisées par Madame de la Jeannotière (Voltaire, *Jeannot et Colin*). Pour le temps de Bossuet nous pouvons penser qu'il régnait un tout autre esprit.
[45] Ledieu, I, p. 14.
[46] Cf. Dainville, *La naissance de l'humanisme moderne*, p. 319-320.
[47] Publié par Dainville, *ibid.*, p. 321-322. Le collège des Godrans n'est pas absolument comparable, puisqu'il ne comporte que l'externat.

d'exercice), religieuse et intellectuelle, pourrait avoir d'arbitrairement dépouillé, et la gentillesse inventive de l'enfance peut se donner libre cours dans les faciles narrations ou discours, ou bien elle se repaît naïvement des jeux brillants du théâtre scolaire.

Le théâtre du collège.

Le théâtre des Jésuites ! De loin, il apparaît comme la plus caractéristique de leurs innovations pédagogiques, alors qu'en fait « le théâtre était de tradition à l'Université et à l'école » [48], et que le *Ratio* en prescrivait un usage fort limité, pour le perfectionnement du maintien et de l'action oratoire, et lui gardait son utilité scolaire par l'emploi exigé de la langue latine. Ce théâtre ne doit pas être purement profane et il sera sans abandon aux faiblesses du monde, puisque les personnages féminins en sont entièrement exclus [49]. Mais on sait que l'ardeur des élèves-acteurs, et l'engouement du public, rompirent souvent ces bornes [50], et que le théâtre des enfants fut une grosse affaire à l'école et même à la ville. Comment, à ce point de vue, se comporta le collège des Godrans, qui devait avoir, de par son recrutement, quelques tentations de complaisance ? Assez sobrement pour que l'enfant sérieux, bien encadré dans sa famille, qu'était Jacques-Bénigne Bossuet, n'en ait point gardé de fâcheuse impression. Plus tard, il aura la politesse, qui semble sincère autant qu'elle est stratégique, d'excepter, de sa condamnation générale du théâtre, la pratique de la Société [51].

Nous connaissons un peu le répertoire des Godrans, mais avec de nombreuses lacunes, les pièces de théâtre, qui étaient à cette époque toujours l'œuvre des régents locaux, étant rarement imprimées, et plus rarement encore conservées par la postérité [52]. Les panégyriques des hommes illustres fleurirent à Dijon, où ils étaient la spécialité du Père Bacio, professeur de rhétorique de Bossuet [53], et particulièrement à la louange des Condés, successeurs en quelque sorte des ducs-mécènes : éloges pompeux promis sans doute par leurs auteurs fervents et leurs auditeurs respectueux à l'immortalité que s'assurent réciproquement les poètes célébrants et les héros célébrés. Il nous reste les titres, dans le goût épique ou pastoral d'Urfé, de Chapelain, et même dans le goût du prochain Voltaire [54], éche-

[48] GOFFLOT, *Le Théâtre au Collège*, p. 25.
[49] *Ratio*, § 13, p. 29.
[50] BOYSSE, *Le théâtre des Jésuites*, p. 105.
[51] BOSSUET, *Comédie*, ch. XXXV, pp. 266-267. « Disons plus, on voit en effet des représentations innocentes ; qui sera assez rigoureux pour condamner dans les collèges celles d'une jeunesse réglée, à qui ses maîtres proposent de tels exercices pour les aider à former ou leur style ou leur action, et en tout cas leur donner, surtout à la fin de l'année quelque honnête relâchement ? Et néanmoins voici ce que dit sur ce sujet une savante compagnie... [Bossuet cite le *Ratio*.] En passant, on trouve cent traits de cette sagesse dans les règlements de ce vénérable institut ; et on voit, en particulier, sur le sujet des pièces de théâtre, qu'avec toutes les précautions qu'on y apporte, le meilleur est, après tout, qu'elles soient très rares. »
[52] Cf. Laurent, notice.
[53] P.-L. CARREZ, *Catalogi sociorum et officiorum Provinciae Companiae Societatis Jesu, ab anno 1616 ad annum 1662*, t. IV, p. XXII.
[54] Cf. Laurent, notice.

lonnés sur une assez longue période : livre Iᵉʳ de l'*Enguinnéide,* par Pierre Dumay, âgé de 15 ans, en 1643 ; *Lydéric, prince de Dijon,* du même et pour le même, en 1648. Bien plus tard, on aura l'allégorie d'*Alcidalis in Delphio redivivus... drama heroïcum,* jouée par les rhétoriciens en 1671, en attendant l'oraison funèbre de Condé, prononcée par le P. Daubenton en 1687. Ajoutons quelques moralités qui doivent prétendre au style de Térence, à savoir *Gastri Symphora,* 1657, qui vise les gourmands, *Evaristus adolescens,* 1660, et *Maxas,* 1674, dont je ne sais rien, mais qui furent certainement des leçons de vertu. Tous ces titres nous donnent le ton, mais ils ne ressuscitent avec précision aucune des images qu'on mit sous les yeux du jeune Bossuet.

Nous n'avons que deux indications [55] : en 1640, celle d'une tragédie, *Nobununga,* dont le sujet est tiré de l'histoire du Japon — c'est la première rencontre connue du futur évêque de Meaux avec la difficile question des missions d'Orient — et celle d'une comédie, *Umbrae calvinisticae,* 1641, qui est un exemple du théâtre polémique [56]. Il paraît même que Jacques-Bénigne ne fut point acteur à cette occasion, mais bien son frère Antoine [57]. Peu nous importe, mais il est en effet possible que ses maîtres religieux aient tenu dans une particulière réserve l'enfant sacré qui porte déjà la tonsure.

Directeurs et professeurs.

Rien du moins ne le détournera de sa vocation. Ces loisirs dirigés sont encore de l'apostolat, et tous ces professeurs inventifs et bien disants sont avant tout des prêtres, adonnés au ministère sous toutes les formes que connaît la Société de Jésus.

Etablissons d'abord leurs noms [58]. De 1636 à 1638, Jacques-Bénigne Bossuet étudia, en sixième et cinquième, sous le Père Charles Servain ;

[55] Je donne les indications complètes d'après Laurent, qui s'appuie sur MILSAND, *Bibliographie bourguignonne :* « *Nobununga, tragoedia, dabitur (si caelum favebit) in theatrum collegii Divio-Godranii, die aug. 12...* anno 1640, ante solemnem praemiorum distributionem ex liberalitate et munificentia illᵐⁱ et amplᵐⁱ D. Joannis Bouchu, equitis, regi[s] ab arcanis consiliis atque in suprema Burgundiae curia primi praesidis. Divione, 1640, in-4°, 12 pp.
— « *Umbrae calvinisticae, comoedia in aula majore collegii Divio-Godranii, die 8° februarii ... anno 1641* Divione, 1641, in-8°. »
— Ces deux pièces (ou plutôt leurs arguments ?) faisaient partie du cabinet H. JOLIET, avant la mort de leur possesseur en 1918. Je n'ai pu, malgré l'aide de M. Laurent et des héritiers Joliet, en retrouver les traces.
— Citons encore : « *Vulfran ou la théologie chrestienne, victorieuse de l'infidélité,* tragicomédie, 1649 », du cabinet L. MALLARD.
[56] Qu'on dit rare, cf. Dainville, *op. cit.,* p. 189, mais la Bourgogne est moqueuse (cf. Roupnel), et d'ailleurs à l'avant-garde de la Contre-Réforme. Cf. R. LEBÈGUE, *Les ballets des Jésuites,* Revue des Cours et Conférences, 15 mai 1936, *L'hérésie et l'irréligion ;* 30 mai, *L'exotisme.*
[57] Carrez, *Catalogi,* p. XXII. — Qu'on songe que l'année où Bossuet accomplit ses « humanités » (1640-41), Jean-Baptiste Poquelin, plus âgé, mais qui a dû être « retardé » dans ses études, fait sa rhétorique au collège de Clermont, et voit *Amundus et Avitus,* du Père Deschamps, représentée le 7 mars dans la salle du Palais-Cardinal devant Richelieu lui-même (Gofflot, *op. cit.,* p. 170). Molière et Bossuet spectateurs du même théâtre : le destin qui les opposera était alors innocent.
[58] Cf. Carrez, *Catalogi,* t. IV, p. XXI, et C. SOMMERVOGEL, *Dictionnaire des ouvrages anonymes et pseudonymes publiés par des religieux de la Compagnie de Jésus,* ...1884.

de 1638 à 1641, c'est-à-dire en quatrième, troisième, et dans la belle classe d'humanités, il est suivi par le Père Pierre de Monchy ; enfin, il fait sa rhétorique dans l'année 1641-1642, sous la direction du Père Henri Bacio. On voit que les Jésuites de Dijon appliquaient le principe qui consiste à faire « suivre » les élèves par leur professeur principal, pendant deux ou trois années, de manière à assurer la continuité de la méthode et la profondeur de l'influence personnelle. Fort peu de figures nouvelles troublent les enfants. Un peu plus en retrait, avec une certaine auréole de majesté, ils voient les Pères recteurs : de 1636 à 1640, le Père Pierre Marguenat ; de 1640 à 1643, le Père Pierre Le Cazre. Enfin, jusqu'au mois de novembre 1640, où il reçut la charge de Provincial de Champagne, le Père Barthélemy Jacquinot (qui sera recteur en 1644, après le départ de Bossuet) préside à la Congrégation de la Vierge, où Jacques-Bénigne Bossuet fut probablement admis.

Ainsi aurait-il pu être le directeur spirituel de l'enfant et le confident de cette âme réservée, si jamais elle éprouva le besoin d'en avoir un autre que Dieu lui-même. Peut-être fut-il son confesseur ? Du moins, le prestige du Père Jacquinot pénètre le collège, où, même s'il n'a pas de fonctions actives, il doit exercer un rayonnement considérable. Car ce vieillard est un grand personnage, dont l'exemple est d'autant plus prenant qu'il est du pays, et fort bien apparenté. Il a été, pendant quatre mois seulement, confesseur de la reine d'Angleterre, choisi par le roi Louis XIII pour sa sœur, et il a tenté plus tard de se rappeler à son souvenir [59]. Aussi n'a-t-il pas dû manquer de parler à ses congréganistes du zèle catholique que déploie « la fille de Henri le Grand et de tant de rois », comme dira son oraison funèbre, et des tribulations de la vérité sur la terre nourricière d'hérésie. Ainsi, les premières impressions qui préparent Bossuet à être le

[59] Le P. Barthélemy Jacquinot est né à Dijon, en 1568 ou 1569, d'une famille de magistrats, c'est-à-dire dans la noblesse de robe, où la famille a reçu ses lettres une première fois sous Henri IV en 1608, et une seconde fois de Louis XIII en 1640, accomplissant une ascension parallèle à celle de la famille Bossuet, le Père Jacquinot étant un peu plus jeune que le grand-père de notre Bossuet — Jacques « Boussuet » en effet « étudia le droit sous Cujas à Valence en 1573 ; il signa son contrat de mariage le 18 avril 1579 » (J. Thomas, *op. cit.*, p. 57). — Entré au noviciat en 1587, le Père Jacquinot accomplit une belle carrière religieuse : successivement provincial des cinq provinces de France, il termine assistant de France et meurt à Rome en 1647. D'après Fouqueray, *Histoire*, t. V, p. 208, n. 4, et Carrez, *Catalogi*, t. IV, p. XXI.

Sur son *Chrétien au pied des autels*, voir n. (65). L'édition latine de ce livre est dédiée à la Reine d'Angleterre : « *Christianus ad aras.* — *Nunc primum prodit in lucem* ». Lyon, Annisson, 1646, in-12. A la B.N., D. 39 197. — Seule l'édition latine nous apprend que le P. Jacquinot fut appelé à Paris par le roi (Louis XIII) pour être le confesseur de la reine d'Angleterre (qui ne pouvait être alors que princesse de France, avant son mariage, en 1625). Mais au bout de quatre mois il fallut changer : « Quae causa fuerit mutandi post praestitam per menses quatuor operam, consilii, tu ipsa nosti. » Nous pouvons seulement faire des conjectures sur la cause du changement. ... Il y a une autre énigme : La reine Henriette s'est trouvée sur le continent en 1642 et 1643 ; retournée en Angleterre en février 1643, elle revint pour l'exil, peu après la naissance de sa fille Henriette, qui eut lieu le 16 juin 1644. Or le Père Jacquinot parle de faire traverser la mer à son livre de 1646 (et il ne semble pas connaître la révolution anglaise). Il est vrai que l'approbation est datée de Reims, 25 janvier 1644. Peut-être l'impression s'est-elle faite ensuite, sans qu'il la surveille, en tout cas dans le mépris de l'actualité la plus criante.

Mais la préface de *Christianus ad aras* est intéressante comme perspective sur la vie de Henriette de France. Le Père Jacquinot loue son zèle catholique, sa piété envers l'Eucharistie. Cf. l'oraison funèbre de Bossuet, *O.O.*, V, 519-522.

Le rapprochement, pour les idées et pour l'histoire, serait à approfondir.

panégyriste de Henriette de France seraient des souvenirs d'enfance... Mais laissons ces traces incertaines...

A vrai dire, les épithètes latines que le R.P. Carrez décerne religieusement à ses confrères sont parfaitement insipides. De sa notice biographique, il ressort cependant que le Père Jacquinot fut un apôtre énergique qui réalisa au moins une grande conversion. Il est de ceux qui ont fait avancer la controverse avec les Protestants, ayant des « variations » de ceux-ci assez nettement conscience [60]. Surtout, c'est un homme d'action et ses écrits religieux sont tous tournés vers la pratique [61]. Résolument, il a voulu, plutôt que de vider le monde au profit des cloîtres, christianiser les gens du monde :

> Partout j'adresse mon propos à l'âme, d'autant que ma principale intention est de la dresser. Je ne lui parle point de la perfection des conseils, parce que ce n'est pas mon prix fait de lui marquer autre chemin que celui qu'elle ne doit tenir [sic] dans le monde pour s'y sauver, obéissant aux commandements. Encore que les religieux aient la meilleure part, si est-ce que les autres en ont une fort bonne, et le ciel est ouvert à tous s'ils vivent bien [62].

Ce langage est celui d'un missionnaire qui, pour ne pas désespérer les âmes grossières, popularise l'humanisme dévot. On pourrait même dire qu'il le vulgarise, car c'est une chose bien maladroite que cette *Adresse chrestienne pour vivre selon Dieu dans le monde,* et un mélange bien disparate du dessein de saint François de Sales avec la méthode de saint Ignace. Sans la grâce lumineuse de l'un, ni la force dépouillée de l'autre ! Le moins qu'on puisse dire du style, c'est qu'il est vieux [63]. Et pas le moindre frémissement personnel pour soulever la carapace des arguments rangés en bataille ! Mais cette psychologie géométrique a pu paraître en son temps d'excellente tactique. Nul doute aussi qu'on n'ait trouvé fort pratique ce manuel du chrétien qui fournissait sous un modeste volume une « adresse générale servant à recueillir une âme endormie au sommeil fallacieux des affections de ce monde et l'induire au dégoût du péché », une « adresse particulière pour une âme désireuse de vivre selon Dieu dans le monde », avec des exemples de conversations édifiantes, sorte de *Décaméron* dévot, et « douze maximes générales de vertu », et enfin

---

[60] Cf. B. JACQUINOT : « *L'Eglise prétendue réformée n'est point l'église de Dieu. Embrassant une doctrine contraire à celle des cinq premiers siècles, et notamment des quatre conciles généraux et des Apôtres.* A Messieurs les Catholiques nouvellement convertis à Montpellier et autres lieux du Royaume. » Toulouse, 1623, in-12 (Mazarine, 25 660).

[61] En voir la liste, respectable, avec les rééditions, dans SOMMERVOGEL, *Bibliothèque de la Compagnie de Jésus.*

[62] « *Adresse chrestienne pour vivre selon Dieu dans le monde, avec méditations pour chaque jour du mois.* » La 1re édition est de Douay, 1614 ; je cite d'après celle de Grenoble, 1624 (B.N. = D. 33 196, in-12), p. 16. C'est le même livre qui a été traduit en latin sous le titre, qui sent si fort son seizième siècle, d'*Hermes Christianus* (d'après Sommervogel).

[63] Ex. *Adresse,* p. 2 « Le savon de la loi de Dieu, le borith de ses menaces, le nitre de synderese, la cendre de leur dernière fin, l'eau de la sainte parole... »

Nous ne prétendons point qu'on ait jamais donné aux élèves de Dijon vers 1640, ce style comme un modèle de style, même de style chrétien, mais enfin le jeune Bossuet a connu — et respecté — ces vieux paradigmes.

« diverses méditations pour chaque jour du mois ». On avait tout sous la main : la formule de l'examen de conscience, un livre de lectures exemplaires, et de mystiques (?) élévations, avec le plaisir des citations à la mode, ou plutôt à l'ancienne mode humaniste [64].

Mais il serait injuste d'apprécier une personnalité quand elle est ainsi guindée dans un genre faux. L'âme du P. Jacquinot paraît bien davantage dans un livre de sa maturité où il parle simplement de ce qu'il aime à ceux qu'il aime. *Le Chrestien au pied de l'autel* [65] est un beau livre dans sa raideur, fervent et ferme ; pratique et élevé, où la vie intérieure, même sans talent, fait affleurer la poésie. Il rend fort bien l'atmosphère où gravitent les cœurs :

> Je vous vois, [dit le P. Jacquinot à ses frères]
> au pied du saint autel comme au lieu de votre plus grand repos ; et si le respect y fait paraître votre foi, l'ardeur que vous avez de vous y présenter souvent serait capable de faire croire, s'il n'était persuadé d'ailleurs que ce qu'est ès esprits bienheureux l'Essence Divine, dont la gloire évidente les rassasie et comble de délices, cela nous est ici-bas la présence de JESUS-CHRIST en ce divin mystère [66].

Les Pères de Dijon, comme ceux de Poitiers, pour qui ces lignes étaient écrites, en 1637, vivent en méditant la présence réelle : on aime adorer dans le silence de la nuit, ainsi qu'il est recommandé dans l'Ecriture, et « professeurs et étudiants » n'y manquent pas, au lever, au coucher, entrant en classe, soudain après le repas, en des visites « d'un demi-quart d'heure et moins encore ». Il semble voir Jacques-Bénigne Bossuet, peut-être accompagné de son frère Antoine, arrivant en classe un peu à l'avance : il n'est pas assurément le dernier au travail, et puis il n'a même pas la rue à traverser... Il franchit la porte du collège et pousse la première porte à gauche : le voilà dans la belle chapelle où il se recueille devant Dieu, brièvement, mais fortement, parce que

> étant composés de corps et d'âme et tenant de lui tout notre être, nous sommes astreints par obligation naturelle et indispensable de lui rendre hommage de l'une et l'autre de ces deux parties ; en sorte que nous l'adorions non seulement intérieurement par le sacrifice interne et invisible de nos cœurs, mais encore extérieurement par le service extérieur et visible de notre corps, qui porte témoignage de notre reconnaissance intérieure [67].

Cette décence, cette harmonie du corps et de l'âme, qui séduisent dans le maintien de Bossuet à tous les âges de sa vie, on peut continuer d'y voir, comme on l'a généralement fait, le signe d'une parfaite santé, un des bonheurs de la naissance, mais il ne faudrait pas oublier la force de

---

[64] Jacquinot, *ibid.*, p. 244. Il cite dans la même page Platon (In *Symposio*), Orphée Trismégiste, la *Sagesse*, et puis toujours Cicéron...
[65] A Paris, chez Camusat (Mazarine, 25 115) « dédié à mes révérends pères et très chers frères de la Compagnie de Jésus, qui sont en la province d'Aquitaine ». Sur l'édition adressée à Henriette de France, voir la n. (59).
[66] *Op. cit.*, épître dédicatoire.
[67] *Ibid.*, p. 80

l'éducation, dans un milieu familial où l'on est habituellement maître de soi, comme dans un milieu scolaire où le corps, bien loin d'être renié, est l'instrument expressif de la dignité humaine. Sans pouvoir délimiter la part que l'énergétique ignatienne eut dans sa formation, il est certain que la parole et l'exemple des Pères, qui étaient « capables de faire croire », aidèrent en lui l'unité de l'imagination et de la raison, et l'incitèrent à fixer dans son être, concrètement et presque charnellement, les réalités de la foi.

Le prestige, à l'intérieur de la Société, du P. Barthélemy Jacquinot ne doit pas faire oublier les Pères recteurs du collège de Dijon. Du Père Pierre Marguenat, recteur de 1636 à 1640, nous ne savons rien, et nous ne connaissons aucune publication, mais le Père Pierre Le Cazre brilla d'un vif éclat. C'était un esprit curieux de tout et un personnage répandu. Il écrivit savamment et soigneusement de nombreux ouvrages de Philosophie et de Théologie, de Mathématiques et de Physique [68]. Il ne lui manquait que d'être Erasme ou Leibniz, et sa correspondance solennelle avec Gassendi [69] ne l'a point sauvé de l'oubli ; mais, quoi ! tous les amateurs de science ne peuvent avoir, comme le Père Noël un peu plus tard, l'heureuse fortune de se disputer avec un Pascal. L'opposition du P. Le Cazre à Galilée n'a point laissé de souvenir jusqu'à nous, mais il est probable qu'elle paraissait retentissante aux écoliers de Dijon, et, si elle ne leur apprenait la juste formule de la chute des corps, elle leur ouvrait les yeux sur les horizons cosmopolites de l'esprit scientifique.

Bossuet, il est vrai, qui s'intéresse à toutes les sciences de l'homme et qui se passionnera au temps de son préceptorat pour les sciences de la vie, a toujours considéré comme étrangères à sa vocation les sciences physiques et mathématiques. Il est donc probable que l'intérêt de ces débats, qui d'ailleurs débordent le temps de ses études, passa « par-dessus sa tête », comme on dit. Peut-être aussi ce recteur philosophe, physicien et théologien, est-il un peu loin des élèves qui n'ont pas encore achevé le cycle des études que nous appellerions proprement secondaires. Pour ceux-là, le régent, qui est à peu près l'unique professeur, compte bien davantage, et d'autant plus qu'on est plus petit.

Aussi est-on heureux de pressentir dans le Père Charles Servain, régent de sixième et de cinquième, de 1636 à 1638, une figure attachante. Né à Châlons-sur-Marne en 1615, entré au noviciat en 1634, c'est un tout jeune professeur, que doivent aimer ces bambins de 9 à 10 ans. Sa

---

[68] Le P. Le Cazre (ou Cazre), né à Rennes en 1589, entré au noviciat en 1608, il enseigna les humanités, la philosophie, les mathématiques et la théologie. Il fut recteur de Metz, Dijon et Nancy ; provincial de Champagne, enfin assistant de France. Il mourut à Dijon le 20 avril 1664 (d'après Sommervogel, op. cit.). Le Père Carrez (Catalogi, pp. XXXV, XXXVI) rappelle une grave maladie de jeunesse ; il loue sa douceur, sa régularité, son amour de la pauvreté et son obéissance ; l'évêque de Metz l'estimait comme un bon ouvrier du Seigneur — le père de Bossuet, à Metz au même moment, entend peut-être parler de lui — et il est particulièrement dévot à la Vierge, et au Saint-Sacrement ; enfin il est d'une angélique pureté. ...

[69] Cf. « Petri Casraei ... Physica Demonstratio qua ratio, mensura, modus, ac potentia accelerationis motus in naturali descensu gravium determinantur. Adversus nuper excogitatam a Galilæo Galilaei Florentino Philosopho ac Mathematico de eodem motu Pseudoscientiam. Ad clarissimum virum. D. PETRVM GASSENDVM. » Paris, in-8°, 1645 (B.N. = R. 3 539) et aussi une lettre, plus tard, dans les œuvres de Gassendi, Lyon, 1658, fol., t. VI, pp. 448-452 (B.N. = R. 386).

piété envers le Christ et sa mère, et son culte de l'ange gardien sont remarquables ; quand il dit la messe, l'ardeur de sa piété éclate au-dehors[70]. Mais, pour le moment, il n'est pas encore prêtre et on ne lui a peut-être pas confié entièrement la formation religieuse de ses élèves. Toutefois, la doctrine et la piété n'étant jamais séparées de l'enseignement profane dans les collèges jésuites, il a maintes fois l'occasion de communiquer son âme à l'âme de ses enfants. Eh bien ! cette âme devait être exquise, telle qu'elle paraît dans le charmant petit livre qu'il éditera beaucoup plus tard, de retour dans sa ville natale, en 1670, avec l'approbation et à l'adresse de l'Evêque, Félix Vialart, « saint prélat », que Bossuet lui-même vénérait à l'égal de Rancé, et sous la direction duquel il avait espéré se former à l'épiscopat[71]. C'est « *la Sainte Semaine des Communiants* » — ou plus exactement des « initiés » (*mystarum*) — *pour les prêtres formule quotidienne d'une pieuse célébration,* et *pour les laïcs formule hebdomadaire d'une dévote communion* « *tirée des Saintes Ecritures et des Pères* par le Père Charles Servain, prêtre de la Société de Jésus »[72]. Mais ce latin mystique mis en traduction perd beaucoup de ses résonances humanistes, de son élégance suprême autant que de sa ferveur tendre. Pour tout dire, ce livre est digne du goût classique — nous voilà en effet au moment du P. Bouhours et de Bossuet lui-même — et ce goût régit les beaux distiques latins :

> Quae nova lux ? quae flamma rogi ? quis fervor amantem
> Excitat ? unde mihi mens calet Igne sacro ?[73]

et cette élégance couvre le froment de la pure doctrine. Le Père Servain, dans son latin pur, atteint quelquefois la force des Pères et même la densité des proses de saint Thomas d'Aquin ; il y joint les grâces d'un mysticisme légèrement précieux quand il refait le détail des étapes sur la grande route classique jalonnée par sainte Thérèse. Le Père Servain est nourri intimement de l'Ecriture qui ouvre pour lui ses trésors symboliques en correspondance avec ceux de la nature. *L'Imitation de Jésus-Christ* aussi est passée de sa sensibilité à son style, alors qu'elle ne sera jamais dans celui de son élève. Il y a bien quelque raffinement dans cette constance du chiffre 7 — mais ce raffinement est sacré de vieille date — et quelque ingéniosité — comme dans les énigmes de collège — dans l'utilisation de l'Ecriture, mais c'est toujours dans une atmosphère de respect lyrique où éclate la sincérité. Et qui ne serait charmé par les vignettes exquises de J. de Marolles ? Sans doute, de 1636 à 1638, la parole du jeune P. Servain n'avait pas encore cette grâce achevée, mais il pouvait ébaucher déjà ses distiques en septénaires, et le printemps mystique qu'il portait en lui était capable d'éveiller le sentiment et le goût des enfants intuitifs. Jacques-Bénigne avait peut-être déjà fait sa première communion,

---

[70] Carrez, *Catalogi*, p. xxi.
[71] Bossuet, *Corr.*, V, p. 241, lettre à Rancé du 22 juin 1681.
[72] « *Sacra Mystarum Hebdomada, sive quotidiana pro Sacerdotibus pie celebrandi, septenaria vero pro Laicis devote communicandi, FORMULA, Sacris ex Litteris Patribusque collecta,* a P.C.S., Societatis Jesu Sacerdote. », Châlons-sur-Marne, 1670, in-16 (B.N. = D 87 140).
[73] *Ibid.*, p. 94.

19

il était tonsuré ; qui nous dira quels espoirs le clerc de 21 ans put mettre dans ce jeune frère, et l'ouverture ineffable du cœur que reçut de lui le petit élève de sixième ?

Les deux dernières classes de grammaire et la classe d'humanités se passèrent sous un professeur aussi jeune, le Père Pierre de Monchy, également né à Châlons-sur-Marne (Dijon fait partie de la province jésuite de Champagne), en 1617. Celui-ci n'a rien écrit et le Père Carrez loue en lui des qualités plus austères : la ferme observation de la règle, l'intégrité de la vie, la modestie, la piété, et enfin, mais évidemment pour une date postérieure, son courage dans les douleurs de la pierre [74]. Tout cela ne fait pas un portrait bien original, mais il faut nous en contenter. Le Père Bacio, professeur de rhétorique pour l'année 1641-1642, marque davantage. Il est plus mûr, étant né à Nancy en 1607, et surtout il a une grande réputation d'esprit, d'éloquence, de sagacité, d'adresse et de bonté : bref, il est pendant dix-huit ans l'orateur du collège [75]. C'est peut-être lui l'auteur des deux pièces jouées en 1640 et 1641, puisqu'on charge généralement de ce soin le régent de rhétorique ; du moins il s'acquitte de tous les panégyriques latins, et Dieu sait qu'on en fait une grande consommation dans un collège de Jésuites... Les Godrans étant particulièrement bien patronnés en Bourgogne, ces obligations sociales reviennent souvent, et c'est une occasion pour les élèves de prendre contact avec la vie publique qui, présentée à travers les fastes littéraires et revue par ces professeurs idéalistes, se montre à eux toute semblable à celle de républiques antiques où le Christ, s'il y avait paru, aurait triomphé sans conteste par l'entremise de belles âmes sans défaut. Héroïsme et beaux sentiments assez conventionnels : on respire toujours un peu dans ces panégyriques scolaires un parfum de *Pro Archia* ou de *Vie d'Agricola* avec le souvenir d'une *Vie de Saint Louis,* par Joinville, mais l'idéal n'y fait pas défaut pour enflammer les jeunes âmes, et les rhétoriciens y doivent admirer une composition tendue à craquer, et le style brillant d'un disciple de Sénèque. Tel est l'exorde du Panégyrique du duc Roger de Bellegarde, prononcé en 1647 [76] — l'année où l'oncle Claude Bossuet était vicomte maïeur —, « Laudatio » funèbre que Bossuet n'a point entendue mais qu'il n'a pas manqué de lire puisqu'elle fut imprimée à Dijon chez Palliot, et que Roger de Bellegarde, ancien vice-roi de Bourgogne, ayant jadis félicité le grand-père Jacques Bossuet quand celui-ci avait été nommé maïeur en 1612 [77], intéressait sa famille. Le style a beaucoup de mouvement et même un rythme oratoire, puissant mais court ; il est presque martelé, tissu de jeux de mots, éclatant d'images justes et même sobres, mais fatigantes par leur rapprochement qui fait comme une suite d'explosions. Style d'ailleurs fort digne et prétendant à la densité, arc-bouté qu'il est sur les ressources de la langue latine. C'est le règne pur du mot. De cette flambée il ne reste

---

[74] Carrez, *Catalogi,* p. XXII.
[75] *Ibid.*
[76] « *Illustrissimi ducis Bellegardii Franciae paris laudatio. Dicta in aula Collegii Divio-Godraniis Societatis Jesu, die 23, mensis Maii, anno 1647.* — Ab Henrico BACIO ... » Dijon, Palliot, in-4°, 1647, (B.N. = Ln 27. 1442).
[77] Cf. Jules Thomas, *Les Bossuet en Bourgogne,* p. 61.

qu'un peu de fatigue sur la rétine et le souvenir d'une grande tension verbale. L'exercice n'est peut-être pas mauvais pour secouer l'attention des « *a u d i t o r e s   a m p l i s s i m i* », mais nous aimons autant que le style de Bossuet n'ait pas tendu à l'imitation de son professeur de rhétorique [78-79].

Bilan du premier humanisme.

Nos conclusions cependant, pour être aussi modestes que celles de Roupnel concernant la race et l'influence du milieu, n'en seront pas moins positives : les classes que Bossuet a faites à Dijon ont posé les bases de sa latinité. Cette éducation formelle dans une langue de tradition, qui nous paraît si longue et peut-être vaine, convenait à sa patience de classique. « *A r s   l o n g a* ». Les classiques ne redoutent pas les longs apprentissages. Leur application aux livres commence de très bonne heure et elle prend les esprits tout près de leurs racines, voire même elle replante ces racines dans le terreau latin avant de laisser les tiges s'étaler sur la terre française. A cette latinité accueillante et ordonnée où vivent ses premiers maîtres, Bossuet est redevable d'une certaine générosité du goût, nécessaire à l'orateur. L'éclectique Cicéron en avait donné l'exemple ; on imite Cicéron principalement et, comme Cicéron lui-même, on vénère les Grecs et l'on n'exclut pas les Latins des autres époques, comme fournisseurs des pensées et des mots [80]. Pour le fond de l'inspiration, les professeurs jésuites sont dans la grande tradition isocratique et cicéronienne — celle qu'a utilement détaillée le pédagogue Quintilien — qu'agrandit encore l'ambition chrétienne de vérité absolue. C'est-à-dire que l'art de persuader a pour eux la dignité de la philosophie et la séduction de l'art, tout à la fois. Il faut entendre un des professeurs du jeune duc d'Enghien, sous le nom de son élève, faire à la même époque l'éloge de l' « *o r a t i o* », terme qui suppose plus d'effort humain que le « *v e r b u m* » traditionnel, et qui

---

[78-79] Voici cet exorde inimitable. On nous accordera qu'il est intraduisible dans la faible prose française : « Vixit immortalitate dignus ille Rogerius (Aud. Amp) nobis, etiam ad mortem praeivit DUX fortissimus ; tanti nominis inclyta SECURITAS, communi mortalibus necessitate succubuit ; EQUITEM illum mors dejecit ; TORQUEM collo detraxit, ARMIGERUM exarmavit, PAREM omnibus parem fecit. Flos ille Nobilitatis exaruit. Aulicorum lumen exstinctum est. Regum deliciae abierunt. Noster olim Pro rex fuit. Ubi nunc illa oris Majestas ? ubi oculorum fulgor ? ubi sermonis gratia ? ubi manuum liberalitas ac munificentia ? ubi totius corporis habitus imperio dignus ? In regione mortis. », etc.

[80] Le cicéronianisme des professeurs de latin issus de la Renaissance n'est pas à prouver. Pour montrer comment il s'élargit et se complète selon les besoins, on peut citer le Père Gérard PELLETIER, *Reginae eloquentiae Palatium sive exercitationes oratoriae.* » (Paris, 1641, in-fol.), p. 7 : « *Imitationis Praecepta :* Eligendus Cicero quem imitemur. — Haec eo spectant ut probemus, qui Ciceronianus non sit, eloquentem esse neminem. Interim alii non carent sua laude, nec illos excludimus, quia beneficii satis, nihil apportant periculi ; sed in illis legendis censores esse nos opportet, in Cicerone discipulos. Nihil tamen vetat e lacteo Livio, e suavissimo Curtio, e purissimo Caesare, aliisque Latinis auctoribus, voces ac sententias colligere. Militiae verba quae in Tullio desiderantur suggeret Vegetius ; Medicinae Celsius, Philosophiae schola universa. Sed ne quis hanc libertatem vertat in audaciam, Cicero totus exprimendus. »

C'est le pur esprit pédagogique de Quintilien.

permet de jouer sur la triple valeur — esthétique, mystique et humaine — de la parole, un peu comme Hugo se le permettra plus tard dans une équation enivrée :

Car le mot c'est le Verbe, et le Verbe c'est Dieu.

Dans le style moins nerveux du Père Pelletier, cela se dit autrement : La « raison » et « l'oraison » — *ratio et oratio* — achèvent le prince et gouvernent les hommes [81]. La rhétorique se définit comme la science ou l'art de parler avec ordre et convenance. Elle éclaire toute pensée qui vient au jour, et toute l'activité humaine s'exerce par son entremise. C'est la parole de Dieu qui nous persuade, dans la prière [82], enfin elle est fille de Dieu — « *praestantissimus Dei foetus, oratio* » — et procède de l'intelligence humaine comme le Fils premier-né procède de l'intelligence divine [83]. Toute pensée tient de Dieu sa vérité, et la pensée dépend de la parole qui, en tout domaine, reçoit dès lors un caractère sacré.

Cet enthousiasme de l'humanisme chrétien, pour splendide qu'il soit, ne fournit pas immédiatement une rhétorique efficace. Pour mettre en œuvre cette espèce de logique oratoire qu'il a voulu dresser, un Père Pelletier n'a rien d'autre à proposer que les partitions et énumérations traditionnelles des traités techniques, et il achève faiblement, contraint qu'il est, par le genre allégorique qu'il a choisi, de renouveler ses images jusqu'à épuisement. Le « *Palais de la reine Eloquence* » est un peu un labyrinthe, et c'est une construction assez vaine qui ne répond point aux fondations ambitieuses. Cette faiblesse lui est commune avec beaucoup n'étant pas soutenu par l'exemple du génie, qui est le plus efficace enseignement.

Il reste à Bossuet un long chemin à parcourir avant de dégager sa théorie de l'éloquence sacrée dans le *Sermon sur la Parole de Dieu*. Et, pour la formation doctrinale, nous le verrons la chercher dans d'autres écoles. Cependant, nous avons pu rattacher au temps du collège certains linéaments de la sensibilité religieuse. Pour les maîtres qui l'ont confirmé dans la foi et la piété, il gardera, comme chrétien, malgré certaines divergences doctrinales et les querelles de chapelle qui l'obsèdent à la fin de sa

---

[81] *Op. cit.*, dédicace. C'est le duc d'Enghien qui est censé adresser le livre à son frère Conti comme témoignage immortel de leur amitié. Le nom du Père Pelletier, le véritable auteur, n'a paru qu'avec l'édition de 1663. Le livre a dû être assez répandu dans les maisons des Jésuites puisque l'édition de 1641 (1641-42, c'est l'année de la rhétorique de Bossuet) était au collège de Besançon. — M. Gras n'en a pas trouvé la trace dans les bibliothèques de Dijon, mais il y a eu des pertes.

[82] *Ibid.*, p. 2. Pour la dernière affirmation, s'appuie sur l'autorité de saint Augustin.

[83] *Ibid*,. p. 174, « QUID ORATIO. — Ingeniosissimum opus humanae mentis est Oratio, in quo absolvendo omnes non Eloquentiae modo, sed etiam ingenii partes consumuntur. Prima Oratio eloquentissimae personae Deus est, clarius dicam praestantissimus Dei fœtus Oratio. ... Quorsum ita ? Nimirum sic intelligo (si tamen humana fas est cum divinis committere, ut in ea luce aliquid claritatis accipiant). Primigenium partum ut divinae, sic humanae mentis Orationem esse, in quam si diligenter intendamus oculos, quaecumque molitur humanum ingenium, praestantissima opera praestantiori quodam modo opere inclusa cernentur. »

vie, une reconnaissance sans fêlure [84]. De même, au sortir du collège, le goût du jeune Bossuet n'est pas encore fixé, mais il sait où s'adresser. L'art de Bossuet différera des préceptes reçus, de toute la personnalité de l'homme, mais il ne se projettera point en opposition avec ces préceptes scolaires. De l'humanisme latin du collège, Bossuet peut garder l'amour des nobles idées exprimées dans une forme nette et chaleureuse, un idéal d'art ferme et brillant, conjoint à un idéal d'humanité. Enfin, c'est peut-être l'exemple de ces premiers maîtres, assimilé jusqu'aux profondeurs inconscientes, qui lui inspirera la volonté généreuse de se communiquer, quand le cours de sa pensée sera devenu assez abondant pour fournir la *copia verborum,* « comme un fleuve majestueux et bienfaisant qui porte paisiblement dans les villes l'abondance qu'il a répandue dans les campagnes en les arrosant » [85].

Peut-être l'ouverture sociable de l'éloquence a-t-elle ainsi commencé dès l'enfance, par la vue familière de ces humbles régents tout dévoués à la parole humaine.

II. — PARIS

Les raisons du départ.

L'Abbé Bossuet alla à Paris en 1642. Il en racontait souvent cette époque, marquée par les circonstances du retour du cardinal de Riche-lieu, rentrant en cette ville dans son brancard ; de sa mort, arrivée le 4 décembre suivant ; et de sa pompe funèbre qui fut le premier spectacle dont l'impression demeura très avant dans la mémoire de notre abbé.

Il entra en philosophie au collège de Navarre, cette année-là. Le célèbre Nicolas Cornet, grand-maître, connut d'abord son mérite et prit soin de ses études et de sa conduite. Sous un tel maître il fit autant de progrès dans la piété que dans les sciences [86].

Tel est le style officiel. Vérité officielle encore, selon l'abbé Ledieu, qui revoit les choses vers 1700, que la famille Bossuet « rompit les mesu-res des Jésuites » désireux de s'associer un tel sujet [87]. Il est exact pour-tant que Bossuet aurait pu faire à Dijon les deux années ordinaires de philosophie et y terminer les études que nous appellerions secondaires. Pourquoi donc vient-il à Paris précisément au fort de la querelle entre les Jésuites et l'Université ? Il a été fait chanoine de l'église-cathédrale de Metz « le 24 de novembre 1640 » [88], et il tient sans doute à honorer par de sérieuses études théologiques son incorporation au clergé séculier. Mais s'il se rend à Paris plus tôt qu'il n'est nécessaire, n'y aurait-il pas quelque pensée — familiale ou personnelle — d'ambition ? Ambition légitime sans doute, mais qu'il ne faut pas édulcorer en desseins pieux. Tout jeune

---

84 Cf. *O.O.,* VI, 417, 1ᵉʳ janvier 1687 : « Et vous, célèbre Compagnie, qui ne portez pas en vain le nom de Jésus, à qui la grâce a inspiré ce grand dessein de conduire les enfants de Dieu dès leur plus bas âge *jusqu'à la maturité de l'homme parfait en Jésus-Christ,* ... ne cessez selon votre sainte institution *d'y faire servir tous les talents de l'esprit,* l'éloquence, la politesse, la littérature. »
85 Oraison funèbre de Condé, 10 mars 1687, *O.O.,* VI, 436.
86 Ledieu, I, *Mémoires,* p. 14.
87 *Ibid.,* p. 13. La classe de philosophie existait au collège des Godrans, cf. Laurent, notice citée.
88 Ledieu, I, p. 13.

homme qui vient à Paris pour s'y donner carrière n'est-il pas un peu Rastignac ? Le Collège de Navarre, de fondation royale, est le plus grand de tous les collèges parisiens de plein exercice ; illustré par ses élèves, il jouit clairement de la protection royale, ce qui lui permet de rivaliser fièrement avec la Sorbonne [89]. C'est toujours un bon point au départ que d'être l'ancien élève d'une grande école. Et n'y aurait-il pas aussi sur le bourgeois provincial l'attrait de Paris lui-même? De Paris « la grand-ville » du roi Henri, où fleurit en ce moment son cousin François Bossuet, secré-taire des finances au Conseil d'Etat — dont la fortune sera d'ailleurs éphémère —, du Paris mondain où l'on va présenter au cercle des beaux esprits le prédicateur naissant, du Paris latin où le bon élève des Jésuites de Dijon, plus incontestablement que « l'écolier limousin », peut espérer de briller, du Paris des saints, où se forge la réforme religieuse de la France ?...

Seulement, que l'on compare Bossuet aux ecclésiastiques ambitieux de son âge, à un autre élève de Navarre, par exemple à Daniel de Cosnac, futur évêque de Valence et archevêque d'Aix qui, sans prévariquer le moins du monde, cherche sa fortune auprès des puissants et des princes [90]. On voit la différence. C'est la qualification professionnelle, si j'ose dire, que vise Bossuet ; c'est par de bonnes études qu'il compte se faire valoir, et les relations qui doivent le pousser dans le monde sont, comme dit Ledieu, « gens de lettres et de piété » [91].

De toute façon, il ne faudrait pas voir le jeune clerc enfermé au collège de Navarre comme dans un séminaire. L'Université, qui était d'Eglise, recevant tous les enfants sans distinction de vocation, le monde pénétrait l'Eglise, et la coupure entre l'éducation mondaine et l'éducation cléricale n'existait guère. Strowski et Rébelliau ont raison d'insister sur l'aisance, la politesse, l'ouverture intellectuelle et sociale, que doivent donner à Bossuet ces dix années de Paris. Ce séjour — discontinu, il est vrai — contribue à faire de lui un « théologien à l'air libre » [92].

Le cadre de Navarre.

Pour ce qui est de Navarre, le dessein de la pieuse reine Jeanne de Navarre, qui fondait soixante-dix bourses pour des étudiants pauvres au début du XIVᵉ siècle [93], était tout religieux, et ses exécuteurs testamentaires avaient voulu avant tout préparer des hommes d'Eglise, dont ils récoltè-

[89] Cf. « Lettres patentes d'union des collèges de Boncour et Tournay au Collège royal de Navarre » ... « pour y être établie une communauté de docteurs en théologie à l'imitation de celle de la maison de Sorbonne. » Lettres du 19 mars 1638 dans LAU-NOY. *Historia Collegii Navarrae*, Pièces annexes (Bibliothèque de la Sorbonne, U. 32). Cela explique le « complexe de supériorité » si fougueusement manifesté par le jeune bachelier en théologie, lors de sa « sorbonique ». le 9 novembre 1650.
[90] Cf. *Mémoires*, de Daniel de COSNAC, 2 vol., 1852, et SAINTE-BEUVE, *Lundis*, VI.
[91] Ledieu, I, *Mémoires*, p. 34.
[92] Expression de RÉBELLIAU, dans *Revue des Deux-Mondes*, 15 juin 1919, p. 834. Cf. F. STROWSKI, *Revue Bossuet*, avril 1901.
[93] Launoy, *Historia*, p. 8. Testament en latin oratoire. Il devait y avoir vingt étudiants en grammaire (*i n c i p i e n t e s*) ; trente en logique et philosophie (*p r o f i c i e n t e s*); vingt en théologie (*p e r f e c t i*).

ENTRÉE DU COLÉGE DE NAVARRE.

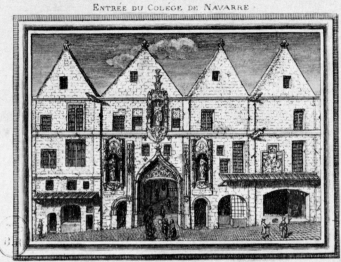

PRINCIPALE COUR DU COLÉGE.

Martinet.

FAÇADE INTERIEURE DU COLLEGE DE NAVARRE.

Vue du Jardin du Principal.

L'UN DES DORTOIRS DE CE COLLEGE.

Dessiné et Gravé.   *par F.N. Martinet.*

rent foison ; mais depuis qu'au milieu du XVe siècle on a commencé à admettre des externes, surnommés « martinets » ou « galoches » [94], depuis qu'on a reçu des pensionnaires royaux [95], la séparation qu'on essaie de garder entre les trois sortes d'écoliers, « grammairiens » de toutes vocations, « artiens » un peu plus déterminés déjà, et théologiens évidemment destinés à être d'Eglise, ne suffit plus à isoler les futurs ecclésiastiques.

Pour l'enseignement, il est probable que la Réforme a causé un raidissement intellectuel dans les milieux responsables de l'orthodoxie des clercs, avec le désir sincère de réformer les mœurs ; mais aussi, l'Humanisme, se diffusant pratiquement, détend les éducateurs, et l'émulation avec les Jésuites voisins, du Collège de Clermont, ne tardera pas à installer des jeux scéniques dans la grande cour de Navarre [96-99]. Au cours des temps qui précédent l'arrivée de Bossuet, la maison de Navarre semble avoir tenu également à sa réputation de fermeté théologique et à sa renommée humaniste. Elle est « le Portique de l'orthodoxie » au fort de la défection protestante, dit Guillaume Budé [100], et « le marché aux belles-lettres » selon Geoffroy Boussard [101]. Compliments prudents et intéressés peut-être, mais il n'est pas moins vrai que Navarre avait fourni au XVIe siècle Pierre Danès, élève de Jean Lascaris et de Guillaume Budé, un des premiers professeurs de grec du Collège Royal, gallican très ferme de

---

94 Claude MALINGRE, Les antiquités de la Ville de Paris, 1640, p. 307 (B.N. = Réserve f° L7K. 5993).

95 Cf. PONCELIN-MARTINET, Histoire de Paris, t. III, 1781, p. 181, et Launoy, Historia, dans l'épître liminaire adressée au Dauphin, élève de Bossuet : Henri III, alors duc d'Anjou, et Henri IV, alors Henri de Bourbon, s'y seraient rencontrés comme condisciples, et Charles IX, venu les voir, les aurait encouragés à courir dans la carrière de Pallas.
Cela prouve du moins que les professeurs de lettres étaient réputés à Navarre, la tradition royaliste invétérée, et qu'on y tenait en honneur la vie intellectuelle.

96-99 Au voisinage des Jésuites, il semble bien que l'entraînement du théâtre scolaire soit irrésistible sur la montagne Sainte-Geneviève. Cf. Charles JOURDAIN, Histoire de l'Université de Paris, Pièces justificatives, CI. Mandement du recteur Godefroid Hermant au sujet des représentations théâtrales du 17 janvier 1648 : Interdiction des pantomines et restrictions — assez élastiques — sur le théâtre en général : « praeter honestas ac moratas fabulas, voce gestuque exhibendas, nihil omnino spectaculi permittendum. » Cf. FLOQUET, Etudes, t. I, p. 98, n. 1.
Après 1660, la tragédie, souvent expliquée et présentée en français, paraît avoir été courante aux distributions des prix à Navarre. Cf. les programmes insérés dans le ms. du fonds latin 9962. Qu'en a pu penser Bossuet, proviseur-gouverneur, après François de Harlay, à partir de 1695 ? Voir le chapitre LITTERAE HUMANIORES.

100 BUDÉ, De studio litterarum, Bâle, 1533, p. 16. Après avoir parlé de la sévérité cruelle des maîtres d'autrefois, éloge de l'éducation nouvelle, qui est humaine, humaniste et orthodoxe. C'est exactement le temps de Danès.

101 Geoffroy BOUSSARD, Nova et fructuosa interpretatio in septem psalmos paenitentiales, Paris, 1521. Dans la préface, éloge ampoulé de Navarre, asile de vertu au milieu de Babylone, nourrissant pour le Seigneur des « plantations nouvelles » qui portent leur fruit en leur temps, et illuminent l'univers où elles sont répandues. Enfin, c'est « litterarum emporium, pudicitiae domicilium, orationis sacrarium, sanctimoniae columen, virtutum omnium specimen. Quid dicam ? omnium bonarum rerum quas universus habet orbis, seminarium. »
Les deux citations sont dans Malingre, op. cit., p. 310.
Il faut évidemment faire la part de la prudence en des temps soupçonneux, et celle de l'emphase dans un siècle — celui de l'Humanisme militant — aussi féru des renommées scolaires. Mais enfin, on citait de tels éloges en 1640, sans crainte du ridicule, et il paraît par là assez certain que Navarre avait fait et faisait encore tous ses efforts, pour tenir « les deux bouts de la chaîne » en éducation : les belles-lettres et la saine religion.

surcroît, oracle du Concile de Trente, précepteur de François II, puis évêque. Presque un modèle pour Bossuet... En tout cas, une gloire authentique de l'Humanisme et qui recommande le collège à l'estime des doctes.

Cette grande maison est renommée tant pour son assiette bien aérée et pour la netteté en laquelle on l'entretient que pour l'égard de la royale fondation [102] ; elle reçoit, à la rentrée même de 1642, l'inspection du recteur qui se déclare satisfait : « Tout, dans cette maison, nous dit Quintaine, était administré *regie et egregie*[103]. »

Tant mieux pour les impressions de rentrée du « nouveau ». Si nous l'accompagnons, et si nous regardons le cadre, que peut-être il ne regardait pas mais qui dut à la longue s'imposer à son œil et, par suite, dans une certaine mesure, à son esprit, nous n'aurons pas de peine à reconnaître sur le plan de La Caille de 1714, ou sur celui de Turgot, levé de 1734 à 1739 [104], entre les rues Traversine, de la Montagne-Sainte-Geneviève, Bordet, Clopin et d'Arras, les trois corps de bâtiment, dont nous ne savons lequel affecter aux « artiens » chez qui est admis notre « philosophe ». Le cloître de Pierre d'Ailly et la chapelle, commune aux trois sortes d'écoliers et entourée de grands espaces libres pour les récréations, tout ce bel ensemble des XIVe et XVe siècles, fortement restauré au XVIe siècle et comparable aux plus beaux collèges des Universités anglaises — ensemble que nous aurions pu conserver sans l'inintelligence architecturale et urbaniste du XIXe siècle — nous aurait reportés en un temps où les influences classique et italienne n'avaient pas encore transformé l'architecture française. C'est l'art flamboyant, celui du Moyen Age que sa date tardive nous a le plus fréquemment conservé dans l'architecture urbaine. Art d'extension européenne et grand art après tout, faiblement original mais d'une importante signification intellectuelle, parce qu'il réalise, sans torture, la transition entre deux réussites différentes de l'architecture française. Qui n'a senti en effet l'enchaînement naturel de l'ogival au classique, réalisé par un gracieux arc de cloître en anse de panier ? La grâce, c'est bien l'impression dominante des gravures que F.-N. Martinet a faites du collège de Navarre [105]. Les images, il est vrai, sont de l'époque Louis XVI. Dès ce temps-là, le cloître avait été démoli et les jardins aménagés à la française. Mais on goûte encore le plaisir de voir les quatre pignons sur la rue, ornés comme des gables, les statues décoratives et le porche fleuri.

---

[102] Malingre, *op. cit.*, p. 307.
[103] Charles Jourdain, *op. cit.*, p. 144.
[104] Ces plans du XVIIIe siècle expliquent beaucoup mieux l'architecture de Navarre que ceux du XVIIe. Tous sont reproduits en fac-similé et commodément réunis dans *l'Atlas des anciens plans de Paris*, de *l'Histoire générale de Paris*, 1880. — La distribution était encore la même à la fin du XVIIIe siècle.
[105] Cf. Poncelin-Martinet, *Histoire de Paris*, 1781, t. III, p. 176, et les gravures en taille-douce de Martinet, hors-texte aux pages 170 et 182.
La première pierre de la chapelle a été posée en 1309 et la dédicace faite en 1373. (Claude Malingre, *op. cit.*, p. 309). Le bâtiment au sud du cloître est dû à Pierre d'Ailly, vers 1410 (d'après le *Bulletin de la Montagne Sainte-Geneviève*, t. I, 1894-1895, pp. 139-149). Reconstruction nécessaire après la Guerre de Cent ans ; elle semble avoir duré jusqu'au temps de François Ier.

Nous pouvons avoir de la chapelle une idée plus précise puisqu'elle ne disparut qu'en 1845 [106]. Cette chapelle, qui servait pour les offices solennels de la nation de France, de la Faculté des Arts, et quotidiennement aux trois communautés de Navarre, paraissait « fort petite, très sombre et destituée de toute espèce d'ornement » à l'observateur du XVIIIe siècle pour qui Navarre représentait une grande idée [107], et anormalement grande au moment de la démolition au milieu du XIXe siècle [108].

Pour la connaître en détail telle que Bossuet la vit, nous avons par chance l'étude très précise, faite en 1639, par le bénédictin de Saint-Germain-des-Prés, Dom Jacques Du Breul, dans son *Théâtre des Antiquités de Paris* [109]. Du Breul ne croit point du tout que les statues royales « peintes et enrichies d'or et d'azur » soient des portraits authentiques, mais il lit les inscriptions. La réputation de Pierre d'Ailly semble lui avoir été indifférente, mais il rappelle l'exergue de son portrait qui le nomme « l'Aigle de France, et le Marteau infatigable des errants » ; il donne l'épitaphe épigrammatique de Nicolas de Clamingis, « lampe de l'Eglise » et « enterré sous la lampe », et celle, bizarre et, disons-le, d'un goût bien latin, aggravé encore par le style tarabiscoté des théologiens humanistes, de Jean Textor. Plus poétique est la louange de la fondatrice, Jeanne de Navarre, morte au mois d'avril 1304, à l'âge de 33 ans, 3 mois et 29 jours. Assurément, la grâce ne règne pas tout au long de cette interminable suite d'hexamètres, car, à traduire en vers latins les statuts d'une école, la Muse elle-même perdrait sa poésie, mais cette rencontre de la jeunesse et de la mort émeut le poète gagé de Navarre. Il veut qu'elle émeuve aussi le Dieu qui permit « le trépas amer ». Oh ! ce n'est pas l'oraison funèbre d'Henriette d'Angleterre ! On penserait plutôt à Ronsard, avec quelque chose de morbide en plus, comme un *Dies irae* de courtisan. Ce n'est assurément pas le goût de Bossuet, mais ce goût décadent — si le mot décadent a un sens dans l'histoire qui ne connaît qu'évolution — n'est peut-être pas absolument mauvais pour assouplir celui d'un adolescent. La gloire de Pierre d'Ailly, « Marteau des errants », ou le destin brisé de

---

106 Voir un dessin de NATTES, aquatinte de HILL (1809) aux estampes à Carnavalet. Reproduit par Yvan CHRIST, *Eglises parisiennes*, éditions « Tel », 1947, n° 28. Description technique par M. M. TROCHE dans *la Revue archéologique* de 1844, t. I, pp. 192-212. « Sa façade, dit-il, offrait dans la simplicité de l'ensemble, un aspect gracieusement pittoresque. » Description plus agréable, mais qui n'est évidemment pas *de visu*, dans l'œuvre du général ALVIN, *L'Ecole Polytechnique et son quartier*, Paris, Gauthier-Villars, 1932. Au reste les anciens élèves de l'Ecole se souviennent fort bien d'avoir vu des vestiges importants de Navarre (lettre du général DUMONTIER). A l'heure actuelle, il n'en reste plus qu'un beau fronton classique, maintenu par l'autorité des beaux-arts au sommet du pavillon Joffre.
107 Poncelin-Martinet, *op. cit.*, p. 183.
108 M.-N. Troche, *op. cit.*, donne les dimensions : 47m, 70 cent. de longueur hors-d'œuvre, sur 12m, 50 cent. de largeur et 15m de hauteur, du sol actuel, considérablement surélevé, jusqu'au pignon. »
109 DU BREUL, *Théâtre des antiquités de Paris*, éd. de 1639, in-4°, pp. 494-499. Claude Malingre, en 1640, dans *Les antiquités de la Ville de Paris*, pp. 307-309, se borne à copier mot à mot.
Reproduction de la statue de Jeanne de Navarre, dans *Les Monuments de la Monarchie française*, par Dom Bernard de MONTFAUCON, 1729, t. I, p. 212, hors-texte, fig. 4. C'est une fine silhouette de vierge strictement drapée, et couronnée. « Elle soutient en ses mains la figure du Collège dont l'inscription la dit fondatrice. On voit au-dessous l'écu de France, parti de Navarre et coupé de Champagne. »

la reine Jeanne, lequel donna plus de distractions à Jacques-Bénigne Bossuet en prière dans la chapelle de Navarre ? L'un ou l'autre le fit-il rêver ou réfléchir, controversiste en herbe et moraliste déjà pratique, ou frémissant poète au bord du nid ?

La tradition humaniste retrouvée.

Le collège des Godrans ne nous avait pas paru ennuyeux ni spécialement austère. Passant du décor exubérant de Dijon et du cadre d'un collège de la Contre-Réforme, où fleurit encore la Renaissance, au cadre de Paris qu'embellissent en ce moment même des architectes italianisants, pour vivre dans un collège pieux et latinisant comme le premier, je ne crois pas que le jeune Bourguignon se soit senti dépaysé. Seulement il trouve, à cette fois, un plus grand établissement, de plus grandes cours à jouer, de plus grandes bibliothèques où passent des hommes plus célèbres, et tout cela le sollicite et l'invite à s'élargir.

De plus, l'atmosphère du quartier latin peut griser subtilement l'étudiant sérieux. On n'y respire plus sans doute la passion de lire les anciens qui empêchait Ronsard et Baïf de goûter le sommeil au collège de Coqueret ; ce n'est plus le premier enthousiasme du savoir qui avait amassé de vraies foules autour des chaires du Moyen Age, en ce véritable âge d'or de l'enseignement supérieur. Toutefois, comment ces passés seraient-ils morts tout à fait, alors que l'enseignement à Navarre n'a pas été matériellement interrompu ni transformé dans son fond ? En fait, l'enthousiasme théologique et l'émulation humaniste tiennent encore maîtres et écoliers. Les fastes scolaires n'auront donc pas dévalorisé, et sur la Montagne-Sainte-Geneviève, où, plus encore qu'aujourd'hui, étant donné les habitudes de construction de ce temps, se pressent les écoles, l'étudiant brillant [110], porté sur les épaules de ses camarades admiratifs, peut espérer se faire recevoir dans la république des lettres qui s'ouvre aux grands studieux de tous les temps.

L'austérité de la vie cléricale éteindra-t-elle ces ardeurs ambitieuses, ou bien la direction des maîtres sages et humains les réservera-t-elle pour des ambitions moins illusoires ? Et, d'abord, il ne semble pas que la vie des internes de Navarre ait été plus austère que celle d'un quelconque collège jésuite, si l'on en croit le règlement général [111] qu'il fut opportun

---

[110] Sur Bossuet brillant étudiant, cf. Ledieu, I, *Mémoires*, pp. 17-19, 21, 26, 40. Il ne faut pas toujours prendre Ledieu à la lettre, mais l'ensemble est trop lié pour ne rien prouver.

[111] Fonds français 16869, f°ˢ 189 r°-v°, 190 r°. Règlement horaire fort strict : il est sans cesse ordonné de se retirer, seul, dans sa chambre pour étudier ; une heure seulement est donnée à midi, et autant le soir, pour le repas et la récréation. « Règlement pour la communauté des bacheliers » (f° 182) et « Règles selon lesquelles doivent vivre tous ceux qui sont de la communauté des Artiens au collège de Navarre » (f° 184), règlement de 1661 — Mais ces règlements ne pouvaient s'appliquer strictement aux étudiants de licence, déjà proches du sacerdoce et souvent pourvus de bénéfices — Il est même certain que Bossuet, à partir de 1648, s'absente souvent, et qu'il n'a jamais été empêché d'aller dans le monde.

de rappeler vers 1710 pour une réforme devenue nécessaire [112]. On nous assure — faut-il le croire ? — qu'il n'y avait point eu de « Réformation générale » depuis celle de 1464 par Louis XI [113]. La volonté de continuité au moins est certaine, et elle dut faciliter, dans l'esprit de la maison, la continuité de l'habitude, ou bien le rattachement volontaire aux traditions, entre la fin du Moyen Age et le début des temps classiques, à travers les crises des XVe et XVIe siècles.

Les grades universitaires.

Les grades universitaires sont restés les mêmes [114], et ceux de Bossuet nous sont assez connus quant à leurs dates et à leurs circonstances, sinon quant à leur substance intellectuelle [115]. Ils jalonnent l'habituel « *c u r s u s   h o n o r u m* » des étudiants en théologie. Comme préparation, deux années de philosophie ; dès la fin de la première, Bossuet soutint une thèse dédiée à Philippe de Cospéan, évêque de Lisieux. Il est maître ès-arts dans l'été de 1644, c'est-à-dire qu'il a l'équivalent de la seconde partie de notre baccalauréat. C'est alors, pour tous les étudiants, la fin des études littéraires. Au sortir de la faculté des Arts, on va dans le monde, ou bien dans l'une des trois autres facultés, pour y faire l'apprentissage d'une carrière. Bossuet entre donc en théologie pour y conquérir ses grades de bachelier par la « tentative » du 25 janvier 1648, dédiée à Condé, et de licencié dans l'été 1651. Il reçoit le bonnet de docteur le 16 mai 1652 et prête serment le 1er juin. La licence est l'examen le plus considérable avec ses trois thèses : Bossuet soutint la Sorbonnique le 9 novembre 1650, et l'on sait que la fierté de Navarre fit scandale dans l'Université, au point que les résultats ne furent entérinés, après procès, que le 26 avril 1651 [116]. Il dut se hâter pour la mineure et la majeure au cours de la même année scolaire [117]. Le doctorat n'est plus qu'une forma-

---

112 Cette enquête de 1710 semble avoir été l'occasion de réunir pour le cardinal de Noailles les pièces reliées dans le ms. 16869.

113 *Ibid.*, f° 53. Mais à la fin du XVIIe siècle, on est débordé : « Ces communautés différentes d'artiens et de grammairiens ont causé et causent encore aujourd'hui beaucoup de désordres dans la discipline, à cause des différents quartiers où on les a placés, la disposition des lieux et bâtiments fournissant mille moyens aux écoliers de se soustraire à la vue de leurs maîtres et même de s'échapper dans la ville. » En 1696, on délibérait par ordre de Mgr l'évêque de Meaux (supérieur de Navarre) sur la démolition du bâtiment des grammairiens (fol. 207). Le f° 55 parle de « désordres affreux » qui font penser aux insinuations de *Candide*. En 1642, c'est un autre temps, espérons aussi d'autres mœurs.

114 A part la dénomination de « baccalauréat » remplaçant celle de « déterminance » à partir de 1600. Cf. FERTÉ, *Des grades universitaires*, 1868.

115 Cf. Ledieu, I, p. 14-15. Cf. aussi l'article clair, mais un peu hâtif de STROWSKI dans la *Revue Bossuet*, avril 1901, avec rectification par LÉVESQUE à la livraison de juin 1907. Les pièces elles-mêmes sont perdues (Ledieu, I. *Mémoires*, p. 40, et II, *Journal*, p. 359) sauf la « mineure ordinaire » du 5 juillet 1651, publiée par F. GAZEAU, dans les *Études* de juin 1869. Cf. aussi *Corr.* I, p. 1.

116 Archives Nationales, M M. 252, *Conclusiones sacrae Facultatis Théologiae Parisiensis*, f° 162 et sv.

117 Ledieu, *Mémoires*, p. 28. Les Archives, *doc. cit.*, f° 167 v° donnent la date du 1er juin 1651 pour la majeure ordinaire.

lité, mais Bossuet mit son âme dans le serment qu'il prêta entre les mains du recteur [118].

Un étudiant moderne trouverait ce déroulement irrégulier et assez lent. Mais la vie du jeune clerc comportait encore d'autres actes solennels : en 1647, Bossuet fait pour les bacheliers de la licence l'action des *paranymphes,* et surtout il commence à prêcher, une fois à l'hôtel de Rambouillet, comme on le sait trop, et bien des fois devant ses camarades [119]. Déjà chanoine de Metz, il devient archidiacre de Sarrebourg à dater du 24 janvier 1652, et passe de longues périodes dans son canonicat, notamment dans l'intervalle obligatoire entre le baccalauréat de théologie et la licence [120]. Enfin, il se prépare à la prêtrise, et l'on sait que cette préparation s'achève — hors du collège qui n'est aucunement un grand séminaire — sous la direction de saint Vincent de Paul [121].

Les maîtres de Navarre.

L'influence des maîtres de Navarre ne fut donc point exclusive. Il faut essayer cependant de se les représenter, eux-mêmes et leur enseignement : Bossuet entre en philosophie, c'est-à-dire chez les « artiens », dans le groupe des « *p r o f i c i e n t e s* », facilement plus proches des théologiens (*p e r f e c t i*), que des grammairiens (*i n c i p i e n t e s*) [122]. Mais Lediau nous affirme que le « célèbre Nicolas Cornet connut d'abord son mérite » [123], et il précise que la direction intellectuelle de Cornet commença en philosophie et fut ininterrompue [124].

Etudier la personnalité de Nicolas Cornet pour elle-même nous écarterait de notre but qui se limite à connaître l'enrichissement profane que Bossuet reçut de ses classes. Mais une telle influence s'étend à toute la

[118] Bossuet reçoit le bonnet de docteur à l'archevêché de Paris, le 16 mai 1652, d'après Lediau, *Mémoires*, p. 44. Lediau donne le texte des paroles latines qu'il prononça dans cette occasion, I, *Mémoires*, p. 43, et II, *Journal*, p. 359. Texte reproduit dans *O.O.*, I, 595. — Sur le sens de cet engagement à la vérité, nous aurons à parler dans le chapitre de la philosophie. — Bossuet prête serment dans la cour de la Sorbonne le 1er juin 1652. Archives, *doc. cit.* f° 172 r°. — Cf. notre article : *L'année 1652 dans la vie de Bossuet,* dans « Les Amis de Bossuet », Meaux, 1953, pp. 1-10.
[119] Lediau, *Mémoires, passim.* Pour la présentation à l'Hôtel de Rambouillet, Lediau (p. 18-19) ne donne pas l'âge ; Voiture a dit seize ans — L'ensemble prêché à Navarre est assez important, *O.O.*, I, 1-131, et commence en 1643.
[120] Lediau, I, p. 25 : « En 1649, cet abbé, se préparant à la licence, était retourné à Metz, *où il faisait sa principale résidence,* dans son canonicat, de la manière que nous avons dite, et il y reçut le diaconat. »
[121] Il reçut la prêtrise « le samedi de la Passion » (16 mars) 1652 — Lettre à Mme Cornuau du 23 mars 1692. *Corr.* V, 83.
[122] Le partage des juridictions est toujours important sous l'Ancien Régime, et l'Université est particulièrement susceptible. Pour le droit de nommer un régent de philosophie, on en appelle au roi. Cf. pièces annexes, insérées dans Launoy. *Historia* (Sorbonne U. 31). Voici l'exposé des principes : « Le maître des théologiens, que l'on appelle grandmaître, outre la direction qu'il a des théologiens, a de plus une inspection générale sur tout le Collège, laquelle inspection ne le rend pas maître unique et absolu, mais lui donne seulement l'exécution des lois et statuts dudit Collège.
Les principaux sont véritablement principaux, non pas du Collège en général, mais de leur collège en particulier, ... et cela conformément à toutes les fondations, réformes et actes publics, où ils sont toujours appelés maîtres, *m a g i s t e r   a r t i s t a r u m, m a g i s t e r   g r a m m a t i c o r u m.* »
[123] Lediau, I, p. 14.
[124] *Id., ibid.,* p. 34 ; cf. pp. 14, 20, 24, 26, 35. Or voici la définition du grand-maître

pensée, le disciple lui-même l'atteste, et, quelque discret, ou même secret, qu'il ait l'habitude d'être sur lui-même, son témoignage a des accents de confidence et nous peut tenir lieu de document autobiographique.

L'Oraison funèbre prononcée à Navarre le 27 juin 1663, même si le détail du texte est incertain [125], laisse lire sur le portrait de Cornet la trace du Bossuet de Navarre, en maturation sous l'influence de Cornet. Idéal intellectuel du croyant, ce « docteur de l'ancienne marque, de l'ancienne simplicité, de l'ancienne probité » [126], ne s'enferme pas dans une science inutile. « Trésor public » à cause de sa bonté, « trésor caché » de par son humilité [127], il sait conduire humainement les hommes entre les deux écueils de la rigueur et de la complaisance [128]. Cette modération dans la morale procède du sentiment de nos limites intellectuelles, sentiment qui manque aux esprits « excessifs, insatiables », que leur démesure prédispose à l'hérésie [129] ; et le conseil de l'Apôtre d'être sages « sobrement et avec mesure », s'il a pour but essentiel de réserver les zones du mystère chrétien et de sauvegarder l'indulgence de la charité, se coule aussi très naturellement dans le creuset de la prudence antique. Cette heureuse rencontre forme dans le disciple le sens de la mesure.

La vertu d'équilibre, dans la pensée et dans la conduite, n'est pas la seule affinité entre le maître et le disciple. Ils ont tous deux le même respect natif de l'autorité séculière [130] qui doit travailler au règne de Dieu [131]. Tous deux sont issus de familles royalistes, où l'amour du souverain légitime préserve des égarements fanatiques et tient lieu de conscience civique dans les temps de crise et les ténèbres de la nation [132]. Familles de magistrats profondément dévoués à leurs cités [133], et familles généreusement catholiques : de bonne heure, les enfants y reconnaissent leurs voca-

(Fonds français 16869, f° 55 v°) : « C'est une ancienne coutume dans la faculté de théologie de Paris que tous les bacheliers faisant leurs cours de licence, se mettent sous la conduite d'un docteur de la faculté pour leur servir de guide et diriger leurs études, auquel on donne le nom de grand-maître. Tous les bacheliers qui sont de la maison de Navarre ont un grand-maître commun, aussi bien que ceux de la maison du cardinal Lemoine. Ce grand-maître est leur supérieur et le chef de leur société. ... On doit donc regarder le grand-maître, du Collège de Navarre comme le supérieur et le conducteur de tous les étudiants en théologie, bacheliers et autres, et même comme le chef de la société des théologiens de cette maison soit docteurs, soit bacheliers. Il est par conséquent le premier homme du collège. »
La prise en charge de Bossuet, jeune « artien », par le grand-maître des théologiens, a donc une signification spéciale. S'agit-il en même temps d'une direction de conscience ?
125 *O.O.*, IV, 470, O.f. Nicolas Cornet, 27 juin 1663, notice. Le texte n'est connu que par une édition subreptice d'Amsterdam.
126 *Ibid.*, 475.
127 *Ibid.*, 473.
128 *Ibid.*, 475-478.
129 Cf. *ibid.*, 483.
130 *Ibid.*, 488.
131 Comme on le voit dans l'Avertissement attribué à Cornet, qui est en tête du livre posthume de Richelieu : *Traité qui contient la méthode la plus facile et la plus assurée pour convertir ceux qui se sont séparés de l'Eglise*, 4e éd. Paris, 1657. Le premier achevé d'imprimer est du 1er février 1651. Cornet et son ami Péreiret sont parmi les docteurs approbateurs à la date du 24 septembre 1650.
132 Cf. à la suite de l'édition originale de l'o.f. de Cornet par Bossuet, Amsterdam, 1698, (B.N. = Rés. Ln27. 4929). — Bossuet n'y eut point de part — l'éloge de Cornet par son neveu, pp. 84-85 : son père Jacques Cornet fut en pleine Ligue fidèle à Henri IV — comme le grand-père de Bossuet.
133 *Ibid.* Jacques Cornet, premier échevin d'Amiens, contracte la peste et meurt parmi ses concitoyens.

tions [134], et ils se consacrent nombreux à l'Eglise. La famille Cornet cependant donne plus aux ordres religieux que la famille Bossuet [135], comme si elle ignorait toute suspicion gallicane, et le grand-maître de Navarre, ancien élève et ancien novice des Jésuites et leur constant ami, est docteur de la Faculté de Paris, puis syndic de Sorbonne, au temps des querelles mesquines de l'Université avec les Pères. Dénonciateur du Jansénisme à la fois, et disciple de saint Augustin [136], il a pu être pour Bossuet le premier exemple d'une pensée haute et large, indépendante des factions et par là conciliante, et d'un caractère pacifique qui assume par devoir les responsabilités meurtrières de l'action. Il est vrai que cet homme d'étude et d'enseignement se contenta de manier le glaive théologique et refusa par humilité les charges de l'Eglise [137]. Il eût même détourné Bossuet du sacerdoce militant sans la ferme résolution de celui-ci [138]. Sa tâche fut seulement de l'armer intellectuellement, et sans doute accepta-t-il de voir son disciple, puisque celui-ci, lui-même, n'y sentait pas d'infidélité, devenir ami des Arnauld, dans l'intérêt de l'unité catholique.

Autour de cette austère figure, se seront tout de même épanouies quelques fleurs profanes. Cornet lui-même, qui dans son collège remportait tous les prix, composa « entre autres choses, qu'il fit aux Jésuites, parmi lesquels il demeura quelques années, un discours français, grec et latin, qui surprit les plus habiles » [139]. Et sur sa tombe à peine refermée, aussitôt que l'éloquence de Bossuet (*Bossuetiacae facundia linguae*) a consacré sa gloire, c'est le concours de tous les jeunes latinistes du collège, qui versent, avec leurs larmes, les fleurs légèrement défraîchies d'une poésie latine recomposée, sur des rythmes plus faciles, avec les mots d'Horace, de Catulle et de divers élégiaques [140]. Curieuses fleurs ! Les divinités de la Montagne Sainte-Geneviève accourent et se lamentent au sujet de l'éclatante lumière qui vient d'être ravie à l'univers ; puis elles se réjouissent de ce qu'il vit et brille entre les étoiles, du moment que la voix de ses amis l'arrache à l'oubli de la postérité [141]. Ou bien les

---

134 *Ibid.*, p. 72.
135 *Ibid.*, p. 87 et sv. Sur dix enfants, on a : l'aîné, grand-maître de Navarre, un jésuite, un capucin, une clarisse, une ursuline et une bénédictine.
136 Bossuet, O.f. Cornet, *O.O.*, IV., 482.
137 *Ibid.*, p. 486 et passim.
138 Ledieu, I, *Mémoires*, p. 45.
139 Eloge par son neveu, p. 73, dans l'édition de 1698.
140 Edition de 1698, p. 50 : « Après l'oraison funèbre de maître Nicolas Cornet prononcée par M. Bossuet, l'on récita aussi à l'honneur de sa mémoire un poème latin composé par le sr Jacques de la Bertinière, en forme de complainte faite par la maison de Navarre toute larmoyante, et autres poésies qui suivent. » — A la chapelle, ou dans une cérémonie profane à l'intérieur du collège ? Où est ce « théâtre » de Navarre ? Cf. p. 56 : « Decantabant ad tumulum tanti viri Rhetores Navarrici », et p. 57 : « Planctus... Recitabat e Theatro Navarrico Jacobus de Bertinière Secundanus. » De toute façon Bossuet a dû subir cette audition, par courtoisie, et non peut-être sans un certain plaisir d'ordre familial.
141 *Ibid.*, p. 55.

> « Ergo Navarrei quondam laetissima collis
> Numina, maerorum nunc sepelite gravem.
> Quem fas ante fuit lugere, ut lumine cassum
> Vivit io, mixtus sideribusque micat.
> Quin etiam hunc *Bossuetiacae* facundia linguae
> Consecrat, atque mori voce potente vetat.
> Interiisse vetat *Guischardus,* grande per omnes,
> Historias nomen, spem eximiamque ferens. »

victoires en Sorbonne sont célébrées sur le mode épique : Apollon lui-même couronne le théologien, Pallas le guide et l'esprit de Socrate emplit sa poitrine [142]. Fleurs païennes, et sœurs de celles qu'on aurait amassées au XVIe siècle pour le « tombeau » collectif de quelque « gentil poète », disciple de Pindare ou d'Anacréon. Mais peut-on n'avoir pas l'imagination païenne quand on mesure un beau latin ? La question est de savoir si le pieux Nicolas Cornet eût été froissé de ces hommages inconsidérés, et surtout de savoir si Bossuet, qui sera plus tard si sévère pour l'inoffensif Santeul, et qui est alors en pleine possession de son jugement chrétien et dans la maturité de son goût, si Bossuet a souri, ou bien s'il a haussé les épaules...

Et quelle aurait été la réaction des compagnons de labeur de Nicolas Cornet ? Jacques Péreyret, le premier titulaire de la chaire de controverse que Richelieu avait fondée en 1638, était son intime ami. Cornet lui céda sa place en 1643, mais Péreyret étant retourné auprès de son évêque, Cornet rentra dans sa charge en 1651 [143]. Unis par l'amitié la plus simple, ils n'avaient qu'une action et les rancunes jansénistes les poursuivent ensemble [144]. Péreyret semble n'avoir eu qu'un rôle de second plan, mais fort utile et laborieux, en fournissant aux docteurs dits molinistes des extraits probants de l'*Augustinus* [145], lequel décidément n'était pas aussi facile à dépouiller en son entier que l'insinue Pascal... Ce n'est pas pour autant un docteur complaisant que cet inflexible Auvergnat, qui, « ne voulant en rien relâcher de beaucoup de règlements et statuts qu'il avait faits concernant la fonction de la jurisdiction et dispensation du grand vicariat, ni fléchir aux volontés supérieures..., aima mieux se retirer à Paris et quitter son office et commission à monsieur l'évêque qui en pourvut un autre à sa place » [146]. C'était un homme d'action, que l'estime de M. Vin-

142 *Ibid.*, p. 63.

« Dogma novum primus detexit nare sagaci,
  Aegida concutiens primus in arma ruit.
Doctoris Lybici facunda volumina prudens
  Legerat, hicque fuit per duo lustra labor.
Hinc dextro victrix accessit Apolline laurus,
  Hinc quae monstraret singula, Pallas erat.
Mysta fuit sapiens, mentisque capacior altae,
  Hinc quae monstraret singula, Pallas erat.
Ebria Socratico maduerunt pectora rore
  Oraque nectareis plena fuere favis. »

143 Floquet, *Etudes*, t. I, p. 83, n. 2.

144 Cf. à la Bibliothèque Sainte-Geneviève, le recueil provenant de la bibliothèque du cardinal Le Tellier, 4° D. 1488, Inventaire, 1493. « *Contra D. D. D. Corn*[*et*], *Pereyr*[*et*] *et Le Moine* », Pièces 1, 2 et Pièce 4 : « *Apparatus a Jacabo Pereyreto Theologo Parisiensi et in collegio Navarrico professore, publice traditi, Elenchus* », que nous comprenons : « Du système publiquement enseigné par Jacques Péreyret, Théologien de Paris et professeur au Collège de Navarre, Réfutation. » — Aux alentours de 1649.

145 Cf. *Eclaircissement du fait et du sens de Jansénius, contre les livres et extraits de MM. Péreyret, Morel, Chamillard, Annat., Amelot et autres*, par Denis RAIMOND [Noël de LA LANE], Cologne, 1660, in-4°. — L'extrait de Péreyret avait été publié à la suite d'une ordonnance de l'évêque de Clermont. Un fragment de son cours pour l'année 1644 est à la p. 141. Bossuet ne le suivait peut-être pas encore, mais le jansénisant Noël de La Lane est son condisciple, ayant soutenu sa Sorbonique — avec une année scolaire d'avance — la même année que lui, le 8 janvier 1650. (Bibl. Sainte-Geneviève, D. 1531, pièce 11).

146 Jean SAVARON, *Les origines de la ville de Clairmont* ... Paris, Muguet, 1662, fol., p. 279 (B.N. = Fol. Lk7. 2089).

cent imposa au cardinal Mazarin, qui le fit rétablir en ses fonctions de grand vicaire à Clermont, par l'évêque Louis d'Estaing, frère et successeur de Joseph d'Estaing, « comme très connaissant des abus qui s'y étaient glissés, et, pour être rigide, fort propre pour les repurger » [147]. Il s'y montra en effet acharné à corriger les mœurs du clargé, qui semblent avoir eu dans cette province un besoin urgent de réforme. Méprisant sa santé, tendu vers le salut, ce compatriote de Pascal est curieusement hanté par la passion terrienne : « Ce bon ecclésiastique avait toujours ces mots en bouche : " Sauvons-nous, mon ami, ne faisons aucune action qui nous puisse faire perdre le paradis. " Il disait aussi avec grande raison qu'il y avait grand danger pour la conscience de celui qui avait des héritages proches des personnes pauvres ou incommodées, à raison des démangeaisons qui prennent de s'agrandir à leurs dépens par toutes sortes de voies. » [148]

Nous n'avons rien d'aussi original et fort peu de chose à dire du professeur de théologie scolastique, Pierre Guischard : il s'associe aux entreprises de Cornet contre le jansénisme et il reçoit les compliments ampoulés et peu significatifs de Guillaume Du Val, son collègue au collège de France [149]. Quant au célèbre Jean de Launoy, Docteur de Navarre, il ne semble pas y avoir été professeur. Du moins Bossuet n'a pas voulu le suivre, et il a éprouvé pour sa méthode historique, d'érudition non coordonnée, une franche antipathie [150]. Mais les deux figures premièrement retracées, si rigoureusement sacerdotales, et si unies entre elles, suffisent pour indiquer le fond de préoccupations sur lequel s'élèvent les jeunes théologiens de Navarre. Ouvriers sans faiblesses dans la vigne du Seigneur, Cornet et son ami Péreyret nous font un peu penser à ces maîtres austères, essentiellement croyants et agissants, que le jeune Renan avait aimés à Saint-Sulpice [151].

Les grâces de l'humanisme pourtant, nous l'avons montré en plusieurs points, envahissent la maison. Elles règnent sans opposition sur les classes des grammairiens, où s'emploie à les cultiver le célèbre Nicolas

---

[147] *Ibid.*, p. 280.
[148] *Ibid.*, p. 281. Péreyret était mort avant 1660, « en sa 78ᵉ année ... regretté de tous les bons. »
[149] [Guillaume DU VAL], « *Le Collège Royal de France ou Institution, établissement et catalogue des lecteurs et professeurs, fondé à Paris, par le grand roi François Iᵉʳ, Père des lettres, et autres rois, ses successeurs, jusques à Louis XIV Dieu-donné.* » Paris, 1644, in-4°. Anonyme élucidé par MORÉRI et GOUJET. A la B.N. = R. 7347. Voici l'éloge, fort peu compromettant, de Pierre GUISCHARD d'Avranches : « Les fondements de saint Thomas, cet angélique docteur et le grand-maître de la théologie scolastique, les résolutions du doctissime Durandus, les subtilités de Scotus (c'est une forme de proverbe qui se dit aux écoles de théologie) ont fait le docte GUISCHARD non seulement docteur fameux en la sacrée théologie et de l'illustre maison de Navarre, mais aussi l'ont élevé à la dignité et charge de lecteur et professeur du roi en cette même science des saints. » (pp. 109-110). Contre lui, curieux pamphlet anonyme, signalé par Lévesque (*Corr.* IV, 285) à la B.N., Ln²⁷. 9396.
[150] Ledieu, I, pp. 22-23, et pour l'opposition ultérieure de Bossuet, voir *Corr.*, V, 75, et VI, 37.
[151] Floquet, *Etudes*, I, p. 77, mentionne aussi Claude LE FEUVRE, qui est en réalité bien postérieur, n'ayant été docteur que le 11 août 1664. Cf. Bossuet *Corr.* III, 358 ; et Jean DU SAUSSOY, sur lequel je n'ai rien trouvé. — Ledieu, I, p. 40, ne nous fixe pas davantage. — Sur Jacques PIGIS, professeur de philosophie au Collège de Navarre, je sais seulement qu'il fut professeur de littérature grecque au Collège Royal, à partir de 1650 (Cf. *infra*) et qu'il mourut le 29 juin 1676 (Fonds français 22855, f° 11 r°.).

Mercier [152]. Celui-ci semble avoir été très fier de son modeste emploi de régent de troisième et de sous-principal des grammairiens ; plein de l'esprit de la maison, il dédie ses ouvrages à ses supérieurs, à ses collègues ou à ses élèves. Il aime tout le monde et toutes les belles choses : c'est un véritable humaniste chrétien, fort attaché à l'esprit et à la littérature du siècle précédent. Grammairien confus quant aux principes, qui fait rentrer les nécessités de la correction grammaticale dans la stylistique de l'élégance, il est plein de sens pédagogique, s'explique en français et se répète autant qu'il le faut, aussi pratique et aussi clair qu'on peut l'être en un temps où les outils grammaticaux n'avaient pas été clairement reconnus et analysés [153]. Son maître est Erasme, qui lui semble le pédagogue par excellence, éminemment capable de former la jeunesse à la belle latinité, aux bonnes mœurs, à la civilité courtoise et à la piété du cœur. Mercier a cru ne pouvoir rien faire de mieux pour ses élèves que d'éditer Erasme à leur usage, un Erasme expurgé conformément aux exigences du Concile de Trente, et clairement annoté en français pour les petits grimauds. Soumis, quant à lui, de cœur et d'âme, à la discipline catholique, Mercier ne voit pas de mal à l'indépendance d'Erasme de Rotterdam, dont il raconte la vie avec une grande franchise, bien semblable à de l'admiration [154]. Conformément à l'esprit d'Erasme, il croit que la sagesse païenne prépare les voies à la sublimité chrétienne, et pense qu'il faut en graver les plus pures sentences dans la mémoire des tout jeunes enfants. Il refait donc les sentences de Béhourt, en les allégeant, et les complétant par un choix plus large. Il les explique avec une candeur aimable et simple et les dédie, sous un format charmant, à la noble et généreuse jeunesse qui étudie les lettres dans l'Académie de Paris [155]. Il espère que cette fervente application conduira jusqu'à Dieu Théophile, enfant chrétien et favori des Muses, qui, du même coup, aura appris sans peine le grec, par la comparaison avec le latin, que soutient, sur la même page, la langue maternelle, et avec l'aide d'une très complète « *e x p l a n a t i o   v o c u m* » [156]. Les belles-lettres, la sagesse et la piété : ces choses s'unissent naturellement, et le stoïcisme, qu'on préfère visiblement, exerce l'âme à la vie chrétienne :

> Voilà, mon cher Théophile, les préceptes que vous devez garder soigneusement, si vous voulez mener une vie bien louable et plaire à Dieu. Vous avez dans le premier chapitre le Symbole des Apôtres qui contient en abrégé tout ce qui concerne la religion. Dans le second vous y voyez les préceptes du Décalogue et les commandements de l'Eglise. Le troi-

---

[152] Cf. son *Manuel des Grammairiens*, 1657. Moréri affirme que la 1re édition fut avant 1653. Ce *Manuel* fut réimprimé, tant on le jugea commode, jusqu'en 1820.
[153] Mercier édite les *Colloquia*, en 1656, et l'on publie en 1715 le « *De civilitate morum puerilium, cum facilioribus notis Nicolai* MERCERII, *ad usum inferiorum scholarum* » suivi d'un « *De disciplina et puerorum institutione* » à peu près tiré d'Erasme.
[154] En guise d'introduction aux *Colloquia*.
[155] « *Sententiae puriores ex Ovidio, Tibullo, Propertio, Martiale et Ausonio selectae. Cum notis familiaribus N. Mercerii.* ». Paris, Thiboust, 1655, in-32°.
[156] « ... *L'instruction de Théophile, ou de l'enfant chrétien. Opus trilingue Graeco-Latine-Gallicum, cum partibus singularium vocum Graecarum, sic excussis et explicatis, ut nihil adolescentibus linguae graecae studiosis ad ponenda rudimenta facilius esse possit, aut utilius.* » Paris, 1654, in-8°.

sième, jusques au dixième, contient les sages avertissements que donne Basile, empereur des Romains, à Léon son fils. Le dixième comprend quelques sentences de Démophile, ancien philosophe. Dans l'onzième et 'es autres suivants, jusques au dix-huitième, nous avons fait voir la merveilleuse doctrine d'*Epictète, le meilleur des philosophes.* Depuis ce chapitre-là jusques au vingtième, vous y trouverez les préceptes du grand Isocrates à Démonicus et Nicoclès. Et afin que, *comme nous avons commencé par des choses saintes, nous finissions aussi par elles-mêmes,* les deux derniers chapitres sont remplis de sentences prises des Saints-Pères ; et ainsi vous avez *en peu de discours* tout ce qui est de plus considérable *dans toute la philosophie* pour la direction des mœurs et de la vie [157].

Très simple et très humaine pédagogie : trop livresque pour Montaigne, Erasme s'y serait reconnu. Il y aurait retrouvé le goût de son siècle dans son plus souple latin et sa familière mythologie : « Mercerius », sous la figure de son paronyme « Mercurius », et, à l'instar de Minerve, conduit les errants au temple de la gloire sur une resplendissante Acropole [158]. De goût, en effet, Nicolas Mercier retarde, prophétiquement si j'ose dire, puisque Ronsard reste pour lui le grand poète de France, « *summus poeta Gallicus* » [159], et qu'en humaniste chrétien, il essaie un génie du christianisme » [160].

Dans un latin naïf et raffiné, un ami de Mercier introduit au Parnasse l'humble régent de troisième. La récompense n'est pas excessive, car les fleurs humanistes de cet honnête jardinier, poussées dans la cour d'un collège, ne sont pas de vaines bagatelles, puisqu'il les a cultivées afin de découvrir la beauté à ses jeunes disciples, et qu'il les consacre humblement au Christ, fils du Père tonnant dans les cieux [161].

---

157 Mercier, *op. cit.*, « Conclusion ».

158 Au frontispice du « *De officiis scholasticorum, sive De recta ratione proficiendi in litteris, virtute et moribus* », 1657, in-12°.

159 Dans la dédicace des *Colloquia familiaria,* à Pierre LE VENIER. Il est vrai que c'est pour louer cet ami « summus poeta latinus » et Vendômois, comme Ronsard.

160 « *Hendecasyllabon* » de Pierre LE VENIER, en tête du *De officiis scholasticorum.*
          « Pindi nequitiae, facetiaeque
            Latinis numeris Catullientes,
            Amarae nimis ô suavitates !
            Suaves nimis ô amaritates !
            Hinc facessite, displicent Camenae
            Quae blandis animum imbuunt venenis.

            At vos, *Christiades venite Musae,*
            O chara mihi luce chariores,
            Mercerī aethereae venite alumnae,
            Plenae mellis et elegantiarum,
            MERCERI pia scripta : Christianas
            Puero carmine quae docetis artes,
            Queis imbuta petat Juventa caelum. »

161 *Ibid.*, « *Conclusio ad Christum* »,
          « Christe, parens rerum, summique aeterna tonantis
            Progenies, operi ponimus ecce modum.

            Te duce, nostra tribus complexa est Musa libellis,
            Quo deceat juvenes instituisse modo.

            Hoc opus est tuum ; tibi supplex offero, Christe,
            Quidquid id est, tota consecro mente tibi. »

Les loisirs humanistes de Bossuet à Navarre.

Il ne sera sans doute jamais possible de savoir dans quelle mesure Bossuet, « artien », puis théologien, fréquentait les « grammairiens » distingués de Navarre, et s'il lui restait du temps pour humaniser ses propres études plus austères. Ledieu, qui est un précieux témoin, mais qui n'est pas sans solliciter les faits pour mieux établir la « politesse » de Bossuet, tout en diminuant les mérites des jésuites, veut dater de cette époque principalement la culture littéraire de Bossuet :

> Ses études ne se bornèrent pas à la philosophie du collège : Il apprit le grec à fond ; il lut tous les anciens historiens grecs et latins, les orateurs et les poètes. L'on a vu, par une longue expérience de toute sa vie, combien ses premières études avaient été sérieuses. S'étant toujours trouvé prêt à réciter les plus beaux endroits, non seulement des poètes, mais encore des orateurs et même des historiens, tant il les avait présents à la mémoire. Il ne cessait d'en inspirer le bon goût et d'en faire le caractère, comme s'il les eût lus tous les jours. Il vantait la sublimité d'Homère et la douceur de Virgile, et le prouvait aussitôt par des exemples ; de même des orateurs : combien ne louait-il pas la force des déclamations de Démosthène contre Philippe, la majesté de Cicéron et surtout les tours d'esprit et d'insinuation de son oraison *pro Ligario ?* On ne finirait pas si l'on s'arrêtait ici davantage au jugement qu'il faisait des historiens, des philosophes, et en un mot de tous les anciens auteurs dont il avait la mémoire aussi pleine et aussi vive *que lorsqu'il était au collège de Navarre* [162].

Pour nous, nous ne saurions distinguer en quelle couche de la mémoire de Bossuet se sont amassés le plus de souvenirs littéraires, et, pour le paraphraser lui-même, nous dirons que « ces fleuves tant vantés » se sont « mêlés dans l'Océan (de son humanisme) avec les rivières les plus inconnues »...

Toutefois, il ne faudrait pas, en voulant se garder des précisions imprudentes, donner dans l'excès du scepticisme. Le climat du pays latin a enveloppé Bossuet pendant de longues années et l'on y respirait plus que des relents attardés du XVIᵉ siècle : l'impérissable ardeur de savoir des humanistes s'était ranimée avec la confiance en la France, et Richelieu y fait figure de continuateur magnifique de François Iᵉʳ. Magnificence matérielle d'abord pour mettre l'esprit au large : il faut entendre Claude Malingre célébrer la Sorbonne rebâtie :

> Là se voit la grande salle où se font les actes sorbonniques... ; les anti-salles, escaliers, tous de belles pierres de taille, les chambres, anti-chambres, et cabinets pour le logement des Docteurs, la bibliothèque, les courts, les offices, les fontaines, les pavillons, les portes garnies de frontispices très excellents, fenêtres, peintures, tableaux des salles, font assez connaître que la dépense n'y a point été épargnée, et que c'est l'une des plus belles et agréables demeures de Paris. Joint à cela l'église magnifique qui est bâtie de neuf, où était ci-devant la court et les logis du collège de Caluy [163].

---

[162] Ledieu, I, *Mémoires*, pp. 14-15.
[163] Claude Malingre, *Les antiquités...*, p. 286.

En suite de quoi, nous croyons volontiers que

> dans la rue appelée de Sorbonne sont les écoles de théologie où lisent les Docteurs professeurs d'icelles les plus fameux de l'Europe [164].

Quant au style des professeurs eux-mêmes, c'est du délire quelquefois :

> Venons à la vénérable et Sainte Sorbonne, et finissons triomphalement. *In hac Sorte bona, quae sors est Sanctorum* [165].

Le visiteur n'est-il pas ébloui, tout autant que le furent dans Homère les princes grecs conviés au festin du roi Ménélas ?

> On en peut dire, ce dis-je, autant que du palais de Ménélaüs, la voyant ainsi renouvelée et si somptueusement et artistement édifiée qu'à peine se peut-il voir aujourd'hui un semblable collège de théologiens en l'univers des Universités [166].

Sans doute il s'est trouvé de tout temps des pédants pour outrer les coups d'encensoirs dus à leurs collègues, mais celui que nous citons est des plus fertiles en hyperboles ridicules. Il donnerait à croire que les régents d'alors, un siècle après la *Défense et Illustration de la langue française,* ne savaient pas encore parler français. Le goût des milieux cléricaux, il est vrai, retarde en général fortement sur le goût mondain. Circonstance atténuante : Guillaume Du Val mène une sorte de campagne de presse pour obtenir qu'on ne réduise pas le nombre des lecteurs royaux et qu'on leur paie quelquefois leurs gages... [167].

Au voisinage de Navarre.

Misère dans la superbe et superbe dans la misère : la double maladie, endémique au Collège Royal plus encore que dans l'Université, ne doit pas nous faire oublier le fond réel de santé. A travers les notices pompeuses de Guillaume Du Val et celles, rassises et objectives, de l'abbé Goujet, un siècle plus tard [168], nous croyons lire que ces professeurs, pauvres diables et cuistres peut-être, furent souvent des travailleurs acharnés qui voulaient boire à toutes les sources du savoir.

Il n'y avait pas alors incompatibilité d'exercice entre l'Université et le Collège de France, mais celle-là fournit souvent le personnel et prépare l'auditoire de celui-ci, comme cela se faisait au siècle précédent [169]. Il n'y avait pas davantage incompatibilité entre les différents arts, ni entre les arts et les sciences. Beaucoup de philosophes sont professeurs de lettres, beaucoup de théologiens sont humanistes et beaucoup de « littéraires » sont passionnés de sciences naturelles et s'adonnent sérieusement à la

---

[164] *Id., ibid.,* p. 286.
[165] Guillaume Du Val, *Le Collège de France,* p. 110.
[166] *Id., ibid.*
[167] *Ibid.,* leitmotiv, p. 23, p. 106.
[168] Abbé Claude-Pierre Goujet, *Mémoire historique et littéraire sur le Collège Royal de France,* A. Lottin, 1758, in-4°.
[169] Cf. Abel Lefranc, *Le Collège de France,* p. 139.

médecine. Bossuet, si même il ne l'a entendu lui-même de ses oreilles, a dû entendre parler de ce Philippe Du Bois, de Meaux,

> pourvu par lettres données à Saint-Germain-en-Laye *le 24 d'Octobre 1642*. Il fit... la harangue d'entrée toute en grec, remplie de doctrine et ornée d'éloquence à la Démosthénique [170].

Et il connaît bien Jacques Pigis qui a été professeur de philosophie à Navarre — son professeur vraisemblablement — avant que ne lui soit donnée la chaire de professeur royal en grec, dont il prit possession sur la fin du mois de décembre 1650 [171]. Parmi les professeurs de « philosophie grecque et latine », Jean Perreau, professeur de 1622 à 1645, « était très versé dans toutes les sciences et capable d'éclaircir Platon, Aristote, Euclide, Ptolémée, et ce qu'il y a de plus difficile dans les mathématiques » [172] ; Jacques du Chevreul (1647-1649) est un grand cicéronien, de surcroît théologien, hébraïsant et helléniste :

> Ramené par son goût à la philosophie, sa science favorite, il voulut connaître et approfondir tous les systèmes et quoiqu'il préférât Platon à Aristote, il lut avec attention tous les ouvrages de ce dernier, plusieurs même de ses commentateurs, cherchant toujours à mettre à profit toutes les vérités qu'il rencontrait dans les anciens comme dans les modernes, de quelque part qu'elles s'offrissent à lui. Ce fut par le même motif de ne rien négliger de ce qui pouvait l'instruire et l'éclairer qu'il lut avec soin les Saints-Pères, les Conciles, les historiens, et qu'il prit plus qu'une légère teinture de la médecine, de la jurisprudence et surtout des mathématiques, en sorte que dans l'occasion il parlait de tout, non seulement avec justesse, mais souvent aussi avec profondeur [173].

Au sérieux près, il est, celui-là, quant à l'appétit intellectuel, de la postérité de Gargantua. Tandis que son maître Pierre Padet, de Coutances, choisit d'être au Collège Royal de 1647 à 1665, comme il l'avait été au collège d'Harcour, un pur platonicien [174]. Tous deux d'ailleurs, soucieux de permettre à la jeunesse l'accès de la philosophie en lui facilitant les rudiments, ne croiront pas s'abaisser à dresser « *Les déclinaisons grecques arrangées avec le latin pour les enfants...* » [175], tant il semble alors évident qu'on n'a d'entretiens avec la vérité que si l'on parle la langue des dieux.

Cette persistance de la culture antique n'empêche pas l'attraction moderne qui est scientifique. Notre Guillaume Du Val est en principe professeur de philosophie de 1606 à 1646, mais que n'a-t-il dévoré [176] ? Il était, nous dit Moréri,

---

[170] Du Val, *op. cit.*, p. 23.
[171] Goujet, *op. cit.*, p. 199.
[172] *Ibid.*, p. 88.
[173] *Ibid.*, p. 89.
[174] *Ibid.*, p. 101.
[175] *Ibid.*
[176] Du Val, faisant lui-même son éloge (sous l'anonymat), se dit (*op. cit.* p. 56), « porté d'inclination, voire emporté d'ardeur et d'affection peut-être désordonnée et dès son bas-âge à apprendre. » En effet, Guillaume Du Val avait donné une belle édition gréco-latine d'Aristote, en deux vol. in-fol., de l'Imprimerie Royale, 1619, qui est celle dont Bossuet se servira en préparant sa philosophie pour le Dauphin. Cf. f. français 12830, que nous publions sous le titre : Bossuet, *Platon et Aristote. Notes de lecture*.

docteur en médecine et doyen de la Faculté. Il embrassa presque toutes les sciences, même la théologie... Il dit que c'est lui qui a introduit à Paris et a commencé le premier aux écoles royales à enseigner l'économique, la politique et la science des plantes, celle-ci en 1610 et celle-là en 1607. Son plus grand ouvrage est un commentaire général sur toute la philosophie d'Aristote.

N'oublions pas non plus Gassendi, professeur en mathématiques, à partir de 1645, et dont le nom dit peut-être « quelque chose » à l'ancien élève du Père Le Cazre. Guy Patin viendra enseigner la médecine en 1654 et il a soutenu en 1644 une thèse sur ce sujet scabreux : « *A n t o t u s   h o m o   N a t u r a   s i t   m o r b u s* » [177]. Par lui, nous entrevoyons la liaison entre les milieux scolaires ou savants et les milieux libertins.

Mais il est des figures moins inquiétantes, comme celle de Jean Tarin, angevin, professeur en éloquence et surnommé par Du Val « le rossignol des écoles publiques ». Humaniste et chrétien,

il a doctement traduit du grec en latin quelque partie de l'Origène et a fait de belles pièces latines que savent et gardent les curieux [178].

Et il nous rassure aussi par la largeur et le désintéressement de sa culture, ce Jean de Montreuil, ou Monstreuil, qui enseigna la médecine de 1640 à 1647. En même temps qu'il faisait ses études de médecine, il avait pris des leçons de rhétorique, de philosophie et de langue grecque. Il a été élevé à Bourges avec le duc d'Enghien et les Condé finissent par s'attacher ce grand anatomiste, savant en chimie et non ignorant même en astrologie, qui :

au milieu de tant d'occupations... composa deux ouvrages, l'un de l'Art de la dialectique,... l'autre qu'il avait intitulé « *Euclides Medicus* » [179].

En somme, il apparaît que, vers la fin de ce demi-siècle, l'opposition n'est plus entre le Collège Royal de France, qui n'est plus ni si jeune, ni si hardi, quoiqu'on ait entrepris de le rebâtir en 1610, et l'Université, quatre fois séculaire, bastion rébarbatif d'une dialectique chenue et de l'ancienne théologie. En construisant une Sorbonne qui se voulût aimable et lettrée, Richelieu a fait un geste symbolique : ce pourrait être la fin de la guerre entre l'Humanisme et la Scolastique : les petits-fils d'Erasme sont catholiques obéissants et les théologiens sont humanistes, ou prétendent l'être...

Ne devrait-on pas pousser plus loin les conciliations ? Est-ce que par hasard l'opposition serait réelle entre les meilleurs professeurs de l'Université et ceux des Jésuites ? La pédagogie, la morale et le goût ne se ressemblent-ils pas ? Nicolas Cornet ou Nicolas Mercier ne seraient-ils pas acceptés dans l'un et l'autre camp ? Si la lutte cependant ne chôme guère, ne serait-ce pas que les disputes justement sont plus faciles entre

---

[177] Goujet, *Mémoire historique*, p. 63.
[178] Du Val, *Le Collège de France*, p. 45.
[179] Goujet, *op. cit.*, p. 60.

les émules du même parti, quand ils ne sentent pas le commun péril, qu'avec les ennemis du dehors ?

La continuité intellectuelle du XVIe au XVIIe siècle.

A la distance où nous sommes, les luttes sont plus visibles que l'accord fondamental. De même, nous oublions trop la continuité qui concilie les générations du public lettré, tandis que s'opposent les chefs littéraires. Malherbe a pu biffer Desportes et Ronsard : les milieux cléricaux sont plus conservateurs, et l'Université n'élève point Bossuet dans l'opposition à la théologie, ni à la philosophie du XVIe siècle. Un de ses premiers protecteurs, Philippe Cospéan ou Cospéau, n'était-il pas disciple de Juste Lipse [180] ?

Continuité bien plus grande encore : depuis le Moyen-Age de saint Thomas, *la matière* des cours de philosophie n'a pas changé, ni dans le plan d'études des Jésuites, ni par la Réformation de l'Université que promulgua Henri IV, en 1601. La présentation des idées peut se modifier, mais il s'agit toujours d'expliquer Aristote selon la méthode scolastique. Les plus hardis font l'explication en français, et de judicieux pédagogues intercalent à tout le moins des explications en langue française [181]. Mais on se doit à Navarre de garder une stricte latinité, et Bossuet s'exerce dans les formes.

Les professeurs de théologie, à plus forte raison, ne tiennent pas compte, *ex cathedra* du moins, des progrès de la philologie sacrée [182] ; en fait, nous verrons que leur bibliothèque était parfaitement au point de ces connaissances. Les méthodes pures de scolastique sont d'ailleurs profitables aux esprits concrets. Elles ont servi à asseoir la logique de Bossuet. Mais je ne crois pas qu'elles correspondent absolument à la tendance profonde de son esprit. Discursif et serré quand il le faut, mais intuitif tout autant, Bossuet va « de génie » aux sources. Nourri de la lettre des Ecritures, il se retrouve mieux dans les commentaires librement construits des Pères que dans les grands systèmes scolastiques.

C'est à Metz surtout, dans la solitude régulière de son canonicat, que ses études sacrées seront personnelles et le caractériseront bien. Pour le moment, ce qui est certain, alors qu'il s'essaie encore, c'est qu'il domine

---

180 D'après Moréri. « Homme de lettres », dans le style de Ledieu, I, p. 16. — Moréri ajoute : « C'était un excellent prédicateur et on lui donne la gloire d'avoir purgé la chaire du fatras des citations profanes et de leur avoir substitué l'Ecriture Sainte, et en particulier l'autorité de saint Paul, et celle de saint Augustin parmi les Pères. »
181 En français et dans un beau style clair, le : « *Corps de toute la Philosophie divisé en deux parties ... le tout par démonstration et autorité d'Aristote avec éclaircissement de la doctrine par lui-même.* Par maître Théophraste BOUJU, sieur de Beaulieu, conseiller et aumônier ordinaire du roi. » Chez Charles Chastellain, fol. 1614 (B.N. = Réserve R. 323). Etait à la bibliothèque des théologiens de Navarre.
   Quelques résumés imprimés, en français, intercalés dans les beaux « *Cahiers de philosophie* » de l'année 1642, Fonds latin 11 149. Les parties que nous appelons maintenant « matières à option » sont bien curieuses. ...
182 Cf. R. de LA BROISE, *Bossuet et la Bible*, p. XVII : « Les professeurs commentaient la Bible d'après les Pères et les docteurs scolastiques, ils n'instruisaient pas leurs élèves à la lire dans son texte original. »

assez bien son ouvrage pour avoir le loisir de vaquer aux belles-lettres et s'y faire une réputation. Au témoignage de Ledieu, plus haut cité, s'ajoute celui de N. Rigault, qui l'introduit auprès des frères Dupuy, par une lettre du 3 avril 1650, en ces termes :

> Dans le jeune âge où vous le verrez, [il] est fort avancé dans les études. Il est chanoine de l'Eglise de Metz et s'en retourne à Paris pour achever ce qui lui reste à faire des exercices ordonnés pour parvenir au doctorat de théologie. *Il a été fort bien institué et a bien le goût des belles-lettres.* Il a même la grâce et la facilité de parler en public et a prêché en l'église de Metz avec honneur et approbation [183].

Le jeune abbé n'a donc pas seulement brillé à l'hôtel de Rambouillet ; il s'est cultivé dans les cercles érudits par le contact personnel avec les grands lettrés et bibliophiles de la génération précédente. En dehors de toute contrainte cléricale et de toute préoccupation professionnelle, il prenait l'air, l'air du temps [184].

La bibliothèque de Navarre.

Pour le clerc qu'émancipe la possession d'un bénéfice, il n'y avait donc pas de clôture à Navarre, on pense même que nul n'essayait de l'établir et qu'un tel élève, qui avait la confiance, jouissait aussi de la familiarité de ses professeurs, et qu'il avait en particulier un assez libre accès à la bibliothèque des docteurs... Située au-dessus de la salle des Actes, à laquelle la réunit un élégant escalier à vis, cette bibliothèque, reconstruite grâce à la libéralité de Charles VIII et de Louis XII, avait toujours été très riche [185]. Riche d'abord en manuscrits, grâce à des legs nombreux dont le cardinal Pierre d'Ailly avait donné l'exemple en 1420, elle ne cesse de s'accroître par l'imprimerie, tant qu'en 1573 Belleforest la comparait à celle de l'abbaye Saint-Victor. Pour nous, lecteurs de Rabelais, la comparaison est assez péjorative. Et il faut avouer qu'elle revient à l'esprit quand on feuillette ses catalogues [186]. Malheureusement, le premier que nous connaissions date de 1708 ; il a été dressé par Etienne Milanges, un bibliothécaire que connut Bossuet [187]. L'ancien élève Bossuet dut exercer, lorsqu'il devint supérieur de Navarre, un certain contrôle sur les achats de la bibliothèque. On peut supposer d'ailleurs que Navarre, qui déclinait vers la fin du XVIIe siècle et durant tout le XVIIIe, possédait déjà vers 1640 ses livres et manuscrits du Moyen-Age et de la Renaissance. Bossuet étudiant aura donc pu y voir la masse énorme des scolastiques

---

183 Lettre citée en appendice dans la *Corr.* de Bossuet, I, 417.
184 Voir René PINTARD, *Le libertinage érudit dans la première moitié du XVIIe siècle,* 1943, 1re partie, ch. III, « La vie érudite ».
185 Au témoignage de L. JACOB, *Traité des plus belles bibliothèques publiques et particulières,* 1644, p. 548. Cité par Alfred FRANKLIN. *Les anciennes bibliothèques de Paris,* 1867, t. I, p. 399.
186 Le meilleur catalogue est celui de MILANGES, à la Bibliothèque Mazarine, cote 4152, de 1708 ; étendu plus tard en 11 vol. (4153-4163), par Pierre DAVOLÉ ; Catalogue de MASSON, 1741, à la B.N., fonds latin 9371 ; le ms. 6492 de l'Arsenal, dressé pour l'inventaire à la Révolution, n'est pas très soigné.
187 Cf. Ledieu, II, *Journal,* p. 458. Bossuet a fait nommer Etienne MILANGES, à la place de l'indésirable Philippe DROUYN, le 3 août 1703.

et des théologiens de tout temps et de tout acabit. Ils l'emportent en nombre et en poids sur les Pères de l'Eglise même. Quant aux auteurs de droit civil, le bibliothécaire a renoncé à les classer « *quod multa sint coacta et ingentia volumina* » [188]. Et n'avait-on pas enfoui dans quelque coin impossible les reliquats du Moyen-Age qui ont titre « *Li Romans de Lorharaus Guarin* » ou « *les fables d'Esope dans le titre d'Esopet et d'Avionet* » [189] ? A moins que la valeur exceptionnelle des miniatures du XIVᵉ siècle n'ait sauvé du mépris « les fabliaux et contes en vers français ». Il s'est bien trouvé un amateur, avant 1790, pour couper les feuillets à vignettes d'un ouvrage allégorique qui contenait bestiaire, lapidaire, etc... [190]. Et que faisait-on des traductions de Boccace ? Il nous intéresse davantage de savoir qu'on gardait de très belles Bibles comme celle de 1462 qui est aujourd'hui un des trésors de la Mazarine [191]. Un bon assortiment d'historiens sacrés et profanes, et sous la rubrique « *Philologi* » ou « *Grammatici* », une bonne part de la production humaniste : Pétrarque, Erasme, Juste Lipse, Laurent Valla, Budé, Albert Dürer, Buchanan, etc... Les textes anciens étaient des bonnes éditions : on avait le Platon de Marsile Ficin et l'Aristote de Scaliger. Les professeurs de grammaire surtout disposaient d'un fonds qui fait honneur à leurs capacités : grammaires de Meslier, d'Alvarez, remarques de Clénard et de Budé sur la langue grecque, « *Magnum Etymologicum* », les dictionnaires des Estienne et autres, Ambroise Calepin, *Lexique chaldaïque*, etc... Et ils se tiennent au courant des travaux sur la langue française avec le « *Trésor de la langue française* », par Jean Nicot..., à Paris, l'an 1606, ou « *l'Inventaire des deux langues française et latine* », par Philibert Monet, Jésuite, à Lyon, l'an 1636, voire de la mode littéraire, puisqu'on a quelques poèmes burlesques, Godeau, et « les œuvres du sieur Théophile » [192].

Le choix personnel.

Le futur précepteur du Dauphin avait-il alors des curiosités philologiques ou grammaticales ? Ce fils de magistrats cultivés, latiniste lui-même, helléniste, s'est-il complu parmi les livres profanes et tout simplement parmi les beaux livres ? Ou bien tous ces agréments lui parurent-ils bien vite indignes de sa vocation ? On sait qu'à partir du sous-diaconat, il renoncera définitivement à aller au théâtre, sauf obligation de cour [193].

[188] Mazarine 4152, p. 381.
[189] B.N., Fonds latin, 9371.
[190] Arsenal, 6492.
[191] Mazarine, à la cote, XVᵉ siècle, 21 et 22.
[192] Mazarine, 4152, *passim*. Mais je dois renoncer à l'aubaine d'y faire entrer la bibliothèque du grand humaniste PEIRESC, et ce, malgré HURTAUT ET MAGNY, *Dictionnaire historique de la ville de Paris et de ses environs*, 1779, t. II, p. 387, et Alfred Franklin, *op. cit.*, p. 399. La bibliothèque de Peiresc s'est bien vendue à Paris en 1637, mais Gassendi, qui est bien informé, déclare dans sa vie de Peiresc (3ᵉ éd. 1655) que les manuscrits (*codices*) sont en la possession du baron de Riants (*apud Baronem Riantiensem*). Si ces manuscrits sont allés à Navarre, ce n'a pu être que beaucoup plus tard, avec un fils ou petit-fils, Claude de Riants de Villerai, prêtre et docteur de Navarre. Cf. Moréri.
[193] Cf. Ledieu, I, p. 24 et II, pp. 273 et 274. Voir dans la *Corr.*, VI, pp. 279-280, n. 92, sur la lettre au Père Caffaro. Voir aussi le chap. : LITTERAE HUMANIORES.

La grande réalité de saint Vincent de Paul qu'il a connu « *a b   i p s a   a d o l e s c e n t i a* » [194], et sous lequel il se prépare à la prêtrise, ne fait-elle point pâlir les ombres des humanistes de tous les siècles ? A ces questions qui n'ont eu leur décision que dans la conscience de Bossuet, on peut seulement répondre qu'il n'avait pas besoin comme un Rancé de conversion, ni de ces « coups de surprise » qui sont nécessaires « à nos cœurs enchantés de l'amour du monde ». Car même s'il a été ambitieux, comme nous le croyons dans le sens que nous avons indiqué, Bossuet n'a jamais perdu la tête : c'est lui qui nous dit :

> Si cette vie est si peu de chose parce qu'elle passe, qu'est-ce que les plaisirs qui ne tiennent pas toute la vie et qui passent en un moment ? Cela vaut-il bien la peine de se damner [195] ?

Ce calcul ingénu dans un style aussi sûr, ne part point d'une conscience tragique. Il nous laisse à nos hypothèses et désarme notre curiosité. Car, dès qu'apparaît le texte de Bossuet si littéralement vrai, l'intérêt de la documentation externe pâlit. Toute esquisse du décor est emportée par un acteur aussi réel. Il est donc temps de le laisser parler lui-même.

Bossuet a eu ses années d'études, c'est-à-dire de loisir, suivant le double sens du mot grec *s c h o l è :* il s'en va maintenant faire son métier de prêtre, et ses nouvelles études tendront désormais toujours au service plus immédiat de Dieu. Mais pourquoi renierait-il les passe-temps de sa jeunesse qui lui avaient été vraiment des passe-temps ? La modération même qu'il y avait gardée le préservait des revirements absolus et des dégoûts. Libre à l'intérieur de murs vénérables, replongeant fréquemment dans sa famille en province, et ouvert sur le beau monde et sur le monde savant, il n'aura pas connu les engouements des disciples, ni cette fièvre des idées pures qui est souvent la maladie des grandes écoles. En même temps qu'il étudiait, il a pris le temps de vivre sa vie d'homme, dans l'idée de bien assumer ses responsabilités sacerdotales. Les études livresques ne l'ont point absorbé et elles n'ont point dévié, ni ralenti son ardeur vitale. C'est peut-être un humaniste qui quitte Navarre au printemps de 1652, ou ce sera un humaniste. Mais ce ne sera jamais qu'un « humaniste à l'air libre ».

---

[194] Lettre à Clément XI, 2 août 1702, *Corr. t. XIII*, p. 399. Cf. notre article : *L'année 1652...*
[195] De la brièveté de la vie, septembre 1648, à Langres. *O.O.*, I, 12.

Chapitre II

L'INSTITUTION ORATOIRE
OU
LE GENIE DU PAGANISME.

Le point de vue de l'orateur achevé.

Souvent, les mêmes circonstances qui découvrent à un homme sa vocation, jalonnent sa vie au regard de l'historien. Lorsque Bossuet est nommé précepteur du Dauphin, le 5 septembre 1670, étant depuis un an évêque désigné de Condom, il sait que sa carrière de prédicateur ordinaire à la Ville et à la Cour est pratiquement terminée. Il ne sera plus que l'orateur extraordinaire des occasions solennelles, et les discours, en quelque sorte officiels, de sa nouvelle carrière, joints aux reliques trop rares de son ministère pastoral, ne remplissent qu'un volume sur six des *Œuvres Oratoires*. Quelle que soit la beauté de ces actions grandioses, ou de ces homélies, elles sont d'un autre Bossuet. C'est avant 1670 que s'est formé le prédicateur proprement dit.

Toujours sûr de ses ressources, son génie ne s'est pas précipité. Ce que nous proposons d'appeler l'*Institution oratoire* de Bossuet, dure à peu près vingt ans, et va des exercices médités devant les condisciples de Navarre à l'oraison funèbre de Henriette-Marie de France (1669). Il faut aller jusque-là pour connaître à fond sa manière. Ce n'est pas que les coups d'essai de la période de Metz ne soient déjà des coups de maître : leur force dialectique et leur audace poétique expriment d'une certaine manière la nature d'un génie qui a toujours été constitué ; nous ne voulons pas dire non plus que le progrès artistique soit rigoureux et que les plus beaux discours de Bossuet sont forcément les derniers ; mais, si nous voyons même dans le Carême du Louvre une étape, qu'il dépasse, cela veut dire qu'un maître apprend toujours et qu'il apprend surtout de lui-même : ses chefs-d'œuvre sont encore des exercices, et il s'achève dans ses créations. L'expérience seule incorpore au génie les préceptes qu'il s'est choisis d'intuition. Bossuet nous est un double exemple de sûre intuition artistique et de claire explication. Aussi commencerons-nous par où il a fini, par le texte théorique dont il couronne sa pratique de vingt ans, au moment où les circonstances lui donnent l'occasion de reconnaître sa filiation artistique.

I. L'ÉCRIT SUR LE STYLE.

L'occasion de se définir.

Vers 1670, étant un orateur confirmé, Bossuet développe pour la première fois ses propres théories littéraires. Ce n'est pas pour le plaisir de se connaître — ce genre de plaisir lui est tout à fait étranger — mais afin de guider par les chemins les plus courts un aspirant à la grande éloquence, qui a des raisons d'être pressé.

Théodose-Emmanuel de La Tour d'Auvergne, duc d'Albrets, cardinal de Bouillon, a peut-être trouvé trop lourd le programme « Sur le style et la lecture des Pères de l'Eglise » [1], que Bossuet rédige pour lui en toute hâte ; il put surtout le trouver trop large, trop philosophique, trop simple. La plupart des élèves réclament « divers préceptes » dont l'observance contente leur conscience paresseuse, mais ils ne veulent pas de *méthode* qui les attache à un idéal toujours éloigné. Mais, en admettant que Bossuet ait perdu sa peine pour le cardinal de Bouillon (comme pour le Dauphin), nous avons beaucoup gagné à ce qu'il se soit exprimé. Dans cet écrit occasionnel, il reconnaît, droitement et simplement, les maîtres de son génie littéraire :

> Ce que j'ai appris du style ... je le tiens des livres latins et un peu des grecs [2].

Ne pouvons-nous considérer cet aveu de reconnaissance comme une sorte de réhabilitation du paganisme dans l'ordre du verbe ? Nous y prendrons du moins l'autorisation de risquer notre sous-titre,

OU LE GÉNIE DU PAGANISME,

qui n'est pas si paradoxal qu'il peut d'abord paraître.

Tradition chrétienne et tradition humaniste.

On demandait souvent à Bossuet des conseils pratiques, et il les donnait simplement, en praticien, sans vouloir légiférer. Ces quelques pages ont donc l'autorité de l'exemple, que n'auront jamais les traités des professionnels ; nulle autre prétention. Mais précisément parce qu'elles sont nées de l'humble occasion et du besoin public, on devrait les considérer comme une des plus fidèles « poétiques » du classicisme français, au même titre par exemple que *la Critique de l'Ecole des Femmes* qui fut la réflexion même de l'activité créatrice, provoquée par la suspicion du public savant. Avec Bossuet, il ne s'agit pas du plaisir des « honnêtes gens », mais de l'expression adéquate de la vérité chrétienne. Ce qui

---

[1] *O.O.*, t. VII, pp. 13-20. La promotion du jeune cardinal eut lieu le 5 août 1669. L'éditeur date cet écrit des « environs de 1670 sans qu'il soit possible de fixer une date précise » (p. 16, n. 3).
Le manuscrit a fait partie de la collection Barthou. Nous n'avons pas pu le voir.
[2] *Loc. cit.*, p. 13. Répond à un premier membre : « J'ai peu lu de livres français. » — Des lectures françaises de Bossuet, nous parlons au chap. LITTERAE HUMANIORES art. *Devant la littérature française.*

entraîne une autre différence dans l'ordre de l'exigence artistique. Car la vérité chrétienne ne s'invente pas à chaque fois comme la connaissance du cœur humain. Celle-ci est toujours nouvelle malgré l'accumulation des littératures ; celle-là est vivante, certes, puisque la grâce est une nouvelle naissance, et la science chrétienne, le fruit de la pédagogie divine, mais on la reçoit ; elle est matériellement contenue dans des livres où les prédicateurs doivent aller la chercher. Le bon sens, qui refait tous les jours les remarques d'Aristote, ne refait pas la Bible ni les Pères. L'étude de l'orateur chrétien est forcément livresque. En conséquence, la fidélité à la tradition catholique donne à l'esprit de Bossuet le même désir de remonter aux sources *écrites*, la même ardeur de lecture qu'avaient eue pour les littératures antiques les Humanistes du XVIᵉ siècle. Mais le recul et la sérénité avaient alors manqué pour reconnaître l'analogie des deux mouvements et l'appui qu'ils se pouvaient donner dans la pratique : *L'Institution chrétienne* de Calvin ne comporte aucune *Institution oratoire*. Vers 1670, le temps qui a passé permet désormais de féconds rapprochements : Les deux parties de l'écrit au cardinal de Bouillon consistent en un guide de patrologie que précède une rhétorique de l'élocution. Dans sa première partie, Bossuet admet sans discussion le principe fondamental de l'humanisme littéraire, qui était reçu depuis près de deux siècles, à savoir l'imitation dans le style, et il ajoute, comme son appoint à cette riche tradition, des raisons de première dignité qui justifient l'attachement des chrétiens pour les littératures païennes.

> Il y a ... divers préceptes ; mais nous cherchons des exemples et des modèles.

Bossuet a tout de même quelques « préceptes », non pas « divers », car son esprit unifie l'effort, mais recueillis de diverses sources. A la première impression, les trois premières pages, qui concernent le style, semblent, pour les mots, extraites de quelque rhétorique cicéronienne ou post-cicéronienne. Jusqu'où faut-il remonter ? Les humanistes ont souvent retenu Cicéron tel qu'il est détaillé dans Quintilien, dont le sens pratique rendit tant de services à la nouvelle pédagogie des Jésuites. Quintilien eut à son tour quantité d'adaptateurs, et quelqu'un de ces manuels, infortunés devant la postérité qui les ignore aujourd'hui, dut servir au jeune Bossuet dans sa classe de rhétorique. Dire qu'il gardait en 1670 quelque souvenir encore vivant de ces enseignements de seconde main, ce serait le contredire. Bossuet doit être pris à la lettre en ce qui le concerne : s'il ne se réfère pas aux théoriciens humanistes, c'est qu'il ne les connaît pas, ou qu'il les a volontairement oubliés. Les ressemblances qu'on pourra trouver entre son écrit et les rhétoriques contemporaines nous éclairent, nous, sur l'évolution du goût du siècle, mais ces traités n'ont pas exercé d'influence didactique à son égard.

« Nous cherchons des exemples et des modèles. » Latins, grecs et français, il nomme ensuite, pour l'utilité de son disciple, ceux qui lui ont rendu à lui-même le plus de services *par leur style*. Cela signifie qu'il cherche principalement dans ses lectures profanes l'influence de la forme, et qu'il met, au-dessus de la loi impuissante, la force en quelque sorte contagieuse de la beauté. On voit combien le précepte humaniste de l'imitation, élaboré par la sincérité d'un chrétien de l'âge classique, a été approfondi, et comment il a été ramené à l'esprit à travers la lettre. Comme un Molière parle avec détachement des règles d'Aristote, de même un Bossuet propose de voir dans Cicéron un modèle, et non point un docteur du beau langage.

L'émulation de Cicéron.

> Ce que j'ai appris du style, ... je le tiens ... de Cicéron, surtout de ses livres *De Oratore*, et du livre intitulé *Orator*, où je trouve les modèles de grande éloquence, plus utiles que les préceptes qu'il y ramasse, de ses oraisons ... [3].

Une inadvertance de Bossuet est à remarquer : *L'Orateur* de Cicéron est un livre tout de théorie, sans un seul morceau d'éloquence. Cette réunion de notes techniques, qui devait étayer, après quelque dix ans, l'ample construction du *De Oratore,* nous donne plutôt l'impression d'une utilisation scolaire des résidus de l'art. On comprend que Bossuet ait plus ou moins confondu les deux traités aux titres et aux sujets trop semblables, et cela prouve qu'il écrivait d'abondance et sans tenir les livres sous ses yeux.

Les quelques mots latins qu'il reprend de Cicéron sont cités de mémoire ou librement adaptés [4]. Les réminiscences du latin dans le français sont abondantes et souvent très proches. Mais Cicéron et les cicéroniens de l'antiquité ont si souvent commenté les mêmes principes, que l'attribution de telle origine textuelle à telle formule de Bossuet ne peut avoir que valeur d'indication et d'exemple. Les rapprochements de textes que nous allons faire pourraient être plus nombreux ; nous pensons que les nôtres suffiront pour mettre en évidence la libre continuité d'inspiration que Bossuet laissait entendre. Le traité *De Oratore* [5] sera le plus souvent rappelé, mais il n'est point notre base d'explication. Il faut regarder l'écrit « Sur le style » du point de vue moderne, celui-là même de Bossuet qui ne se propose pas d'adapter Cicéron aux besoins du temps et de la langue française, mais d'esquisser une doctrine personnelle du style, qu'il enracine dans une tradition. L'étude et l'imitation, mises au creuset de la pratique, ont produit une rhétorique nouvelle. Nouvelle, puisque la hiérarchie des valeurs est personnelle et que l'ordre y est nouveau. C'est du texte de Bossuet qu'il faut partir, et ce sont ses articulations que nous allons suivre.

---

[3] *Ibid.,* pp. 13-14.
[4] P. 15 et p. 17.
[5] Nous gardons la forme latine du titre, bien que ce ne soit guère logique, pour éviter la confusion avec l'*Orateur* (*Orator*). Sauf indication contraire, nous citons la traduction COURBAUD, pour le *De Oratore*, BORNECQUE pour l'*Orateur*. (Editions des Belles-Lettres). L'essentiel du texte latin sera toujours donné en note comme confirmation, puisque « quand il s'agit de dogmatiser, jamais il ne se faut fier aux traductions. » (Bossuet, *loc. cit.,* p. 19).

La distinction du fond et de la forme.

Pour la prédication, il y a deux choses à faire principalement : former le style, apprendre les choses.

« *R e s* » et « *v e r b a* », on exagérerait à peine en disant que cette antique distinction du fond et de la forme se perd dans la nuit des temps. Pour l'esprit occidental, elle est presque une catégorie logique (surtout usitée dans les classes de lettres), et les esprits paradoxaux, comme Valéry, en tentant de renverser la hiérarchie des termes, n'ont fait que confirmer leur opposition. D'ailleurs, après cette distinction abstraite qui paraît délimiter les domaines respectifs des philosophes et des artistes, les bons esprits se sont toujours entendus pour préconiser un mariage harmonieux... Dans Cicéron, Crassus dit d'Antoine :

> Dans le partage qu'il a fait de notre discussion, lorsqu'il a pris pour lui ce que devait dire l'orateur et m'a laissé à exposer de quels ornements il devait revêtir les idées, il a distingué deux choses inséparables. Car tout discours se compose du fond et des mots ; supprimez le fond, les mots n'ont plus de point d'appui ; faites disparaître les mots, la pensée n'est plus mise en lumière [6].

Les théoriciens qui font la même distinction, en vue généralement d'aboutir à une réunion, suivent l'ordre d'exposition qui leur convient. Saint Augustin, *m u t a t i s   m u t a n d i s,* reprendra le plan du *De Oratore,* la forme après le fond : les trois premiers livres de la *Doctrine chrétienne* traitent de la manière de trouver le sens de l'Ecriture, et le quatrième, de l'expression [7].

Bossuet a préféré la gradation en importance et en dignité : l'entraînement au maniement des formes est comme une préparation des esprits à la vérité. Il est rapide, et même, l'acquisition des éléments communs se fait sans maître :

> Dans le style, il y a à considérer, premièrement, de bien parler : ce qui ne manque presque jamais à ceux qui sont nés et qui ont été nourris dans le grand monde.

Cet éloge du langage naturellement correct porte bien la marque de « l'honnêteté » du siècle ; c'est un compliment au noble élève, compliment trop nécessaire pour être flatteur, et d'ailleurs aussitôt éteint :

> Mais aussi cet avantage est-il médiocre pour les discours publics.

Les professeurs antiques insistaient davantage sur la correction, la latinité, la clarté [8], soit que leurs élèves, plus jeunes et d'extractions diverses,

---

[6] Cicéron, *De Orat.,* III, v, 19 «... Ea divisit quae sejuncta esse non possunt. Nam cum omnis ex re atque verbis constet oratio, neque verba sedem habere possunt, si rem subtraxeris, neque res lumen, si verba semoveris. » Cf. aussi VI, 24. Toutefois, la traduction de « oratio » par « discours » nous semble bien pauvre : le mot latin a plus d'ampleur, plus d'éclat et quelque résonance philosophique.

[7] Cf. *De doct. christ.,* 1, 1. « De inveniendo prius, de proferendo postea disseremus. »

[8] Cf. notamment Cicéron, *De Orat.,* III, x, 37 « *latine, plane* ... apte, congruenterque. » Il est vrai que ces qualités de base, la correction, la clarté, sont aussitôt recouvertes d'ornements : « latine, plane, *o r n a t e.* » Cf. Quintilien, dans le même ordre, en des termes variés. *Institution Oratoire,* I, v, 1 et VIII, 1, etc.

eussent besoin de leçons plus élémentaires, soit qu'ils missent moins de distance entre le bon langage et le beau style [9]. Bossuet, lui, s'occupe de l'achèvement d'un disciple de vingt-six-ans. Les prétéritions de sa rhétorique sont donc nombreuses, tant parce que son esprit tend toujours à simplifier les démarches, que du fait que la chaire chrétienne, surtout quand c'est un prince-cardinal qui l'occupe, ne peut agréer que le style sublime. Le style simple, le style tempéré et leur mélange, ne sont donc pas considérés. Les plaidoiries sont leur lieu d'élection et peut-être le « bien parler » d'une bonne éducation est-il capital pour les former, mais l'orateur chrétien n'a pas les mêmes besoins que l'avocat.

Des trois parties de la rhétorique : l'invention, la disposition et l'élocution, Bossuet traitera de la première dans la seconde partie de son écrit, en donnant une méthode pour étudier l'Ecriture et les Pères ; cette méthode, il la complétera peu après, en rédigeant, avec un esprit d'organisation vraiment scientifique, un programme des « études qui doivent suivre la licence » [10]. Du fait de la matière propre, « l'invention » du théologien est très peu comparable à la recherche des arguments pour un avocat. Quant à la « disposition », Bossuet n'en traite pas ici : ce sont ses modèles, ses exercices, et son type de raisonnement qui enseignent l'ordre utile. Du coup, la théorie se trouve allégée de l'ennui infini des « partitions oratoires » et des « genres des causes » [11].

S'étant donc proposé de traiter de l'élocution, il ne reprend même pas la fameuse distinction des trois styles. Il cherche des qualités nobles, mais qui puissent s'employer sans considération de catégories :

> Il faut trouver le style figuré, le style relevé, le style orné ;

l'excellence consiste en

> la variété, qui est tout le secret pour plaire, les tours touchants et insinuants.

C'est à cause de cette simplicité des buts que nous n'aurons aucun précepte de détail : je crois que dans tout Bossuet on ne trouverait pas une seule recommandation relative au rythme et à l'harmonie. Le fait est

---

[9] Cf. *De Orat.*, III, XXXVII, 150, « ... pour employer des termes choisis et brillants, qui semblent pleins en quelque sorte et sonores. ... A cet égard, l'habitude de bien parler est aussi d'un grand secours. » « Ut ... lectis atque illustribus utatur, in quibus plenum quiddam et sonans inesse videatur. ... In quo consuetudo etiam bene loquendi valet plurimum. »

[10] Cf. « *Traités des Pères les plus utiles pour commencer la théologie.* » *Œuvres*, t. XI, p. 623 (ou Lachat III, p. 581), d'après une copie de Ledieu, et *Revue Bossuet,* janvier 1900, publié par Lévesque, d'après une copie du Cardinal de Bausset « Sur les études qui suivent la licence. » Selon Lévesque, le premier écrit pourrait être de 1672, le second est très vraisemblablement du début de 1675, et tous deux pourraient s'adresser à Louis-Antoine de Noailles, le futur archevêque de Paris.

Avec l'écrit au cardinal de Bouillon, se complète l'indication du rôle officieux de Bossuet : entre 1670 et 1680, il semble avoir été le guide intellectuel, l' « instituteur » de la plus belle jeunesse ecclésiastique. Vers 1685, c'est le jeune abbé Fénelon qui « sert » effectivement sous ses yeux (cf. Bossuet, *Corres.*, t. III).

Ainsi, dans Rome, Cicéron, couvert de gloire et ... débordé, dirigeait la jeunesse intellectuelle et politicienne.

[11] Pour mémoire, en dehors de Cicéron, cf livres III à VII de Quintilien ; la *Rhétorique à Hérennius ;* Aristote, *Rhétorique,* Livres I et II.

remarquable pour quelqu'un qui s'est formé l'oreille chez les Grecs et les Latins. Car, depuis Isocrate, la prose oratoire connaissait ses lois propres, et les Latins abondent en remarques sur les arrêts respiratoires, l'étendue des membres, la distribution intérieure des périodes, les clausules, les groupements de pieds interdits ou recommandés [12]... La langue française, bien exercée qu'elle était par Balzac, attendait l'équivalent de ces théories. Bossuet ne donna que des exemples, et il ne conseille même pas de chercher « la volupté des oreilles » dont Cicéron fait tant de cas. Il méprise également les effets de mots *isolés,* le brillant affecté du vocable inusité, nouveau, ou pris métaphoriquement [13]. Il pense que c'est par des moyens *d'ensemble* qu'on atteint des buts qui sont généraux.

Des trois buts de l'éloquence, convaincre, plaire et toucher, le premier est affaire de doctrine et dépend du fond. Les directives d'études données dans la seconde partie, comme une brève institution théologique, servent cependant à compléter l'enseignement de la forme, donné très brièvement dans la première partie. De ce chevauchement, il y a deux raisons : une méthode pour l'étude des textes prépare forcément une méthode d'exposition, et les écrivains ecclésiastiques, réservoirs de la doctrine, sont aussi parfois des modèles pour l'élocution. Ainsi, telle observation sur l'ordre de l'Ecriture, et de saint Paul en particulier [14], est une remarque sur l'ordre efficace de la démonstration ; de même, dans la traduction française de saint Chrysostome,

on pourrait tout ensemble apprendre les choses et former le style...

. . . .

On apprend dans saint Cyprien le divin art de manier les Ecritures, et de se donner de l'autorité en faisant parler Dieu sur tous les sujets par de solides et sérieuses applications. Saint Augustin enseigne aussi cela divinement par la manière et l'autorité avec laquelle il s'en sert dans les ouvrages polémiques [15].

De quelques procédés repris.

Ces derniers procédés sont l'équivalent, avec, en plus, la dignité du style chrétien que la vérité façonne, du principe de l'amplification oratoire [16]. Semblablement, la citation *pour l'ornement* est un usage antique,

---

[12] Par exemple, Cicéron, *De Orat.,* III, 171-198, *l'Orateur,* 168-236.
[13] Cf. *De Orat.,* III, XXXVIII, 152 « aut inusitatum verbum, aut novatum, aut tralatum. »
[14] « Il dit tout ce qui se peut dire sur la matière qu'il traite, mais il songe, assez souvent, plutôt à la thèse proposée qu'à ce qu'il vient de dire immédiatement. » *Sur le style ...,* p. 18, cf. PASCAL, *Pensée,* 283, Brunschvicg.
[15] *Ibid.,* p. 19 et 19.
[16] Cf. Cicéron, *De Orat.,* I, XXI, 94 « Eloquentem vero, qui mirabilius et magnificentius *augere* posset atque ornare posset quae vellet. », et l'étude de l'amplification, *ibid.,* III, 104-108. Il s'agit surtout d'un déplacement sophistique des points de vue et des sentiments. Explication de la tactique cicéronienne, avec exemples à l'appui, Quintilien, l. VIII, ch. IV.
Ce n'est pas que la notion de l'agrandissement oratoire, qu'il pratique, ait échappé à l'attention de Bossuet. Cf. O.f. de H. d'Angleterre : « Ces fortes expressions par lesquelles l'Ecriture sainte *exagère* l'inconstance des choses humaines, devaient être pour cette princesse si précises et si littérales. » Mais cela, c'est le génie du christianisme.

que Bossuet semble concéder à la chaire chrétienne sans l'aimer beaucoup :

> Comme l'usage veut qu'on cite quelques sentences, c'est-à-dire *accuratius aut elegantius dicta,* Tertullien en fournit beaucoup. Seulement il faut prendre garde que les beaux endroits sont fort communs [17].

Bossuet aime toujours son Tertullien que, vers la même époque, il utilise si gravement dans l'oraison funèbre de Henriette d'Angleterre, mais il veut que les citations soient assimilées, et il n'a plus de goût pour les crudités de la jeunesse et toutes les beautés voyantes qui ont encore leurs amateurs.

Ces quelques conseils relatifs à l'imitation des modèles chrétiens complètent l'esquisse de la première partie « sur le style ». Mais, en admettant que Bossuet ait voulu être incomplet sur l'invention, la disposition, et même l'ornement du style, se réservant pour l'élocution, on ne trouve pas qu'il ait été méthodique même sur ce dernier point. En fait, c'est le rappel de la fin principale du style qui abrège l'enseignement des moyens du style, et conduit Bossuet à faire immédiatement part de son expérience : il faut plaire : c'est l'effet de « la variété » ; il faut toucher et préparer délicatement les esprits à la conviction : c'est à quoi tendent « les tours touchants et insinuants ». Bossuet nomme aussitôt ceux qui les lui ont montrés, et il en tire un conseil de pratique générale, et une remarque linguistique :

> Voilà mes auteurs pour la latinité ; et j'estime qu'en les lisant à quelques heures perdues, on prend des idées du style tourné et figuré [18].

L'esprit de la langue latine.

Ce qui permet cette assimilation rapide, c'est que « le tour » n'est pas un procédé laborieux, mais « l'esprit » d'une langue, ou plutôt « de toutes les langues », une forme, ou idée, vivante, qui passe aisément d'un corps de vocabulaire dans un autre, pour l'animer :

> Car, quand on sait les mots, qui sont le corps du discours, on prend dans les écrits de toutes les langues le tour, *qui en est l'esprit,* surtout dans la latine, dont le génie n'est pas éloigné de celui de la nôtre, ou plutôt qui est tout le même [18].

Cette affirmation de l'affinité, aussi vaguement définie du point de vue philologique que puissamment sentie par l'écrivain maître des deux langues, exprime en raccourci la personnalité stylistique de Bossuet : sa propre organisation verbale, il l'a reconnue dans la langue latine. Cette sorte d'attachement filial au latin est peut-être un sentiment attardé en France à la date de 1670, mais c'est un surgeon direct du vieux sentiment humaniste de reconnaissance envers la civilisation première et les chefs-

17 *Sur le style* ..., p. 19.
18 *Ibid.,* p. 14.

d'œuvre qui avaient été les initiateurs de l'art national. Les littératures classiques sont sorties de l'imitation dans une autre langue [19], car « les exemples et les modèles » ont plus d'effet que les préceptes [20], et, par le biais du style, c'est cette méthode, la plus générale de l'humanisme, que Bossuet préconise au cardinal de Bouillon.

Les poètes inspirateurs.

Il ne pense d'ailleurs pas à reprendre des constructions de phrases. Cela se fait plus librement, par l'imagination, et non par la grammaire. Et le même secours d'émulation créatrice, les poètes de toutes langues le rendent à l'orateur. Bossuet, toutefois, insiste moins sur cette possibilité que ne le faisait Quintilien [21], et il n'essaie pas la critique de la beauté selon l'ordre littéraire, que fera Fénelon dans sa *Lettre à l'Académie*. Il se borne à apprécier l'utilité de diverses lectures en vue du « style oratoire ». Ce qu'il aimait dans Virgile et Homère et dans Horace, ce n'est pas ici qu'il le dira : on le trouvera dans le tissu de ses œuvres, et une seconde fois, plus explicitement, quand il aura relu ses classiques pour le Dauphin. Ce qui est remarquable en ce moment, c'est qu'il retienne ces auteurs à titre de modèles, éloignés, mais indispensables. Il les caractérise tout de même, négativement en quelque sorte, lorsqu'il les oppose si absolument au « reste », qui

> ne fait que gâter, et inspirer les pointes, les antithèses, les grands mots, le peu de sens et les froides beautés.

C'est faire entendre que Virgile et Homère, au sein de leur agrément, ont beaucoup de sens, et de vivantes beautés. En les recommandant, Bossuet ratifie la pratique scolaire de l'antiquité, où la morale et le style s'apprenaient *ensemble* chez les poètes autorisés. L'honnête Quintilien, sans

---

[19] Cf. Quintilien, X, II, 1-2. « On n'en peut douter en effet : l'art consiste en grande partie dans l'imitation ; car si la première chose a été d'inventer, et si elle reste la principale, rien aussi ne saurait être plus utile que de prendre modèle sur ce qui a été bien inventé. Toute la vie ne se passe-t-elle pas à vouloir faire à notre tour ce que nous approuvons dans les autres ? « Neque enim dubitari potest, quin artis pars magna contineatur imitatione ; nam ut invenire primum fuit, estque praecipuum, sic ea, quae bene inventa sunt, utile sequi. Atque omnis vitae ratio sic constat, ut, quae probamus in aliis, facere ipsi velimus. »
La remarque est profonde et ne sera pas perdue pour les humanistes de la Renaissance. Mais il ne faudrait naturellement pas dire que la littérature française classique dépend de la latine *comme* celle-ci de la grecque. Bossuet se sent parfaitement indépendant, mais il reconnaît sa parenté pour les formes, et cela rapproche l'esprit. L'imitation des Latins est, envers les Grecs, plus extérieure et plus formelle (imitation des genres, de la métrique, par exemple), à la fois et plus servile.
[20] Comme professeur, Cicéron aussi préfère à la multitude des préceptes, les principes simples d'orateurs éprouvés, *De Orat.*, I, VI, 23 ; la valeur de la rhétorique est incontestable, mais limitée ; l'exercice vaut mieux ; *ibid.*, 137-146. Saint Augustin le confirme : mieux vaut s'attacher aux modèles éloquents qu'aux leçons de rhétorique. *De doctr. christ.*, IV, V, 8.
[21] Cf. QUINTILIEN, l. X, tout le chapitre II. Le choix des historiens, Tite-Live et Salluste (II, IV et X, I, 101) est celui-là même de Bossuet ; pour le Dauphin, César remplacera Tite-Live.
L'imitation de Cicéron est inévitable ; mais le recul devant Démosthène, et l'admiration hors pair de Bossuet pour lui, est un trait caractéristique.

aucun des scrupules d'un Platon, recommandait les poètes en général aux jeunes gens élèves de son *Institution Oratoire* :

> La lecture des poètes, déclare Théophraste, est extrêmement utile à l'orateur. On est généralement de cet avis, et on a raison, car c'est chez eux qu'on peut aller chercher les pensées inspirées et les expressions sublimes, tout le mouvement des passions et la beauté des caractères ; et surtout, tout cela a un charme bien fait pour retremper des esprits usés, pour ainsi dire, par l'activité journalière du barreau. Aussi bien Cicéron recommande-t-il de se délasser dans cette lecture [22].

Le style, qui vise l'agrément de l'auditeur, l'orateur l'acquiert dans l'agrément, car il résulte d'une imprégnation facile et spontanée :

> Tout cela se fait sans se détourner des autres lectures sérieuses, [comprendre que ce raccourci tout hellénique signifie : des autres lectures qui sont les lectures sérieuses], et une ou deux pièces suffisent pour donner l'idée et faire connaître le trait [23].

De même chez Cicéron, Antoine, l'orateur spontané, contractait quelque teinture d'hellénisme dans ses rares lectures, sans le faire exprès [24]. Les grands artistes classiques ne sont pas des adaptateurs scrupuleux : l'éclat du style et le goût sont pour eux comme un surcroît, celui d'une culture puisée aux meilleures sources et incorporée dans leur esprit harmonieux.

L'idéal du style « savant ».

C'est pourquoi Bossuet ne dévie pas de son propos qui est « sur le style », quand, dès la première partie de son écrit, il recommande principalement à l'orateur d'approfondir ses connaissances :

> Mais ce qui est le plus nécessaire *pour former le style,* c'est de bien comprendre la chose, de pénétrer le fond et le fin de tout, et d'en savoir beaucoup.

---

[22] QUINTILIEN, X, 1, 27. « Plurimum dicit oratori conferre Theophrastus lectionem poetarum, multique ejus judicium sequuntur, neque immerito. Namque ab his in rebus spiritus et in verbis sublimitas et in affectibus motus omnis et in personis decor petitur, praecipueque velut attrita cotidiano actu forensi ingenia optime rerum talium blanditia reparantur : ideoque in hac lectione Cicero requiescendum putat. » Revue, du point de vue de la formation du style oratoire, des poètes grecs, de § 46 à 72, des poètes latins de § 85 à 100. C'est une petite histoire de la littérature générale, comme celle de Boileau dans *l'Art poétique.* On voit, par comparaison, combien se limite Bossuet, même en ajoutant quelques livres français.
Cicéron a loué la valeur humaine de la poésie dans le *Pro Archia,* en son nom propre, voir VI, 12. Cicéron rapproche volontiers la poésie de l'éloquence. Cf. *De Orat.,* III, VII, 27, mais parfois aussi, il ne leur laisse plus en commun que « le goût dans le choix des mots », « judicium electioque verborum. » (*Orateur,* XX, 68).

[23] Bossuet, *op. cit.,* p. 15.

[24] Cicéron, *De Orat.,* II, XIV, 59-60.

L'accord, pour l'esprit et les mots, est profond avec la tradition isocratico-cicéronienne, soit qu'on prenne celle-ci exprimée à foison par Cicéron lui-même, qui préconise une large formation philosophique, comme la sienne, et défend la richesse verbale (trop verbale, dit-on) de sa pensée [25] ; soit qu'on la retrouve dans quelque cicéronien intelligent [26]. L'idée qu'une pensée adulte porte toujours avec elle ses mots, ses images et son mouvement, était l'embryon d'une philosophie du langage, et Cicéron l'a illustrée de telle façon [27] que Bossuet accomplit bonnement la justice simplificatrice de la postérité en l'attribuant nommément à lui seul [28].

Cet acte de reconnaissance porte ses fruits, et il lui permet de dégager du syncrétisme cicéronien sa propre « poétique », une poétique de la vérité. En savoir beaucoup,

c'est ce qui enrichit et qui forme le style qu'on nomme savant, qui consiste principalement dans des allusions et des rapports cachés, qui

---

[25] Nécessité de la culture générale, *ibid.*, I, v, 17 ; xvi, 72 ; III, xxv, 103 ; xxx, 121 ; passage aisé de la connaissance pleine à l'expression belle : III, xxxvi, 125. « L'abondance des choses produit en effet l'abondance des mots, et, s'il y a de la noblesse dans les choses mêmes dont il est parlé, il en rejaillit sur les mots une sorte d'éclat naturel. Que celui qui parle ou écrit ait reçu l'éducation et l'instruction qu'on donne aux enfants bien nés, ... au milieu de cette abondance d'idées il sera porté doucement et sans guide par le seul talent naturel, mais un talent exercé, vers les ornements du discours. » « Rerum enim copia verborum copiam gignit ; et, si est honestas in rebus ipsis, de quibus dicitur, existit ex re naturalis quidam splendor in verbis. Sit modo is, qui dicet aut scribet, ... institutus liberaliter educatione doctrinaque puerili ... ita facile in rerum abundantia ad orationis ornamenta, sine duce, natura ipsa, si modo est exercitata, delabitur. »

[26] Cf. TACITE, *Dialogue des Orateurs*, xxxii, Messala : « La connaissance même de nombreuses sciences communique de la beauté à nos paroles, même lorsque nous n'y songeons pas et, lorsque nous y pensons le moins, elle se montre et se distingue. » (Trad. Bornecque).
« Deinde ipsa multarum artium scientia etiam aliud agentes nos ornat, atque ubi minime credas, eminet et excellit. » Ce qu'avait dit Cicéron, *De Orat.*, I, xvi, 72.

[27] Ce sont les figures de pensées, « sententiarum ornamenta », qui font l'excellence de Démosthène. *L'Orateur*, xxxix, 136. La pensée et l'expression seront toujours prêtes en même temps. Cf. *De Orat.*, II, xxxiv, 145-146. « Mon but, continue Antoine, a été le suivant : ... tâcher d'obtenir de ceux qui s'adonnent à l'éloquence qu'ils aient, pour chaque question générale, leur matière oratoire saisie, embrassée avec toutes ses divisions et ses *lieux*, complètement munie et pourvue, j'entends de choses et d'idées. *La force de la pensée créera l'expression*, qui sera toujours assez ornée, à mon goût, si elle semble sortir du cœur même du sujet. »
« Hic est finis, inquit Antonius, ... ut eam materiem orationis, quae cujusque esset generis, studiosi aut essent dicendi, omnibus locis discriptam, instructam ornatamque comprehenderent, rebus dico et sententiis. *Ea vi sua verba parient*, quae semper satis ornata mihi quidem videri solent, si ejus modi sunt, ut ea res ipsa peperisse videatur. »
Le premier, Caton l'Ancien, avait dit : « Rem tene verba sequentur. » (Ed. Jordan, Lipsiae, 1860, p. 80). Horace depuis ... Boileau enfin, etc.

[28] Bossuet, *Sur le style*, p. 15, « Cicéron demande à son orateur *multarum rerum scientiam.* » Citation de mémoire et souvenir de deux passages voisins, *De Orat*, I, v, 17 et vi, 20, que l'éditeur donne en note. Cf. notre note (25).
Cicéron a même regretté, par une vue très profonde, que Socrate « par sa dialectique, séparant deux choses, liées au fond à l'autre, la science de bien penser et celle d'écrire en un style brillant » (sapienter sentiendi et ornate dicendi scientiam, re cohaerentes, disputationibus suis separavit) ait préparé le dessèchement de la morale et l'appauvrissement de l'éloquence *De Orat.*, III, xvi, 59-60.

montrent que l'orateur sait beaucoup plus de choses qu'il n'en traite [29], et divertit l'auditeur par les diverses vues qu'on lui donne [30].

Polyvalence mystérieuse des mots qu'a choisis entre tous les synonymes le « *doctus poeta* » ou le « *doctus orator* », détente de l'imagination chez l'auditeur qui pressent la profondeur humaine d'une pensée totalement informée, dont les mots proférés sont comme la conclusion, affleurant — par la grâce de cet autrui, plus clairement, mais non autrement inspiré que lui-même — au ras de sa propre pensée. Tout bon langage est un langage transposé, et la métaphore, chez l'humaniste chrétien, devient une figure et une approche de la vérité [31].

La conformité à saint Augustin.

Il ne fait pas de doute qu'en cet endroit Bossuet envisage la vérité selon les hommes, et la richesse des sciences profanes. Saint Augustin, au livre II de la *Doctrine chrétienne,* où il se conforme en principe au programme de Cicéron, décrit ces sciences que le chrétien, puisque la nécessité d'employer une langue humaine a obscurci la manifestation divine, peut faire servir à l'interprétation littérale de l'Ecriture : ce sont les langues, les sciences naturelles, la science des nombres, la musique, les institutions, l'histoire, la géographie, la botanique, la géologie, l'astronomie, les arts mécaniques, la dialectique, l'éloquence. Mais tout cela doit être séparé de la corruption démoniaque, modéré par l'humilité, et n'a guère d'utilité en comparaison de la science contenue dans les Ecritures [32].

Si peu logique que soit cette conclusion, si encombrée de symbolisme que soit cette encyclopédie de bonne volonté, le maître de Bossuet n'en ratifiait pas moins ainsi l'idéal culturel de Cicéron, et il encourageait les clercs à élargir leur esprit par l'étude de l'homme et du monde. Ainsi, les

29 Cf. notre note (26).

30 Bossuet paraît résumer une analyse de Cicéron, *De Orat.,* III, XXIX, 60, qui, bien sûr, mettait plus de vanité dans le plaisir de la métaphore : « C'est, en quelque sorte, une preuve de force d'invention que de sauter par-dessus ce qui est à nos pieds, et d'aller chercher bien loin ce qu'on veut retenir. Ou bien encore *la pensée de l'auditeur est conduite vers un autre objet* et cependant ne s'égare pas, ce qui est le plaisir le plus charmant. »

« Id accidere credo vel quod ingeni specimen est quiddam transilire ante pedes positum et alia longe repetita sumere ; vel quod is qui audit alio ducitur cogitatione neque tamen aberrat, quae maxima est delectatio. »

Ou encore, le plaisir est dans le vif mouvement que la transposition de sens procure à l'esprit, *l'Orateur,* XXXIX, 134.

31 Cf. Pascal, *Pensées,* 25. « Eloquence. — Il faut de l'agréable et du réel ; mais il faut que cet agréable soit lui-même pris du vrai. » (Etait dans l'édition de Port-Royal, mais je n'en tire pas de conséquence pour l'origine du texte de B.).

Aristote avait eu cette remarque profonde, *Poétique,* 1459 A, XXII, 16-17. « Ce qui est tout à fait capital, c'est d'employer le style métaphorique. Ce seul caractère, et il n'est pas possible de l'emprunter à autrui, et c'est l'indice d'une riche nature ; car *découvrir les métaphores justes, c'est être capable de percevoir les rapports.* »

Πολὺ δὲ μέγιστον τὸ μεταφορικὸν εἶναι. Μόνον γὰρ τοῦτο, οὔτε παρ' ἄλλου ἔστι λαβεῖν, εὐφυίας τε σημεῖον ἐστιν· τὸ γὰρ εὖ μεταφέρειν τὸ τὸ ὅμοιον θεωρεῖν ἐστίν.

Il n'est pas nécessaire que Bossuet se souvienne d'Aristote, mais c'est la même famille d'esprits concrets qui veulent amarrer sensiblement ce qu'ils connaissent. Nous sommes dans la direction du philosophe qui dira que la science est une langue bien faite.

32 Saint Augustin, *La doctrine chrétienne,* l. II, *passim* et particulièrement XLII, 63.

vérités humaines retourneraient à leur origine, à Dieu, dont elles s'étaient détournées. Car

> les Egyptiens, non seulement avaient des idoles et imposaient de lourdes charges, que le peuple d'Israël devait abhorrer et fuir, mais ils possédaient encore des vases et des bijoux d'or et d'argent, ainsi que des vêtements. Or ce peuple, en quittant l'Egypte, s'appropria clandestinement ces richesses, dans l'intention d'en faire un meilleur usage [33].

Nous nous souviendrons de ce texte, capital pour l'humanisme chrétien, quand Bossuet devra juger de la valeur de la science ; pour le moment, il ne s'agit que d'art et d'expression, et

> les arts libéraux [dit encore saint Augustin] [34], sont assez appropriés à l'usage du vrai.

La dominante cicéronienne.

Bossuet tient donc de saint Augustin une autorisation suffisante pour suivre sa tendance d'artiste vers « le style figuré, le style relevé, le style orné », qui est également « le style savant ». Mais la rhétorique de son expérience et de son goût achevé, est plus près d'être cicéronienne qu'augustinienne. De la répulsion chrétienne devant les harmonies trop païennes, il n'y a point de trace en ces pages tranquilles adressées à un jeune prince de l'Eglise. C'est plus simple et plus réel que Cicéron, mais la dernière note est cicéronienne, et elle appelle bien un orateur épanoui qui se dilate dans l'abondance du verbe, tout comme l'Orateur romain : C'est l'éloge de la « *copia* », « *copia rerum et verborum* », de la généreuse « *copia* » humaniste qui avait débordé au XVIe siècle, et que Bossuet glorifie en trois mots, qui sont du mot latin la traduction, ou plutôt l'explication enthousiaste : plénitude, fécondité, variété [35]. Enfin, tous les efforts se ramassent en vue du but médian de l'éloquence, le « *delectare* », essentiellement profane, dont les païens se vantaient peu, et qu'ils attribuaient surtout au style tempéré [36], et le mot dominant de cette grave rhétorique de 1670 reste : l'agrément.

II. LES ORNEMENTS PROFANES.

Le rapport de la pratique à l'esthétique.

Nous tenons donc l'écrit *Sur le style* pour l'abrégé d'une rhétorique qui, de par sa date, serait définitive aux yeux de Bossuet. L'inspiration nous en semble conforme à l'esprit humaniste. En résumé, Bossuet y affirme sa confiance en la force expressive (*verba*) de la vérité (*res*),

---

33 *Ibid.*, XL, 60. Traduction Combès-Farges, de la Bibliothèque augustinienne.
34 *Ibid.*, « liberales disciplinas usui veritatis aptiores ».
35 Bossuet, *Sur le style*, p. 16 : « Car il faut la plénitude pour faire la fécondité et la fécondité pour faire la variété, sans laquelle nul agrément. » Conclusion de la première partie.
36 Cicéron, *l'Orateur*, XXVI, 91-92.

qui produit la plénitude (*c o p i a*), aimable et souveraine, par le moyen du style orné (*o r n a t u s*). La fidélité aux principes entraînait en effet la fidélité — une fidélité large et libre — dans les termes, et il nous a été facile de montrer que Bossuet reprenait pour son compte des notions et des mots à peu près cicéroniens. Mais l'esthétique personnelle de Bossuet suffit-elle à rendre raison de son art du style ? Il arrive aux écrivains, comme à tout le monde, de faire autre chose que ce qu'ils veulent, ou que ce qu'ils croient faire. Toutefois, si Bossuet en 1670 ne s'est pas encore révélé tout entier comme orateur et moins complètement encore dans son génie d'écrivain, qui oserait soutenir qu'il se méprenait, à quarante ans, sur sa manière de travailler et de sentir, fondement de son expression ?

Il est assurément plus moderne qu'il ne pense, et peut-être encore plus biblique d'imagination et de sensibilité qu'il ne le croit. Mais l'étude de sa pratique nous rendra compte des affinités humanistes de son style, et confirmera, ou infirmera, la déclaration, si favorable à notre point de vue, qu'il fait au cardinal de Bouillon :

> *Il faut* trouver le style figuré, le style relevé, le style orné ... J'ai peu lu de livres français ; et ce que j'ai appris du style en ce second sens, *je le tiens des livres latins et un peu des grecs.*

Le ton même situe cette doctrine littéraire à l'âge du classicisme. Cent ans ou cent cinquante ans plus tôt, un humaniste chrétien, qui se fût trouvé dans les fonctions de Bossuet, aurait déclaré (en d'autres termes que les nôtres) : le style doit être appris chez les païens que la Providence nous a donnés comme un fonds inépuisable de beautés. Bossuet, lui, a trop d'expérience pour n'être pas modéré dans les matières humaines. « *In dubiis libertas* ». Il dit simplement : Voilà où j'ai appris le style. C'est ce que nous allons vérifier. Si nous avons commencé notre « Institution Oratoire » par le manifeste — si peu bruyant ! — qui la couronne, c'était pour avoir d'emblée un terme directeur, car le point de départ, posé à la sortie de Navarre, n'avait pu être qu'une vague situation historique et morale, dans la nuit scolaire où s'ébauche le génie. Nous avons maintenant à relier, à la lumière de la doctrine adulte, les premiers essais du temps du collège aux chefs-d'œuvre de la chaire. Les six premiers volumes des *Œuvres Oratoires* nous fourniront, sous forme de réflexions générales sur l'éloquence ou d'exemples appliqués, l'illustration de l'écrit *Sur le style.*

La stylistique formée sur « la chose ».

Comme Bossuet lui-même, nous prenons largement les notions d'initiation littéraire et de style ; si « le tour » est « l'esprit » des langues, la stylistique à faire dans notre cas sera plus philosophique que philologique. Il ne s'agit pas de la grammaire de Bossuet mais de l'inspiration qui lui donne le branle esthétique pour trouver ses propres « ornements », et ces ornements seront des figures de pensée plus souvent que des figures de mots. L'écrit *Sur le style* nous donnant aussi le droit d'organiser cette matière infinie selon les principes connus des Anciens, nous réunirons, sous le titre général d'ornements, les citations humanistes et réminiscences, et les figures de pensée et de mots, qui sont comme les « lumières » du discours. Nous classerons ces ornements dans un ordre de réalité croissante, les *v e r b a* se moulant sur les *r e s* selon une nécessité de plus en plus directe. Enfin, le même écrit nous délivre du scrupule paralysant d'être complet dans l'inventaire des sources, car

> une ou deux pièces suffisent pour donner l'idée et faire connaître le trait [37].

L'imitation visible témoigne de l'imprégnation invisible, sans laquelle la première n'aurait pas eu la vie, et nous ne voulons que mettre en lumière par des observations choisies cette activité créatrice de l'esprit cultivé.

Les couleurs de la poésie.

> J'aurais besoin d'emprunter ici *les couleurs de la poésie*, pour vous représenter vivement cette affreuse solitude, ce désert horrible et effroyable dans lequel il se retira [38].

La retraite de saint Benoît eût donc demandé les pinceaux mêmes que l'auteur de *la Captivité de saint Malc* profanait fréquemment à d'autres usages... Le sentiment religieux et les délices poétiques se rencontrent fréquemment dans le désert : La Fontaine et Bossuet le sentent semblablement, et l'idée des odes à la solitude voisine dans la mentalité classique avec celle du salut loin du monde. C'est à cause de ces voisinages de sentiments que « les couleurs de la poésie » ont toujours convenu à la prédication chrétienne. Et il est bien naturel que les apprentis utilisent des couleurs déjà broyées : les emprunts de traits poétiques sont voyants dans les premiers sermons de Bossuet ; ils sont par la suite incorporés au mouvement personnel, avec quel génie, on le sait, mais je croirais volontiers qu'il n'a pas *inventé* à la rigueur une seule de ses comparaisons ou métaphores : Virgile ou la Bible, quelque livre toujours, l'autorise à sentir, à sentir librement.

La libération progressive à l'égard des littératures autorisées par la vénération commune, témoigne d'une évolution en profondeur de son goût. En 1648, encore à Navarre, les mots de Corneille lui montent aux lèvres :

> Quand le bras ou les autres membres ont failli, c'est assez de punir le chef [39].

Le jeune prédicateur a même dû faire effort pour changer le rythme rigoureux du jeune poète du *Cid*. Et quel beau tableau, inspiré de Lucien

---

[37] Bossuet, *Sur le style*, p. 15.
[38] *O.O.*, IV, 622, Saint Benoît, 1665.
[39] *Ibid.*, I, 25, Toussaint, 1648. Cf. *Le Cid*, v. 722.

à Poussin, et apparenté à celui du Calvaire, que celui d'Eudamidas léguant sa mère à son ami [40] ! Le même sermon de 1651 *sur la Dévotion à la Vierge* rappellera aussi, de Quinte-Curce, la reine des Amazones qui « souhaita passionnément d'avoir un fils d'Alexandre », et, de Virgile, les caresses à un enfant étranger, d'Andromaque, qui se souvient de son propre fils [41], car le sentiment maternel est un de ceux qui servent le plus à des fins religieuses.

« Mais laissons ces histoires profanes », comme dit Bossuet, ces tableaux attendrissants dont l'usage naïf et chaste convenait aux écoliers lettrés de Navarre. Cependant c'est encore, en 1660, de l'ingéniosité que d'expliquer la greffe de la charité fraternelle, en reprenant à Virgile les termes de son arboriculture poétique [42]. Il y avait même moins d'élégance en 1652 quand la compassion divine s'expliquait par celle de l'homme de Lucrèce, qui plaint son compagnon au péril de la mer [43]. C'est comme si Dieu disait : « *Homo sum, humani nihil...* ». Les poètes sont les maîtres des sentiments simples : ennui de la vie fausse des cours et des villes, épanouissement moral au soleil de la paix, déception du cœur qui avait divinisé son désir, ou regret inconsolable de la mort. Et ces mêmes sentiments sont autant d'expériences chrétiennes, que Virgile ou quelque autre savant dans la douleur humaine se trouvent ainsi avoir décrites analogiquement :

Pourquoi assiéger tous les matins les portes des grands [44] ?

quand le détachement chrétien permet de vivre dans la simplicité des laboureurs — trop heureux ! — du poète des *Géorgiques ?* La cour — Cicéron disait : l'assemblée du peuple — est dangereuse comme la mer. Après Horace, avant La Fontaine, Tertullien avait répété les raisons

[40] I, 72, Dévotion à la Vierge, Navarre, 1651 ; 378, même sujet, vers 1653, sans doute à Metz ; avec plus de méfiance ; et encore II, 297, Fête du Rosaire, 5 mai 1657, à Navarre, devant ses condisciples humanistes. Voir les pages excellentes de Lebarq sur « l'union des deux antiquités dans Bossuet », au t. I, pp. XX-XXIV. Le tableau de Poussin (Statens Museum for Kunst, Copenhague) a figuré à l'exposition Nicolas Poussin, 1960, au Musée du Louvre, sous le n° 97. Le Catalogue le dit peint pour Michel Passart, maître des Comptes, vers 1650.

[41] *Ibid.,* I, 80 et 94.

[42] III, 194, Charité fraternelle, 13 février 1660. « Et le tronc qui l'a porté contre sa propre inclination se réjouit, si je le puis dire, de voir naître de ce rameau et des feuilles et des fruits qui lui font honneur. » Cf. Virgile, *Géor.,* II, 82 :
« Miraturque novas frondes et non sua poma », Bossuet a, si l'on peut dire, agrandi le sentiment de l'arbre.

[43] I, 143, Bonté et rigueur de Dieu, 21 juil. 1652. « Il ne nous a pas plaints seulement comme l'on voit ceux qui sont dans le port plaindre souvent les autres qu'ils voient agités sur la mer d'une furieuse tourmente. » Seulement Lucrèce, *De la Nature,* II, 1, ne plaint personne.
Le thème du *Suave mari magno* fournira à Bossuet plus d'un mouvement affectueux Cf. la reprise, Noël, 1656, *O.O.,* II, 289-290.

[44] IV, 489, O.f. Nicolas Cornet, 1663. Cf. Virgile, *Géorg.,* II, 461-462 :
« Si non ingentem *foribus* domus alta *superbis*
Mane salutantum totis *vomit* aedibus undam... »

humaines de fuir l'ambition [45]. L'idéal désabusé de l' « *o t i u m* » donne parfois une image de la paix chrétienne loin des obligations mondaines [46].

> Quand la justice règne, ... la terre est en repos, *le ciel même,* pour ainsi dire, *nous luit plus agréablement,* et nous envoie de plus douces influences [47].

Dans ce tableau, Bossuet se souvient d'Horace associant la nature aux réformes d'Auguste, et peut-être, à l'arrière-plan, de Virgile célébrant en termes mystiques, dans la *Quatrième Eglogue,* l'avènement espéré de la justice et de la paix.

Virgile, Virgile l'épicurien, cette fois, avait révélé à saint Augustin enfant la souveraineté de la passion, racine de son péché. Bossuet, encore étudiant à Navarre, reconnaît dans les mots de Virgile le désir effréné de la nature :

> Chacun s'est fait des idoles de ses désirs [48].

Et il faudra que la citation textuelle franchisse ses lèvres un peu plus tard, pour être effacée, il est vrai, mais non pas pour nous,

> par un passage admirable d'un auteur sacré ...
> « Dieu est amour » [49].

La *c a r i t a s* ne serait peut-être pas comprise sans la similitude et l'opposition de la *d i r a c u p i d o.* Les passions insensées qui font pleurer le poète sont-elles autre chose que le péché, ou sa cause, ou sa conséquence ? Le défi de Salmonée aux dieux olympiens n'est-il pas l'orgueil de l'impie [50] ? Et certaines passions insensibles sont mortelles comme le sommeil de l'infortuné Palinure :

> Tout est calme, tout est accoisé ; les passions sont vaincues ; les vents sont bridés, toutes les tempêtes apaisées ; le ciel est serein, la mer est unie, le vaisseau s'avance tout seul : *F e r u n t i p s a a e q u o r a c l a s s e m.* Voyez comme le ciel est serein, etc. ; ne voulez-vous pas prendre un peu de repos ? L'esprit se laisse aller et sommeille : assuré sur la face de la mer calmée et sur la protection du ciel expérimentée si souvent, il lâche le gouvernail et laisse aller le vaisseau à l'abandon : les vents se soulèvent, il est submergé. O esprit, qui vous êtes fié vainement et en la grâce du ciel et au calme trompeur de vos passions, *vous*

---

45 La cour comparée au détroit de Sicile, dans les deux panégyriques de Saint François de Paule, II, 31-32 (1655) et III, 462-463 (1660) où le rythme est bien meilleur et l'image évolue. Cf. « les tempêtes dont cette mer est si souvent agitée », Enfant prodigue, 1666, V, 78-79.
L'adieu à la mer de ceux qui ont éprouvé sa fureur, O.f. H. de France, 1669, t. V. 536-537 et III, 282, Rechutes, 1660 ; 599, *Pénitence,* 1661, vient de Tertullien, *De paenitentia,* VII, 5, mais c'est un vieux thème de la sagesse antique. Cf. Horace, *Odes,* I, I, v. 15-18, ésopique déjà ; voir La Fontaine, *Le berger et la mer, Fables,* IV, 2.
46 Cf. *O.O.,* III, 45-46, Vêture, 28 août 1659.
47 *O.O.,* V, 161, Justice, 1666, cf. Horace, *Odes,* II, v. 8, « Soles melius nitent » Cf. aussi *O.O.,* III, 238, Démons, 1660 et Virgile, *Bucol.,* IV, 13.
48 *O.O.,* I, 329, Loi de Dieu, 1653. Cf. Virgile, En., IX, 185, « An sua cuique deus fit dira cupido ? ».
49 *O.O.,* II, 37, Saint François de Paule, 1655. Citation de I Jean, IV, 16.
50 *O.O.,* III, 627, Parole de Dieu, 1661. Cf. Virgile, *Enéide,* V, 585-594. Mais Bossuet dans sa rédaction définitive a effacé le rappel trop précis. Voir l'apparat critique.

servirez d'exemple à jamais, des périls où jette les âmes une folle et téméraire confiance [51].

Mais c'est ici, dans les délices mêmes du style, que se marque la maîtrise de Bossuet. (Nous sommes en 1665). Il ne s'abandonne point, lui, comme la plupart des humanistes antérieurs et contemporains, comme Mascaron et Fléchier souvent même, à sa mémoire enchantée de Virgile. Il a repris, mais il le raye du texte lui-même, le vers de plainte, qui est la conclusion de cet épisode (v. 870) :

> *O   nimium   caelo   et   pelago   confise   sereno!,*

et il l'adapte à son dessein souverain. Soulignons les mots qui renouvellent la pensée :

> O *esprit,* qui vous êtes fié vainement, et *en la grâce du ciel* et au calme trompeur *de vos passions.*

Bossuet s'approprie Virgile par ces additions qui détournent de la nature la description, pour l'infléchir vers la vie spirituelle, et ce procédé de transposition était commun chez les humanistes chrétiens. Mais — ce que peu d'entre eux au XVIe et même au XVIIe siècles auraient eu le courage de faire — il se refuse, arrivé au terme de sa paraphrase, la seconde citation de Virgile, qui nous eût replongés en pleine poésie, alors qu'il fallait nous faire sentir la condition chrétienne.

Cette modération dans l'emprunt ne signifie donc pas une simple libération de la mémoire par les années, libération où la volonté n'aurait point de part. C'est selon son sentiment que Bossuet règle l'usage des réminiscences profanes. Elles peuvent au contraire aller en augmentant avec le temps ; ainsi, le souvenir du grand arbre de Virgile est venu s'ajouter à l'image d'Ezéchiel, entre le sermon sur les Nécessités de la Vie de 1660 et l'incomparable sermon sur l'Ambition de 1662 [53]. Ce n'est pas le prestige de la littérature qui lui impose des images, mais son sentiment épouse un souvenir *littéraire,* et peut-être, ainsi renforcé d'harmoniques humaines, l'ornement d'emprunt se présente-t-il alors à sa raison d'homme théologien comme la condition nécessaire de la pleine expression. C'est ainsi que, vers la fin de sa prédication connue, la détresse de la dernière nuit de Troie lui figurera inéluctablement la déception épouvantable de la vie :

> Défiez-vous donc de la joie qui vient des sens : *car il en est comme de ces villes qu'on prend dans une fête.* On feint une paix : joie partout. Tout d'un coup, le feu, l'épée, le carnage. On commence à dire : Malheureuse joie ! Il n'est plus temps : il faut périr [54].

[51] *O.O.,* IV, 629, Saint Benoît, 1665.
[52] Cf. *ibid.,* n. 6.
[53] Cf. *O.O.,* III, 310 et IV, 256 ; Virgile, *Géorg.,* II, 291-92 ou *En.,* IV, 445-446.
[54] *O.O.,* VI, 238, Pâques 1685.

Les images de la mort.

Ce transfert et cette amplification de la pensée par l'image nous révèlent d'une manière sensible que la déception du péché est, dans son fond, la même chose que la douleur de la mort. Poète de la mort, Bossuet eut l'occasion de l'être surtout à partir de 1669, dans les grandes oraisons funèbres. Celle de Madame est son plus beau « Poème de la Mort », et il arrive qu'elle nous donne la même émotion — le romantisme et le panthéisme manichéen de Hugo étant mis à part — que certaines pièces des derniers livres des *Contemplations*. Hugo, lui-même nourri de Lucrèce et de Virgile, nous aide à comprendre qu'un certain style de la douleur est naturel à l'humanité, et que les ornements profanes ne furent jamais plus nécessaires à Bossuet que pour exprimer l'inexprimable :

> Au premier bruit d'un mal si étrange on accourut à Saint-Cloud de toutes parts ; on trouve tout consterné, excepté le cœur de cette princesse. *Partout on entend des cris ; partout on voit la douleur et le désespoir et l'image de la mort* [55].

Par ce redoublement du « partout » qui étend à travers les siècles et l'espace le *plurima mortis imago* de la chute de Troie, Bossuet substitue en quelque sorte le visage historique, ou poétique, de la mort, à son vrai visage, que personne ne peut regarder en face. En effet, il n'a nulle part *décrit* la mort de Madame, et le tableau plusieurs fois commencé, tel qu'il se marquait dans le cœur des témoins, a été transporté par l'effet miraculeux des sacrements, dans les régions de la grâce, sans avoir été achevé sur la terre autrement que par les suggestions indéfinies de la poésie.

Ce recours aux moyens suprêmes du langage, n'était-ce pas le conseil que Bossuet devait tirer de Tertullien qui avait pour lui découvert dans la mort « l'abolition de toute expression », « *cadit ... in omnis jam vocabuli mortem* » ? [56]. La désintégration de l'homme, on peut dire que c'est cette méditation ontologique qui révèle à Bossuet les limites du langage, et, par suite, les seules possibilités laissées à l'orateur qui veut s'exprimer humainement. Car Bossuet ne cède nulle part à la tentation d'ésotérisme (que nous pourrions aujourd'hui qualifier de surréaliste) qui avait été le recours de certains mystiques platonisants. L'image poétique, c'est pour lui l'expression vive, la seule adéquate à son sentiment, mais c'est aussi l'expression *claire* ; et, si les poètes de la mort eurent volontiers l'expression oratoire, réciproquement les réminiscences de la poésie humaniste foisonnent autour de cette même évocation par l'orateur sacré [57].

---

[55] *O.O.*, V, 662, O.f. de H. d'Angleterre, 1670, cf. Virgile, *Enéide*, II, 369.
[56] *O.O.*, V, 665, *loc. cit.* On connaît la paraphrase : « un je ne sais quoi, qui n'a plus de nom dans aucune langue », plus puissante qu'aucune invention.
[57] Ex. Sermon sur la Mort, 1662 (IV, 269), « cette recrue continuelle du genre humain », et Lucrèce, III, 967 ; voir La Fontaine, *La mort et le mourant* ; O.f. de H. d'A. (V, 665). « Elle va descendre à ces sombres lieux », sorte de description de l'Hadès trop peuplé ; O.f. de Le Tellier, 1686 (VI, 364). « Un philosophe vous dira en vain que vous devez être rassasié d'années et de jours, etc. », rappelle directement Lucrèce, III, 935 sq., etc. C'est par la nécessité des sujets que ce style se développe plus chez Bossuet à partir de 1669.

L'expression de la gloire.

« Les poètes aussi sont de grand secours. » Le conseil que Bossuet avait simplement repris de Quintilien se trouvera singulièrement approfondi par la force des choses. En commençant sa carrière, Bossuet avait sans doute pensé à des décorations assez extérieures, à celles que l'orateur, comme un bon machiniste, met en place avant que la véritable pièce ne commence ; puis, la beauté intérieure de la réalité chrétienne efface les beautés fallacieuses de la vie et les fastes de la société. Mais voici qu'il découvre la signification de la parade humaine : l'orgueil avait été le ressort de la civilisation antique [58]. Le triomphe au Capitole en était resté pour Tertullien l'expression la plus vive, et c'est cette même pompe qui frappe le plus l'imagination romaine de Bossuet. De tout temps elle lui a servi d'antithèse à l'humilité du Sauveur :

> Je me représente sa crèche non point comme un berceau indigne d'un Dieu mais comme un chariot de triomphe où il traîne après lui le monde vaincu [59].

L'*Épître aux Hébreux* et le psaume 67 qui se chante le jour de l'Ascension, enlevaient l'imagination à la suite de « notre invincible Libérateur », à l'assaut de ces pentes célèbres [60], et par quel autre exemple Bossuet traiterait-il mieux « de l'Honneur du monde » devant son auditoire, le plus glorieux de la terre, que la discipline des collèges jésuites a habitué dès l'enfance au climat de l'émulation latine ? [61]

Le style de la gloire est forcément profane, et il ne fut jamais plus éclatant qu'au temps où l'idéal de la gloire régnait seul, et comme de droit naturel, puisque l'humilité n'avait pas encore paru sur la terre. C'est pourquoi la référence aux panégyriques profanes relève la gloire de Jésus-Christ, plus bienfaisant que les conquérants [62].

> Quand on veut parler d'un grand conquérant, chacun pense à Alexandre ; ce sera donc, si vous voulez, Alexandre qui nous fera voir la pauvreté des rois conquérants [63].

Si la vanité d'Alexandre peut faire valoir le choix de Mme de La Vallière, combien plus nécessairement ce type universel entre-t-il dans l'éloge

---

[58] Cf. Discours de réception à l'Académie, 1671, reprise fort intelligente et sympathique du *Pro Archia* de Cicéron : « Comme les actions héroïques animent ceux qui écrivent, ceux-ci réciproquement vont remuer par le désir de la gloire ce qu'il y a de plus vif dans les grands courages. » *O.O.*, VI, 7.

[59] *O.O.*, II, 294, Noël 1656.

[60] D'où l'exorde du sermon pour l'Ascension à Metz, 1654 (au plus tard), I, 523, et le développement soigné, p. 526.

[61] Cf. III, 340, Sur l'honneur du monde, 1660 et IV, 356-7, Sur les devoirs des rois, 1662. Tertullien qui a déjà utilisé l'image cautionne Bossuet.

[62] Cf. *O.O.*, I, 120, Bonté et rigueur de Dieu, 1652, et 456, Sur J.-C. objet de scandale, 1653, ainsi que les sermons sur la Divinité de J.-C., 1665 et 1669, *O.O.*, IV, 653 et V, 576, avec le souvenir de Pline le Jeune, *Panég.*, XIV.

[63] *O.O.*, VI, 44, Profession La Vallière, 1675.

du prince de Condé. Son cas sert en quelque sorte d'étalon pour mesurer les valeurs particulières de la vie non surnaturelle :

> Cet Alexandre, qui ne voulait que faire du bruit dans le monde, y en fait plus qu'il n'aurait osé espérer. Il faut encore qu'il se trouve dans tous nos panégyriques ; et il semble par une espèce de fatalité glorieuse à ce conquérant, qu'aucun prince ne puisse recevoir de louanges qu'il ne les partage [64].

On n'a pas assez remarqué que les grandes oraisons funèbres, qui, étant des sermons tirés de l'histoire, se rattachent à l'*Histoire Universelle,* sont aussi des panégyriques de saints et des poèmes épiques tout à la fois. La littérature latine des chrétiens avait essayé un style qui unirait les deux genres, et Bossuet se réfère notamment à saint Paulin de Nole et à saint Ambroise [65]. Mais c'est peut-être l'influence réunie des deux littératures latines, la païenne et la chrétienne, toutes deux plus redondantes et glorieuses que ne le souffre notre langue, qui donne aux grands discours de Bossuet cet éclat unique (et redoutable) qui aveugla tant de ses imitateurs académiques. Les contemporains, moins initiés que nous à la poésie pure mais plus émus du grand style, comprenaient le principe de cette pompe où nous trouvons parfois de l'emphase. Un anonyme écrit dans le *Recueil Monmerqué :*

> Oraison funèbre de la reine d'Angleterre. Cette pièce de monsieur Bossuet a été beaucoup estimée, quoiqu'on l'ait trouvée trop poétique. Mais si le style poétique peut avoir quelque lieu, il me semble qu'il ne peut pas mieux être placé que dans ces sortes d'ouvrages [66].

Chateaubriand, qui tenait encore du grand goût des siècles classiques, avait bien senti ce point de vue quand il jugeait que l'intérêt pour la duchesse d'Orléans, qui donnait presque un sujet privé, « se devait épuiser vite » [67]. Mais la grandeur, Bossuet la porte où il va : dans ce sujet relativement mince, l'épopée entre encore, et le premier des genres littéraires, selon la hiérarchie classique, lui donne des traits du grand style qui correspond à son sentiment héroïque de la vie :

> Cherchez, imaginez parmi les hommes les différences les plus remarquables ; vous n'en trouverez point de mieux marquée, ni qui vous paraisse plus effective que celle qui relève *le victorieux au-dessus des vaincus qu'il voit étendus à ses pieds. Cependant ce vainqueur enflé de ses titres tombera lui-même à son tour entre les mains de la mort. Alors ces malheureux vaincus rappelleront à leur compagnie leur superbe triomphateur* [68].

---

64 *Ibid.,* 447, O.f. Condé, 1687. L'Ecriture sainte ne s'était-elle pas d'ailleurs donné la peine de caractériser ce héros ? I, *Machab.,* I, 1-8 cité *O.O.,* IV, 633, Jugement dernier, 1665. Sur le fond, sur les « virtualités surnaturelles des païens », voir l'article de ce titre au chap. de LA DIVINE PHILOSOPHIE, sur Alexandre en particulier à partir de la n. (414).
65 *O.O.,* II, 529, O.f. H. de Gornay, 1658, pour saint Paulin, et V, 663, O.f. H. d'Angleterre, « Je serrais les bras », pour saint Ambroise.
66 Recueil Monmerqué, B.N., nᴵˡᵉ acq. f. fr. 4333, fol. 224, cité *Revue Bossuet,* 1905, p. 109.
67 CHATEAUBRIAND, *Génie.* III, IV.
68 O.f. H. d'A,. V, 661.

Que signifient ces images de guerre pour la douce Madame ? Exaltation du style au contact des grandes choses. Nous remarquions que le désastre de la mort privée s'exprimait par le symbole des morts historiques. De même, il n'y a, à proprement parler, pas de vie privée : chaque héros de Bossuet porte en lui la grandeur de l'Eglise ou de la nation, et son salut engage un intérêt d'ordre collectif, autant que le destin d'un chef de guerre. Les rois consacrés reçoivent ainsi de l'amour de Bossuet l'auréole épique. Charles Ier a la clémence de César [69], et son épouse, la reine guerrière, enchante l'imagination héroïque et romanesque. Gardienne de la cité, elle est, comme Hector, surmontée par la volonté des dieux :

> Une main si habile eût sauvé l'Etat, si l'Etat eût pu être sauvé [70].

La Bible, qui a ses livres guerriers, appelle du fond des siècles à venir Cyrus ou Alexandre, et peut se joindre aux livres profanes pour glorifier la vocation patriotique d'un Condé, « cet autre Alexandre », suscité « pour le salut de la France », et qui saura, comme César, dominer ses victoires et jouir de la civilisation [71]. Le dévouement à la patrie équilibre l'oraison de Marie-Thérèse d'Autriche, qu'une sorte de déracinement mystique enlèverait sans cela à la vie.

> Quand tout cédait à Louis, et que nous crûmes voir revenir le temps des miracles, où les murailles tombaient au bruit des trompettes, tous les peuples jetaient les yeux sur la Reine, et croyaient voir partir de son oratoire la foudre qui accablait tant de villes [72].

Cette seconde vue sur l'empyrée était assurément particulière à Bossuet..., mais n'est-ce pas le don du poète épique que de discerner le plan surréel où se décident, entre les dieux, les batailles que se livrent les hommes ? L'analogie avec Homère fut sensible aux contemporains. Un partisan des Anciens, un peu plus jeune que Bossuet, l'abbé Faydit, un ridicule qui trouvait Virgile augustinien plus catholique que les Jésuites de Trévoux, a raconté que monsieur Bossuet

> s'enferma pendant plusieurs jours, ne lisant autre livre qu'Homère, pour se préparer à un si grand sujet [73].

Cela est peu croyable, Bossuet n'a pas le loisir de « s'enfermer » avec un livre profane ; mais il est certain que, ne connaissant en 1670 « que Virgile et un peu Homère », il avait, en 1683, renouvelé pour le Dauphin ses fréquentations poétiques, et il retrouvait sa manière de sentir, dans cette transposition grandiose et simple de la vie, qu'est une épopée guerrière comme l'*Iliade*.

---

[69] *O.O.*, V, 526, O.f. H. de France, 1669.

[70] *Ibid.*, 598, cf. Virgile, *En.*, II, 290.

[71] O.f. Condé, 1687, *O.O.*, VI, pp. 427, 426, et 437-438 ; « Qu'il est beau, après les combats et les tumultes des armes... », que Jacquinet rapproche du *Pro Marcello*, éloge de César par Cicéron, discours que Bossuet cite avec éloge dans l'écrit *Sur le style*, *O.O.*, VII, 14.

[72] *O.O.*, VI, 195, O.f. Marie-Thérèse, 1683.

[73] *Remarques sur Virgile et sur Homère, et sur le style poétique de l'Ecriture sainte,* ... [par l'abbé FAYDIT] à Paris, chez Jean et Pierre Cot, 1705, in-12, p. 469.

Ses dons de voyant épique furent mis à leur aise par les circonstances qui firent de lui le héraut presque officiel du Siècle de Louis XIV, le chantre occasionnel des victoires de Louis — un peu mieux inspiré que celui de *la Prise de Namur* — et une manière d' « écho sonore ». Mais il n'y a pas chez lui d'amplification fatale de la voix, pas de progression constante de l'éclat poétique *indépendamment* des besoins du sujet. L'oraison funèbre d'Anne de Gonzague. Princesse palatine (9 août 1685), malgré le tumulte enivrant des lointaines guerres de Pologne, est toute tendue par une austère tendresse qui s'assouvit dans saint Jean et les Prophètes, sans goût aucun pour l'activité humaine ; alors que celle de Michel Le Tellier, chancelier de France (25 janvier 1686), par sa dignité patriarcale et l'estime bourgeoise de la justice, s'apparente au lyrisme civique d'Horace. Enfin, un an après (10 mars 1687), l'oraison funèbre de Louis de Bourbon, prince de Condé, est son sommet épique ; elle emploie « les restes d'une voix qui tombe et d'une ardeur qui s'éteint » à fixer dans la poésie les fastes de l'histoire.

Rapports de l'histoire et de la poésie.

Ce dernier discours, où la doctrine se réfléchit dans tant de belles images, nous montre dans l'esprit de Bossuet un phénomène qui est commun dans le cas d'une culture bien assimilée : la pénétration réciproque de la poésie et de la vérité. Chez les historiens anciens, plus artistes en général que soucieux de vérité scientifique, la poésie, par la confusion des différentes exigences littéraires, mordait largement sur la vérité, et nous ne croirons jamais que l'Alexandre de Quinte-Curce a davantage existé que l'Achille d'Homère ! Le scepticisme de notre critique corrobore l'impression de songe, inclination à l'irréel, qu'un Valéry a cultivée en nous, civilisés déçus par l'entassement chaotique des histoires. Quelque lecteur moderne, trop délicat, pourrait même soutenir que si les héros de Bossuet n'avaient pas existé, nous n'en lirions pas ses oraisons funèbres avec moins de plaisir, comme les fictions de Claudel par exemple, et peut-être même ajouterait-il : nous n'en tirerions pas moins d'édification. Mais il faut redresser les positions de la pensée vis-à-vis des faits, et borner les droits de notre imagination en rappelant le sérieux du théologien. Vanité de l'événement et pérennité de l'art ? Ce renversement, qui nous excite comme le plus humain des jeux, aurait scandalisé Bossuet, car la poésie orne son style, mais l'histoire fonde sa démonstration [74]. Il y a beaucoup d'Homère dans l'oraison funèbre de Condé, beaucoup de Virgile dans celle de Madame, mais ils y sont *implicitement,* apportant dans leur souffle un gonflement irrésistible d'images. Comparaison n'est pas raison : Achille est une fiction d'Homère, Achille n'a pas d'âme, à sauver, ni à perdre : aussi Bossuet n'allègue pas Achille, mais son émule *de fait,* Alexandre. L'histoire émeut en lui la poésie, comme en nous, et plus qu'en nous, mais elle s'en distingue absolument.

[74] Cf. *O.O.*, IV, 404, Père Bourgoing, 1662. « L'éclat de telles actions semble illuminer un discours ; et le bruit qu'elles font déjà dans le monde aide celui qui parle à se faire entendre d'un ton plus ferme et plus magnifique. »

C'est même par sa foi, si peu accommodante, en l'objectivité de l'histoire, que Bossuet se distingue des humanistes littéraires de tous les temps. Son symbolisme abhorre la mythologie et ne lui permet pas, hélas ! d'indécision sur le passé :

> Saint Augustin considère parmi les païens tant de sages, tant de conquérants, tant de graves législateurs, tant d'excellents citoyens, un Socrate, un Marc-Aurèle, un Scipion, un César, un Alexandre, tous privés de la connaissance de Dieu et exclus de son royaume éternel [75].

Un syncrétisme imaginatif ferait peut-être mieux notre affaire, mais la réalité des hommes d'autrefois pose à Bossuet des cas de conscience : on ne peut pas les traiter comme des figures. Aussi, quand nous parlons de style épique dans l'évocation d'Alexandre ou de César, distinguons toujours le style d'avec les choses, aussi absolument que lorsqu'il s'agit de la pièce majeure de l'argumentation, la vie réellement vécue par le Prince de Condé.

Toutes les affinités imaginatives du monde n'infléchiront pas vers le paganisme le sentiment moral de Bossuet (et pour apprécier sa fermeté, pensons à Chateaubriand) et n'embrumeront pas sa philosophie de l'histoire (souvenons-nous de Renan). Mais heureusement, la vie qui fait tout communiquer ne laisse pas les événements dans la mémoire à l'état de passé absolu, comme des pierres définitivement taillées à l'usage exclusif des démonstrations théologiques de toutes les écoles. Les faits acquis à la conscience historique sont susceptibles de plusieurs réemplois, et c'est pourquoi les historiens ont le droit de s'exprimer au présent et d'appuyer sur « ce qu'on ne verra jamais deux fois » des vérités générales de l'ordre humain. C'était même le but principal des historiens antiques, et si, de nos jours, nous jugeons indiscrète la prédication historique, nous continuons de voir dans l'étude du passé, tel qu'il s'offre à la succession des âges, déterminé et imprévu à la fois, un des meilleurs instruments de la culture morale.

Les historiens moralistes.

Au temps de Bossuet, les maximes des historiens sont une monnaie d'or dans le style sérieux, puisque « l'usage veut qu'on cite quelques sentences ». Les Latins surtout lui en fournissent beaucoup. On voit même évoluer sa manière de les citer, et les beaux « traits » devenir des analogies et des profondeurs de son style « savant ». Ce sont d'abord des ornements dans le goût précieux, non sans ressemblance avec l'idéalisme cornélien. Ainsi, pour rehausser la gloire de la Vierge :

> Je pourrais rapporter ici *un beau mot d'un grand roi chez Cassiodore*, qui dit qu'il y a certaines rencontres où les princes gagnent ce qu'ils donnent, lorsque leurs libéralités leur font honneur [76].

---

[75] *O.O.*, VI, 446, O.f. Condé. Cf. le renvoi fait à la n. (64).
[76] *O.O.*, II, 252, Conception de la Sainte Vierge, 1656.

Peut-être le sujet entraînait-il ces effets maniérés, qu'on voit avec un peu d'étonnement se prolonger jusqu'en 1660 à Paris, dans un sermon, prononcé, il est vrai, pour une communauté de femmes :

> Va, mon Fils, *disait ce roi grec ;* étends bien loin tes conquêtes : mon royaume est trop petit pour te renfermer. O amour de la Sainte Vierge ! ta perfection est trop éminente, tu ne peux plus tenir dans un corps mortel ; ton feu pousse des flammes trop vives pour être couvert sous cette cendre : va briller dans l'éternité, va brûler devant la face de Dieu, va t'étendre dans son sein immense, qui, seul est capable de te contenir [77].

La galanterie mystique n'était sans doute pas dans la nature de Bossuet, car la mystique et l'amour embraseront seuls le sermon de 1663 pour la même fête de l'Assomption. L'amour profane y servira toujours d'analogie à l'amour divin, mais désormais, le *Cantique des Cantiques* suffira à exprimer toute l'étendue du sentiment, et Bossuet ne recourra plus aux ornements des historiens romanesques.

Mais les historiens moralistes lui serviront toujours.

> Les pires des ennemis, *disait sagement cet ancien,* ce sont les flatteurs ; et, *j'ajoute avec assurance,* que les pires de tous les flatteurs, ce sont les vices [78].

Moraliste, grâce à ce que Bossuet, lui « ajoute avec assurance », de la condition humaine en général, Quinte-Curce, parce qu'il s'est attaché à Alexandre, type des souverains conquérants, pouvait être le moraliste de la condition royale : Bossuet le prend encore comme référence dans l'oraison funèbre de la reine d'Angleterre [79]. Pline le Jeune, étant « un habile courtisan d'un grand empereur », a fait une remarque profonde qui justifie négativement la nécessité de l'honneur [80]. Enfin « ce beau mot de Tacite — parlant des excès de Domitien après que son père fut parvenu à l'empire » [81], jette un éclat sombre sur la superbe scandaleuse des grands. En 1672, au sein de la cour corrompue et corruptrice, Bossuet se rappelle une répétition étincelante de cet observateur pessimiste, et elle passe dans son style, mais avec des intentions et des sonorités plus larges :

> Dans cette dépravation générale, on ne sait qui corrompt les autres ; nous nous corrompons mutuellement, et chacun est étourdi en particulier par le bruit que nous faisons tous ensemble [82].

La psychologie des rapports sociaux a été si développée chez les Anciens, que Bossuet se souvient plus ou moins consciemment, pour l'opposer à la charité fraternelle, de l'analyse de la méfiance, qui inaugure dans Xénophon le discours de Cléarque à Tissapherne [83]. Les maximes latines

---

[77] III, 495. Assomption, 1660, avec référence à Quinte-Curce.
[78] V, 69, Enfant prodigue, 1666. L'ancien, c'est Quinte-Curce, l. VIII, c. v, 8.
[79] V, 526, O.f. H. de France, 1669.
[80] V, 56, Honneur, 1666.
[81] IV, 648, Jugement dernier, 1665.
[82] VI, 24, Pentecôte, 1672. Cf. Tacite, *Germanie,* XIX, où ce n'est qu'un trait indirect : « Corrumpere et corrumpi saeculum vocatur. »
[83] V, 102, Charité fraternelle, 1666, « L'inquiétude nous prend... », etc., et Xénophon, *Anabase,* II, v, 5.

de politique stratégique confirment les vues de la Reine d'Angleterre, et Tite-Live condamne les atermoiements de Charles Ier sans déshonorer celui-ci grâce au rapprochement avec Hannibal [84].

Les philosophes moralistes.

Le goût et le sens de la politique, croissant en Bossuet, devaient le pousser à fréquenter toujours davantage les penseurs de la cité antique, et c'est bien autre chose que des maximes oratoires qu'ils lui donneront pour l'*Histoire Universelle* ou la *Politique tirée de l'Ecriture Sainte.* Mais les philosophes moralistes, quant à eux, lui ont de tout temps fourni le fond. Ici particulièrement, une sorte d'émulation docile dans l'expression aboutit peu à peu à l'indépendance absolue de l'invention. La psychologie de Bossuet sortant de Navarre était aristotélicienne. Or, Aristote a fondé les moyens de persuader sur la psychologie ; son disciple déjà éloigné, l'Horace cicéronien de l'*Art poétique,* en tire les règles simples du plaisir dramatique ; entre les deux, écoutons Cicéron :

> Il y a deux moyens qui, bien maniés par l'orateur, font admirer l'éloquence : l'un nommé ἠθικόν [*éthique*] par les Grecs, se rapporte aux tempéraments, aux caractères et à toutes les circonstances habituelles de la vie ; l'autre, qu'ils appellent παθητικόν [*pathétique*], est l'art d'émouvoir et de soulever les passions ; c'est là surtout que triomphe l'éloquence [85].

La supériorité du deuxième moyen, plus décisif ou plus flatteur, ne rend pas moins nécessaire à l'orateur consciencieux la connaissance de la philosophie morale, dont les principes le guident à travers l'infinie variété des hommes à qui il parle, ou qu'il fait parler. C'est ainsi qu'Aristote, avec son bon sens observateur, a fourni aux classiques les grandes lignes d'une « caractérologie » — que son disciple Théophraste émiette pour préparer des paillettes au minutieux La Bruyère — qu'il vaudrait peut-être mieux appeler « typologie », car elle n'entre pas dans le détail physiologique et se réduit à des modèles expressifs en fonction de données claires :

> Traitons des caractères, selon les passions, les dispositions, les âges, les différences de fortune [86].

Et c'est bien avec ce plan d'étude que le jeune Bossuet aborde les hommes : il commence par les classer.

> Le Philosophe dit que les jeunes gens sont comme naturellement enivrés ; parce que leur sang chaud et bouillant est semblable, en quelque sorte, à un vin fumeux et plein d'esprits, qui les rend toujours ardents et toujours animés dans la poursuite de leurs entreprises. Si nous voulons vivre, Messieurs, de cette jeunesse spirituelle de la loi de grâce, il

---

[84] V, 538 ; Bossuet donne les deux citations de Tite-Live en note.
[85] Cicéron, *L'Orateur,* XXXVII, 128, trad. Bornecque.
[86] Aristote, *Rhét.,* II, XII, 1. — Voir une esquisse de psychologie, selon les âges, *O.O.,* I, 321, Loi de Dieu, 1653, avec la dépréciation en plus : « Chaque âge n'a-t-il pas ses erreurs et sa folie ? »

faut être toujours fervents, toujours intérieurement enivrés de ce vin de la nouvelle alliance. — C'est le Sauveur Jésus-Christ lui-même qui compare à un vin nouveau l'esprit de la loi nouvelle [87].

La transposition de l'observation en symbole doctrinal et le passage brusqué à l'exhortation mystique rompent le charme d'un lyrisme naissant : Bossuet a-t-il eu quelque scrupule ? On dirait qu'il a voulu éteindre la littéralité brûlante de son *Panégyrique de saint Bernard,* qui n'est que de trois ans antérieur, et où il avait lui-même comme enivré la prose tranquille du Philosophe [88].

Comme si des siècles d'usage scolastique n'avaient pas suffi à baptiser cette âme si peu « naturellement chrétienne », Bossuet renonce très tôt à l'utilisation oratoire d'Aristote. Qu'est-ce à dire puisque le même Aristote reste un de ses maîtres pour la philosophie générale et la politique ? Pour la psychologie, c'est un fait : Bossuet rejette de ses préparations oratoires les « types » aristotéliciens, si commodes pourtant comme lieux communs de base. Serait-ce que son sentiment « pathétique » de la vie dégoûte de plus en plus Bossuet de cette « éthique » rationnelle et positive, si peu capable de toucher les cœurs et de leur faire désirer un changement de catégorie par la conversion ? Ou bien l'autorité d'Aristote lui paraît-elle démodée quand il s'agit d'agrément littéraire ? Toujours est-il qu'une seconde fois, en 1657, il s'efforce de faire oublier la référence aristotélicienne de son *Panégyrique de saint Bernard,* en lui substituant la définition, plus que désabusée, de l'espérance, par « ce philosophe » que cite saint Basile [89]. Et enfin, en 1666, il se détourne formellement d'Aristote psychologue qui n'est pas capable de rien lui expliquer des fureurs profondes de la haine :

> Ne croyez pas, Chrétiens, que je veuille faire en ce lieu une recherche philosophique sur cette furieuse passion, ni vous rapporter dans cette chaire ce qu'Aristote nous a dit de son naturel malin [90].

Les poètes moralistes.

Cette renonciation n'est pas chez Bossuet une façon de parler, et les sentiments issus de l'Ecriture prévalent sur Aristote en psychologie

---

87 *O.O.,* II, 204, Visitation de la Vierge, au collège des Godrans, Dijon 1656. Cf. Aristote, *Rhét.,* II, XII, 8.
88 II, 404-406, Saint-Bernard, 1653. Le trait de l'espérance est dans Aristote, mais sans la moindre image : « Ils sont pleins d'heureuses espérances ; ils ressemblent aux gens pris de vin (ὥσπερ γὰρ οἱ οἰνωμένοι), sont pleins de chaleur comme eux, tant par l'effet de la nature que parce qu'ils n'ont pas encore subi beaucoup d'échecs. Ils vivent d'espoir la plupart du temps, car l'espoir a trait à l'avenir et le souvenir au passé ; et, pour la jeunesse, l'avenir est long, tandis que le passé est court. Aux premiers moments de la vie, on ne peut rien se rappeler, tandis qu'on peut tout espérer. Ils sont aisés à tromper pour la raison que nous avons dite, car ils espèrent facilement. » Tandis que Bossuet.., il est dans toutes les mémoires. Remarquer l'image directe des choses : « ce sang chaud et bouillant, semblable *à un vin fumeux* » ; c'est l'observation du Bourguignon, et le sentiment du jeune homme lui-même. — Voir notre édition des notes de lecture, F. fr. 12830, f° 166 v°, à la page 182.
89 *O.O.,* II, 373, Sainte Thérèse, 1657.
90 V, 140, Haine de la vérité, 1666. Le même développement avait été fait en 1661, IV, 28-29, sans que Bossuet ait cru devoir se défendre d'Aristote. Cf. au chapitre de LA SCIENCE CIVILE, la s. II, LECTURE DES PHILOSOPHES.

raisonnée. Mais dans le domaine de la morale pratiquée, Bossuet a trop le sens de la vie pour n'accueillir pas les remarques variées et fines des poètes moralistes. Parfois il compte sur eux pour préparer les esprits à l'admiration des vertus chrétiennes :

> *Je laisse aux peintres et aux poètes* de représenter à vos yeux les horreurs de la jalousie, le venin de ce serpent et les cent yeux de ce monstre : il me suffit de vous dire que c'est une espèce de complication des passions les plus furieuses [91].

Virgile, poète voyant, émouvait en lui le prophète de l'âme. Mais Térence, Horace ou Juvénal sont les compagnons de son bon sens intuitif et concret. Térence n'a pas besoin d'être cité pour que lui fasse retour la gloire d'une formule qui traduit d'assez près le célèbre *H o m o s u m* joint à un sentiment aristotélicien de la camaraderie :

> Pour calmer ces mouvements farouches et inhumains, Jésus nous ramène à notre origine ; il tâche de réveiller en nos âmes ce sentiment de tendre compassion *que la nature nous donne pour tous nos semblables,* quand nous les voyons affligés. Par où il nous fait voir *qu'un homme ne peut être étranger à un homme* [91bis].

La malice d'Horace dessine spirituellement la folie de l'homme :

> Dans les horreurs de l'orage, le nautonier effrayé dit un adieu éternel aux flots, mais aussitôt que la mer est un peu calmée, il se rembarque sans crainte comme s'il avait les vents dans sa main [92] ;

alors que d'autres auteurs qui faisaient le même homme corrigible ont été rappelés quand la même image tendait à une autre signification. Horace, en épicurien, connaît les passions dont le flot renouvelé fait un obstacle éternel à la sottise de son paysan :

> Voyez cet insensé sur le bord d'un fleuve, qui, voulant passer à l'autre rive, attend que le fleuve se soit écoulé ; et il ne s'aperçoit pas qu'il coule sans cesse. Il faut passer par-dessus le fleuve ; il faut marcher contre le torrent, résister au cours de nos passions, et non attendre de voir écoulé ce qui ne s'écoule jamais tout à fait [93].

Horace n'appelait que le bon sens à la rescousse ; il faut de l'héroïsme au chrétien de Bossuet pour s'opposer aux fleuves de Babylone qui sont ceux que Pascal appelle les « fleuves de feu » [94]. Par l'emploi de cette belle image figurant la résistance chrétienne à la dérive fatale de la concupiscence, Pascal et Bossuet dépendent tous deux de saint Augustin com-

---

[91] III, 656, Saint Joseph, 1661. Nous retrouverons les « poètes imitateurs de la nature », utilisés en philosophie dans le traité *De la Connaissance.*
[91bis] I, 364, *Réconciliation,* 1653.
[92] III, 599, Pénitence, 1660, cf. Horace, *Odes,* I, i, 15-28 ; opposer III, 282, citation de Tertullien, et compléter par notre note (45).
[93] IV, 326, Ardeur de la Pénitence, 1662 (Louvre), cf. Horace, I. *Epitres,* ii, 42-43.
   « Rusticus exspectat dum defluat amnis ; at ille
     Labitur et labetur in omne volubilis aevum. »
[94] Cf. Pascal, *Pensées,* § 458 et 459 ; cf. un texte antérieur de Bossuet, purement augustinien, *O.O.,* III, 425, Quasimodo 1660 (Minimes). « Nous voyons les fleuves passer devant nous », etc. Horace n'est pas encore entré dans l'alliage du sentiment. Le Carême du Louvre marquerait donc une augmentation des réminiscences humanistes.

mentant le Psaume 136 ; mais, ce qui est remarquable, c'est que Pascal n'a rien trouvé à prendre d'Horace, au lieu que Bossuet, lui, respire et sent fréquemment dans le même climat que le poète latin, dans un climat de morale naturelle — sans acception métaphysique, je veux ici simplement dire de morale saine et détendue — où il prend des bases en vue d'édifier la perfection chrétienne. Ainsi, le désir normal du repos, de l'*o t i u m* vers lequel a tant soupiré le nonchalant poète, nous introduit au désir du ciel [95]. Dans la même aspiration à l'indépendance morale, Juvénal fournit un trait pour décrire la honte de la pauvreté [96], et l'on pourrait dire que les satiriques païens, moralistes gracieux quand ils ont le don de poésie, seront toujours utiles au chrétien pour l'avertir de ses illusions renaissantes.

Une morale civile.

Si la morale individuelle reçoit les secours de la sagacité des Anciens, à plus forte raison Bossuet trouvera-t-il dans les maximes de la cité antique les traits, gravés pour toute civilisation à venir, d'une morale civile. Saint Paul conserve dans son vocabulaire si souvent juridique la marque de la société gréco-romaine. Le prédicateur chrétien en garde forcément un certain style de droit romain, qui peut être ou bien une teinture superficielle ou bien une empreinte profonde. Fils de magistrats gallicans, Bossuet entre de plain-pied dans la figure du contrat de religion qui nous lie à Dieu et aux autres hommes. Cicéron, le juriste philosophe, pour qui le stoïcisme avait déjà élargi le sens de la cité antique, l'aide donc souvent à représenter les lois idéales qui règnent à la fois sur la morale et la politique :

> J'entreprends de vous faire voir que nous perdons notre liberté en la voulant trop étendre ; que nous ne savons pas la conserver, si nous ne savons aussi lui donner des bornes ; et enfin, que *la liberté véritable, c'est d'être soumis aux lois* [97].

C'est sur ce terrain mixte, que les gens de cour auraient dû trouver plus praticable que les hauteurs mystiques du Carême du Louvre, que Bossuet conduit le Carême de Saint-Germain en 1666. Les lieux communs sur les flatteurs y ont leur place [98], et le sermon *Sur la charité fraternelle* est l'approfondissement d'un traité classique *De l'amitié*. « Cet ancien » qui n'a connu que « les flatteurs du dehors », c'est naturellement Cicéron [99].

---

[95] Cf. *O.O.*, V, 505, Toussaint, 1669. « Je ne vois point d'homme sensé qui ne se destine un lieu de retraite », etc., et les deux pages qui suivent ; et Horace, II, *Odes*, XVI « Otium ».

[96] *O.O.*, VI, 156-157, Profession (1681 ?), et Juvénal, *Satires*, III, v. 147.

[97] *O.O.*, V, 4-5, Purification, 1666 (Saint-Germain), cf. Cicéron, *Pro Cluentio*, LIII. Cf. l'article : *Les rapports de la loi et de la liberté*, s. I de LA SCIENCE CIVILE.

[98] V, 69, Enfant prodigue, 1666, cf. notre note (78).

[99] V, 99, Charité fraternelle, 1666, Cicéron, *De l'amitié*, XV. Cf. « un principe de correspondance et de société mutuelle », p. 88 du sermon, et tout le premier point où respire la sociabilité antique.

Il est formellement nommé, cité et traduit dans le sermon *Sur la haine de la vérité,* pour avoir posé le principe d'une droite casuistique :

> Voilà ce qu'a dit celui qui n'a rien su de la première institution ni de la dépravation de notre nature [100].

On sait l'influence que son traité *Des offices,* philosophiquement peu rigoureux, mais nuancé dans son éclectisme, pratique et modéré, eut sur les origines de la morale chrétienne [101]. Bossuet y puise l'adage de la mesure dans la justice, *S u m m u m   j u s ,   s u m m a   i n j u r i a* [102], ou bien l'éloge de la solitude du sage [103]. Ce dernier trait, de souche stoïcienne, Sénèque est, à l'occasion, chargé de l'enfoncer [104].

III. — LES FORMES DU DISCOURS.
STOÏCISME ET CICÉRONIANISME.

Nous croyons avoir relevé dans les *Œuvres Oratoires* toutes les citations profanes avouées qui sont à usage moral. Nous réservons celles qui doivent fonder l'apologétique proprement dite sur l'histoire comparée du christianisme. Quant aux réminiscences, nous avons relevé les plus suivies et les plus directes. On pourrait en reconnaître un nombre illimité. Mais qu'il s'agisse de citations, de réminiscences ou d'allusions, notre analyse veut rester qualitative pour se conformer à l'indépendance de l'imitation chez Bossuet.

La question se pose maintenant de savoir si la liberté foncière de l'élocution s'étend *à l'ordre et au mouvement général* du discours. Cela semble moins facile à prouver, car les traditions de Navarre présideront toujours à la fabrication d'ensemble. Dans un sermon de n'importe quelle date, il est possible de retrouver, sous une robe plus ou moins belle, l'habitude scolastique de la division abstraite et le processus des questions, objections et confirmations. Ainsi la dialectique médiévale peut-elle en quelque mesure revendiquer la gloire d'avoir préparé l'ordre classique. Dans cette ordonnance infrangible, toutefois, la personnalité se marque chez Bossuet par l'homogénéité du goût. Les tendances permanentes de ce goût se feront reconnaître dans l'évolution de quelques formes qui sont d'ailleurs reprises de l'éloquence antique.

---

100 V, 151, Haine de la vérité, 1666 ; complété avec IV, 550, Plaisir des sens, 1664, où la valeur morale de Cicéron platonisant dans l'*Hortensius* n'était admise qu'à travers saint Augustin. Il est remarquable qu'en 1661 le même développement sur la haine de la vérité (IV, 35) n'avait aucunement appelé le témoignage de *De officiis* (I, IX, 30).

101 Cf. THAMIN (R.), *Saint Ambroise et la morale chrétienne au* IVe *siècle. Etude comparée des traités « Des Devoirs » de Cicéron et de saint Ambroise,* 1895.

102 *O.O.,* V, 179, Justice, 1666, d'après *Cicéron, De off.* I, X, 33, qui le cite comme un *« j a m   t r i t u m   s e r m o n e   p r o v e r b i u m »*. Il était au moins dans Térence.

103 VI, 179, Profession, 1681 (?), d'après *Cicéron, De Off.* III, I, et quelques textes proches.

104 V, 494, Toussaint, 1669 ; Cf. Sénèque, *A Lucilius, Lettres,* XLVI.

Trois procédés de rhétorique.

Le goût personnel de Bossuet s'est affirmé en particulier par la maîtrise consciente, ou le refus nuancé, de trois procédés littéraires, dont les orateurs-modèles, païens ou chrétiens, avaient souvent additionné, même contradictoirement, les séductions : à savoir la diatribe, le paradoxe et l'énumération.

La première tentation pour l'orateur chrétien, soucieux d'efficacité, était celle de la familiarité décousue, et elle s'autorisait à tout le moins de l'exemple de saint Augustin. Car, en dépit de Cicéron qui jugeait le Portique, tout hérissé d'une dialectique rébarbative, peu capable d'entraîner aux grands effets de l'éloquence [105], le stoïcisme des carrefours avait eu une grosse influence « à l'époque où le christianisme conquérait les classes populaires » [106]. La diatribe cynico-stoïque que saint Augustin recevait, déjà transformée, du christianisme hellénique, contribua à détacher celui-ci du cicéronianisme théorique qu'il professe, sincèrement sinon logiquement, dans le livre *De la doctrine chrétienne*. C'est que, dans la pratique, l'évêque d'Hippone devait le plus souvent s'adapter à un public absolument illettré, pour qui le style dit « simple » d'un cicéronien distingué eût été sans agrément ; d'où « le ton volontiers familier ou plaisant que prend le sermon augustinien » [107]. Mais les jeux de mots qui plaisaient au goût africain de la décadence — et ne déplaisaient pas toujours au goût français des Burlesques et des Précieux — n'auront jamais leur entrée chez Bossuet, plus sévère même quand il devient le plus simple, pour parler au peuple de son diocèse. Il ne suit pas davantage saint Augustin pour « les deux traits qui le rapprochent davantage de la prédication populaire des philosophes : composition négligée, sans netteté, débat avec un interlocuteur fictif [108] ». En effet, la négligence dans la composition est ce qu'il y a de plus impossible à l'organisation mentale de Bossuet qui aura tout au contraire à desserrer l'armature dialectique des sermons de sa jeunesse ; son dernier sermon même, qui n'est connu que par un résumé de Ledieu, s'imposait à la mémoire par la netteté de sa composition [109]. Quant au dialogue avec l'auditeur, moins naturel en français qu'en latin « à cause de l'usage très grand que fait cette langue de la deuxième personne », il n'est pas constant chez Bossuet comme chez saint Augustin et ne s'y prolonge pas. Véhément ou tendre, il n'est que spontané et ne peut se rattacher à aucun procédé de style.

Relevant « bien moins de l'orthodoxie cicéronienne que de la prédication cynico-stoïcienne », saint Augustin est pleinement original : « Les emprunts sont purement formels [110]. » L'originalité de Bossuet est en quelque sorte inverse, autant par son évolution que par sa nature. Au

[105] Cf. *Cicéron, De finibus bonorum et malorum*, III, I, 3.
[106] Cf. Marie COMEAU, *La Rhétorique de saint Augustin d'après les « Tractatus in Joannem »*, Paris, 1930, p. 27.
[107] *Id., ibid.*, p. 28.
[108] *Ibid.*, p. 29.
[109] *O.O.*, VI, 546, Pâques, 1702, « Abrégé de toute la religion dans ces deux mots : le parfait Adorable et le parfait Adorateur ».
[110] M. COMEAU, *op. cit.*, p. 40 et p. 45.

départ il est plus près, sinon de la violence cynique, du moins de l'outrance stoïque ; tandis qu'au sommet de sa carrière, il est plus cicéronien de forme et, simultanément, sa pensée se nourrit des livres philosophiques de Cicéron avec une application significative.

Dans la jeunesse de Bossuet, le stoïcisme français était encore dans sa force, sinon dans sa fraîcheur. Et que la vertu chrétienne s'exalte en 1652 par un appel de style cornélien, cela n'a rien d'anachronique :

> Mener une vie innocente loin de la corruption commune, *c'est l'effet d'une vertu ordinaire* [111].

Saint Gorgon n'est-il pas

> en deux points, une âme héroïque, un courage inflexible, que l'espoir des grandeurs n'a point amolli, que la crainte des supplices n'a point ébranlé [112] ?

Comme chez Corneille l'amour ou l'amour de l'honneur, la foi, chez Bossuet, forge « le généreux » :

> Depuis qu'on a prêché un Dieu mort, la mort a pour nous des délices [113].

Et la fierté chrétienne est invincible :

> *Le chrétien généreux* surmontera tout, parce qu'il est rempli d'un Esprit qui est infiniment au-dessus du monde,

de cet esprit qui fit répondre aux Apôtres devant les tribunaux

> *une parole toute généreuse* [114].

Car les modèles chrétiens, nos héros propres, sont des hommes qui se possèdent eux-mêmes infiniment : le Christ

> voulait ... faire voir, *par sa constance,* qu'il savait bien modérer tous ses mouvements et les faire céder comme il lui plaisait à la volonté de son Père ;

et quant à sa mère :

> Voyez cependant *sa tranquillité* [115].

Ainsi la paix du sage antique passe-t-elle dans l'idéal de l'éthique chrétienne, et plus fortement encore dans l'idéal particulier de la vie religieuse. Le religieux consacré est, pour ainsi dire, le spécialiste de la sagesse, c'est-à-dire de ce bonheur *de droit* qui tient tout d'une volonté

---

111 *O.O.*, I, 222, Zizanies, 1652 ; Cf. CORNEILLE, *Horace,* (1640), II, III.
« Combattre un ennemi
....
D'une simple vertu, c'est l'effet ordinaire. »
Cf. aussi, *O.O.*, I, 316, n. 1.
112 *O.O.*, I, 34-35, Saint Gorgon, 1649 ; le second panégyrique, vers 1654, n'est pas moins brave. « Nous sommes enrôlés par le saint baptême, dans *une milice* spirituelle, en laquelle nous avons le monde à combattre. »
113 I, 438, Exalt., Croix, 1653.
114 II, 501, 504, Pentecôte, 1658.
115 II, 478 et 482, Compassion, 1658 ou 1659.

parfaite et rien des sens satisfaits. Les sermons de vêture ou de profession chez Bossuet étonnent passablement par la prédominance de l'ascèse morale sur le sentiment mystique :

> Et que l'on ne croie pas qu'en quittant le monde, vous ayez aussi quitté les plaisirs. Vous ne les quittez pas, vous les changez. Ce n'est pas les perdre, ma Sœur, que de les porter *du corps à l'esprit,* et des sens dans la conscience. Que s'il y a quelque austérité dans la profession que vous embrassez, c'est que votre vie est *une milice* où les exercices sont laborieux *parce qu'ils sont forts ;* et où, plus on se durcit au travail, *plus on espère de remporter de victoires.* Mesurez la grandeur de votre victoire par la dureté de votre fatigue. Votre corps est renfermé, *mais l'esprit est libre,* il peut aller jusqu'auprès de Dieu [116].

Cette exhortation martiale ne sortirait-elle pas plutôt de la bouche d'un philosophe drapé dans le *p a l l i u m,* et stimulant quelque disciple d'élection, quelque Lucilius déjà en route vers le souverain bien ? Les responsables immédiats de ce style tendu sont Tertullien et saint Bernard [117], mais leur influence est aggravée d'une intonation cornélienne.

Il n'est pas difficile de retrouver l'origine proprement stoïque de cette traditionnelle exaltation d'énergie idéaliste :

> Nous confessons devant Dieu ... que nul pécheur ne peut être libre, que tous les pécheurs sont captifs. Tu peux faire ce que tu veux, et de là tu conclus : Je suis libre. Et moi, je te réponds, au contraire : Tu ne peux pas faire ce que tu veux ; et quand tu le pourrais, tu n'es pas libre [118].

C'est la discussion d'un paradoxe stoïcien, rebattu jusqu'à l'usure : que le sage seul est libre, souverain, etc... Un texte pareil, aussi âprement serré que le poing fermé auquel Cicéron comparait la dialectique stoïcienne, trouvera son achèvement, et s'épanouira dans l'incomparable Sermon sur l'Ambition, où la base scolastique de la discussion est posée, en termes concentrés, par saint Augustin [119] ; mais même dans la morale plus surnaturelle que volontariste de 1662, le stoïcisme persiste au second degré, puisque la félicité, qui termine la liberté du chrétien, y dépend de l'usage correct et efficace de la volonté.

De même, le paradoxe chrétien de saint Jacques sur l'unité de la loi morale vient à la rencontre du paradoxe stoïcien sur l'égalité des fautes :

> Qui pèche en un seul article, il détruit autant qu'il peut la loi tout entière. C'est pourquoi il [Moïse] laisse tomber et il casse ensemble tou-

---

116 II, 197, Fragments d'un sermon de vêture, 1656.
117 Imités dans le passage cité, et repris dans un sermon analogue de date voisine, II, 214 ; citation textuelle dans les notes de Bossuet, cf. *ibid.,* p. 225.
118 II, 218, seconde vêture, 1656. Cf. Cicéron, *Paradoxes des Stoïciens,* V, où la discussion est fortement déviée.
119 Saint Augustin « dans le livre XIII *de la Trinité* » : « Posse quod velit, velle quod opportet. » *O.O.,* IV, 7. Ambition, 1661, et IV, 245, Ambition 1662.

tes les deux tables, pour nous faire entendre, mes Frères, que, *par une seule transgression,* toute la loi divine est anéantie [120].

Moins logique que ce texte de 1659 (ou 1660), et plus chrétienne d'expression, sera la même idée en 1660 [120] ; et s'il est vrai que la morale des classiques naît de l'élimination du stoïcisme [121] (parfaitement assimilé peut-être), le style de l'exhortation morale chez Bossuet témoigne exactement de l'assouplissement parallèle du génie français.

Mais la tendance rigoriste n'est pas tout le stoïcisme. Il est encore plus nécessairement un providentialisme optimiste, et les conséquences rhétoriques de sa métaphysique sont absolument différentes de celles de sa morale. Ne pourrait-on dire que l'impératif catégorique resserre le style, et que le finalisme euphorique produit pléthore d'arguments ? ... Le procédé normal du finalisme serait l'énumération débordante. ... A la vérité, plusieurs raisons, ou plusieurs sujets, appellent l'énumération : le poète enthousiaste décrit le monde, ou bien le satirique (Horace, Juvénal, Montaigne, Pascal...) ramasse sous son fouet toutes les folies de l'humanité. Et voici le panorama de Bossuet jeune :

> Je me représente que ... ignorant des choses humaines, je suis élevé tout à coup au sommet d'une haute montagne, d'où, par un effet de la puissance divine, je découvre la terre et les mers *et tout ce qui se fait dans le monde.* ... Elevé donc sur cette montagne, je vois du premier aspect cette multitude infinie de peuples et de nations, avec leurs mœurs différentes et leurs humeurs incompatibles, les unes barbares et sauvages, les autres plus polies et civilisées. ... Après, descendant plus exactement au détail de la vie humaine, je contemple *les divers emplois dans lesquels les hommes s'occupent.* O Dieu éternel ! quel tracas ! ... Vous raconterai-je, Fidèles, les diverses inclinations des hommes [122] ?

L'exemple de saint Cyprien a déclenché ce tumulte naïf de rhéteur qui étourdit son auditoire pour rivaliser avec les bruits incessants du forum, et faire désirer la paix qu'il se prépare à annoncer. C'est un procédé du genre diatribique, une habileté inférieure, que Bossuet reprend docilement ; ce n'est pas là sa pédagogie propre qui est beaucoup plus digne. D'ailleurs, même ici, il se défend de faire une « invective inutile » [123], et, s'il en prend le ton plusieurs fois, c'est sous la pression d'une tradition que son génie infléchit déjà dans un sens personnel.

Le sermon *sur la Loi de Dieu* de 1653 est la première somme morale de Bossuet, et le style propre de son idéal y apparaît jusque sous l'accumulation traditionnellement péjorative de l'apologétique anthropocentri-

---

[120] III, 144 ; aux Nouveaux Convertis, 1659 ou 1660 ; cf. IV, 30, Haine de la vérité, 1661, qui ajoute la justification mystique : « Unité du corps de Jésus-Christ et de toute sa doctrine. » Pour l'origine stoïcienne, cf. par exemple, Cicéron, *Paradoxes,* III, I, « Una virtus est », et III, II, « Perturbata autem semel ratione et ordine, nihil possit addi, quo magis, peccari posse videatur. »
[121] Cf. H. Busson, *La religion des classiques,* ch. VIII, p. 194. « On peut bien dire que l'influence du stoïcisme finit vers 1660. »
[122] *O.O.,* I, 314-315, Loi de Dieu, 1653, et reprise plus brève II, 85-86, Vêture, 8 sept. 1655 ; II, 554-555, Loi de Dieu, 1659 ; Tertullien indique l'issue vers la solitude, I, 94.
[123] *Ibid.,* I, 321.

que. Le premier point de ce sermon a en effet le même dessein que les *Pensées* de Pascal, celles des *Pensées* du moins qui traitent de la morale. Une ressemblance plus profonde à marquer, c'est que Pascal et Bossuet considèrent tous deux « les devoirs de la vie humaine » dans la perspective de l'Ecriture, et en particulier du psaume CXVIII, *C o g i t a v i v i a s m e a s,* mais le second et le troisième point du sermon sont bien plus humanistes que les *Pensées*, puisque Bossuet, libéralement, y assimile la loi de Dieu à la raison humaine, cette raison que la Révélation et l'Incarnation ont mise à la portée de tous. Du spectacle même du « divertissement » selon Pascal, Bossuet tire une leçon qu'on croirait traduite d'Epictète ou de Sénèque, à cause du *d i s t i n g u o* spécifiquement stoïcien et du clair accent rationnel :

> Que chacun s'examine soi-même, et il reconnaîtra manifestement qu'il n'agit que par des motifs *tirés du dehors ;* et toutefois la première chose que *la règle* doit faire en nos âmes, *c'est de nous ramener en nous-mêmes* [124].

Ainsi, le premier pas de la conversion chrétienne se fait dans une atmosphère imprégnée d'énergie stoïque.

La tendance vers Cicéron.

Cela n'a rien d'étonnant en 1653, ni d'original. Mais ce qui est caractéristique, c'est que le préambule juvénile du Sermon sur la Loi de Dieu amorce involontairement un thème majeur du Sermon sur la Mort du Carême du Louvre. On connaît dans celui-ci le passage inspiré, et corrigé, de Cicéron :

> Je ne suis pas de ceux qui font grand état des connaissances humaines, et je confesse néanmoins que je ne puis contempler sans admiration ces merveilleuses découvertes qu'a faites la science pour pénétrer la nature, ni tant de belles inventions que l'art a trouvées pour l'accommoder à notre usage. ... Mais laissons à la rhétorique cette longue et scrupuleuse énumération [126].

Dans l'intervalle des deux phrases citées, l'énumération de Bossuet n'a été ni « longue », ni « scrupuleuse », mais elle n'a pas été moins enthousiaste que celle du stoïcien de Cicéron, qu'il rappelle précisément par sa prétérition (« Laissons à la rhétorique »...). Voilà le procédé parfait de Bossuet, à l'âge de 35 ans : l'abondance de l'admiration humaniste, contenue par le réalisme pratique de l'humilité chrétienne. Eh bien ! en 1653, quand son intention explicite était le dénigrement du monde-tel-qu'il-va, dans le style diatribique l'admiration perçait déjà. Voici ce qu'on trouve au pre-

---

124 *Ibid.,* 330.
125 Cicéron, *passim ;* et pour les exposés stoïciens — que Cicéron ne prend pas à son compte — *Nature des dieux,* l. II ; *Des termes extrêmes (De Finibus),* l. III, critique personnelle de l'épicurisme, *ibid.,* l. II.
126 *O.O.,* IV, 271-272, Mort, 1662. Reprise de Cicéron, *Nature des dieux,* II, LX-LXI, 151-152. Cf. E. de SAINT-DENIS, « Un développement de Cicéron utilisé par Bossuet », dans *R.H.L.,* avril-juin, 1947 ; pp. 128-135. Rigoureusement probant tant pour les conséquences que pour le fait.

mier point du Sermon sur la Loi de Dieu, au cœur même de la déclamation contre le monde :

> *Je ne puis considérer sans étonnement tant d'arts et tant de métiers* avec leurs ouvrages divers, et cette quantité innombrable de machines et d'instruments que l'on emploie en tant de manières. *Cette diversité confond mon esprit ;* si l'expérience ne me la faisait voir, il me serait impossible *de m'imaginer que l'invention humaine fût si abondante.* ... Et là [sur la mer] que ne vois-je pas ? Que de divers spectacles ! Que de durs exercices ! Que de différentes observations ! Il n'y a point de lieu où paraisse davantage l'audace tout ensemble *et l'industrie de l'esprit humain* [127].

Il est arrivé à Bossuet la même chose qu'au prophète Balaam : venu avec tout le chœur des moralistes chagrins (auquel s'est joint plus d'un poète timide devant l'action), pour maudire la folie de l'agitation, voici que la beauté de l'activité humaine l'a saisi, et, malgré lui, il complique son développement, dont l'intention fléchit, en attendant que, du tableau initial de notre égarement, sorte, au second et au troisième points, une sorte d'hymne à la raison qui doit modeler notre cœur.

Cette admiration pour l'homme, qui épanouissait l'éloquence des païens dits humanistes, fournit donc une constante du ton, de la jeunesse à la maturité. Mais c'est en ce premier point de perfection — je veux dire le Carême du Louvre — que les affinités de Bossuet pour une éloquence abondante comme son cœur viennent à coïncider, quand il s'agit d'interpréter la vie humaine, avec le besoin d'élargir son argumentation. Voici ce qu'était le premier Sermon sur la Providence, du 7 mai 1656 :

> Ecoutez comme parlaient certains philosophes que le monde appelait les stoïciens. Ils disaient avec les amis de Job : C'est une erreur de s'imaginer que l'homme de bien puisse être affligé. Mais ils le prenaient d'une autre manière ; c'est que le sage, disaient-ils, est invulnérable et inaccessible à toutes sortes de maux : quelque disgrâce qui lui arrive, il ne peut jamais être malheureux, parce qu'il est lui-même sa félicité. *C'est le prendre d'un ton bien haut pour des hommes faibles et mortels...* Sénèque a fait un traité exprès pour défendre la cause de la Providence et fortifier le juste souffrant ; où, après avoir épuisé toutes ses sentences pompeuses et ses raisonnements magnifiques, enfin il introduit Dieu parlant en ces termes au juste et à l'homme de bien affligé : ... Je n'ai pu : *Quelle parole à un Dieu !* [128].

En 1656, Bossuet a déjà beaucoup évolué. En cet état de sa sensibilité, il ne tolère plus le paradoxe et la *s e n t e n t i a,* qui le dégoûtent des païens outrecuidants ; mais, en 1662, il aura trouvé des païens humains, stoïciens mitigés, qui l'aident sans jactance à regrouper les images de la vie comme à s'exprimer abondamment : le deuxième sermon sur la Providence utilise l'exposé du stoïcien Balbus au l. II *de la Nature des Dieux* de Cicéron, à l'exception, naturellement, du panthéisme et de la divination : c'est d'abord la même méthode qui consiste en la considé-

---

[127] *O.O.,* I, 314-315. L'horreur de la navigation a été assez exprimée par les poètes latins.
[128] II, 154-155, Providence, 1656.

364

UNE PAGE MANUSCRITE DU *SERMON SUR LA MORT* (1662)
Début du Second Point

ration, intellectuelle et non plus sensible, du monde dans son ensemble, considération prise « par un certain point », comme pour certains tableaux d'une construction particulière, dit Bossuet ; « avec les yeux comme avec l'âme », dit Cicéron [129]. Et c'est l'accent philosophique, l'admiration rationnelle, qui élargit *et systématise* le sentiment de l'homélie évangélique :

> Ouvrez donc les yeux, ô mortels : c'est Jésus-Christ qui vous y exhorte dans cet admirable discours qu'il a fait en saint Matthieu, VI, et Luc, XII, dont je vais vous donner une paraphrase. Contemplez le ciel et la terre, et la sage économie de cet univers [130]. ...

Or, Cicéron faisait un déplacement analogue du point de vue :

> Il nous est maintenant permis d'écarter les subtilités de la dialectique *pour contempler d'une certaine façon avec nos yeux* la beauté de ces choses *que nous disons avoir été organisées par la Providence divine* [131].

De même, la paraphrase de Bossuet *organise l'univers* qui était simplement *décrit* par les Evangélistes en quelques-uns de ses délicieux tableaux ; et, pour ce faire, il réemploie, avec l'originalité d'un artiste, les matériaux amoncelés par le rhéteur philosophe. Dans Bossuet et dans Cicéron, c'est à peu près le même ordre de description : le « cosmos », ciel et terre, la variété animale, le monde végétal, les oiseaux qui chantent et les pâtures des animaux (Bossuet : « les *petits* oiseaux » et les fleurs dont parle Salomon) ; enfin, le genre humain ; puis, Cicéron continue seul son énumération, et se va perdre dans l'astronomie astrologique. Outre le voisinage du Sermon sur la Mort, où l'imitation du même livre est certaine, un détail ici peut-être nous confirme que Bossuet s'est souvenu généralement de l'exposé de Balbus dans Cicéron :

> Elle [la Providence] a fait les corps célestes, *qui sont immortels* [132].

On dit que c'est une opinion scolastique ; il se peut bien aussi que ce soit l'entraînement de l'imitation. Les stoïciens, dont la cosmogonie est détaillée dans ce livre, faisaient les corps célestes *divins* [133] ; Bossuet aura transposé ce trait avec les autres, hâtivement, en termes qui ne veulent pas être scientifiquement rigoureux et qui soient acceptables pour des chrétiens, entraînés en ce passage par la tonalité admirative.

Mais si pleine que soit la mémoire de Bossuet, il est à peine besoin de dire que, par le principe qui organise les détails opposés deux à deux (« par leur grandeur ... par leur petitesse » ; ces grands arbres ... les fleurs

---

[129] *O.O.*, IV, 220, Providence, 1662 ; Cicéron, *Nature des dieux*, II, XXXIX. « Quae si, *ut animis, sic oculis,* videre possemus, nemo cunctam intuens terram de divina ratione dubitaret. »

[130] *O.O.*, IV, 223.

[131] Cicéron, *loc. cit.*, « Licet enim jam remota subtilitate disputandi, oculis quodammodo contemplari pulchritudinem rerum earum, quas divina providentia dicimus constitutas. »

[132] *O.O.*, IV, 223 ; Cicéron, *Nature des dieux*, II, XXXIX.

[133] Cf. par exemple, Cicéron, *N.D.*, II, XV, « Tribuenda est sideribus eadem divinitas... Ex quo efficitur in deorum numero astra esse ducenda. »

des champs) ; par la sobriété jusque dans l'enthousiasme ; par la tendresse biblique du sentiment (« *elle nourrit* les petits oiseaux ») ; par les circonstances poétiques qu'ajoute l'observation émue d'un homme habitué à se lever tôt (« les petits oiseaux *qui l'invoquent dès le matin* ») ; par la douceur enfin dans l'admiration, la description de Bossuet n'est en rien comparable à l'accumulation du discoureur stoïcien ; enfin, par l'affirmation répétée de l'acte créateur (« elle a fait ... elle a fait »), Bossuet se tient à une égale distance du lieu commun déiste, fort répandu dès avant la lettre, et que Voltaire ou Rousseau imprimeront dans nos mémoires au point de nous faire oublier l'antiquité de son origine.

IV. L'ASSIMILATION CHRÉTIENNE.

A la recherche des principes complémentaires.

Les ornements du style destinés à la sensibilité imaginative ; les mouvements, resserrés ou dilatés, qui étonnent ou qui entraînent ; les lieux communs, terreau de la réflexion humaine, où « prend » l'argumentation chrétienne : tels sont à peu près les moyens de la rhétorique dont Bossuet a toujours eu conscience de se servir. Ce ne sont à aucun moment de sa carrière des procédés *étrangers* à sa pensée vive : l'emprunt des formes est toujours sincère, parce que l'accueil des pensées est sympathique. Au terme adulte il n'y a même plus d'inspiration étrangère, ni pour la forme, ni pour le fond. Une union si parfaite s'est réalisée selon une progression que nous avons pu marquer. L'art de Bossuet est avant tout soumis aux différents besoins de son ministère ; mais en même temps, il évolue d'une manière décidée pour réaliser sa grandeur native. Le style « sublime » est ainsi tout prêt dans sa bouche dès que son auditoire l'autorise, c'est-à-dire, au plus tard, dans le Carême du Louvre. On peut donc dire que l'assimilation des ressources oratoires du paganisme a été, sous l'influence libératrice des beaux modèles, relativement rapide et génialement résolue.

Mais la connaissance d'un élément requiert la délimitation des complémentaires. La seconde partie de « l'écrit sur le style » traite de « la lecture des Pères pour former un orateur ». Nous n'étudions pas la théologie de Bossuet, ni même sa catéchèse, mais, pour rendre à César ce qui est à César, nous devons maintenant nous demander quels principes d'éloquence résultent de ses nourritures chrétiennes, et comment ils éclairent, contredisent ou complètent sa rhétorique profane. Notre analyse, allant cette fois de la pratique à la théorie, pourrait bien engager la conscience de Bossuet.

L'opposition théorique.

La première rencontre au grand jour des deux éloquences paraît être un conflit. Il est vrai qu'en débutant à la chaire, Bossuet n'en avait pas eu immédiatement conscience : il livrait bataille au monde avec les armes ordinaires de l'éloquence selon le monde, qu'il croyait bien trempées ; c'est-à-dire qu'il cherchait avec ardeur à plaire (*delectare*), à convaincre (*probare*), et à toucher (*mouere*), par des ornements empruntés, des raisonnements bien serrés et un pathétique trop poussé [134]. Ce sont là excès de la conscience professionnelle. La maladresse même de l'apprenti préserve son ingénuité, et, puisque c'est la grâce qui convertit, il n'y a pas d'outrecuidance à soigner sa prédication. Bien plus : dès qu'il lui est donné de formuler une théorie de l'éloquence, Bossuet aperçoit la contradiction et brise avec ces prétentions d'intellectuels païens, sans qu'on décèle un seul accent de regret pour les beautés anéanties.

Dès 1657, le Panégyrique de Saint Paul effectue le renversement des valeurs littéraires, avec force, et, ce qui est plus grave, sans tomber dans l'outrance verbale des néophytes. Si Bossuet renie, dans un certain sens, la rhétorique, c'est donc en parfaite connaissance de cause :

> *Trois choses* contribuent ordinairement à rendre un orateur *agréable et efficace : la personne* de celui qui parle, *la beauté des choses* qu'il traite, *la manière ingénieuse* dont il les explique. Et la raison en est évidente : car l'estime de l'orateur prépare une attention favorable, les belles choses nourrissent l'esprit, et l'adresse de les expliquer d'une manière qui plaise les fait doucement entrer dans le cœur [135].

Agréable et efficace : Bossuet a préféré cette double caractéristique à une première formule plus vague, qui lui était d'abord venue sous la plume, et qui est reléguée pour nous en variante ; il l'a préférée afin sans doute de montrer qu'il se référait aux buts traditionnels de l'éloquence, mais cela pour s'en libérer. En effet, il coupe à travers les classifications rituelles et choisit entre les préceptes ceux qui conviennent à une exigence vivante : deux buts, le *delectare* (agréable), et le *probare,* celui-ci indiscernable d'avec le *mouere,* et contenu avec lui dans le mot : « efficace » ; trois moyens : la sympathie pour l'orateur ou son prestige — c'est à peu près ce qu'on appelait les « mœurs oratoires » (*mores*), destinées à produire un fond d'affections douces, un préjugé favorable, en grec l' ἦθος — ; « la beauté des choses » et « la manière ingénieuse », qui sont des avantages souvent vantés par les orateurs antiques, mais non les termes qui balanceraient symétriquement le premier élément du vieux couple des rhétoriques.

L'art, qui crée ainsi sous nos yeux sa propre ordonnance, esquisse déjà la grande révolution classique de l'indépendance individuelle sous des règles communément consenties. Le réalisme critique du chrétien se

---

[134] Cf. GANDAR, *Bossuet orateur,* chap. I et II. Pour les « ornements » trop voyants, voir nos notes précédentes (39) à (43), et en particulier le sermon sur la Dévotion à la Vierge, de 1651 ; excès d'argumentation. *O.O.,* I, 16, Toussaint, 1648, à Navarre : « Toute cause intelligente ... Or ... donc ... », etc., ou pp. 123-125 (Samedi-Saint, 1652), « une partition » minutieuse de la psychologie des trois âges, excès de confiance dans les divisions de la rhétorique ; le pathétique violent du 1er panégyrique de Saint Gorgon, de 1649, véritable début de B. dans la chaire, pp. 40-42, ou « ces paroles, poussées du cœur du Fils », de Jésus en croix, I, 92 (1651), ou encore l'horreur, régulière en quelque sorte, du siège de Jérusalem, Bonté et rigueur de Dieu, 1652 (I, 154-158). Tout cela peut paraître froid, ou répugnant, au lecteur ; mais il est manifeste que Bossuet s'y met tout entier.
[135] Saint Paul, 1657, *O.O.,* II, 322. Var. : « à donner de la force aux discours ».

révèle encore plus dans l'analyse des résultats : la réussite suprême de l'orateur, c'est au fond le plaisir parfait de l'auditeur. « Les *belles* choses nourrissent l'esprit », cela revient à dire, puisque la pâture de l'esprit (Bossuet l'a souvent rappelé comme la condition du bonheur), c'est la vérité, à dire — sur le ton de l'intimité — ce que déclare l'adage de son temps :

> Rien n'est beau que le vrai, le vrai seul est aimable.

Ainsi « l'adresse d' ... expliquer [ces belles choses] d'une manière qui plaise » soumet-elle le devoir de persuasion aux droits souverains de l'agrément.

Six ans plus tard, Molière, dans *la Critique de l'Ecole des Femmes,* ne donnera pas d'autres buts, ni d'autres règles à son art très profane. L'éloquence que Bossuet s'apprête à immoler à l'exemple de saint Paul, c'est donc la plus purement classique, et elle dépend d'une rhétorique humanisée jusqu'à la perfection.

La merveille, c'est que l'éloquence surnaturelle qui anéantit de droit les meilleurs des préceptes humanistes, répondant elle aussi, sur son plan, aux besoins profonds du cœur, renouvelle le troisième commandement de la rhétorique éternelle, qui en est le plus grand :

> Paul a *des moyens pour persuader* que la Grèce n'enseigne pas et que Rome n'a pas appris. Une puissance surnaturelle qui se plaît de relever ce que les superbes méprisent, s'est répandue et mêlée dans l'auguste simplicité de ses paroles. De là vient que nous admirons dans ses admirables épîtres une certaine vertu plus qu'humaine *qui persuade contre les règles,* ou plutôt qui ne persuade pas tant *qu'elle captive les entendements ;* qui ne flatte pas les oreilles, mais *qui porte ses coups droit au cœur.* De même qu'on voit un grand fleuve qui retient encore, coulant dans la plaine, *cette force violente et impétueuse* qu'il avait acquise aux montagnes d'où il tire son origine, ainsi *cette vertu céleste* qui est contenue dans les écrits de saint Paul, même dans cette simplicité du style, conserve *toute la vigueur qu'elle apporte du ciel d'où elle descend* [136].

C'est en vue du même idéal de force et d'émotion efficace, que l'Orateur romain mettait, semblablement, au-dessus de toutes les habiletés,

> le don du pathétique, art d'émouvoir et de soulever les passions, qui est le propre triomphe de l'éloquence [137].

L'image du fleuve oratoire est personnelle à Bossuet qui a tant aimé comparer la vie humaine à des eaux courantes, mais il n'est pas rare non plus, dans les discours ou les poèmes des Anciens, qu'elle soit appliquée à la parole ; quant à cette « vertu céleste », qui rend les interprètes les moins qualifiés capables de « captiver les entendements » par l'écoule-

---

[136] *O.O.,* II, 326-327, Saint Paul, 1657.
[137] Cicéron, *L'Orateur,* XXXVII, 128-130 ; § 128, « Παθητικόν nominant, quo perturbantur animi et concitantur, in quo uno regnat oratio. »

ment de la force transcendante, elle est assez analogue à l'écoulement de l'inspiration selon les poètes humanistes et platonisants [138].

La crise du style surmontée.

Le *m o u e r e* chrétien s'appuie, il est vrai, sur le témoignage du sang versé et les œuvres de la charité. C'est pourquoi il est irréductible au pathétique inspiré de l'art et de la nature, et le labeur apostolique, sérieux jusqu'à l'oubli de soi, déconsidère tous les efforts littéraires.

> Quoi ! cette période n'a pas ses mesures, ce raisonnement n'est pas dans son jour, cette comparaison n'est pas bien tournée ! C'est ainsi qu'on parle de nous ; nous ne sommes pas exempts des mots de la mode. Dites, dites ce qu'il vous plaira. *Nous abandonnons de bon cœur à votre censure ces ornements étrangers,* que nous sommes contraints quelquefois de rechercher pour l'amour de vous, puisque telle est votre délicatesse, que vous ne pouvez goûter Jésus-Christ tout seul dans la simplicité de son Evangile ; tranchez, décidez, censurez, exercez là-dessus votre bel esprit, nous ne nous en plaignons pas [139].

Ce détachement du Carême des Minimes témoigne d'une crise du style qu'on pourrait qualifier d'ascétique, et qui paraît atteindre son point crucial dans les premières années de la prédication à Paris. Comme il lui est naturel de remonter au principe où s'abolissent les contradictions contingentes, Bossuet va remettre à la mystique la tâche de résoudre la difficulté pratique — en l'approfondissant. Un an après, pour l'auditoire bien préparé des Carmélites de la rue Saint-Jacques, il reprend l'explication de cette pédagogie du cœur qu'est la prédication, en considérant cette fois « les saintes dispositions qu'y doit apporter une âme fidèle » [140]. L'éloquence en effet est une relation réciproque, et le prédicateur inséré dans le corps mystique est uni à son troupeau, comme lui attaché au Christ, plus sympathiquement que ne le fut jamais tribun politique avec l'assemblée populaire. En effet, le peuple chrétien tient à la parole qui lui est présentement annoncée, par la même force qui réalise l'unité du Christ et de son Eglise [141]. Aussi la nouvelle rhétorique est-elle plus philosophique, plus émouvante, et poétiquement plus révolutionnaire que les rhétoriques traditionnelles, qui étaient seulement fondées sur le vraisemblable ou sur l'intérêt des passions :

> C'est suivant ces principes, mes sœurs, que l'Apôtre enseigne aux prédicateurs ... en quel lieu et par quel moyen ils doivent se rendre recommandables. Où ? *Dans les consciences.* Comment ? *Par la manifestation de la vérité.* Et l'un est une suite de l'autre. Car les oreilles sont flattées par la cadence et l'arrangement des paroles ; l'imagination, réjouie par la délicatesse des pensées ; l'esprit persuadé quelquefois par la vraisemblance du raisonnement : *la conscience veut la vérité ;* et

---

138 PLATON, *Ion,* 533 d-536 d, Socrate compare l'inspiration poétique à l'attraction magnétique de la pierre d'Héraclée.
139 *O.O.,* III, 337, Vaines excuses, 1660.
140 III, 619, Sur la Parole de Dieu, 1661.
141 Cf. *O.O.,* III, 212-213, Sur l'Eglise, 14 février 1660.

comme c'est à la conscience que parlent les prédicateurs, ils doivent rechercher, mes sœurs, non des brillants qui égayent, ni une harmonie qui délecte, ni des mouvements qui chatouillent, mais *des éclairs qui percent, un tonnerre qui émeuve, une foudre qui brise les cœurs.* Et où trouveront-ils toutes ces grandes choses, *s'ils ne font luire la vérité et parler Jésus-Christ lui-même ?* Dieu a les orages en sa main, il n'appartient qu'à lui de faire éclater dans les nues le son du tonnerre ; il lui appartient beaucoup plus d'éclairer et de tonner dans les consciences et de fendre les cœurs endurcis, par des coups de foudre. ... *N'affectons pas d'imiter* la force toute-puissante de la voix de Dieu par notre faible éloquence [142].

Le prédicateur humain a donc en son pouvoir une part appréciable du *p r o b a r e* et du *d e l e c t a r e,* mais seul le *m o u e r e* surnaturel est efficace, et seul il est légitime. La fable païenne de l'impie foudroyé (présente à l'arrière-plan) soutient allégoriquement l'humilité chrétienne qui, dans le cas de l'orateur, a le visage de la discrétion :

Ainsi le prédicateur évangélique, c'est celui qui fait parler Jésus-Christ. Mais *il ne lui fait pas tenir un langage d'homme,* il craint de donner un corps étranger à sa vérité éternelle : c'est pourquoi *il puise tout dans les Ecritures,* il en emprunte même les termes sacrés, non seulement pour fortifier *mais pour embellir son discours.* Dans le désir qu'il a de gagner les âmes, il ne cherche *que les choses et les sentiments.* Ce n'est pas, dit saint Augustin, qu'il néglige les ornements de l'élocution quand il les rencontre *en passant* et qu'il les voit fleurir devant lui par la force des bonnes pensées qui les poussent ; *mais aussi n'affecte-t-il pas de s'en trop parer,* et tout appareil lui est bon, pourvu qu'il soit *un miroir* où Jésus-Christ paraisse en sa vérité, *un canal* d'où sortent en pureté les eaux vives de son Evangile, ou, s'il faut quelque chose de plus animé, *un interprète fidèle* qui n'altère, ni ne détourne, ni ne mêle, ni ne diminue sa sainte parole [143].

Bossuet paraphrase ici *la Doctrine chrétienne* de saint Augustin, mais, dans la mesure où il veut lui être fidèle, ne contredit-il pas par avance son propre écrit *Sur le style,* qui cherchera des ornements chez les païens ? Mais en fait *la Doctrine chrétienne* n'est pas aussi ascétique, ni logique, qu'il y paraît dans les passages d'enthousiasme : D'abord l'humaniste cicéronien se retrouve en saint Augustin, pour affirmer que l'Ecriture a des beautés sensibles et conformes au canon profane [144] ; ensuite l'autorisation donnée d'employer « en passant » les ornements de l'élocution, est tout ce qu'il faut à un classique. Ainsi, fort des exemples de saint Augustin (sinon de principes constants), le goût de Bossuet prend son essor, prudemment, mais sans repentir, entre les barrières assurées de sa conscience chrétienne.

Les richesses profanes au service du style sacré.

Le conciliant discours Sur la Parole de Dieu venant après l'héroïque Panégyrique de saint Paul, qui reste fondamental, propose la solution pra-

---

[142] *Ibid.,* 626-627, Sur la Parole de Dieu, 1661.
[143] *Ibid.,* 627-628.
[144] Saint Augustin, *Doctrine chrétienne,* IV, n. 42.

tique, un compromis vital qui n'est pas une compromission. Le bon sens y règle l'ascétisme du style, comme ailleurs celui de la morale :

> Il y a ici *un ordre* à garder : la sagesse marche devant *comme la maîtresse*, l'éloquence s'avance après comme la suivante [145].

En mettant en relief une idée qui est incidente chez saint Augustin, Bossuet déplace le centre de gravité du discours, et le terme de sagesse, qui s'applique traditionnellement à la pensée divine, exprime aussi par une heureuse ambiguïté le fondement raisonnable de l'éloquence chrétienne.

La doctrine du style chrétien est moins complète que la doctrine du style profane, précisément parce que celui-là reprend celui-ci à son service, sans peur et sans scrupule :

> C'est une loi établie pour tous les mystères du christianisme, qu'en passant à l'intelligence *ils se doivent premièrement présenter aux sens ;* et il l'a fallu en cette sorte pour honorer celui qui, étant invisible par sa nature, a voulu paraître pour l'amour de nous *sous une forme sensible* [146].

Un des effets de l'Incarnation est le génie littéraire du Christianisme qui a ouvert en l'homme des sens nouveaux pour capter des beautés nouvelles. Puisque le chrétien écoute au-dedans Jésus-Christ, « cet enchanteur céleste » [147], il ne faut pas s'étonner de la richesse des harmoniques extérieures...

La plus profonde explication du style de Bossuet est un sermon sur l'amour de Dieu pour les hommes dans l'Incarnation, le sermon pour l'Annonciation 1662, au centre du Carême du Louvre. La doctrine en est traditionnelle, et le plan très simple. Ce discours, qui put bouleverser quelques cœurs avides, dut surprendre l'auditoire par sa qualité métaphysique. Il n'y est pas question des conditions de l'éloquence, mais Bossuet en résout pourtant les difficultés, comme toujours, par le rappel du principe, qui n'est autre que la fonction de l'homme au sein de l'ordre providentiel :

> C'est à lui à prêter une voix ... à toute la nature visible [148].

Nous comprenons peut-être mieux que les contemporains de Bossuet la portée esthétique de cette affirmation, car notre littérature nous y prépare, qui poursuit sa méditation réflexive depuis Chateaubriand, et elle a touché avec nos derniers poètes la métaphysique du style : qu'un poète engage l'univers, nous l'admettons aujourd'hui, mais, l'inconvénient logique d'un tel enrichissement, c'est qu'une poétique « totale » est par définition transcendante.

---

145 *O.O.*, III, 627 ; Saint Augustin, *Doctrine chrétienne*, IV, n. 10.
146 *Ibid.*, 632.
147 *Ibid.*, 630.
148 IV, 295, Annonciation, 1662. Le thème est ancien chez Bossuet. Cf. Toussaint, 1649, *O.O.*, I, 51, certaines créatures prêtent aux autres « leur intelligence et leur voix ». Nous en présentons les corrélations philosophiques dans nos conclusions sur LA NATURE ADORANTE, Voir l'article : « L'homme ″ abrégé du monde ″ et voix de la création ».

Il arrive justement à Bossuet que sa rhétorique christianisée se perde dans le mystère poétique : c'est au moment même où sa morale débouche dans la mystique. Il n'a pas jugé utile durant le Carême du Louvre de rappeler à l'auditeur ou au prédicateur leurs devoirs, d'auditeur ou d'orateur, sous la forme de devoirs précis. Le sermon de 1662 sur la Prédication évangélique se place sur le même plan universaliste que les sermons voisins Sur l'Ambition et Sur la Providence ; il regarde la vérité à l'œuvre dans le monde et affrontant les oppositions des hommes. Parmi le tumulte de l'erreur et le silence de l'oubli, la voix de Dieu s'élève :

> Considérons, chrétiens, que la parole de l'Evangile qui nous est portée de la part de Dieu n'est pas un son qui se perde en l'air, *mais un instrument de la grâce.* Relevez tant qu'il vous plaira l'usage de la parole dans les affaires humaines : qu'elle soit, si vous voulez, l'interprète de tous les conseils, la médiatrice de tous les traités, le gage de la bonne foi et le lien de tout le commerce ; elle est *et plus nécessaire et plus efficace dans le ministère de la religion,* et en voici la preuve sensible. C'est une vérité fondamentale que l'on ne peut obtenir la grâce que par les moyens établis de Dieu. Or, est-il que le Fils de Dieu, l'unique médiateur de notre salut, *a voulu choisir la parole pour être l'instrument de sa grâce et l'organe universel de son Saint-Esprit dans la sanctification des âmes.* ... S'il a fallu effrayer les consciences criminelles, la parole a été *le tonnerre* ; s'il a fallu captiver les entendements, la parole a été la chaîne par laquelle on les a traînés à Jésus-Christ crucifié ; s'il a fallu percer les cœurs par l'amour divin, la parole a été *le trait* qui a fait ces blessures salutaires [149].

On voit le progrès par rapport à l'année précédente : en 1661, le principe surnaturel de la prédication était aussi profondément posé, mais la liaison avec « les affaires humaines » n'était pas faite ; en 1662, Bossuet joint la vue de la destinée humaine à la métaphysique de la grâce incarnée, et il reprend cordialement — avec quelle profondeur nouvelle ! — l'éloge, traditionnel dans l'humanisme gréco-latin [150], de la parole civilisatrice. Les images du tonnerre, de la chaîne et du trait sont les images des poètes profanes au moins autant que celles de l'Ecriture. La pensée est maintenant complète, et Bossuet conclut sa théorie de l'éloquence par une définition transcendante du langage. Alors, si tout est grâce, ne peut-on dire que tout verbe est en quelque sorte le Verbe ? Du moins, la parole humaine a son essence et sa plénitude dans le Verbe de Dieu.

Les corollaires principaux.

Jusqu'à l'écrit de 1670 « Sur le style », Bossuet se bornera pour régler sa parole aux corollaires de ce principe, choisis chaque fois en rapport avec l'aspect particulier de la volonté divine qu'il veut démontrer.

Ainsi, pour prouver sa divinité, Jésus-Christ
    a ... dédaigné le soutien de l'éloquence [151] ;

---

[149] IV, 187-188, Prédication évangélique, 1662.
[150] Qu'on se rappelle au moins l'histoire des langues d'Esope.
[151] *O.O.,* IV, 657, Divinité de J.-C., 1665 et 1668 ; repris en 1669, V, 580.

et dans les sujets terribles où l'auditeur serait tenté de récuser un orateur qui abuserait des prestiges du pathétique, celui-ci s'astreint à

> suivre l'Ecriture de mot à mot et de parole à parole [152].

Reprenant en 1670 le sujet de la Parole de Dieu, Bossuet se borne à refaire un exorde et à relire en les annotant les sermons de 1661 et 1662 [153]. C'est qu'il n'y a plus de difficultés nouvelles sur ce sujet. De même que les ornements avaient trouvé leur explication d'ensemble dans les sentiments généraux de l'humaniste, ainsi l'éloquence chrétienne prend la suite de l'éloquence païenne, et celle-ci reçoit celle-là, comme sa souveraine, en s'effaçant :

> Les orateurs viendront [les orateurs des Romains], et on leur verra préférer la simplicité de l'Evangile et ce langage mystique à cette magnificence de leurs discours vainement pompeux [154].

La beauté et l'efficacité que les païens cherchaient, ils les ont enfin trouvées, et le réalisme de l'humilité chrétienne résume toutes leurs lois rhétoriques.

Enfin justifié sur les principes de la force oratoire, Bossuet à nouveau s'applique à plaire. C'est après 1660 que son effort est particulièrement fécond au point de vue de l'art, parce que son point d'application se déplace. En 1660, l'invention du fond était encore sa plus grande peine et c'était sur l'adaptation à l'auditoire que portait son souci quant à l'expression :

> Nous usons nos esprits à chercher dans les saintes Lettres et dans les écrivains ecclésiastiques ce qui est utile à votre salut, à choisir les matières qui vous sont propres, à nous accommoder autant qu'il se peut à la capacité de tout le monde : il faut trouver du pain pour les forts et du lait pour les enfants [155].

Puis c'est sur l'ordre qu'il concentre ses forces, et cette révolution apparaît lorsqu'il se met à résumer ses propres sermons sous forme de sommaires détaillés, avant d'entreprendre son premier Carême à la Cour. Ces canevas représentent dans la préparation oratoire son dernier acte de servitude scolaire [156].

Il avait toujours cru que l'ordre vrai respectait l'imagination personnelle, et même qu'il en sortait : « Bossuet ... pénétré de la conviction que le début du discours a sur l'effet utile de tout le reste une influence décisive, ... s'était fait *une règle de finir par le commencement,* et lui, qui se contentait volontiers, pour le corps du discours et pour la péroraison, d'une préparation sommaire et hâtive, il rédigeait avec un soin exact, mais ... *après l'ensemble de la composition,* son premier exorde. » [157].

---

[152] V, 357, Fondements de la vengeance divine, 1668.
[153] Cf. notice, V, 637.
[154] V, 340, Saint André, 1668.
[155] III, 337, Vaines excuses, 1660.
[156] Cf. notice de Lebarq, IV, 150, avant le Carême du Louvre. « Nous n'en rencontrerons plus un seul, en effet, dans la seconde moitié de sa carrière oratoire. »
[157] J. LEBARQ, *Histoire critique de la Prédication de Bossuet,* p. 46. (Nous soulignons).

Maintenant il sait que, dans son esprit juste et fécond, l'ordre et l'invention s'accompagneront toujours l'un l'autre fidèlement. Le mouvement inspirateur est assez fort pour se propager régulièrement et grandir jusqu'à la fin, selon le crescendo propre à la nature heureuse, car un discours

> doit s'élever et devenir plus fort par degrés, et ... marche, pour ainsi dire, plus libre et plus serré après que les fondements de tout le raisonnement sont posés [158].

Une remarque de la sorte, faite au secrétaire perpétuel de l'Académie française, émane d'un conseiller littéraire autorisé. (Ce n'est pas le seul cas où Bossuet esquisse le rôle que Fénelon remplira). Le goût qu'il a reçu de son temps, il en a pris conscience. Il le forme à son tour chez les autres, et sa pratique s'éclaire d'un didactisme très mesuré, qui ne va qu'à conseiller le travail (non le scrupule), et l'attention :

> Il faut bien méditer [écrit-il pour lui-même en 1669] trois sermons qui regardent la société du genre humain dans la troisième semaine du Ier Carême du Louvre. Le fond m'en paraît très solide, *mais il en faut changer la forme* [159].

Confiance dans la vérité qui a été une bonne fois reconnue ; application pour en renouveler l'expression en accord avec la nouveauté quotidienne de l'orateur lui-même toujours en développement : c'est la méthode, et pour ainsi dire la morale et la foi rhétoriques de Bossuet. Durant l'évolution de son goût, l'artiste ne garde pas moins d'assurance que le croyant n'en a devant le développement de l'histoire. Son idéal, tranquillement poursuivi, est la compétence qui suit la fidélité à l'objet. Il semble donc que Bossuet ait surmonté dans son style le conflit possible entre les beautés humanistes et les vérités chrétiennes. Il pense en définitive que le style n'est ni chrétien, ni profane, car les conditions du langage ne sont, au fond de la nature, que les conditions mouvantes de la vie.

---

[158] *Corr.*, I, 221, à Valentin Conrart, 2 juin 1671.
[159] *O.O.*, V, 461, Sur la charité fraternelle. Note de 1669. Cf. IV, 239. (Lapsus dans la notice des éditeurs qui dit, au sujet d'un texte de 1662, « note rédigée en 1660 »).

CHAPITRE III.

LA PHILOLOGIE DU PRECEPTEUR.

La décision royale du 5 septembre 1670 qui attache Bossuet à l'éducation du Dauphin, nous a servi comme de borne historique. C'est de ce point que notre précédent chapitre a pu considérer en une seule perspective l'évolution de sa rhétorique. Celle-ci n'est sans doute pas achevée en ce sommet de sa vie (et la vie de Bossuet a plusieurs sommets), mais en lui pleinement consciente, et, aux yeux du public, elle paraît nettement arrêtée puisque, pratiquement, il quitte la chaire. Sans doute le 6e volume des *Œuvres Oratoires*, qui va de 1670 à 1702, avait fourni des exemples à notre INSTITUTION ORATOIRE aussi bien que les cinq précédents, mais nous les avons tous rapportés à des traits formés *antérieurement à 1670*. Cette date nous sera maintenant un point de départ pour une nouvelle incursion dans le goût réfléchi de Bossuet.

Nous nous appliquons désormais à ce qui est la propre matière de l'humanisme au sens historique et ce qui reste son propre emploi, à savoir les lettres anciennes étudiées en vue de la formation intellectuelle et morale de l'homme, soit qu'on les aborde directement dans les langues où elles se sont produites, soit qu'on reconnaisse leur influence réfléchie dans l'histoire, ancienne et moderne.

La pédagogie que Bossuet élabora pour le Dauphin ne sera donc vue que sous ses aspects intellectuels, et, comme aux siècles où les sciences humaines n'étaient pas divisées entre les spécialistes, ni rigoureusement distinguées, nous entendons par sa « philologie » une large compétence littéraire [1].

---

[1] Cf. LITTRÉ : « Philologie : sorte de savoir général qui regarde les belles-lettres, les langues, la critique, etc. » Littré cite Rollin à l'appui. « On entend par philologie, une espèce de science composée de grammaire, de rhétorique, de poétique, d'antiquités, d'histoire, de philosophie, et quelquefois même de mathématiques, de médecine et de jurisprudence. »

Nous n'aurons pas besoin d'aller jusqu'à cette extension extrême : l'usage des deux siècles entre lesquels se situe l'humanisme de Bossuet, autorise fortement l'acception large que nous donnons ci-dessus, dans notre texte, à la « philologie ». Qu'elle s'occupe à édifier une sorte d'encyclopédie, plus pratique que théorique, des sciences que nous appelons aujourd'hui les « sciences humaines », c'est une des traditions essentielles de

I. L'AMBIANCE DE L'HUMANISME PÉDAGOGIQUE *ad usum Delphini.*

Le choix de maîtres éclairés.

> Pour instruire le prince et former son enfance
> A toutes les vertus dignes de sa naissance,
> Vous feuilletez les Grecs, vous lisez les Romains,
> Et leurs doctes écrits sont toujours dans vos mains [2].

Ces misérables vers qui, dans un poème de louange au roi, ne font guère plus qu'une transition, nous rappellent, avec leur obligatoire réminiscence d'Horace, que l'opinion publique, n'ayant pas de signe pour reconnaître une tête bien faite, a toujours voulu s'assurer que les maîtres de la jeunesse l'avaient à tout le moins bien pleine. Pleine de lectures : c'est l'accès de la sagesse ; et savante dans les langues, qui sont la clé des sciences :

> [M. de Périgny] est mort parce que Monsieur de Montausier lui reprochait qu'il ne savait point de grec. Monsieur de Condom l'apprend présentement [3].

Ainsi donc il fallait du grec pour enseigner le Dauphin qui ne l'apprendrait pas.

Mais nous savons, en dépit de ce ragot obscur d'un contemporain, que Bossuet n'en était plus aux rudiments [4], et que la France et l'Europe intellectuelles admiraient « cette profonde érudition » qui l'avait « tant fait renommer dans la République des lettres et des religions », comme le lui dira plus tard un Ecossais [5]. Maintenant qu'il est précepteur, son inclina-

---

l'humanisme. On en a la preuve dans le *De philologia, libri tres,* 1532, in-f°, que Guillaume BUDÉ dédia précisément aux jeunes fils du roi, en tant qu'ils étaient l'espoir des belles-lettres.

L'emploi du français « philologie » semble aussi remonter à Budé. Cf. A. DELBOULLE, *Historique de trois mots : pindariser, philologie et sycophante,* dans *R.H.L.,* 1897, pp. 283-286. Budé, *Institution du Prince,* p. 79, éd. 1547 : « Une excellente dame qui vous suit et accompagne en toutes choses et s'appelle philologie. » *L'Institution du Prince* est en fait le recueil d'apophtegmes offert manuscrit au roi François Ier, entre 1517 et 1522. Cf. L. DELARUELLE, *Etudes sur l'humanisme français. Guillaume Budé...,* in-8°, 1907. Citons encore, d'après Delboulle :

1547, « La philologie ou art de bien parler », Jean Martin, *Vitruve,* 99 v°.

1554, « La philologie, c'est-à-dire la méditation des lettres et paroles disertes », Jean de Maumont, *Traduction de Saint Justin,* 86 v°.

On sait que « philologue » est employé par RABELAIS, qui fait le philologue capable de science, littérature, poésie, etc. : « Aussi est-ce la juste heure d'écrire ces hautes matières et sciences profondes. Comme bien faire savait Homère, paragon de tous philologes. » (Prologue du *Gargantua,* 1534.)

L'adjectif « philologique » marque l'opposition des sciences humaines avec les autres, les sciences physiques. Il naît (Cf. Delboulle, *op. cit.*) sous la lourde plume de CHAPELAIN ; « J'aurais volontiers la liste de vos ouvrages philologiques, que je ne doute point qui ne soient exquis. Je vous dis le même de vos exercitations physiques. » Lettre à Vossius, du 20 avril 1668, t. II, p. 568, de l'édition TAMIZEY DE LARROQUE.

Bossuet eût assurément compris et accepté le sens que nous donnons à « philologie ». Voir la quatrième section du présent chapitre : L'HISTORIEN DE L'HUMANISME.

2 RÉGNIER DESMARAIS, *Poésies françaises,* Paris, 1707, in-12, p. 270. *A M. l'évêque de Meaux, lorsqu'il était précepteur de Mgr.*

3 B.N., Recueil Monmerqué, n. acq. fr. 4333, f° 279, v°. Cf. *Revue Bossuet,* 1905, p. 114.

4 Cf. notre premier chapitre.

5 S. MENIZE, déc. 1695, dans *Corr.,* VII, 252.

tion pour la belle antiquité lui devient une sorte de devoir d'état, et, réciproquement, son caractère d'évêque, de prédicateur et de controversiste, communique une dignité grave aux objets profanes dont il va être occupé.

Le triple choix de Louis XIV devait rallier l'opinion des lettrés plus encore que celle des courtisans. A côté, peut-être au-dessus de Bossuet, le gouverneur, duc de Montausier ; il est aussi savant que guerrier : il emporte ses classiques dans les camps. Et le sous-précepteur, Pierre-Daniel Huet, qui doit suppléer le précepteur en cas de maladie, a pu être qualifié de « bibliothèque vivante et ambulante » [6].

Notre intention n'est pas de retracer l'histoire anecdotique de ces dix années où le Dauphin enferme son inattention dans un cabinet d'études, à Versailles, à Fontainebleau, ou à Saint-Germain [7]. Nous nous intéressons au *climat* qui environne « l'institution du prince ».

L'immense littérature de ce sujet a son origine dans *la République* de Platon. Au fond, de quoi s'agit-il, sinon de préparer le règne des philosophes ? Comme leur avènement direct est peu probable, tâchons que le prince, s'il n'est lui-même philosophe, devienne, grâce aux affections inculquées dans son enfance, le protecteur des philosophes ! L'idéal platonicien du Philosophe ayant subi la dégradation fatale des siècles, l'idéal du Prince n'est plus clairement alors de faire régner le Bien sur la Cité, mais de préférer la gloire de l'esprit aux jouissances de la matière, et même à celles de la puissance. En d'autres termes, sous le principat humaniste, il faut que le souverain soit le protecteur des hommes de lettres et des artistes.

En 1670 cette conception, caractéristique de la Renaissance, était arrivée à une maturité aussi éclatante que son origine était rarement rappelée. Tout le monde sent alors que le Royaume de France et la République universelle des lettres ont partie liée [8]. Louis XIV ayant su imposer

[6] GERBAIS. *De Serenissimi Delphini studiis felicibus. Oratio, habita in regio Franciae collegio, VI Calend. decemb. 1673*. Paris, Léonard, 1673, in-4°, p. 8, caractérise ainsi Montausier et Bossuet : « illum quidem nobilitatis decus, istum Ecclesiae Gallicae ocellum et lumen. ». — La nomination, les compétences propres (à savoir l'éloquence et la science des livres) et le partage des fonctions entre Bossuet et Huet, dans Jean de LA FAYE, *op. cit.* ch. V. — Pierre DANET, dans la préface de son *Phèdre a.u.D.*, a très bien caractérisé la double culture, sacrée et profane, de Bossuet ; l'éloquence agréablement jointe à la science et l'art d'unir dans sa vie la paix studieuse et le dévouement à sa charge. Quant à Huet : « Profecto non tam est unus e doctis Huetius quam viva quaedam et, ut ita dicam, ambulans Bibliotheca, quam scientiarum exemplar et species ipsa doctrinae. »
[7] Pour cette connaissance anecdotique, FLOQUET, *Bossuet précepteur*, 1864, reste indispensable. Voir aussi les *Fragments des Mémoires inédits de DUBOIS, gentilhomme servant du roi, valet de chambre de Louis XIII et de Louis XIV*, p. p. Léon AUBINEAU ; attendri et souvent navré et J. de LA FAYE *Delphineis*, 1676, in-8°.
[8] Cf. le *Discours de Réception à l'Académie française*, de Bossuet, le 8 juin 1671, qui est certainement (et sans doute spontanément) un acte de propagande, autant que l'expression d'un grand amour pour la langue française, et de l'enthousiasme pour le don du langage : « Il [le roi] aime et les savants et les sciences ; c'est à elles, pour ainsi dire, qu'il a voulu confier le plus précieux dépôt de l'Etat. Il veut qu'elles cultivent l'esprit le plus vif et le plus beau naturel du monde. ... On vous nourrit, Messieurs, un grand protecteur. » *O.O.*, VI, 11-12.
Cf. l'œuvre, sans génie, et tout à fait caractéristique de ce que nous appelons la dégradation philosophique — et la maturité — de l'idéal humaniste, du chancelier François CHARPENTIER, en particulier sa *Défense de l'excellence de la langue française*, 1683, 2 vol. in-16, ou sa *Défense de la langue française pour l'inscription de l'arc de triomphe*, 1676, in-8°. Ce dernier livre était dans la bibliothèque du Dauphin (à la B.N., Rés. X. 1897).

l'idée qu'il est le Mécène par excellence, le dévouement monarchique peut consister à promouvoir la culture des belles-lettres chez ceux dont le métier est d'honorer le Roi : un courtisan qui connaît l'histoire romaine apprécie mieux l'Auguste français, et, s'il a lu Virgile, les victoires de son roi prennent déjà pour lui le retentissement épique qu'il faut d'ordinaire attendre jusqu'à l'écho de la postérité. Ou encore, si le Roi, pour adapter sa dynastie aux lumières de l'âge futur, a jugé bon de faire son fils plus savant qu'il n'était lui-même, la Cour et la Ville se doivent aussi d'apprendre mieux le latin et de polir leur esprit. L'entreprise, sans précédent par son ampleur, d'apothéose historique au profit d'une dynastie, aboutit donc, assez naturellement, à un monument de l'humanisme pédagogique.

Le projet des éditions classiques, et leur réalisation.

Vue sous l'angle social et administratif, l'histoire de la vie intellectuelle sous l'Ancien Régime serait une histoire du mécénat, de François Ier, « père des lettres », jusqu'aux ministres de Louis XV, promou-

Rappelons pour mémoire, au temps des mécènes Valois, les variations et digressions de Guillaume BUDÉ, mises après sa mort, sous le titre, *De l'Institution du prince,* 1547, in-12, qui reprenait un titre d'Erasme.

Pour les Bourbons, plus chrétiens, les conseils des moralistes sont souvent d'un très haut désintéressement. Citons NICOLE sous le pseudonyme de CHANTERESNE, *Traité de l'éducation d'un prince,* 1670, in-12 (réimprimé au t. II des *Essais de morale*).

Quant aux discours et poèmes de félicitation, latins et français, ils sont aussi nombreux qu'insipides. On y peut toutefois prendre une idée de l'orientation intellectuelle que les contemporains souhaitaient pour leur futur roi, mais il faut dégager cette note de la masse des flatteries. Car il s'agit bien pour le fils d'étudier, mais surtout de ressembler au roi, son père, c'est-à-dire d'être un héros.

Citons Jean GERBAIS, *De Serenissimi Delphini studiis felicibus. Oratio,...* 1673, in-f°, 25 p. ; Jean MAURY, *Ad Delphinum, carmen augurale. A Mgr le Dauphin,* épigramme, s.l.n.d., in-4°, et *Ad Delphinum, epigramma,* s.l.n.d., in-4° (deux poèmes à Montausier, aucun pour Bossuet) ; le P. Charles de LA RUE S.J., *Ad Serenissimum Delphinum,* [1er oct. 1675] in-4°, qui recommande Virgile ; Léon BACOÜE, franciscain, *Delphinus, seu de prima principis institutione,* in-4°, 1671 et 1685. Bacoüe donne la note de l'humanisme catholique ; il recommande la fidélité au pape, le culte de la noble langue latine, la lecture de Corneille (*Polyeucte* et *Imitation*, cf. p. 187). L'édition de 1685 ajoute aux six chants épiques, des poèmes divers, dont l'un s'adresse à Bossuet, dont les conseils de modération sont *N e s t o r e i s   s a p i e n t i o r e s* (p. 290). Jean de LA FAYE, valet de chambre ordinaire du roi, *Delphineis, seu Pueritia Principis moribus et litteris ad virtutem imbuta,* 176, in-8°. Comme on dit *Aeneis* ! Chronique épique en douze chants, avec panégyrique dynastique.

    Q u i   t e n e r a e   c e c i n i t   p u e r i l i a   t e m p o r a   v i t a e
(dernier vers) nous donne beaucoup de renseignements sur la vie de cour, avec quelques clés à la marge. Bossuet et Huet sont caractérisés au début du *Liber quintus,* celui-là :
    S p e c t a t u m   g e n i o   e t   m e r i t i s ,   d u l c i q u e   f l u e n t e m   E l o q u i o :
celui-ci :
    V e r s a t u s   G r a e c i s   A u t h o r i b u s   a t q u e   L a t i n i s .
L'entreprise royale fit un sujet de concours ; cf. *la Gazette de France,* du 19 septembre 1676, p. 684 : « Cette semaine, l'Académie Française a publié les deux sujets pour les Prix d'éloquence et de poésie qu'elle doit distribuer à l'ordinaire, l'année prochaine 1677, au jour et fête de saint Louis. ... Le sujet du Prix de la Poésie, à la louange du roi, sera *L'éducation de Mgr le Dauphin et le soin que Sa Majesté prend d'écrire elle-même des Mémoires de son règne pour l'instruction de ce jeune prince.*» J.-B. de LA MONNOYE remporta le prix, *Vers ... sur l'Education de Mgr le Dauphin,* s.l.n.d., in-4°.

On eut aussi, naturellement, un poème latin de J.-B. SANTEUL, qui se trouve, *Operum omnium editio tertia,* 1729, 3 vol., in-12, au t. I, p. 131 (texte de 1670) et p. 128 (texte de 1698). Il est adressé à Bossuet « *Delphini Franciae litterarum magistrum* » (1670) et son intention s'explique bien par le sous-titre de 1698 : *« ut litterarum amorem inspiret. »* Les « gens de lettres » comptaient sur Bossuet comme sur un confrère.

vant, supprimant, acceptant l'*Encyclopédie*... Sous le gouvernement adulte de Louis XIV, on en était à l'ère sérieuse de l'organisation. La publicité du roi, si l'on ose dire, était aussi bien faite dans les milieux érudits que chez les artistes, grâce à Jean Chapelain. Et pour que les hommages se continuent certainement sur la tête de l'héritier, Chapelain s'est associé le duc de Montausier qui est personnellement bien venu des savants [9].

Le premier projet de distribuer à la jeunesse d'Europe les nourritures classiques sous le nom du Dauphin s'est formé entre eux. Pour Graevius, « premier professeur en éloquence à Utrecht », Chapelain a consulté Montausier [10] afin de savoir s'il valait mieux que Graevius dédiât au Dauphin un *Suétone* ou un *Cicéron*. Montausier a choisi le *Cicéron,* et il pousse l'idée dans le sens qui lui tient à cœur :

> Mais comme il voudrait que cet auteur et tous les autres classiques fussent imprimés d'une manière qui en pût faciliter l'intelligence au jeune prince, laquelle serait qu'au lieu de tant de commentaires et notes le texte en fût suivi en chaque page d'une espèce de paraphrase très succincte faite par un habile homme et d'un style clair et élégant, il prétend qu'une édition de cette sorte, si elle était superflue pour ceux qui étaient fort avancés, serait d'une utilité extrême pour les principians et pour les médiocres même. M. Elzévir, à qui il en parla, lui parut incliner à cette proposition, comme à une chose qui lui pourrait être de grand profit à cause du grand débit qu'il ferait d'une édition de cette sorte [11].

Chapelain était mort (22 février 1674) quand le premier classique à l'usage du Dauphin, le *Salluste,* de Daniel Crespin, fut achevé d'imprimer, le 6 novembre 1674 [12]. Et, comme il était plus logique — mais nous ne connaissons pas la chaîne des tractations qui aboutirent à ce transfert — ce n'est pas Elzévir qui eut le profit, mais un libraire français : Léonard

---

9 Cf. *Lettres* de Jean CHAPELAIN (p. p. TAMIZEY DE LARROQUE) ; *à Montauzier* (*sic*), depuis peu gouverneur du Dauphin, 8 oct. 1668, II, p. 598 ; à Heinsius, 26 décembre 1668, II, 607 ; il espère bien du choix du roi.
   Les intermédiaires de la gloire du roi reçoivent quelques miettes d'hommages : Chapelain engage Heinsius à louer Montausier dans une édition de ses poésies latines, chez Elzévier, dédiée à Chapelain (*Ibid.,* II, p. 433, 30 oct. 1665). Montausier reçoit de Tanneguy Le Febvre l'hommage d'un *Justin,* l'année (1671) où celui-ci dédie un *Horace* au Dauphin (*ibid.,* note p. 758).
   Sur ces relations entre Montausier et Chapelain, avec un croquis satirique de Montausier par Tallemant, voir SAINTE-BEUVE, *Lundis* XIII, 1887.
11 CHAPELAIN, *Lettres,* pp. 29-630, 24 mars 1669, sur son rôle d'ensemble, cf. COLLAS (G.). *Un poète protecteur des lettres au* XVIIᵉ *siècle. Jean Chapelain (1595-1674)*, Thèse, 1911. Ezéchiel Spanheim, qui donne aussi à Montausier l'initiative des classiques dauphins, en fait remonter le projet à l'année 1668. Montausier lui-même, aurait été déçu par l'exécution. Cf. SPANHEIM, *Relation de la cour de France en 1690,* éd. E. Bourgeois, 1900, in-8°, pp. 113-114.
   Sur la culture philologique de Montausier, voir son oraison funèbre par l'abbé ANSELME (1690) citée dans la *Corr.* de Bossuet, IV, 508, n. 4. Au besoin, Montausier servait d'intermédiaire entre Bossuet et les érudits, cf. *Corr.* I, 230, Bossuet à J.-B. Lantin, 23 octobre 1671 : « Je rendrai à qui il vous plaira le manuscrit de M. Saumaise que le M. le duc de Montausier m'a remis en ma main. » (Il s'agit peut-être d'un manuscrit inédit de l'*Anthologie palatine*).
12 Voir à la B.N., *Collectio ad usum Delphini,* Réserve Z. 1583 à Z. 1647, 65 volumes in-4°, sous une reliure de maroquin bleu, qui remonte au XIXᵉ siècle.

avait reçu le privilège royal, daté de Versailles, le 20 août 1674, pour une durée de 20 ans :

> Ayant fait choix de notre bien-aimé FRÉDÉRIC LÉONARD, notre imprimeur, pour mettre sous la presse les anciens auteurs latins, historiens, poètes et autres, sur lesquels on a fait des commentaires et des notes pour l'instruction de notre fils le Dauphin, desquels auteurs le *Térence,* le *Plaute,* le *Phèdre,* le *Salluste,* le *Tite-Live,* le *Florus* et le *Cornélius Népos* sont en état d'être imprimés...

Léonard, dont la part fut la plus grande, partagera, avec une dizaine de collègues parisiens et un lyonnais, les risques et les bénéfices d'une entreprise qui s'étend sur une vingtaine d'années. L'ordre ne fut pas celui qu'on avait annoncé. Si, en effet, les auteurs qui pouvaient servir aux latinistes débutants : Salluste, Florus, Phèdre, Térence, Cornélius Népos, parurent, dans cet ordre, en moins de deux ans, Plaute attend le 31 décembre 1678, et Tite-Live le 1ᵉʳ septembre 1682, encore qu'on l'ait antidaté de deux et trois ans. Seize auteurs au plus avaient paru avant la fin officielle des études du Dauphin — qui est son mariage célébré le 7 mars 1680 — et ils ne correspondaient pas tous au programme de lectures que traçait Bossuet dans sa lettre à Innocent XI, et à celui dont les manucrits du Dauphin subsistants nous prouvent l'exécution réelle. Après cette date, le service de ses études n'est plus qu'une fiction d'utilité commerciale.

L'absence de Bossuet.

L'ambiance des travaux *a d u s u m D e l p h i n i* n'a donc pu régner dans la salle d'études où gouverne Bossuet, et nous prendrons l'occasion de la décrire autre part en publiant l'inventaire de la volumineuse collection. Réciproquement, Bossuet ne paraît pas avoir influé sur l'entreprise, qui, certes, entoura ses occupations de philologue profane, mais aussi les déborda par trop de côtés. Les scoliastes dauphins le couvrent de fleurs [13]. Ils proclament que la science, qui est la sienne, science des lettres profanes qu'éclaire la science divine et qu'équilibre un caractère sociable, est également leur idéal, mais nous n'avons retrouvé de Bossuet à eux ni directives, ni critiques, ni encouragements précis.

Il est bien naturel que l'inventaire de sa bibliothèque de Meaux donne, avec tant d'autres éditions des classiques, « quarante-huit volumes des auteurs à l'usage de Monseigneur le Dauphin, reliés en maroquin [14] ». Leur présence dans la bibliothèque de son élève ne prouverait pas non plus que celui-ci y avait appris le latin. Ils sont en général arrivés trop tard pour lui : Florus et Salluste (1674) ont pu lui servir, mais à 14 ans il

---

[13] Voir un portrait assez caractérisé dans la préface du *Phèdre* de Pierre DANET, 1675. — Un certain Jacques de L'ŒUVRE (*Plaute,* 1679) fait dans la dédicace l'éloge de Montausier et de sa *severitas liberalis,* en deux pages ; celui de Bossuet en une demi-page ; et il recommence pour Montausier dans la *Praefatio.* — Quant à Julien PICHON (*Tacite,* 1682), celui qu'il appelle l'aigle, *coelestis illa aquila,* c'est Huet.

[14] *Revue Bossuet,* juillet 1901, p. 156.

L'HISTOIRE DE FRANCE RACONTEE EN LATIN
Une page du Dauphin corrigée par Bossuet

n'avait plus besoin de Phèdre (1675). Nous verrons que la liste et la répartition des auteurs qu'il a réellement étudiés, ne nous sont pas complètement connues ; ceux qui furent édités durant ses études et qui pouvaient lui convenir sont : Térence, Cornélius Népos, Velléius Paterculus, les *Panégyriques,* Justin, Claudien, César — pour Quinte-Curce, n'est-il pas trop tard en 1678 ? — Plaute, Manilius, Valère-Maxime et Boèce. Le Dictys et le Darès de Mlle Le Febvre, parus au temps de son mariage, n'ont aucune chance d'avoir été lus, et il doit en être de même de Manilius et de Boèce, peu « classiques » vraiment. Le dictionnaire de Danet est aussi arrivé bien tard en 1677. La liste ci-dessus est donc certainement trop large et nous pouvons croire que la destination au Dauphin de beaucoup d'auteurs, même parus au temps de ses études, fut purement symbolique. On voit même que les Maximes de César tirées par Bossuet des *Commentaires* renvoient à une autre édition dite des *Variorum* [15], d'un type dont il n'y a pas moins de dix-huit volumes dans sa bibliothèque [16]. Les collaborateurs de Montausier et de Huet ne lui ont donc donné qu'un petit nombre d'instruments pour son enseignement des lettres. Si l'institution du Prince s'apparente ou non à leur esprit, Bossuet le dira lui-même : écoutons-le s'expliquer d'une manière vraiment royale.

II. LES DESSEINS HUMANISTES

EXPLIQUÉS DANS LA LETTRE A INNOCENT XI.

L'intention du document.

Louis XIV n'attendait pas du précepteur de son fils la nouveauté pédagogique, et Bossuet ne se prenait point pour un réformateur des études. C'est par les humanités traditionnelles et selon les maximes du Roi qu'il formera l'héritier de la vieille monarchie. Les difficultés de fait, dues au train pernicieux de la Cour, ou les oppositions qui avaient pu naître entre les éducateurs de tempérament différent, ou celles des maîtres avec leur pupille, il n'y avait pas lieu d'en parler dans cette synthèse idéaliste qu'est la célèbre lettre à Innocent XI, du 8 mars 1679. Comme il faisait les plans de ses sermons après les avoir composés, ou se résumait quelquefois « après avoir dit », ainsi Bossuet, dans ce texte récapitulatif, explique sa conduite après avoir agi. Il serait faux de dire qu'il rend compte de son mandat, car ce n'est point le pape qui l'a investi, mais, sa mission auprès du fils de France intéressant la catholicité, Bossuet s'examine devant son chef spirituel, dans la solennité de sa conscience d'évêque.

Il faut donc tenir la lettre à Innocent XI pour un rapport très véridique, mais aussi très élaboré, qui ne livre son plein sens qu'après une exacte situation. Naturellement il ne peut s'agir d'une relation anecdoti-

[15] Fonds français 12839, f⁰ˢ 4 r°-6 r° : « Les nombres renvoient à l'édition des Variorum. » (Note de Ledieu). Cf. notre appendice, *Inventaire des documents manuscrits.*
[16] *Revue Bossuet,* juillet 1901, p. 147. « Dix-huit volumes, 8° des Poètes de *Variorum.* »

que ; on n'aura même pas la pédagogie dans son application : très peu de renseignements sur la distribution des heures de travail — laquelle a pu d'ailleurs varier en dix ans — ; aucune mention nominale des collaborateurs, donnés par le roi, ou des manuels auxiliaires (on en a retrouvé dans la bibliothèque du Dauphin). La lettre ne donne pas la méthode grammaticale, ni la progression des textes expliqués, ni les procédés de l'enseignement littéraire. Tout ce détail, que nous essayerons plus loin de nous représenter avec l'aide des documents originaux et des témoignages contemporains, Bossuet l'a unifié, dans des vues plus larges, selon la tendance de son esprit, et il l'a ennobli de son style. Il s'adresse à un pape humaniste, qui souhaite connaître un ensemble humain d'éducation intellectuelle, et non juger de techniques scolaires : c'est la philosophie de sa pédagogie que Bossuet lui dédie [17].

Le rapport avec la volonté royale.

Avec l'autorisation du Roi, bien évidemment. Ou plutôt, le Roi ayant eu l'initiative de cette forme d'éducation, c'est la loyauté catholique de Sa Majesté et son grand bon sens dans les affaires humaines que Bossuet atteste auprès du Pape. Nous parlerions aujourd'hui de son accord avec le milieu : Bossuet a fait de la volonté de Louis XIV l'appui de ses principes, car il devait savoir que tout effort qui ne s'y rattacherait pas serait vain, et il devait penser que détacher le fils de l'unité du père serait s'opposer à la volonté de la Providence. L'obéissance de Bossuet a pour but et pour effet l'enracinement de son action, et, comme il est naturel, les motifs de son maître qu'il a compris et retenus, se trouvent être ceux qui s'assortissent à son propre idéal.

Le roi ne voulut pas laisser languir son fils parmi les caresses des femmes :

> Il résolut de le former de bonne heure au travail et à la vertu. Il voulut que, dès sa plus tendre jeunesse, et, pour ainsi dire, dès le berceau, il apprît premièrement la crainte de Dieu, qui *est l'appui de la vie humaine* et qui *assure* aux rois mêmes leur puissance et leur majesté, et ensuite toutes les sciences convenables à un si grand prince, c'est-à-dire celles qui peuvent *servir au gouvernement* et à maintenir un

---

[17] Cf. les remerciements du Pape, *Corr.*, II, 162 ; 29 avril 1679. « *Rationem ac methodum*, qua praeclaram Delphini indolem *optimis artibus* ab ineunte aetate imbuendam suscepit Fraternitas tua, et feliciter adolescentem in praesens imbuit, *eleganter copioseque descriptam in tuis litteris...* »

Le genre cicéronien de la lettre latine à Innocent XI contribue à lui donner plus de généralité. La traduction française, faite pour le Roi et revue par Bossuet, est aussi authentique que le texte latin ; nous la citerons généralement, mais les deux textes ne sont pas équivalents. La destination et la langue différentes ont produit une différence de style qui est parfaitement consciente : Ce sont deux nuances, deux temps de l'esprit humaniste. — C'est l'abbé Ledieu qui a sauvé le texte de la lettre latine, « original écrit bien mieux et d'un meilleur tour que le français... c'est sans doute un de ses plus beaux écrits qui contient d'ailleurs une bonne partie de sa vie. » *Ledieu*, IV, 130-131, *Journal*, 4 septembre 1707.

Le latin, plus splendide, avec des brièvetés éloquentes, se ressent de Sénèque et des poètes, comme le latin des humanistes du XVIᵉ siècle et des jésuites. Il donne parfois l'impression d'un stoïcisme coloré, actif, extrêmement idéaliste et courtois. Le français, bien que noble, est plus précis, plus intellectuel que dramatique.

royaume, et même celles qui peuvent de quelque manière que ce soit *perfectionner l'esprit,* donner *de la politesse,* attirer à un prince *l'estime des hommes savants* [18].

C'est un autre humaniste, un humaniste sur le trône, qui a dû tracer ce programme si adéquat à de nobles fins terrestres. Ou plutôt c'est une inspiration de sagesse et d'utilité humaine, commune au roi et à l'évêque, qui va remplir tout le programme des études que Bossuet a bien dû constituer et proportionner lui-même.

On ne connaît en effet pas de cas où le Roi, sortant de sa compétence, lui aurait imposé une matière déterminée. Sa volonté s'impose cependant tous les jours dont il a voulu qu'aucun ne fût de vacance, et elle s'exprime dans la présence vigilante de Montausier. Bossuet aurait-il, pour son compte, accordé plus de détente à son élève, et aurait-il fait choix d'un moins rude gouverneur ? La question est oiseuse, même si nous souhaitons une réponse affirmative. ...Les deux décisions royales, qui furent peut-être bien les deux erreurs de cette éducation, Bossuet ne pouvait pas ne pas les louer. Et puisque nous faisons profession de le croire à la lettre, les textes nous obligent à dire qu'il les a ratifiées, cordialement ratifiées.

Le plan du roi nous donnera l'ordre dans lequel interpréter la lettre de Bossuet. Ces deux réalistes, le monarque et le prêtre, se sont proposé d'abord la formation d'un homme adapté à ses fins d'homme, dans la dépendance de Dieu et la société des hommes : ce devait être le fond humain pour dresser un roi compétent dans son métier de roi, et s'y faisant aimer par ses qualités d'honnête homme. Louis XIV laissait à Bossuet le choix des livres utiles, comme aussi la tâche de présenter — au Pape, au public et à la postérité — dans sa plus haute signification, cette éducation bivalente. Une philosophie couronnera cette pédagogie, et elle n'est que de Bossuet. Philosophe par devoir d'Etat, il transcendera à la fin ses besognes bien faites, pour tenter une synthèse, la plus complète possible, d'un humanisme qu'il a d'abord pratiqué.

La formation morale par les lettres.

Dans une certaine mesure, nous devons séparer les forces que Bossuet a fait concourir, ou du moins les distinguer, et le partage sera, comme il le faisait lui-même, selon la nature de leurs fins.

Ce n'est pas lui qui terminerait la religion à la morale [19]. Aussi, nous proposant d'étudier l'éducation morale du Dauphin, nous ne considére-

---

[18] *Corr.,* II, pp. 135-136. C'est toujours nous qui soulignons.
[19] C'est plutôt la morale qui s'explique dans la religion. Cf. Sur l'unité de l'Eglise, 9 nov. 1681, (*O.O.,* VI, 114). « On veut de la morale dans les sermons et on a raison, pourvu qu'on entende que la morale chrétienne est fondée sur les mystères du christianisme. » Pour éviter que les difficultés de notre exposé successif ne fassent perdre de vue cette unité de fond dans la diversité des objets, rappelons encore : Soumission due à la parole de J.-C., 22 février 1660 (*O.O.,* III, 257) « la liaison des préceptes avec les mystères » ; et *Médit., La Cène,* 1re partie, LXXXIXe jour (II, 632) « La pratique des bonnes œuvres, sans l'amour de Dieu et de J.-C., n'est qu'une morale purement humaine et philosophique : toutes les vertus chrétiennes sont animées de l'amour de J.-C. »
Bossuet ne tendait évidemment pas à former un « philosophe », au sens (qu'il prévoit) du XVIIIe siècle.

rons pas sa formation religieuse comme un *élément* de celle-là ; mais nous poserons la question autrement : Quelles conséquences la présence de Dieu dans la vie humaine a-t-elle sur la conception des devoirs humains ? Ensuite, pour prendre la relation négativement (par où elle est plus maniable), quelles limites la religion, qui est très certainement le tout de la vie [20], donne-t-elle *pratiquement* à sa propre compétence ? Au-delà de ces limites nous verrons régner l'expérience humaniste, tranquillisée de n'être que relativement vraie, mais que le chrétien connaît pour nécessaire, à sa place, dans le domaine du relatif.

Les marques *morales* imprimées par l'enseignement religieux sont : le respect des choses saintes, que le Dauphin écoute chaque matin, tête nue et « avec révérence » [21] ; l'obligation pour le salut qu'il y a dans le devoir d'Etat, et la liaison de ces trois mots : « *piété, bonté, justice* » [22]. Les deux derniers termes désignent les qualités spécifiques du monarque, d'un monarque exemplaire, qui pourrait être, autant que l'idéal d'un chrétien, l'idéal d'un stoïcien pragmatique, de Marc-Aurèle par exemple, ou encore l'idéal de l'humanisme érasmien ; et leur valeur d'obligation découle de la volonté de Dieu en tant que créateur.

> Nous disions que celui qui était pieux envers Dieu *était bon aussi envers les hommes,* que Dieu *a créés* à son image et qu'il regarde comme ses enfants ; ensuite nous remarquions que qui voulait du bien à tout le monde *rendait à chacun ce qui lui appartenait* [23].

Cette société de justice et cette amitié naturelle ne vont pas jusqu'à la communion des saints, et le mot de charité n'est pas prononcé dans la Lettre.

La suite de l'enseignement religieux tend à une formation chrétienne, ou proprement catholique quand il s'agit de la fidélité à l'Eglise, de la dévotion à la Vierge et de la réfutation des hérétiques [24]. Mais il y a une inquiétude qui est commune à la sagesse humaine et à l'Ecriture Sainte : c'est le danger des grandeurs humaines (si bien mis en évidence dans le livre des *Rois* [25]), qui, par contre-coup, invite tout homme à la modération tant conseillée par les poètes gnomiques de toutes les religions !

---

[20] Cf. la citation de l'*Ecclésiaste*, XII, 13 « Crains Dieu et garde ses commandements, car c'est là tout l'homme », employée dans l'O.f. de H. d'Angleterre (1670), et reprise dans ses notes sur Aristote, f. fr. 12830, f° 194 r°, *Morale à Nicomaque*, X, VII, 9 (1178 A). Voir notre édition, p. 221.

[21] *Corr.*, II, 138 et 141.

[22] *Ibid.*, 138.

[23] *Ibid.*, 138-139.

[24] *Ibid.*, 139-140. — Voir le complément de cette instruction catholique dans l'*Instruction à Mgr le Dauphin pour sa première communion*, (25 déc. 1674), *Œuvres*, II, 657 ; et le *Catéchisme du diocèse de Meaux*, publié le 6 octobre 1686, *Œuvres*, X, 379, qui prolonge cette pédagogie. Cf. notre appendice sur les manuscrits.

[25] *Corr.*, II, 141-142. Le latin est à citer (p. 118) dans sa violence antithétique : « In regibus Deum severissimae ultionis edere monimenta : quo enim exelsiore fastigio essent, summae rerum Deo jubente praepositi, eo arctiore subjectione teneri, atque omnibus documento esse, quam fragiles, imo nullae, humanae vires essent, nisi divino praesidio niterentur. »

Les attraits de l'étude.

Mais les mœurs se forment par l'exemple des adultes et par les premières habitudes de l'enfance. Le choix de l'entourage du Dauphin et le règlement de vie, qui sont le fait du roi, nous semblent caractérisés par un même trait : une attention sévère et laborieuse :

> Comme toute la vie des princes *est occupée* et qu'aucun de leurs jours n'est exempt de grands soins, il est bon de les *exercer* dès l'enfance à ce qu'il y a de plus sérieux, et de les y *faire appliquer chaque jour* pendant quelques heures, afin que leur esprit soit *déjà rompu au travail* et tout accoutumé aux choses graves, lorsqu'on les met dans les affaires. ... [M. de Montausier] n'a cessé de travailler à le former, *toujours veillant* à l'entour de lui. ... Il l'exhortait *sans relâche* à toutes les vertus [26].

Certes Bossuet n'avait à raconter au pape ni les dégoûts de son élève, ni les férules de Montausier. La dureté du régime a pu scandaliser certains courtisans sensibles, mais elle ne doit pas étonner dans la dureté pédagogique de l'époque. Tout le monde ne disait pas comme Bossuet : « Il faut qu'un enfant joue et qu'il se réjouisse, cela l'excite. » Et Bossuet qui le disait semble avoir posé pour rien ce principe d'élargissement. Noblesse obligerait-elle au point que les enfants des princes n'aient pas un jour de liberté ? Bossuet plaide la compensation mais, semble-t-il, avec un certain embarras : le roi a entremêlé les heures d'études « de choses divertissantes » ; la coutume est douce et

> il est arrivé que le Prince, averti par la seule coutume, retournait gaiement et comme en se jouant à ses exercices ordinaires, qui ne lui étaient en effet qu'un nouveau divertissement, *pour peu qu'il y voulût appliquer son esprit* [27].

Cette proposition conditionnelle à l'irréel vaut un aveu mal retenu ! Bossuet n'arrive pas toujours, comme il le voudrait, à interpréter, selon la douceur humaniste qui se proportionne à l'enfance, les raideurs d'adultes incompréhensifs et tendus.

L'attention n'était pas chez Bossuet, comme elle semble l'avoir été chez Montausier, un pli morose de l'esprit ; elle était sa plus grande joie. Voilà pourquoi il se représente le Dauphin en ses meilleures heures à la fois attentif et joyeux, et ainsi il tend à masquer la contrainte, qui était la volonté du père et l'application du gouverneur. Pour sa part, le précepteur multiplie les invitations aux joies solides,

> afin de tenir l'esprit de ce prince dans une agréable disposition et de ne lui point faire paraître l'étude sous un visage hideux et triste qui le rebutât [28].

26 *Ibid.*, 136, 137.
27 *Ibid.*, 137.
28 *Ibid.*, 137, Cette intention étant attribuée au Roi.

Joie de comprendre la fin et les relations des choses :

> Pour adoucir l'ennui de cette étude [de la grammaire latine], nous lui en faisions voir l'utilité, et, autant que son âge le permettait, nous joignions à l'étude des mots la connaissance des choses [29].

Joie de citer nettement, à propos, et peut-être brillamment, et d'adapter aux circonstances de la vie, les exemples littéraires ou historiques :

> Il apprenait par cœur *les plus agréables et les plus utiles* endroits de ces auteurs [les Latins], et surtout des poètes ; il les récitait souvent, et, dans les occasions, *il les appliquait à propos aux sujets qui se présentaient* [30].

Ou bien le « prince chrétien » imagine une croisade, plus belle que la défense par Alexandre de toute la Grèce contre les Perses, ou encore ce futur chef de guerre suit César dans ses campagnes ; et c'est aussi en rapport avec cette destination qu'on lui enseigne les mathématiques appliquées [31]. Bossuet veut susciter et fixer l'intelligence par des attraits propres à chaque tâche : tel est le bonheur aristotélicien de l'action appropriée.

Jamais l'agréable ne peut être pris en dehors de l'utilité, utilité vitale ou sociale. Ainsi l'agrément de la géographie, ce sont des voyages sur la carte, menés sans hâte,

> mais examinant tout, recherchant les mœurs, surtout celles de la France [32],

et le plaisir de la lecture des poètes ne peut pas ne pas être d'ordre moral. On note rigoureusement dans Térence « les endroits où il a écrit trop licencieusement », et cependant une éducation qui veut pénétrer l'âme *s u a v i t e r   a t q u e   u t i l i t e r* ne saurait se passer de ces « vives images de la vie humaine », marquées avec

> des sentiments naturels, et enfin avec cette grâce et cette bienséance que demandent ces sortes d'ouvrages [33].

La leçon morale émane de la politesse elle-même, et Cicéron est admiré partout,

> dans ses discours de philosophie, dans ses oraisons, et même lorsqu'il raillait librement et agréablement avec ses amis [34].

---

[29] *Ibid.*, 143.
[30] *Ibid.*
[31] Cf. *Corr.*, II, 145-146 pour César, et 157 pour les mathématiques. Rapprocher les « Maximes de César », dans f. fr. 12839, f° 4 r°-6 r°. Cf. notre appendice, *Inventaire des manuscrits*.

En s'attachant avec prédilection aux *Commentaires*, Bossuet renouait une tradition humaniste de la famille des Bourbons, puisque le jeune Henri de Navarre les avait traduits (Cf. DRUON, *Histoire de l'éducation des princes*, I, 28) et Bossuet aime beaucoup rappeler à Louis XIV et à son fils l'exemple du bon roi Henri. Un manuscrit de la B.N., fonds français 17263, du XVIIᵉ siècle (Séguier-Coislin-Saint-Germain français 936), traduction française des livres I-V, 36, du *De bello Gallico*, est peut-être le témoin de cette tradition. Il porte en marge du premier feuillet « Leçons du roy Henri IV ». Condé « ravissait » Bossuet en expliquant les *Commentaires*. *O.O.*, VI, 440, O.f. de Condé.

Huet a traduit le 1ᵉʳ livre des *Commentaires*, B.N., fonds français 13430.
[32] *Ibid.*, 147.
[33] *Ibid.*, p. 146-147, latin p. 121.
[34] *Ibid.*, 147.

La formation esthétique a donc cette aisance, cette largeur conciliante propre à ceux qui savent que, dans la réalité comme dans leur esprit, tout concourt à l'unité. Dans un temps où l'analyse esthétique du langage se bornait au dénombrement des tropes, Bossuet échappe à la raideur de la critique classique, et à la minutie formaliste des régents-rhéteurs, par une vue *philosophique* de l'ordre. L'ordre organique est le fondement de la beauté :

> Nous lui avons fait lire chaque ouvrage entier de suite et comme tout d'une haleine, afin qu'il s'accoutumât peu à peu, non à considérer chaque chose en particulier, mais *à découvrir tout d'une vue le but principal d'un ouvrage et l'enchaînement de toutes ses parties :* étant certain que chaque endroit ne s'entend jamais clairement et ne paraît avec toute sa beauté *qu'à celui qui a regardé tout l'ouvrage* comme on regarde un édifice, *et en a pris* tout le dessein et toute l'idée [35].

Nous verrons un peu plus loin la logique sous-tendant la rhétorique : jamais une étude particulière, à aucun moment, n'est menée en dehors d'une vue de ses fins, corrélatives à celles des autres disciplines. La lettre à Innocent XI, voulant tracer l'idée d'ensemble d'une éducation achevée, n'était pas tenue de donner, comme le *Ratio studiorum,* qui est un programme pratique, le détail de l'application, et la succession des « classes » du Dauphin n'avait pas à être connue. Mais il est évident que les différentes disciplines durent être étudiées distinctement et selon un ordre progressif de difficulté. Elles ne pouvaient donc montrer toutes leurs affinités qu'au stade terminal de la philosophie. Cependant, par la volonté de Bossuet, la pensée du tout humain a *toujours* été rappelée. Il utilise les leçons d'histoire comme exercices de rédaction française et de thème latin, et il se caractérise comme éducateur par son art d'appuyer les efforts les uns sur les autres. Les forces diverses de l'éducation : honneur, piété, attrait du beau, fierté de savoir et de préluder à l'action efficace, sont tirées du devoir *présent* par un idéal *complet* de l'homme :

> En lisant ces auteurs [les auteurs latins d'agrément], nous ne nous sommes jamais écartés *de notre principal dessein,* qui était de faire servir *toutes ses études* à lui acquérir *tout ensemble* la piété, la connaissance des mœurs et celle de la politique [36].

« Science *pour* conscience », telle serait à peu près la nuance, aussi éloignée de l'ambition encyclopédique que d'une culture jouisseuse, de l'éducation humaniste selon Bossuet.

---

[35] *Ibid.,* 145. Cf. Sur l'unité de l'Eglise, 9 nov. 1681, *O.O.,* VI, 106 : « La vraie beauté vient de la santé ; ce qui rend l'Eglise forte la rend belle ; son unité la rend belle ; son unité la rend forte. »

[36] *Corr.,* II, 143. Latin, p. 119 « pietatem simul morumque doctrinam ac *civilem prudentiam.* » Le dernier terme rappelle la note pour laquelle Bossuet introduit la Morale à Nicomaque (f. fr. 12830, f° 175 r°, p. 192) : « Jeunes gens, nulle expérience. Points propres à *la science civile* (Πολιτικήν, où il comprend la morale particulière et tout ce qu'il va dire de la conduite de la vie.) »
Cf. notre chapitre de ce titre, dans la 2ᵉ partie.

La compétence d'un roi.

La conscience d'un roi est la plus lourde des consciences humaines. Avec des expériences différentes, Louis XIV et Bossuet en sont également convaincus. L'éducation du prince consistera donc à fortifier cette conscience en vue des périls de la royauté, par une morale appropriée, et à l'encourager par le sentiment d'une compétence, acquise laborieusement mais sans chagrin. « Les sciences convenables à un si grand prince » se dessinent, comme nous venons de le voir, dans l'enseignement des belles-lettres. Mais elles se résument à peu près toutes dans l'histoire, puisqu'elle est « la maîtresse de la vie humaine et de la politique » [37].

Les deux qualités qui peuvent rendre l'enseignement historique utile comme préparation à l'action sont : d'abord l'exactitude. Exactitude dans la mémoire de l'élève qui a entendu un récit d'une juste longueur dans la bouche de son maître, l'a répété, puis l'a écrit deux fois, en latin et en français :

> Nous corrigions *aussi soigneusement* son français que son latin. Le samedi *il relisait tout d'une suite* ce qu'il avait composé durant la semaine ; et, l'ouvrage croissant, nous l'avons divisé par livres, que nous lui faisions *relire très souvent* [38].

Une si forte application n'est demandée que parce qu'un objet lui a été proposé le plus exact possible dans son enchaînement causal :

> Nous avons été nous-mêmes *dans les sources,* et nous avons tiré *des auteurs les plus approuvés* ce qui pouvait le plus servir à lui faire comprendre *la suite des affaires* [39].

La seconde qualité est la proportion subjective : Le maître fait répéter plus ou moins selon le degré de maturité de l'élève :

> Depuis quelque temps, comme nous avons vu qu'il savait assez de latin, nous l'avons fait cesser d'écrire l'histoire en cette langue ;

et surtout il proportionne les développements à l'intérêt actuel et personnel : l'histoire de France « qui est la sienne » a la place principale,

> et nous l'avons disposée de sorte qu'elle s'étendît à proportion que l'esprit du Prince s'ouvrait et que nous voyions son jugement se former, en récitant en abrégé ce qui regarde les premiers temps, et beaucoup plus exactement ce qui s'approche des nôtres [40].

[37] *Corr.,* II, 148. Lévesque rapproche, avec raison, le texte latin (p. 122) d'une formule de Cicéron, dans le *De Oratore,* II, x, 36 ; mais Bossuet n'a pris de Cicéron que l'éclat de la formule : sa conception — pragmatique — de l'histoire dépasse de beaucoup celle du *De Oratore* qui y voit le champ de l'éloquence. Et c'est dans la perspective historique qu'il dresse l'enseignement de la politique, comme celui de la philosophie. Cela tient à son sentiment de la vocation providentielle et des peuples et des hommes.

[38] *Ibid.,* 149.

[39] *Ibid.,* La lettre à Innocent XI est contemporaine de la rédaction de la 3ᵉ partie de l'*Histoire Universelle.* (Cf. notre appendice sur les manuscrits, section « Réflexions sur l'Histoire universelle » où se marque la même volonté de composer entre elles les causes profondes pour éclairer les possibilités de laction. Cf. *H.U.,* III, II, « La vraie science de l'histoire est de remarquer dans chaque temps ces secrètes dispositions ... Qui veut entendre à fond les choses humaines doit les reprendre de plus haut ; et il lui faut observer les inclinations et les mœurs » etc., 454, de l'édition Jacquinet.

[40] *Corr.,* II, 149.

L'art de l'historien — un art trop délicat pour avoir jamais des règles fixes — sera de distinguer les choses « qui ne sont que de curiosité » de celles qui font le cours de l'histoire, c'est-à-dire

les mœurs de la nation, bonnes et mauvaises, les coutumes anciennes, les lois fondamentales, les grands changements et leurs causes, le secret des conseils, les événements inespérés [41].

Ainsi donc, sur un fond donné de civilisation, Bossuet voit concourir les volontés responsables et l'événement, l'événement déconcertant et modérateur. Mais il était de son devoir d'insister sur la responsabilité des rois ; aussi avait-il coutume de remettre le passé en délibération,

afin que le Prince apprît de l'histoire la manière de conduire les affaires [42].

Il attirait le prince au devoir en faisant de l'observation de celui-ci la raison constante du succès : la fidélité catholique a assuré la puissance des rois de France qui trouvent à leur origine dans saint Louis un héros, qui fait le pendant à César, et un homme accompli,

un parfait modèle pour les mœurs, *un excellent maître pour leur apprendre à régner* et un intercesseur assuré auprès de Dieu [43].

L'humanité, la compétence, la sainteté, c'est le triple idéal, indissoluble, de l'éducation. Or, les puissances effectives du premier et du troisième terme sont surtout la nature et la grâce, qu'on peut seulement aider. Mais l'instruction a pour fonction propre d'*éclairer* l'activité à laquelle chaque homme est destiné. Elle peut ainsi en donner le goût, et ce n'est pas pour une autre raison que Louis XIV a voulu que son fils fût mieux instruit que lui. Du même coup, on comprend que Bossuet puisse en conscience proposer, après le modèle de saint Louis, l'exemple du Roi. Car, si l'homme en Louis XIV manque de délicatesse, et le chrétien de sens surnaturel, le roi du moins fait bien son métier de roi très-chrétien [44]. Distinguer les devoirs n'est pas les séparer, et il serait faux de dire que Bossuet invite à préférer les uns *ou* les autres, mais c'est la formation d'un roi qui lui paraît, à lui, son premier devoir. Aussi bien, un roi averti de l'histoire et attentif à l'action, confondant le bien de l'Etat et l'amour du prochain [45], du même coup méprisera les plaisirs du monde et surmontera les tentations de la fausse politique — qui n'est fourbe que parce qu'elle est à demi-forte ; de plus, il aura bonne grâce en faisant ce qu'il aime à faire, et enfin il assurera son salut.

La conviction chrétienne chez Bossuet travaille autant que la raison à supprimer les antinomies. Il faut préciser l'unité des choses humaines :

[41] *Ibid.*
[42] *Ibid.*, 150.
[43] *Ibid.*, 151.
[44] On peut affirmer, je crois, que Bossuet n'a jamais loué en son roi, successeur de saint Louis, une qualité qui fût à un degré quelconque de l'éthique de Machiavel.
    Rapprocher l'éloge contenu en cette même page 151, des trois lettres de direction, à Louis XIV, qui sont de 1675, et particulièrement de la 2ᵉ, l'instruction.
[45] Cf. *Corr.*, I, 356, Instruction au Roi de mai 1675, « En se proposant le bien de l'Etat pour la fin de ses actions, il pratique l'amour du prochain dans le souverain degré, puisque dans le bien de l'Etat *est compris* le bien et le repos d'une infinité de peuples. »

Quand, vers la fin, Bossuet veut « recueillir tout le fruit des études », il termine son enseignement de l'histoire par une politique, et il esquisse une politique enracinée dans l'histoire. Son premier exposé, tout chronologique, de l'*Histoire Universelle* [46], va être, en vue de la publication, abrégé sous le rapport des temps, mais prolongé

> de nouvelles réflexions qui font entendre *toute la suite* de la religion, et *les changements* des empires, avec leurs causes profondes que nous reprenons dès leur origine [47].

La démonstration apologétique et la leçon de relativité historique, sont comme l'endroit et l'envers d'un même tissu, et s'adressent au même bon sens.

> Connaissant ce qui a causé la ruine de chaque empire, nous pouvons sur leur exemple trouver les moyens de soutenir les Etats, si fragiles de leur nature, sans toutefois oublier que ces soutiens mêmes sont sujets à la loi commune de la mortalité qui est attachée aux choses humaines, et qu'il faut porter plus haut ses espérances [48].

Par son seul poids la réflexion historique appuie l'action politique, et elle la retient. Elle-même s'enracine dans ce qu'on peut appeler — avec un anachronisme très léger — « l'esprit des lois », ou, plus lourdement, une sociologie (qui est ce que Bossuet se promettait de faire sous la forme d'une étude générale de droit comparé) [49].

En second lieu, comme il croit à l'historicité absolue dans les récits de la Sainte Ecriture, il a tiré des « propres paroles » de celle-ci, une Politique, qui est plus précisément une mystique, et une psychologie, de l'autorité, et qui fait l'enracinement du lien social, par ordre de Dieu, dans

---

[46] C'est-à-dire « une *Histoire Universelle* qui eût deux parties : dont la première comprît depuis l'origine du monde jusqu'à la chute de l'ancien Empire romain et au couronnement de Charlemagne, et la seconde, depuis ce nouvel empire établi par les Français. » *Corr.*, II, 158.
Ce sont, croyons-nous, les manuscrits du fonds français 12834 pour la première partie ; 12835 et 12836, recopiés en 12837 pour la seconde partie. Bossuet a corrigé lui-même toutes ces chronologies calligraphiées de la main d'un copiste. Cf. notre appendice sur les manuscrits, et nos *Etudes critiques*. Voir à LA SUITE DES HISTOIRES.
[47] *Corr.*, II, 158. On sait que l'*Histoire Universelle* imprimée a trois parties qui embrassent à des points de vue différents la même étendue de temps, et qu'elle s'arrête au couronnement de Charlemagne.
[48] *Ibid.*, 159. Cf. la conclusion de l'*Histoire Univ.* « Vous connaîtrez aisément quelle est la *solide* grandeur, et où un homme *sensé* doit mettre son espérance. »
[49] *Ibid.*, 160 : « Le troisième ouvrage comprend les lois et les coutumes particulières du royaume de France. En comparant ce royaume avec tous les autres, on met sous les yeux du Prince tout l'Etat de la chrétienté et même de toute l'Europe. » Le présent ici employé peut indiquer l'intention, car nous n'avons pas d'autre trace de ce projet, que l'abbé Fleury est assez proche d'avoir réalisé pour son compte.
Employer un terme de Montesquieu nous paraît un anachronisme léger parce que Bossuet a bien vu l'interdépendance de l'histoire et de la géographie pour expliquer une société, et qu'il a comme préparé le vocabulaire de Montesquieu dans le texte ci-dessus et dans d'autres. Cf. par exemple : « Cette dernière recherche nous a engagés à expliquer en peu de mots *les lois et les coutumes* des Egyptiens, des Assyriens et des Perses, celles des Grecs, celles des Romains et celles des temps suivants : ce que chaque nation a eu dans les siennes qui ait été *fatal* aux autres et à elle-même, et les exemples que *leurs progrès ou leur décadence* ont donnés aux siècles futurs. » *Ibid.*, 158-159. Et encore *H.U.*, III, III : « *Parmi de si bonnes lois*, ce qu'il y avait de meilleur, c'est que tout le monde était nourri dans *l'esprit* de les observer. ... L'ordre des jugements servait à entretenir *cet esprit*. » Ed. Jacquinet, p. 461.

l'histoire [50]. Et c'est justement pour avoir trop voulu prouver « la prudence » de l'Ecriture, et sa compétence dans l'art de mener les hommes à leurs fins *sociales,* que Bossuet tombe dans l'anachronisme, « cette sorte d'erreur qui fait confondre les temps » [51]. La faute en est à un raisonnement, par goût naturel, trop conciliant.

L'achèvement philosophique.

Mais quand il s'agit des fins de l'homme, le penseur passionné d'unité peut raisonner sans tenir compte du temps et du lieu. Une morale chrétienne pourra donc s'enseigner en tous lieux, et une morale humaniste peut, subjectivement, commencer les leçons de l'Evangile et les accompagner un certain temps. Avant d'aborder les divisions traditionnelles de la philosophie, Bossuet a libéré sa méthode par *une distinction pratique :*

> Pour les choses qui regardent la philosophie, nous les avons distribuées de sorte que celles qui sont *hors de doute* et *utiles à la vie,* lui puissent être montrées sérieusement et *dans toute la certitude de leurs principes.* Pour celles qui ne sont que d'opinion et dont on dispute, nous nous sommes contentés de les lui *rapporter historiquement,* jugeant qu'il était de sa dignité d'écouter les deux parties et d'en protéger également les défenseurs, *sans entrer dans leurs querelles,* parce que celui qui est né pour le commandement doit apprendre à juger et non à disputer [52].

In dubiis libertas. Mais dans la philosophie, comme dans la théologie, les conflits de frontières commenceront aussitôt passée la distinction qui doit les empêcher. Quelles sont donc ces choses, nécessaires ou utiles, qui auraient, de droit, « la certitude de leurs principes » ? Et réciproquement, dans notre état de relation universelle, quelles connaissances sur l'homme seraient inutiles « à la vie » ? Bossuet n'explique pas comment il a opéré la délimitation pour son compte, et, en fait, il enseignera au Dauphin toutes les parties traditionnelles de la philosophie. Mais il pense apporter dans chacune de ces parties *une manière* large et précise, royale en quelque sorte [53], devant laquelle s'inclineront, sans se

---

[50] *Corr.,* II, 159. « On y voit non seulement avec quelle *piété* il faut que les rois servent Dieu, ou le fléchissent après l'avoir offensé ; avec quel *zèle* ils sont obligés à défendre la foi de l'Eglise, à maintenir ses droits et à choisir ses pasteurs : mais encore *l'origine de la vie civile :* comment les hommes ont commencé à former leur société ; *avec quelle adresse il faut manier les esprits ;* comment il faut former le dessein de conduire une guerre, ne l'entreprendre pas sans un bon sujet, faire une paix, soutenir l'autorité, faire des lois et régler un Etat. »
Les différentes raisons que peut avoir un futur conducteur d'hommes, de s'intéresser à l'Ecriture, sont ici trop rapprochées et sont exprimées dans un langage uniformément moderne.
[51] Avant-propos de *l'Hist. Univ.*
[52] *Corr.,* II, 152. Réitéré p. 156 : « Pour les autres choses qui regardent cette étude [de physique] nous les avons traitées, selon notre projet, plus historiquement que dogmatiquement. »
[53] Cf. *ibid.,* 152 « Pour devenir parfait philosophe, l'homme *n'a besoin d'étudier autre chose que lui-même ;* et sans feuilleter tant de livres, sans faire de pénibles recueils de ce qu'ont dit les philosophes, ni aller chercher bien loin des expériences, *en remarquant seulement ce qu'il trouve en lui,* il reconnaît par là l'auteur de son être. »
Il n'y a d'ailleurs tant de facilité pour l'élève que parce que le maître a lui-même fait ces « pénibles recueils de ce qu'ont dit les philosophes ».

croire tyrannisés dans leurs opinions, les tenants de chaque école. Le champ clos des disputes resterait clos ; le prince n'y descend pas ; mais il ne serait pas interdit aux professionnels de s'y affronter selon les règles de leur jeu. Prudentes barrières à une époque contentieuse entre toutes où le prince se doit d'éloigner de lui le soupçon même de singularité !

Rien de plus habile que la modestie. D'un même coup Bossuet écarte les critiques particulières des philosophes de toute appartenance, et il assure, en dehors de l'Ecole, ses déterminations originales : le Dauphin saura quels sont les différents modes de raisonnement, mais il ne disputera pas. *Baroco* et *baralipton* lui seront connus, mais non familiers. Son précepteur ramène ainsi pour lui la méthode philosophique à la simplicité de la réflexion, et à la certitude de l'observation.

Cette philosophie sera, très exactement, naturelle. (Notre étude de métaphysique précisera plus loin dans quel sens). Aussi a-t-elle commencé dès les premières années,

> pour faire que le Prince sût dès lors discerner l'esprit d'avec le corps, c'est-à-dire cette partie qui commande en nous, de celle qui obéit, afin que l'âme commandant au corps *lui représentât Dieu commandant au monde.*

Le « microcosme » dans l'axe du « cosmos » : la conscience de notre attraction ontologique devrait être en notre esprit, comme la pesanteur agit dans notre corps. L'initiation philosophique ne peut donc commencer trop tôt, car, de même que la lecture suivie d'une œuvre rappelle l'ordre voulu par le créateur littéraire, de même le sens philosophique, à tout moment de la conscience, doit rappeler à la conscience l'ordre de la vie, ordre si présent au fond de chaque être que la formule essentielle s'en trouvera dans le livre qui a le mieux connu l'homme :

> Lorsque, le voyant plus avancé en âge, nous avons cru qu'il était temps de lui enseigner méthodiquement la philosophie, nous en avons formé le plan sur ce précepte de l'Evangile : « Considérez-vous attentivement vous-mêmes » (Luc, XXI, 34) ; et sur cette parole de David : « O Seigneur, j'ai tiré de moi une merveilleuse connaissance de ce que vous êtes » (Ps., CXXXVIII, 6) [54].

L'Evangile parle-t-il comme Socrate et le psaume comme saint Augustin ? L'emploi de la première citation surtout a de quoi étonner : D'un appel à la vigilance parmi les tentations du monde, prononcé par Jésus aux approches de la Passion, Bossuet fait une invitation à la « théorétique » morale. ...Jamais la phrase *complète* de saint Luc ne pourrait avoir ce sens. Quand Bossuet s'y était référé en trois sermons [55], il lui

---

[54] *Ibid.*, 153.
[55] Ce sont : Sermon sur la vigilance chrétienne (canevas), Avent 1668, *O.O.*, V, 376 ; Sur l'endurcissement, Saint-Germain, 1er décembre 1669, *O.O.*, V, 549 ; et la Circoncision de 1687, aux Jésuites, VI, 415 (un rappel incident de la dernière partie du verset).
Est-ce parce qu'il sentait le caractère inusité de sa traduction et de son interprétation que Bossuet a marqué de sa main les références précises sur la copie française ?
Voici le texte de la Vulgate : « Attendite autem vobis, ne forte graventur corda vestra in crapula et ebrietate, et curis hujus vitae, et superveniat in vos repentina dies illa. »

donnait bel et bien le sens, qu'elle a, d'un précepte pratique. La suppression qu'il fait ici de la proposition finale équivaut à une transposition de plan, et nous savons qu'il n'est pas coutumier d'une telle facilité *accommodatice* [56] !

Quant à la traduction du psaume, quoique très appuyée, elle n'est pas inacceptable. Mais, plus naturellement, dans son commentaire de 1691, Bossuet verra dans ce verset que l'homme en soi témoigne de l'art du Créateur et lui rend gloire ; et il n'ignorera pas que la leçon plus autorisée, d'après l'hébreu, consiste à exalter la science de Dieu au-dessus de celle de l'homme [57]. Mais la connaissance philosophique de Dieu et sa manifestation dans un cœur croyant, qui se rencontrent *en fait,* avaient déjà souvent échangé leurs vocabulaires et leurs démarches. L'exemple de saint Augustin, et de beaucoup d'autres, autorise Bossuet dans l'application de son deuxième texte, qui lui sert à présenter au pape en termes *religieux* son traité *philosophique* projeté, sur le sujet de *la connaissance de Dieu et de soi-même.*

Il est encore plus naturel de donner comme une « parole vraiment philosophique » le discours de saint Paul,

> prêchant à Athènes, c'est-à-dire dans le lieu où la Philosophie était comme dans son fort [58],

et ce troisième texte, qui met en Dieu la vie de l'homme, et dont saint Paul se sert comme d'une vérité « connue aux philosophes, pour les mener plus loin », sert à Bossuet à établir l'éminente valeur de l'homme [59].

La métaphysique est ainsi bien moins la réflexion spéciale qui couronne et réunit les diverses études, que l'esprit qui anime chacune d'elles en son ordre et la tire vers l'unité naturelle [60]. Elle retrouve donc son antique relation à la physique, et l'interprétation optimiste de l'ordre du monde rend Bossuet extrêmement bienveillant pour le corps humain et toutes les « choses naturelles ». Il les étudie, et par les expériences que les savants font directement sous les yeux du maître et de l'élève, et dans les descriptions des philosophes, celles particulièrement du Philosophe par excellence, le physicien Aristote [61]. Les deux voies l'amènent également à admirer

---

[56] Cf. R. de LA BROISE, *Bossuet et la Bible,* pp. 133-136.
[57] *Liber Psalmorum* (Œuvres, I, 54), Commentaire du v. 6 : « *E x   m e :* ego ipse magnum artis tuae documentum argumentumque laudis ; vel, prae me ; Hier., *s u p e r m e   e s t   s c i e n t i a,* excedit facultatem intelligentiae meae. »
[58] *Corr.,* II, 153.
[59] *Ibid.,* 154. « Nous avons entrepris d'exciter en nous, par la seule considération de nous-mêmes, ce sentiment de la Divinité que la nature a mis dans nos âmes en les formant, de sorte qu'il paraisse clairement que *ceux qui ne veulent point reconnaître ce qu'ils ont au-dessus des bêtes, sont tout ensemble les plus aveugles, les plus méchants, et les plus impertinents de tous les hommes.* » Rejoint ce qu'il a dit contre Montaigne, 1er novembre 1669, *O.O.,* IV, 508.
[60] *Ibid.,* 156 « Nous ne dirons rien ici de la métaphysique, parce qu'elle est *toute répandue* dans ce qui précède (*i. e.* connaissance de Dieu et de soi-même, logique, rhétorique, morale, jurisprudence).
[61] *Ibid.* « Nous avons mêlé *beaucoup de physique* en expliquant *le corps humain,* et, pour les autres choses qui regardent cette étude, nous les avons traitées, selon notre projet, *plus historiquement que dogmatiquement.* Nous n'avons pas oublié ce qu'en a dit

l'industrie de l'esprit humain

et

l'art de la nature même, ou plutôt la providence de Dieu qui est à la fois si visible et si cachée [62].

Ainsi la science des choses extérieures, pour parler comme Pascal, se conforme à la structure du sujet qui s'y applique. Réciproquement, les disciplines subjectives se distinguent et s'articulent selon les données de l'observation :

De là [la connaissance de Dieu et de soi-même] nous avons passé à la logique et à la morale, pour cultiver ces deux principales parties *que nous avions remarquées* en notre esprit, c'est-à-dire la faculté d'entendre et de vouloir [63].

La logique se veut humaine et pratique. Humaine et non scolastique : son nom est dialectique, car elle est « tirée de Platon et d'Aristote », et elle vise, très généralement, à « former le jugement par un raisonnement solide » ; pratique, car elle s'arrête

principalement à cette partie qui sert à trouver les arguments probables, parce que ce sont ceux que l'on emploie dans les affaires,

et qu'une habile liaison rend « invincibles » [64].

Cette orientation vers l'efficacité, qui est le fait du réalisme d'Aristote, nous conduit à une rhétorique philosophique, qu'enseignent de nombreux maîtres : Aristote, Cicéron, Quintilien, etc., et des exemples plus nombreux encore. Elle n'aura d'autre beauté que sa santé [65], et, bien que les « ornements de paroles » en soient « comme la chair et la peau », c'était un bon exercice d'anatomie intellectuelle, que de ramener les discours les plus émouvants aux seuls arguments, « assemblage d'os et de nerfs », pour voir

ce que la logique faisait dans ces ouvrages et ce que la rhétorique y ajoutait [66],

c'est-à-dire étudier expérimentalement les rapports du raisonnement et du langage.

Aristote ; et, pour *l'expérience des choses naturelles,* nous avons *fait faire* devant le Prince les plus nécessaires et les plus belles. » Cf. dans LA DIVINE PHILOSOPHIE, la section II. LA CONNAISSANCE DE L'HOMME.
[62] *Ibid.,* 157.
[63] *Ibid.,* 154.
[64] *Ibid.,* Texte latin (p. 128) « dialecticam ». « Arguments probables » correspond à « topica argumenta ».
    Il est à remarquer qu'aucun des traités logiques d'Aristote n'est analysé dans le recueil du f. fr. 12830, mais puisque nous avons la *Logique* même de Bossuet, (aux deux tiers mise au net dans le ms. F. fr. 12829), il est conforme à ses habitudes que les notes préparatoires aient disparu, l'élaboration les ayant employées et virtuellement épuisées.
[65] *Ibid.,* 154 et 155 « Nous ne l'avons pas faite enflée et vide de choses, mais *saine et vigoureuse ;* nous ne l'avons point fardée, mais nous lui avons donné un teint naturel et une vive couleur, en sorte qu'elle n'eût d'éclat que celui *qui sort de la vérité même.* » etc. L'idée — et la phrase française — sont très cicéroniennes ; le latin (p. 128) se ressent de Sénèque.
    Rapprocher notre note (35) et Pascal, *Pensées,* Br. 25 : « *Eloquence.* — Il faut de l'agréable et du réel ; mais il faut que cet agréable soit lui-même pris du vrai. »
[66] *Ibid.,* 155.

La Philosophie devant la Religion.

L'altitude philosophique que nous avons atteinte à ce moment de la lettre à Innocent XI déprécie relativement les précédentes valeurs, qui étaient littéraires. Mais une surabondance de biens plus qu'humaine dépréciera les valeurs philosophiques à leur tour :

> Pour la doctrine des mœurs, nous avons cru qu'elle ne se devait pas tirer d'une autre source que de l'Ecriture et des maximes de l'Evangile, et qu'il ne fallait pas, quand on peut puiser au milieu d'un fleuve, aller chercher des ruisseaux bourbeux [67].

La dure expression n'étonne pas quand on sait avec quelle passion les humanistes chrétiens ont souvent proclamé que leur cœur était plus chrétien que leur intelligence n'était humaniste. Mais alors, il faudrait en même temps dire pourquoi l'on continue d'expliquer la Morale d'Aristote, de lire Platon et ainsi de puiser aux « ruisseaux bourbeux ». En louant

> cette doctrine admirable de Socrate, vraiment sublime pour son temps, qui peut servir à donner de la foi aux incrédules et à faire rougir les plus endurcis [68],

Bossuet se contredit. Mais j'y vois autant de courage que d'inconséquence, car, l'usage le justifiant assez de se servir d'Aristote, il aurait pu éviter cette apparence en s'expliquant moins. Ou bien il devait aller jusqu'au bout, et fonder en raison l'écart, manifesté ici par occasion, entre la pratique courante et son jugement fondamental.

Mais quelle peut donc être la raison de cette pratique ? La morale des païens n'est étudiée qu'en référence à « la philosophie chrétienne » et pour aboutir à cette conclusion, peu surprenante,

> que la Philosophie, toute grave qu'elle paraît, comparée à la sagesse de l'Evangile, n'était qu'une pure enfance [69].

Mais se travaille-t-on sérieusement pour un résultat que d'avance on a fait presque nul ?

Pour le moment, disons seulement que les raisons de garder au programme d'un chrétien la morale des Philosophes se réduisent, dans la lettre à Innocent XI, à un mouvement de sympathie pour Socrate et à un dessein d'édification chrétienne par l'effet d'une comparaison humiliante. Car le passage que nous serrons ici est négligé, ou embarrassé, et Bossuet n'y retrouve pas cette aisance avec laquelle il harmonise (trop aisément peut-être) les vérités de différentes provenances.

Pour étudier *l'histoire* des païens, il avait eu plus d'enthousiasme, et leur comparaison avec les chrétiens aboutissait à une généreuse émulation [70]. Mais, ici, des données insuffisamment éclairées vont nous rendre plus difficile que celui de l'histoire, le problème de l'humanisme philosophique.

---

[67] *Ibid.* Cf. notre publication de la *Morale* de Bruxelles, avec les « notes de lecture ».
[68] *Ibid.*
[69] *Ibid.*, 156.
[70] *Ibid.*, 143-145, et cf. *supra* les n. (34) et (36).

Nous voyons donc l'inégale élaboration des points de cette synthèse. L'esprit, qui en sauvegarde l'unité, c'est l'estime pour les œuvres du passé : par la littérature, par l'histoire, par le droit, par la philosophie écrite, l'honnête homme se forme en vue de toutes ses tâches d'homme. Une nature ainsi enrichie doit être un meilleur champ pour la grâce. Mais dans chaque branche de la culture, l'accueil intellectuel de Bossuet se proportionne à sa sympathie du moment pour les modèles éducateurs de l'humanité.

III. LA PRATIQUE DES LETTRES LATINES.

L'institution du prince qui devait tendre, plus que celle d'aucun homme privé, à la parfaite sociabilité, était cependant dispensée des servitudes de l'éducation collective. Le Dauphin n'a jamais suivi de « classes » avec un programme déterminé : la fatigue du sujet, ou la besogne réalisée, règlent le travail d'un élève isolé de façon plus souple que l'horaire d'un collège, et ces différences de fait ont une importance considérable quant au rythme du développement intellectuel.

Quant aux principes, on ne voit pas que l'évêque de Condom ait consulté quelque maître autorisé, ni qu'il ait étudié de *Ratio studiorum*. Sa doctrine de l'éducation ne lui vient d'aucun groupe, philosophique ou religieux. Il n'a pas non plus songé à adapter à la situation du Dauphin l'éducation qu'il avait lui-même reçue des Jésuites et qu'il a louée dans les perspectives de l'humanisme chrétien [71]. Mais, collectives ou particulières, toutes les éducations du XVIIe siècle dépendent de l'idéal humain d'une même société, qui ne conçoit pour les études des jeunes gens qu'un même et traditionnel objet d'application : matin et soir, l'élève des Jésuites, des Oratoriens, de Port-Royal, ou de l'Université, comme celui de Bossuet, exerce son attention et sa mémoire, et il forme son jugement par « l'explication » des lettres humaines, qui sont, depuis qu'on a en France la notion des humanités, les lettres latines.

La méthode grammaticale, d'après les témoignages directs.

Dans cette ambiance inévitable de l'humanisme pédagogique, les techniques d'acquisition employées par l'élève de Bossuet, pouvaient-elles avoir autant d'originalité que les desseins généraux du maître, l'humaniste-philosophe qui vient de s'expliquer ?

[71] Circoncision, 1687, *O.O.*, VI, 417-418.
La pédagogie des Jésuites avait certainement évolué, avec la société contemporaine, entre le moment où Bossuet quitta le collège des Godrans et celui où il prit en mains l'éducation du Dauphin. Mais outre qu'on ne peut ajuster les impressions d'un adolescent avec le jugement de l'homme mûr, un laps de trente ans ne constitue pas, vu la rareté relative des documents du XVIIe siècle, une étape suffisamment marquée. Pour la comparaison avec l'enseignement des Jésuites, qui fait ressortir l'originalité de l'instruction du Dauphin, on voudra bien se reporter à la description faite de celui-là en notre premier chapitre, *m u t a t i s   m u t a n d i s*.

L'HISTOIRE DE FRANCE COMPOSEE EN FRANÇAIS
Une page du Dauphin corrigée par Bossuet

Moyen incontesté de l'instruction de l'honnête homme, le latin se faisait plus ou moins contraignant selon que la méthode tendait à ralentir ou à exciter l'esprit. L'importance relative des leçons de grammaire et de la lecture des textes peut modifier du tout au tout la physionomie de cette discipline. Or, Bossuet ne nous a rien dit de sa méthode grammaticale. « Nous ne nous arrêterons pas à parler de l'étude de la grammaire », écrivait-il à Innocent XI [72]. Cette prétérition est due évidemment à la dignité du correspondant qu'on ne veut point arrêter sur les minutes des régents, mais c'est aussi l'expression d'une position personnelle. Non seulement Bossuet n'a point rassemblé ses connaissances linguistiques en un corps de doctrine — ce qui eût été un effort exagéré dans son cas, et une prétention excessive — mais, dans l'enseignement des parties constitutives de la grammaire qu'aujourd'hui nous appelons morphologie et syntaxe, et que la pratique des siècles humanistes embrassait sans bien les distinguer, il n'a eu et n'a voulu avoir ni principe de classement, ni ordre personnel d'exposition [73]. Mais, continuant d'employer les distinctions modernes, nous le voyons enseigner les langues par *le lexique,* expliqué dans une intention *stylistique* et un esprit *réaliste :*

> Notre principal soin a été de lui faire connaître [au Dauphin] premièrement *la propriété* et ensuite *l'élégance* de la langue latine et de la française. Pour adoucir l'ennui de cette étude, nous lui en faisions voir *l'utilité*, et, autant que son âge le permettait, nous joignions à l'étude *des mots* la connaissance *des choses,*
>
> *proprietatem primum, tum etiam elegantiam, ... rerumque ac verborum ... cognitione conjuncta* [74].

Le rapport de Ledieu sur « le travail et l'exactitude d'un aussi habile maître » souligne aussi l'insistance sur le même point, puisque Ledieu a retrouvé parmi les papiers de Bossuet

> ses propres observations écrites de sa main, non seulement sur les règles les plus curieuses de cet art, mais encore sur la force et le jeu *des conjonctions et des particules indéclinables,* et même sur *l'usage* de bien des mots latins pris au sens propre en des significations tout opposées *par les meilleurs auteurs,* dont il apportait l'exemple : tant il poussa loin *la pureté* de sa latinité [75].

[72] *Corr.* II, 143.
[73] Nous ne croyons point à l'authenticité de la grammaire conservée à la B.N., Fonds fr. 10003.
    Ledieu qui énumère avec soin les travaux de son maître sur le vocabulaire latin, ne parle point d'un recueil organisé (*Mémoires*, pp. 140-141). Cf. *Inventaire des Mss.*, « La langue latine, la grammaire. »
    Quand Bossuet disait plus tard en badinant qu'il avait « enseigné tant d'années la grammaire et la rhétorique » (Ledieu, *ibid.*, p. 143), il entend largement « grammaire » puisqu'il s'agit d'expliquer les beautés des auteurs, et particulièrement d'Homère qu'il n'avait jamais fait lire au Dauphin.
[74] *Corr.*, II, 143 (Lettre à Innocent XI) et latin p. 119.
[75] LEDIEU, *Mémoires*, I, 140-141.
    « Les règles les plus curieuses » et l'étude des particules ne nous ont point été conservées. Mais nous avons, grâce à Ledieu, les *« verba contrariae significationis »,* à la B.N., f. fr., 12839, f°s 3-4, et à Saint-Sulpice ; ainsi que des compléments autographes au dictionnaire latin-français, Fonds latin, 10298. Cf. notre appendice, *Inventaire des Mss.*

L'étude, ainsi centrée, réduit au minimum la théorie *logique* et fait prédominer les remarques concernant les familles de mots, synonymes et antonymes. C'était, au lieu de les régenter abstraitement, chercher à pénétrer intimement les langues, tout à fait selon l'idée de ce Pierre Danet que Bossuet avait tenu à attacher aux éditions dauphines [76].

Les exercices que nous connaissons, grâce aux manuscrits du Dauphin, sont stylistiques autant que logiques. Ils consistent en constructions de phrases, françaises ou latines, sur une idée simplifiée, de façon à intégrer pleinement quelques mots ou tournures à chaque exercice. Et si le Dauphin était assez vif d'esprit pour déchiffrer au pied levé quarante vers d'Ovide [77], il devait encore à la même époque, vers l'âge de 13 ans, s'appliquer à bâtir des phrases bien simples [78], tant était grand en lui

ce défaut d'attention [qui] fait... confondre l'ordre des paroles [79].

Au fond, l'enseignement du latin au Dauphin est plus facile à caractériser négativement. L'absence totale de documents d'un certain type faisant preuve en quelques cas, nous inférons que Bossuet n'entraîne pas son élève à la conversation latine ; en conséquence, on ne voit point qu'il ait employé les *Colloques* d'Erasme, dont les éditions expurgées, comme celle de Nicolas Mercier, professeur à Navarre, serviront encore au XVIIIe siècle dans les basses classes de l'Université ; et il ne lui apprend pas non plus à faire les vers latins, quoiqu'il y ait dans sa bibliothèque un *Thesaurus prosodicus* de 1675 [80]. L'exercice qui consiste à mettre en latin un texte français au style arrêté par l'auteur est alors inconnu — car l'idée de réaliser entre deux langues une rigoureuse équivalence d'art et de style est toute récente — mais il est curieux de remarquer que l'exercice inverse pour mettre dans la langue natale un texte latin, qui a toujours été pratiqué et connu sous le nom de version, est fait librement, *sans le contrôle du maître :* les nombreux fragments des « versions » du Dauphin — et qui proviennent, il est vrai, surtout des papiers de Huet — n'ont été corrigés que par le Dauphin lui-même (et c'est bien le comble de leurs disgrâces) [81]. Il est vrai qu'on avait accordé à l'élève un moyen de contrôle : il remettait en latin ses traductions françaises et comparait le résultat à l'original [82]. Une telle pratique ne forge pas un instrument exact d'analyse, mais elle assouplit l'usage de la langue étrangère.

[76] Cf. DANET, dans la préface de son *Phèdre,* 1675. Le premier dictionnaire de Danet, *Radices,* 1677, a été recommandée au XVIIIe siècle par l'abbé Pluche, par Dumarsais et La Chalotais, et encore loué au XIXe par un philologue tel que Bréal. Cf. SICARD, *Les études classiques,* pp. 81-82.
[77] D'après Daniel CRESPIN, qui en fut le témoin ; Préface de son *Salluste,* imprimé avant le 6 novembre 1674.
[78] Cf. les cahiers d'exercices à Saint-Sulpice, après le 22 mai 1674. Cf. *Inventaire des Mss.*
[79] Bossuet, *Exhortation au Dauphin, Corr.,* II, 417.
[80] B.N. (Rés. X. 1848), *Thesaurus prosodicus,* Paris, 1675, in-12. Dédié en français au Dauphin. L'auteur est LEVET. Il n'y a pas trace d'usage, non plus que dans les *Epitheta* de TEXTOR.
[81] Cf. *Inventaire des Mss,* La langue latine, les auteurs.
[82] Cf. *Corr.,* XIV, 277, Bossuet à Huet (1678 ?), « Il traduit le matin de l'oraison *pro Ligario ;* l'après-dînée *il met en latin quelque chose qu'il a traduit de Térence.* » Et dans les manuscrits, long exercice de version et de retraduction du 1er livre des *Offices* de Cicéron, N. acq. fr. 6202, fos 47-59.

Qu'étaient donc précisément ces « thèmes » du Dauphin, « jolie et divertissante nouveauté » en 1671 [83], puis la torture de sa jeunesse ? La notion de thème, comme « matière de devoir qu'on donne aux écoliers à traduire de leur langue dans celle qu'ils apprennent », ne s'est tout à fait précisée qu'avec Rollin dans son *Traité des Etudes,* par opposition à « l'explication » qui est la version orale. Le thème dans la langue de Molière, qui est la langue courante, c'est en général l'exercice *écrit* de l'écolier qui apprend les langues [84], et Bossuet n'a pas un autre usage que Molière. En 1677, il donne ainsi ses consignes à Huet :

> Le thème comme il vous plaira. Monseigneur le Dauphin en fait à présent de trois sortes : ou *version* de l'oraison *Pro Ligario,* ou quelque chose *de français en latin,* ou quelque *discours de raisonnement en français* [85].

Entre ces trois sortes d'exercices que nous appellerions respectivement : version latine, thème latin et dissertation française, l'élève variait-il de répugnance ? Et quelle gradation le maître y mettait-il pour la difficulté et pour la valeur de formation ?

Au fond les exercices portant *sur la langue* latine sont considérés comme un apprentissage élémentaire, car ils visent la pratique d'un style conventionnel qui est la langue des diplomates humanistes. Quant à leur progression, nous ne connaissons que quelques points de repère, les lettres de Bossuet à Huet, qui sont notre document chronologique, ne pouvant même toujours être datées avec certitude. Nous savons [86] qu'en 1674, ou plus tard encore, le Dauphin faisait toujours des exercices de vocabulaire et de syntaxe, mais « quelque temps » avant la lettre à Innocent XI, en mars 1679, « il savait assez de latin » et la rédaction de l'histoire de France ne se continuait plus qu'en français [87].

La lecture des auteurs.

Dans la lecture des auteurs aussi, l'ordre de succession nous est incomplètement connu. Le Dauphin commença sans doute par Phèdre, que Bossuet pastiche pour l'amuser dans sa fable *In locutuleios.* Bossuet initiait alors le Dauphin au mot à mot latin en marquant en chiffres « sur chaque mot l'ordre qu'il doit y avoir dans la phrase latine [88] », méthode courante de reconstruction logique, que les éditeurs dauphins employaient

---

[83] Monseigneur « commence depuis quatre ou cinq jours à écrire lui-même ses thèmes. Il les fait mieux qu'il n'a jamais fait. Il est ravi de cette jolie et divertissante nouveauté ». Bossuet à Huet, le 29 juin 1671. Et pour la torture, cf. la note de Lévesque, *Corr.,* I, 222.
[84] Cf. LITTRÉ, exemples de Rollin et de Molière. Le *Traité des études* paraît de 1726 à 1731, et *la Comtesse d'Escarbagnas,* à laquelle nous nous référons (sc. XVII), est de 1671. — Rollin ne parle pas de nos « versions » écrites, mais des « explications » et traductions des auteurs (orales). Les « thèmes » sont l'application de la syntaxe et d'un usage de la langue, que Rollin voudrait qu'on eût d'abord apprise par la lecture des auteurs. Il recommande beaucoup les « thèmes d'imitation » de difficulté graduée. ROLLIN, *Traité des études,* éd. 1735, t. I, p. 191 *et circa.*
[85] *Corr.,* II, 29.
[86] Cf. note (78).
[87] *Corr.,* II, 149 (Lettre à Innocent XI).
[88] Note de Ledieu à F. fr. 12839, f° 17 r°. Cf. *Appendice, Inventaire des Mss.,* n° 11.

dans leur *interpretatio*. Une exhortation au Dauphin, vers 1674, lui rappelle ce qu'il a lu dans son Cornélius Népos [89]. Ovide régnait vers 1674 [90] ; Plaute, Virgile, le *Pro Ligario* de Cicéron vers 1677 [91] ; on voit le même Virgile, le même Cicéron et une retraduction de Térence vers 1678 [92] ; l'*Eunuque* de Térence, Florus et quelques endroits des *Institutes* en 1679 [93]. César a dû être des débuts, à cause de cette forme de maximes donnée aux extraits de ses *Commentaires ;* les débris de versions ou de retraductions provenant de Salluste, de Quinte-Curce, des autres œuvres de Cicéron, des *Adelphes* de Térence, ainsi que l'argument de son *Héautontimorouménos* [94], ne peuvent aucunement être datés. L'ordre de succession que nous entrevoyons nous permet seulement de dire que Bossuet ne s'est pas astreint à suivre les éditions dauphines, et que son idée de la difficulté propre à chaque auteur ne correspond pas nécessairement à celle que nous en avons aujourd'hui. Le Dauphin, par exemple, a 17 ou 18 ans quand il lit Térence et Florus qui nous paraissent relativement faciles : serait-ce que Térence aurait paru dangereux à lire plus jeune ? ou bien son agrément et son utilité seront-ils mieux sentis lorsque l'âge rapproche le Dauphin des héros de la comédie latine ? Et Florus n'est-il pas rappelé vers la fin des études parce qu'il soutient les réflexions sur l'histoire universelle [95] ?

Si l'étude de la grammaire, souvent décriée au XVIIᵉ siècle, est reçue par Bossuet comme une ascèse temporaire, la lecture des auteurs lui paraît d'un intérêt inépuisable. Car les religions païennes font resplendir la grâce de la religion chrétienne, et chaque auteur païen sera utilisé dans son excellence propre : César « comme un excellent maître pour faire des grandes choses et pour les écrire », Térence comme un délicieux moraliste, peintre de la vie humaine [96].

Ce pragmatisme chrétien, indifférent aux *intentions* des auteurs, respecte-t-il la jouissance d'ordre littéraire ? La jouissance de la poésie, que Bossuet a ressentie, quant à lui, avec tant de sensibilité, pour son élève il la sublime ; il la dépouille de toute attache terrestre par de plus hautes considérations. Les lectures suivies, chères aux humanistes du XVIᵉ siècle, que les pédagogues plus utilitaires, ou plus réticents, de la première moitié du XVIIᵉ, ramenaient à de sages extraits, Bossuet y revient. Mais de boire aux sources à longs traits ne l'enivre pas, comme il était arrivé aux lecteurs héroïques de la Renaissance [97]. Son aliment fortifie et

---

89 *Corr.*, II, 420.
90 Cf. note 77.
91 *Corr.*, II, 29, à Huet, 1677.
92 *Ibid.*, XIV, 277. La date de 1678 n'est que probable.
93 *Ibid.* II, 108-109 ; à Huet, en 1679 avant la lettre à Innocent XI.
94 Cf. *Appendice*, les auteurs latins.
95 Bossuet appuie son *Discours* sur les souvenirs que le Dauphin doit avoir de ses lectures d'historiens latins : « Vous avez vu dans Florus et dans Cicéron... » ; « Vous avez vu dans Salluste et dans les autres auteurs... » ; « C'est ce que vous pourrez voir quelque jour plus exactement dans Polybe ; et vous avez souvent remarqué vous-même dans les Commentaires de César... ». *H.U.*, III, VI, pp. 519, 520, 521 de l'édition Jacquinet.
96 Cf. *Corr.*, II, 145-147, lettre à Innocent XI.
97 Qu'on se rappelle Ronsard : « Je veux lire en trois jours l'*Iliade* d'Homère. » Sur l'assagissement, et l'appauvrissement, de la pédagogie humaniste, cf. SICARD, *Les études classiques...*, pp. 21-23.

règle son esprit. Platonicienne — ou augustinienne — une aspiration à l'ordre architectural soulève chaque lecture particulière, et intègre gramaires, rhétoriques et poétiques de détail dans une vue souveraine d'unité [98].

La nouvelle antiquité enseignée en dehors de Bossuet.

Ce concours spontané des efforts et cette réduction des impressions à une pensée simple, caractérisent à tel point Bossuet qu'on se demande si, quand il s'agit d'expliquer son action sur un esprit moins unifié — tant s'en faut — que le sien, son témoignage sincère touche la réalité, cette réalité extérieure que cherchent à connaître les historiens. Quelque exacte que se veuille la consciencieuse lettre à Innocent XI, elle se tient sur le plan des généralités, et l'individualité des faits y est toujours transposée en philosophie.

Elle n'est aucunement descriptive. Bossuet, qui sait si bien *définir* une situation morale et intellectuelle, n'est pas un peintre d'ambiance. Il faut être averti par une documentation externe pour voir, dans le style intemporel de son rapport, se dessiner cette nouvelle compréhension des « choses » de l'antiquité, par laquelle les savants du règne adulte de Louis XIV renouvelaient, plus gravement et plus froidement que ceux de François Ier, la renaissance des belles-lettres.

D'abord l'éducation du Dauphin est plus animée et entourée de plus d'images que nous ne nous le figurons : elle est physique, manuelle, artistique ; elle est toujours concrète. L'exercice physique est en grand honneur dans la famille des Bourbons. Le Dauphin chasse, danse [99] ; il dessine adroitement et avec assez d'esprit [100]. Et de même qu'on l'initie à la physique par « l'expérience des choses naturelles » [101], dirigée par les

---

[98] Cf. *Corr.*, II, 145, que nous avons cité dans le texte, p. 103, au renvoi 35.
A Port-Royal aussi, on est fort partisan des lectures suivies, mais l'exposé des raisons en est moins philosophique. Lancelot y voit le moyen d'étudier *le style* dans son déroulement organisé. Comme Bossuet il compare l'ensemble du discours à une maison : « Ainsi pour former un discours selon les règles, il ne suffit pas d'avoir une grande provision de phrases [au sens de : locutions comme dans l'écrit au cardinal de Bouillon, *OO.*, VI, 14], que d'autres ont tirées des livres des meilleurs auteurs, mais il faut considérer leurs ouvrages tous [*sic*] entiers, pour s'accoutumer peu à peu à y remarquer cet art et cette conduite merveilleuse qu'ils y gardent, ou dans *le choix*, ou dans *l'ornement*, ou dans *l'arrangement de leurs expressions et de leurs paroles*, pour composer la structure et comme la symétrie de leur discours. C'est ainsi que nous apprendrons des Romains mêmes *à parler leur langue*, nous entretenant sans cesse avec eux par la lecture de leurs livres, dans lesquels ils parlent encore après leur mort. Autrement nos phrases, entassées les unes sur les autres, ne feront non plus une composition *vraiment latine* qu'un tas de pierre[s] ne fait une maison. »
[Lancelot] *Nouvelle méthode pour apprendre facilement et en peu de temps la langue latine*, 1635, in-8°, p. xv. Dans l'exemplaire de Huet à la B.N., Rés. X. 1804. Le premier achevé d'imprimer est du 13 octobre 1644.
[99] Le Dauphin, qui sera toute sa vie grand chasseur, tuait un sanglier à l'âge de dix ans (Lettre à Huet du 29 juin 1671, *Corr.*, I, 222). « Si vous cessiez de *danser* ou d'écrire », lui dit Bossuet vers 1674 (*Ibid.*, II, 419). Montausier a la responsabilité de son développement physique, *ibid.*, II, 137.
[100] Cf. outre les dessins inventoriés, Appendice, compléments n. 2, les croquis enfantins dans ses cahiers d'exercices.
[101] *Corr.*, II, 156. Cf. Floquet, *op. cit.*, pp. 113-121. On dirait un décalque, sérieux, de l'éducation de Gargantua, *mutatis mutandis!*

plus savants anatomistes de l'époque, de même l'antiquité s'ouvre à lui, non seulement par ses textes, mieux imprimés et plus clairement expliqués, mais par ses exemples vivants des héros remis à la mode, et par l'attrait de ses monuments.

La fondation de l'*Académie des inscriptions et belles-lettres* par Colbert, qui remontait à 1663, en coordonnant les recherches archéologiques, tendait à faire de l'amateur humaniste d'autrefois une sorte de professionnel mieux équipé, officiellement chargé d'une recherche scientifique.

A cette renaissance promise à l'archéologie, Bossuet s'est passionnément intéressé. Les terres classiques de la civilisation ne lui suffisent pas : la France moderne doit la première ouvrir les yeux de l'humanité sur de nouveaux passés, si l'on peut dire :

> Maintenant que le nom du Roi pénètre aux parties du monde les plus inconnues, et que ce prince étend aussi loin les recherches qu'il fait faire des plus beaux ouvrages de la nature et de l'art, ne serait-ce pas un digne objet de cette noble curiosité, de découvrir les beautés que la Thébaïde renferme dans ses déserts, et d'enrichir notre architecture des inventions de l'Egypte [102] ?

Un esprit si ouvert à toutes les conquêtes intellectuelles devait tout naturellement attirer la confiance et l'hommage des savants. Mais dans leurs compliments, il faut faire la part de l'intérêt personnel. Dans un régime de mécénat, une dédicace au Dauphin, ou à quelqu'un qui gouverne son esprit, est supposée payante ; mais si le protecteur s'est révélé peu efficace, on en cherche un autre, et la postérité ne trouve plus toujours trace des premières intentions qui avaient peut-être mis l'ouvrage en train. Ainsi ne peut-on se promettre de donner une idée satisfaisante des travaux que suscite, de près ou de loin, l'institution du Prince, et nos exemples ne seront que le résultat de sondages où le hasard a quelquefois le mérite des trouvailles.

Les héros, Bossuet veut les tirer de l'histoire grecque, pour leur probité et leur vertu [103], et il les cherche dans les perspectives exemplaires d'un Plutarque d'Amyot. Mais de plus flatteurs que lui préfèrent rapprocher leur futur maître des maîtres de l'univers, et ils lui dédient des vies d'empereurs — d'empereurs vertueux, il est vrai : l'abbé Esprit, une traduction du *Panégyrique* de Trajan par Pline, et Fléchier une *Histoire de Théodose* qui devient tout de suite classique [104] ; Jean Doujat, l'éditeur du Tite-Live des éditions dauphines, lui dédie un *Abrégé de l'histoire romaine et grecque* d'après Velléius Paterculus, qui prolonge les leçons orales d'histoire et fait attendre le *Discours sur l'Histoire Universelle*. Du même, l'*Historia juris civilis Romanorum,* dédiée au chancelier Michel

---

[102] Bossuet, *H.U.*, III, III, 472.
[103] Le conseiller Lantin fut chargé de les rechercher pour lui, lors du passage de la Cour à Dijon (en 1674). Anecdote citée par M. DURANDEAU, *Aimé Piron ou la vie littéraire à Dijon*, Dijon, 1888, p. 283.
[104] ESPRIT (Jacques), trad. de PLINE, *Panégyrique de Trajan*, 1677, in-12. Trajan ressemble naturellement à Louis XIV. Grand éloge de Montausier, mais pas un mot de Bossuet. — FLÉCHIER (Esprit), *Histoire de Théodose*, 1679. A eu 46 éditions. Entreprise par ordre de Montausier.

Le Tellier [105], a bien dû, avec un tel destinataire, parvenir à la cour. On sait que Bossuet vante le droit romain, et, la même année 1678, son cousin Pierre Taisand lui dédie à lui-même une *Histoire du Droit romain, où il est traité de son origine, de ses progrès, de sa décadence* [106].

A ces discours — plus ou moins abstraits — sur l'histoire, se joignent les images enrichissantes des « choses ». L'archéologie offre au Dauphin, « génie tutélaire », dans son jour le plus lumineux, ses trouvailles sur le terrain de la Gaule lyonnaise. En acceptant la dédicace des *Miscellanea* de Jacob Spon, avec une promesse de protection contre ses envieux détracteurs [107], le maître engage le jeune prince aux devoirs d'un mécène éclairé. La dédicace poétique et glorieuse de Spon ne signifie-t-elle pas que, la France héritant des Romains, l'héritier de ses rois — auxquels Bossuet refuse cependant le patronage des *Divi* païens [108] — assumera, « délices du genre humain », les fonctions de protecteur pacifique jadis exercées par ces empereurs, que la reconnaissance des hommes a divinisés ?

Le sentiment de la continuité humaniste [109] se nourrit ainsi de souvenirs tangibles : les mots du latin, langue traditionnelle, sont incorporés à la mémoire machinale ; l'imagination est remplie des figures des héros, et les mœurs modernes se réfèrent au droit romain. Les humanités enseignées, par les textes et par les « choses », inspirent au style de Bossuet cette chaleur de vie qui est chez lui le signe d'une passion heureuse, bien assurée en son objet. Dans un sens, n'est-ce pas encore la « paix romaine »

---

105 Jean DOUJAT, *Historia juris civilis Romanorum*, 1678, in-12. L'éditeur du Tite-Live *a.u.D.* fait du droit romain une histoire bien sommaire et l'éloge de son universalité et de sa pérennité (p. 3) est bien plat à côté de celui de l'*Histoire Universelle*, III, VI, p. 545.
106 Histoire signée des ses initiales ; cf. la Dédicace dans la *Corr.*, II, 59, vers le 20 mars 1678. Chez Hélie Josset, in-12. Contemporaine, au mois près, de la précédente, et tout aussi superficielle. L'éloge du droit romain, p. 107, ressemble dans les termes à celui qu'en fera Bossuet, *loc. cit.* Réponse de Bossuet, le 24 avril 1678, *Corr.*, II, 70-71.
107 Bossuet à Claude Nicaise, 9 février 1679, *Corr.*, II, 104-105. « Vous pouvez assurer M. Spon, Monsieur, que ses *Miscellanea* seront bien reçus de Mgr le Dauphin, et qu'il peut les lui dédier aussi bien que sa réponse à M. de La Guilletière. »
Les *Miscellanea eruditae antiquitatis* de Jacob SPON ne seront entièrement imprimés qu'en 1685, à Lyon, in-f°, mais le privilège est du 31 mai 1681, et le t. I avait été envoyé à Bossuet le 14 septembre 1679. « L'impression et les figures sont fort belles. Les choses sont curieuses et bien expliquées. Le public vous doit savoir gré du soin que vous prenez de l'instruire si bien. »
Bossuet à Spon, 15 oct. 1679, *Corr.*, II, 187.
Ibid., en note, le texte de l'inscription de dédicace au Dauphin « TUTELARI GENIO ».
La préférence donnée à Spon sur Georges GUILLET DE SAINT-GEORGE, dit de LA GUILLETIÈRE est judicieuse, car celui-ci (*Athènes ancienne et nouvelle*, 1675, in-12) n'est qu'un vulgaire hâbleur, tandis que des archéologues du XIXe siècle comme Léon de LABORDE (*Athènes aux quinzième, seizième et dix-septième siècles*, 1854, 2 vol. in-8°) ont loué Spon. Sa *Relation de l'état présent de la ville d'Athènes*, 1674, in-12, et son *Voyage d'Italie, de Dalmatie, de Grèce et du Levant*, Lyon, 1678, 3 vol. in-12, dédié au Père de La Chaize (Bossuet l'avait lu, *Corr.*, II, 106), nous montrent qu'il étendait sa curiosité au-delà des antiquités romaines.
Il a utilisé les travaux de Peiresc pour ses *Miscellanea*, et accompagné Vaillant, antiquaire du roi, chargé de mission par Colbert (Cf. *Voyage*).
108 Bossuet modère et échenille le projet de cette inscription, à Claude Nicaise, 9 fév. 1679, *Corr.*, II, 107.
109 Cf. *H.U.*, III, début du chap. VI, « Nous sommes enfin venus à ce grand empire qui a englouti tous les empires de l'univers, *d'où sont sortis les plus grands royaumes du monde que nous habitons, dont nous respectons encore les lois, et que nous devons par conséquent mieux connaître* que tous les empires. »

qui épanouit les arts français ? Cette sorte de foi historique dont Bossuet
et ses collaborateurs, occasionnels ou patentés, entourent le Dauphin, tend
à inspirer à celui-ci l'enthousiasme de ses devoirs.

IV. L'HISTORIEN DE L'HUMANISME.

Les compléments de culture.

La reconnaissance qui s'adresse à la civilisation latine passe par un
délicieux intermédiaire : l'Italie. Certes, l'exemple italien en 1670 n'est
plus *nécessaire* aux artistes, encore moins aux écrivains français, comme
il l'avait été, bon gré mal gré, cent cinquante ans auparavant. Mais, dégagée des contentions politiques et des rivalités intellectuelles, la grâce italienne a des attraits, qu'on suit d'autant plus librement que leurs manifes-
tations sont discrètes, depuis surtout que Mazarin est mort.

Bossuet vit loin des modes littéraires. Il a un peu lu les poètes français, comme nous l'avons vu dans l'écrit au cardinal de Bouillon ; quoiqu'il connaisse un peu l'italien — nous le verrons au chapitre suivant —
il n'a rien retenu des poètes italiens et ce n'est pas le Père Caffaro qui le
décidera à les fréquenter ! Rien de ces poètes romanesques, qui enchan-
taient, parmi tant d'autres Français, La Fontaine et Madame de Sévigné,
mais qui étaient évidemment inutiles pour former le style grave d'un orateur sacré. Il n'est jamais allé en Italie. Son neveu y sera pour lui assez
longtemps, mais non pour y chercher des plaisirs d'art. Toutefois, avant
que la campagne contre Fénelon n'occupât tous ses instants, il avait reçu
de son oncle mission de faire faire des copies et de songer « aux belles
estampes des lieux, des statues et peintures » [110]. Mais de collections d'art
l'évêque de Meaux, encore qu'il ait des goûts assez luxueux, n'a pas laissé
de trace, et même rien ne prouve qu'il ait été un admirateur éclairé. Se
faire rapporter des images d'Italie, c'est une quasi-obligation pour un
bourgeois instruit que sa fonction tire vers la noblesse. Cette volonté,
apparue sur le tard, de s'entourer de belles reproductions, prouve au
moins que Bossuet avait connu l'intérêt des sites et des œuvres les plus
célébrés dans la littérature.

Ainsi Le Tasse ne lui aura donné aucun plaisir, et il n'aura pas distingué Raphaël dans la masse des chefs-d'œuvre dont l'histoire ne lui est
pas familière. S'il eut un peu plus de curiosité pour les arts d'Italie que
pour la littérature, cette connaissance ne paraît pas avoir marqué sa sensibilité et son imagination. Il a le génie d'évoquer, non celui de décrire :
aucune peinture contemplée n'est passée dans ses images, et, si les œuvres
d'art lui parlent, c'est en réveillant les résonances de la *nature* dans un

---

[110] A l'abbé Bossuet, 28 août 1696, *Corr.*, VIII, 49 ; et encore, 3 septembre, p. 57. Pour
les goûts de Bossuet, cf. l'inventaire de ses biens, publié dans la *Revue Bossuet*, juillet 1901, pp. 129-174 et octobre 1901, pp. 211-236. Le 15 février 1673, il achetait à la
vente aux enchères du mobilier de Casimir, ex-roi de Pologne, 14 objets d'art (clavecin,
reliquaires, gants d'Espagne, horloges, calice, bréviaire, vaisselle d'argent et de vermeil) ;
ibid., Ch. URBAIN, avril 1901, pp. 118-122.

certain climat de son âme. Cette intériorité de la vision personnelle est une raison de plus pour l'éloigner de la Renaissance italienne, païenne et extérieure.

Les fastes de Louis XIV ont d'ailleurs fait pâlir ceux de Léon X. Et quand Bossuet veut penser historiquement la naissance de ce « siècle » miraculeux, il trouve, entre la réussite contemporaine et les origines antiques, la transition d'une Renaissance *française*.

Les œuvres d'histoire.

A lui, historien de la Réforme, il n'est pas permis d'ignorer le XVIᵉ siècle profane. Sur les arts français au temps des Valois, il n'a aucune remarque, mais il a fortement réfléchi sur le fond de cette crise intellectuelle qu'est la Réforme, c'est-à-dire sur cet approfondissement du sens historique, qui la conditionne et que nous appelons l'Humanisme.

Nous verrons qu'il l'a presque baptisé, et qu'il l'a défini pour la postérité. Comme Bossuet n'est historien des lettres qu'autant qu'il l'est des idées, et qu'il est historien des idées par rapport à la théologie, le témoignage de l'*Histoire des Variations des Eglises protestantes* peut intervenir au bout des perspectives de sa Philologie profane. La précision intellectuelle appliquée à cet ouvrage de controverse a d'ailleurs été exercée et nourrie par toutes les besognes assumées au service du Dauphin [111]. Aussi rattachons-nous au livre de combat, parfaitement achevé et armé des références les plus rigoureuses, la tranquille narration de l'*Histoire de France, principis manu styloque gallice simul et latine confecta*, dont il n'a pas même mis le texte français au point pour une publication.

Avant qu'il ne s'adonne à décrire les variations des croyances, la formation historique du prince avait obligé Bossuet à étudier méthodiquement les effets politiques de la Réforme. Quant aux Guerres de Religion, sa famille royaliste, catholique et anti-ligueuse, lui avait laissé cette sorte d'expérience qui ouvre l'intelligence à la psychologie du passé. Sa bibliothèque est admirablement fournie pour l'histoire de France depuis les origines, mais surtout pour les XVᵉ et XVIᵉ siècles, et de nombreux extraits des chroniqueurs, de sa main ou revus par lui [112], témoignent de sa volonté de retrouver par divers recoupements le visage original d'événements, qui sont aussi complexes dans leur réalisation humaine qu'ils sont simples du point de vue de la Providence.

A mesure qu'il avance, il se passionne, il sent mieux ses forces, et son développement narratif s'élargit : c'est une habitude chez lui. Il est évident qu'il ne connaissait pas vraiment les Mérovingiens et les Carolingiens, qui d'ailleurs, à l'exception de Charlemagne, ne pouvaient guère

---

[111] Cf. Rébelliau, *Bossuet historien*, l. I, ch. II et l. II, ch. I.
[112] Cf. *Inventaire des Mss.*, Section : *Lectures pour l'histoire de France* (Rothschild 321 à 325, et Meaux, D. 9).
Le catalogue de la *Bibliothèque de Messieurs Bossuet* (1742) groupe 101 numéros sous la rubrique *Historia Gallica*. Les *Recherches de la France*, d'Etienne PASQUIER, Paris 1665, ont le nᵒ 494.

intéresser le Dauphin. Mais quand il arrive aux « Capévingiens », il sent qu'il a le devoir de s'étendre [113]. Sa chronique toutefois ne prend l'aspect d'une histoire détaillée qu'avec les Valois directs et la Guerre de Cent ans, comme si, les documents à sa portée abondant désormais, la France lui paraissait arrivée à l'âge adulte. Comme il n'a pas refondu pour en faire un tout les résumés successifs du Dauphin, il y a évidemment une part de hasard dans les proportions de l'*Abrégé de l'Histoire de France,* qu'on a publié après la mort de ses deux auteurs [114]. Mais certaines préférences sont remarquables : les deux rois qui ont le plus retenu l'attention de Bossuet sont celui des guerres civiles et celui de la Renaissance : Charles IX et François Ier [115].

Il faudrait comparer d'une manière critique la copie calligraphiée de Bruxelles avec les devoirs du Dauphin corrigés par Bossuet. Il est évident que les autographes de Meaux, nous laissant voir les corrections faites pour le style et celles du fond, nous apprendraient beaucoup sur les rapports entre l'enseignement de l'histoire, « maîtresse de la vie humaine et de la politique » [116], et celui des langues. En faisant de l'histoire de France la matière des thèmes latins et français, le précepteur économisait l'effort de mémoire de son élève, mais l'histoire risquait d'y perdre en exactitude : ou bien le style enfantin serait laissé avec ses impropriétés, ou bien la rhétorique amplificatrice, la seule qu'un maître de cette époque dût enseigner, noierait la ligne des événements et des relations causales.

En fait, il y eut une sorte de partage tacite entre la rhétorique et l'histoire : la rédaction latine a été soigneusement revue, mais surtout pour la langue ; le français a été revu « aussi soigneusement », dit Bossuet [117], alors qu'il n'est pas habituel au XVIIe siècle qu'on corrige des exercices français, mais il faudrait dire *plus* soigneusement : les corrections du français sont plus nombreuses que celles du latin et surtout plus suivies. Car la volonté d'exactitude dans les *choses* a souvent entraîné la refonte totale de la phrase, non en vue de l'éloquence, mais pour la plénitude et la justesse de la narration.

Au fond, le point d'application de l'exercice latin et celui de l'exercice français ne sont pas les mêmes. En latin, Bossuet cherche à donner à son élève l'élégance, et son modèle est certainement le récit de César, par exemple dans le récit des troubles au début du règne de Charles VIII et dans celui des Guerres d'Italie [118] : une allure vive de la phrase, des contrastes stylisés entre les mots, dessinent une psychologie aux lignes

---

[113] Il fait dire au Dauphin, au début du L. IV (*Œuvres,* X, 22) « Comme je tire mon origine des Capévingiens, j'ai dessein d'écrire leur histoire plus au long que je n'ai fait celle des deux races précédentes. »
[114] Pour la première fois en 1747, Paris, Desaint et Saillant, 4 vol. in-12.
[115] Dans l'édition Lachat, t. XXV, in-8°, où la distribution du texte est assez régulière, le règne de Charles IX couvre 148 pages ; celui de François Ier, 134. Puis viennent Louis XI, 51 p. (grâce à Commines : c'est un règne de grand intérêt politique), et Charles VI, 44 p. (les guerres civiles). Même Louis IX, le roi exemplaire qu'on voulait aussi faire connaître comme homme, n'avait eu que 16 pages.
[116] Lettre à Innocent XI, mars 1679, *Corr.,* II, 148.
[117] *Ibid.*
[118] Meaux, D. 1.

nettes et des événements aux relations claires. Le latin est noble, il tire sur l'éthique et sur la définition lapidaire, tandis que la rédaction française ne cherche pas la fidélité littérale par rapport au latin de base. Car le travail de « version » au XVIIᵉ siècle — nous l'avons dit — est conçu plus largement, et, d'autre part, le texte latin et le texte français répondent à un idéal esthétique différent : le français, qu'on envisagea de publier sous le nom du Dauphin [119], précise les noms des lieux et les titres des personnes que le latin donne par équivalence ou en périphrases. Le bien-dire n'y est réalisé que par surcroît. C'est qu'un texte français d'histoire doit avoir l'exactitude d'un rapport destiné à fonder l'action d'un chef.

Les parties de la narration qui touchent la religion ont été le plus souvent récrites par le maître. On comprend que Bossuet se sentît particulièrement responsable de cette partie de la vérité. Mais la préoccupation ecclésiastique ne suffit pas pour assurer l'unité d'une narration sous forme d'annales, qui va grossissant à mesure que les sources d'information sont plus nombreuses. L'*Abrégé de l'Histoire de France* s'est formé successivement, sans plan d'exposition et sans idée directrice, et il ne faut donc pas l'utiliser comme une œuvre concertée ou un livre régulier. Ce tissu bigarré des prudences et des folies royales, des félonies et des fidélités de leurs sujets, des intrigues de toute sorte et des batailles, fait apprécier l'ordre puissant du *Discours sur l'Histoire Universelle*... Mais la chronique disparate ne laissait pas d'être instructive pour la conscience du prince dont elle était l'œuvre à moitié, et elle l'intéressait, même par l'anecdote, à toutes les grandes familles de son royaume.

Par le fait des circonstances, ou celui de sa logique personnelle, Bossuet s'est donc trouvé être l'historien de l'Humanisme dans trois œuvres, absolument différentes pour les intentions et le style, qui nous paraissent, toutes trois, comme les fruits, plus ou moins directs, de l'enseignement au Dauphin des lettres humaines, enseignement posé dans une perspective historique très réaliste.

Il va de soi que nous groupons ces trois témoignages sans mettre les œuvres sur le même plan. Le *Discours sur l'Histoire Universelle,* prise de conscience historique de l'humanité, sera étudié à nouveau dans notre seconde partie comme la production la plus déterminée de l'esprit humaniste. Ici, nous le prendrons dans ses incidences avec les humanités du Dauphin, quand il éclaire la tradition civilisatrice des lettres et des arts. L'*Abrégé de l'Histoire de France* nous donnera, à la rencontre des faits politiques, c'est-à-dire un peu par le choix du hasard « événementiel », des lueurs sur la vie *intellectuelle* du XVIᵉ siècle français, telle que se la représente Bossuet.

Mais le témoignage de l'*Histoire des Variations des Eglises protestantes* a plus de précision que le *Discours* de synthèse, et plus de cohérence que la narration pragmatique. En tant qu'historien des idées, Bossuet y atteint sa plus grande puissance, et sa matière de théologie en fait une

---

[119] Cf. Floquet, *Bossuet précepteur,* p. 203.

sorte d'histoire plus intérieure que toutes les autres. Comme la pensée protestante s'est formée avec la critique philologique qui a caractérisé le mouvement moderne de retour à l'antiquité, l'*Histoire des Variations* s'est trouvée définir, pour la première fois dans la langue française, l'originalité permanente de l'Humanisme historique.

L'histoire intellectuelle de l'humanité dans le *D i s c o u r s*.

L'obscurité qui enveloppe nécessairement « la nouveauté du monde » [120] n'inquiète pas Bossuet. Ce n'est pas par l'investigation archéologique mais par l'imagination des poètes, qui sont la mémoire intuitive de l'humanité, que, de son temps,

> on voit les lois s'établir, les mœurs se polir et les empires se former. Le genre humain sort peu à peu de l'ignorance ; l'expérience l'instruit et *les arts* sont inventés ou perfectionnés [121].

Des étapes préhistoriques, Bossuet ne pouvait rien *savoir* de plus que Lucrèce. Le progrès, ou même l'avènement de la conscience historique, que constitue l'invention, puis la diffusion de l'écriture, il le voit concourir au progrès de la révélation religieuse. Ainsi « les temps de la loi *écrite* commencent [122] » avec le quatrième âge du monde. Lorsque Dieu « *écrit* de sa propre main [123] », ou dicte à Moïse ses préceptes, la religion est désormais précise, et c'est aussi le temps de la première histoire *écrite* régulièrement, celle que Moïse laisse aux Israélites,

> qu'il avait soigneusement digérée dès l'origine du monde jusques au temps de sa mort [124].

Le second événement

> célébré par les deux plus grands poètes de la Grèce et de l'Italie [125],

qui fait époque en ce quatrième âge du monde est la ruine de Troie. Il est considérable par son retentissement *littéraire* et fournit comme le noyau des fables dans lesquelles les enfants des dieux vivent au milieu des hommes et y font souche. Ainsi, comme par son œuvre écrite Moïse, à l'époque précédente, avait précisé l'histoire sainte, d'une manière analogue, la littérature épique, autour de cette cinquième époque, rassemble

> ce que les temps fabuleux ont de plus certain et de plus beau [126].

Dans la dépendance de la sixième époque, au cinquième âge du monde, et du temps des rois impies de Juda :

> Homère fleurit, et Hésiode fleurissait trente ans avant lui [127].

---

[120] *H.U.*, I, ii, 29. Le numéro des pages est celui de l'édition Jacquinet.
[121] *Ibid.*
[122] *Ibid.*, I, iv, 35.
[123] *Ibid.*, I, iv, 36.
[124] *Ibid.*, p. 37.
[125] *Ibid.*, I, v, 39.
[126] *Ibid.*, p. 40 : Texte vérifié sur les éditions originales ainsi que la suivante. Beaucoup d'éditions courantes donnent le même chiffre aux « âges » et aux « époques ». C'est à tort.
[127] *Ibid.*, I, vi, 44.

La synchronisation des peuples d'Orient avec l'Occident classique est l'idée directrice de la chronologie des *Epoques,* et toujours la progression politique de l'Occident s'accompagne d'un progrès intellectuel et social. Ainsi l'institution des Olympiades, qui commence les temps historiques, fait que

la Grèce devenait tous les jours plus forte *et plus polie* [128].

Et quand la Grèce était florissante,

ses sept sages se rendaient illustres [129].

La philosophie est la force nouvelle, quelquefois extravagante dans la Grèce « curieuse », mais Socrate la ramène « à l'étude des mœurs » ; la philosophie se fait pratique et efficace pour donner aux Romains la maîtrise du monde [130].

Toutefois, les Grecs sont pour l'histoire d'Orient des témoins tardifs et plus éloquents qu'exacts [131]. De la floraison artistique et littéraire du siècle de Périclès, Bossuet ne donne pas le plus sommaire aperçu. Les philosophes et les historiens de tous les âges sont largement rappelés, mais Sophocle ou Phidias ne sont pas nommés. ... Car l'individualité du génie s'efface dans le service de la civilisation : Homère apprend « à être bon citoyen [132] », et l'on ne sait qu'en passant et généralement que la Grèce était la mère des arts [133]. Cependant l'histoire des langues doit être connue, car elle marque la rencontre du judaïsme avec l'universalisme grec [134], et l'on s'arrête « sous l'empire paisible d'Auguste [135] », qui peut rappeler analogiquement au Dauphin ses devoirs de prince éclairé et libéral.

En marge de cette « suite » de la religion et du gouvernement politique, qu'il promettait dans son avant-propos, Bossuet n'a donc pas pensé le moins du monde à esquisser une histoire parallèle des lettres et des arts. La succession des créations artistiques ne l'intéresse pas plus que l'évolution des formes du goût. C'est leur résultat d'ensemble, la politesse ou la civilité, qui entre dans sa synthèse.

---

128 *Ibid.*, p. 47.

129 *Ibid.*, I, vii, 55.

130 *Ibid.*, I, viii, 96-98. « Les Romains avaient dans le même temps une autre espèce de philosophie », etc. Cf. III, v, 500 « Ce que fit la philosophie pour conserver l'Etat de la Grèce n'est pas croyable ». — Cette idée de la philosophie comme force éminemment sociable, fonde notre chapitre de LA SCIENCE CIVILE, dans la deuxième partie.

131 *Ibid.*, I, vii, 59-60, pour l'histoire des Perses et des rois babyloniens.

132 III, v, 501 « Le plus renommé des conquérants regardait Homère comme un maître qui apprenait à bien régner. Ce grand poète n'apprenait pas moins à bien obéir et à être bon citoyen. Lui et tant d'autres poètes, dont les ouvrages ne sont pas moins graves qu'ils sont agréables, ne célèbrent que les arts *utiles à la vie humaine*, ne respirent que le bien public, la patrie, la société, et cette admirable *civilité* que nous avons expliquée. »

133 I, x, 122, à propos d'Adrien qui favorisa la Grèce.

134 *Ibid.*, I, viii, 89 « En ces temps, la religion et la nation judaïque commence à éclater parmi les Grecs. » Traduction des livres sacrés : « Ils se firent un grec mêlé d'hébraïsmes qu'on appelle le langage hellénistique. »

135 *Ibid.*, I, x, 115, « Tous les arts fleurirent de son temps, et la poésie latine fut portée à sa dernière perfection par Virgile et par Horace, que ce prince n'excita pas seulement par ses bienfaits, mais encore *en leur donnant un libre accès auprès de lui*. ».

La Renaissance vue dans
l'*Abrégé de l'Histoire de France*.

Mais les cours au Dauphin ne sont pas arrivés comme le *Discours sur l'Histoire Universelle* à l'état de synthèse, et il faut alors que les facteurs de l'histoire de France y soient donnés successivement, comme peut les classer la proche postérité.

Or, Bossuet a bien discerné quel événement décisif avait été dans la France du XVIe siècle ce que nous appelons aujourd'hui la Renaissance.

Pour lui c'est d'abord le premier dessein de François Ier, son lien d'émulation avec le pape, par le moyen de son ambassadeur Budé :

> Budé était le plus savant homme de son temps, surtout dans les belles-lettres grecques et latines : François les aimait, et, *dans le dessein qu'il avait de les établir, il élevait les hommes savants.* Le Pape avait le même dessein, et il fut le restaurateur des belles-lettres en Italie, comme le roi le fut en France. Il s'y était lui-même appliqué et prenait plaisir d'en parler. Ainsi, ayant auprès de lui un homme comme Budé, il avait un beau moyen de mêler diverses choses à la négociation [136].

On ne perd pas de vue l'intérêt politique, ni la leçon pour le temps présent : le portrait de François Ier est comme le crayon préparatoire d'un Louis XIV :

> Il mêlait à ses plaisirs celui des belles-lettres, qui lui était naturel ; car, quoiqu'il n'eût pris dans sa jeunesse qu'une teinture assez légère des études, il avait acquis, depuis, beaucoup de belles connaissances par les discours des habiles gens, à qui il donnait grand accès auprès de sa personne et qu'il prenait plaisir d'élever : ainsi les sciences fleurirent de son temps.
> Il s'appliqua à les cultiver, principalement pendant la paix, en appelant de tous côtés les professeurs, à qui il donnait des appointements magnifiques, surtout à ceux de la langue sainte et de la langue grecque, *les plus belles et les plus utiles de toutes les langues.* Il enrichit aussi beaucoup sa bibliothèque ; ses libéralités s'étendirent bien loin hors de son royaume, tellement que tous les gens de lettres de l'Europe louaient à l'envi la générosité de François, qu'ils l'appelaient d'une commune voix : « le père et le restaurateur des sciences » ; et à peine les victoires mêmes l'auraient-elles rendu plus célèbre qu'il le fut parmi ses malheurs [137].

N'est-ce pas l'idéal d'une :

France, mère des arts, des armes et des lois,

que Bossuet saisit, non pas dans le cri d'un Du Bellay qu'il n'a pas entendu, mais grâce à la continuité d'un esprit et par l'effet indirect des analogies contemporaines ?

[136] *Histoire de France,* l. XV ; *Œuvres,* X, 180.
[137] *Ibid.,* 223.

Puis le roi Henri II a fixé en tradition familiale cet exemple du
« père des sciences ».

> Il n'était pas sans quelque amour pour les belles-lettres, et son règne
> fut fertile en poètes français pour lesquels il témoignait de l'estime [138].

Mais cette floraison est dangereuse, car

> toutes les poésies ne chantaient que les plaisirs de l'amour qu'on célé-
> brait comme la seule vertu héroïque. Ainsi la jeunesse se corrompait
> par cette lecture et négligeait les belles études [139].

Nous savons que Bossuet n'avait pas dans sa bibliothèque les poètes de
la Pléiade, et il les aurait lus avec scandale : plaisir amollissant et
contraire aux « belles études » ! On voit bien que dans la poésie de 1670
la gloire d'aimer et la gloire de savoir sont disjointes. ... Mais la gloire
de servir son Dieu et son roi sauve encore le poète d'Hélène aux yeux
du grave historien : Ronsard paraît comme une sorte de croisé catholique.

> Les autres provinces [autres que le Dauphiné et la Provence]
> n'étaient guère moins agitées. Pierre Ronsard [sic], gentilhomme ven-
> dômois, célèbre pour ses poésies, qui s'était fait ecclésiastique après
> avoir porté les armes, les reprit en cette occasion, et fut choisi chef de
> la noblesse catholique de son pays [140].

L'*Histoire des Variations* définit l'Humanisme historique.

Historien des guerres de Religion, Bossuet prenait du XVIe siècle
français une connaissance partielle. Mais quand il envisage la Réforme
en elle-même, il atteint la crise intellectuelle dans son extension européenne. En la personne des responsables de la révolution religieuse, il a
fréquenté les bénéficiaires, ou les victimes, de la rénovation philologique.

Est-il besoin de dire, ce qu'ont montré tant d'historiens, que, dans
les origines, Humanisme et Réforme se tiennent comme la trame et la
chaîne d'un tissu ? C'est pourquoi, en suivant des variations théologiques,
Bossuet a découvert, comme nécessairement, le style humaniste et l'esprit
de la nouvelle critique.

Il s'agit bien exactement d'un style, d'un certain ornement, obligatoire dans l'expression toutes les fois qu'elle vise à une certaine force par
la beauté. A l'occasion Bossuet peut, lui aussi, écrire en cicéronien, et
ses amis poètes latins sacrifient quelquefois aux faux dieux des métaphores. Mais on n'a plus l'habitude dans son milieu de penser en termes
mythologiques, comme Erasme, par exemple, quand il juge Luther :

> C'est un esprit ardent et impétueux. On y voit partout un Achille
> dont la colère est invincible [141].

[138] *Ibid.*, fin l. XVI, p. 279.
[139] *Ibid.*
[140] *Ibid.*, l. XVII, p. 306. Texte vérifié dans l'édition Lachat, t. XXV, 524, mais non sur
les manuscrits.
[141] *Œuvres*, III, 171, *Variations*, II. Citation d'une lettre d'Erasme à Mélanchton. — Cf.
p. 224, l. V, Mélanchton craint de Luther « les emportements d'un Hercule, d'un Philoc-
tète, d'un Marius. » P. 229. Calvin appelle Luther, Périclès, voulant « donner un beau nom
à son éloquence trop violente. » *Ibid.*, Mélanchton se juge « en servitude comme dans
l'antre du Cyclope », etc. ; Bossuet a bien été obligé de s'habituer à ce style.

Maintes fois la traduction de Bossuet donne à la raillerie d'Erasme l'allégresse des *Provinciales* [142], et c'est déjà une malice de mettre en claire prose française ou les violences de Luther ou l'emphase de théologiens peu sobres. Le goût classique souffre (autant que la rigueur catholique) quand on voit un Zwingle mettre dans le même ciel Jésus-Christ « pêle-mêle avec les saints » et même avec Hercule [143]. Rien que la lecture des docteurs protestants aurait suffi à garantir Bossuet des imprudences verbales d'un humanisme chrétien, conciliant ou confus ! Mais tout en se scandalisant, il apprend. Et il comprend peu à peu qu'on n'explique le siècle précédent que par cette assimilation, poussée jusqu'à la confusion intellectuelle, de l'antiquité dans les imaginations chrétiennes. Lui-même s'y habitue, et il compare à la crédulité de Tite-Live les superstitions de Mélanchton [144], de ce Mélanchton qui traitait de « démagogues » ses adversaires luthériens [145], et reconnaissait « les opinions des stoïciens » dans des discours théologiques sur le libre arbitre [146].

> Quoique Erasme n'ait jamais quitté la communion de l'Eglise, il a toujours conservé parmi ses disputes de religion un caractère particulier, qui a fait que les protestants lui donnent assez de créance dans les faits dont il a été témoin [147].

Pour cette double raison, Bossuet n'avait pas à faire de portrait en pied d'Erasme resté fidèle, comme il en faisait des Réformés, et il le cite très souvent. Si peu qu'il ait de sympathie pour les « caractères particuliers », il reçoit beaucoup, pour le jugement et pour les faits, de cet Erasme, dont il adapte, avec la perfection de l'honnête homme, l'ironie lettrée à son propre tissu de convictions dogmatiques. Et dans le prestige personnel du grand épistolier de Rotterdam, il saisit la royauté des lettres, assise alors au-dessus de ce monde turbulent des controverses :

> La considération d'Erasme était grande *dans toute l'Europe,* quoiqu'il eût de tous côtés beaucoup d'ennemis. Au commencement des troubles, Luther n'avait rien omis pour le gagner, et lui avait écrit *avec des respects qui tenaient de la bassesse* [148].

La Réforme naît dans ce respect à l'égard de la philologie nouvelle. Un Œcolampade, par exemple, dans sa jeunesse, écrit à Erasme « avec beaucoup d'esprit et de politesse [149] », et, en général,

---

[142] Cf. III, 179, *Ibid.* « Il semble, disait-il, que la réforme aboutisse à défroquer quelques moines et à marier quelques prêtres ; et cette grande tragédie se termine enfin par un événement tout à fait comique, puisque tout finit en se mariant comme dans les comédies. »
[143] III, 176, *ibid.*
[144] III, 238, *ibid.*, V, fin.
[145] *Ibid.*, 230. Mais Bossuet s'excuse de ce terme pédant en l'expliquant : « Je voudrais qu'il me fût permis d'employer le terme de *démagogue* dont il se sert : c'était dans Athènes et dans les états populaires de la Grèce, certains orateurs qui se rendaient tout-puissants sur la populace en la flattant. »
[146] *Ibid.*, 231.
[147] *Ibid.*, 171, l. II. Cf. l. V, p. 227. « Il avait une étroite familiarité avec la plupart et les principaux » [des gens qui entraient dans la nouvelle réforme].
[148] *Ibid.*, 175, l. II.
[149] *Ibid.*, 179.

UN DESSIN DU DAUPHIN

tels étaient les chefs de la nouvelle réforme : gens d'esprit à la vérité, *et qui n'étaient pas sans littérature* [150].

Ce qui est remarquable c'est que Bossuet n'a point gardé rigueur à la « littérature » de ce qu'elle avait donné le jour à l'hérésie, ou du moins présidé à sa naissance. Au contraire, le plus humaniste des réformateurs est le plus proche de son esprit, et le portrait si admiré de Mélanchton témoigne d'une compréhension épouvantée, mais dans son fond sympathique. Le second de Luther est présent durant tout le récit de la réforme germanique ; il remplit le livre V et Bossuet honore ce pacifique infortuné avec une expression de déchirement [151]. On sent qu'il voudrait l'aimer, pour ses tendances vers la simplicité catholique et en particulier pour sa défense de l'institution épiscopale. Mais ce qui nous intéresse de notre point de vue profane, c'est l'explication qu'il donne, et de l'autorité que ce modeste eut dans son parti, et du bon sens qui ne put ni le quitter ni le sauver :

> La nouveauté de la doctrine et des pensées de Luther fut *un charme pour les beaux esprits. Mélanchton en était le chef en Allemagne.* Il joignit à l'érudition, à la politesse et à l'élégance du style une singulière modération. *On le regardait comme seul capable de succéder dans la littérature à la réputation d'Erasme ;* et Erasme lui-même l'eût élevé par son suffrage aux premiers honneurs parmi les gens de lettres, s'il ne l'eût vu engagé dans un parti contre l'Eglise. ...Un jeune professeur de la langue grecque entendait débiter de si nouvelles pensées au plus véhément et au plus vif orateur de son siècle, avec tous les ornements de son siècle et un applaudissement inouï : c'était de quoi être transporté. ...Mélanchthon était simple et crédule : *les bons esprits le sont souvent :* le voilà pris. Tous les gens de belles-lettres suivent son exemple, et Luther devint leur idole [152].

Pour Bossuet, il semble bien y avoir relation entre la profonde culture de Mélanchton et sa volonté d'apaisement raisonnable : il faisait tout l'honneur de son parti

> et personne n'y avait plus de sens *ni plus d'érudition* [153].

En toute occasion, Bossuet loue

> l'esprit *modeste* de Mélanchthon, ...le plus paisible de tous les hommes par son naturel [154].

Par quel malheur ces qualités d' « humanité », si bien assorties à la profession d'humaniste, n'ont-elles pu s'élever jusqu'à l'héroïsme de confesser la vérité ? Parce que ces beaux talents sont trop humains, enveloppés d'amour-propre et piqués de vanité littéraire :

> Ainsi, parmi ses malheurs, il ressent *le plaisir de faire un beau livre,* et persiste dans sa croyance [155].

[150] *Ibid.*
[151] *Ibid.*, 238, l. V, vers la fin. « O faiblesse extrême d'un esprit d'ailleurs admirable et hors de ses préventions si pénétrant. »
[152] *Ibid.*, 224, début du livre V.
[153] *Ibid.*, 233.
[154] *Ibid.*, 176, l. II.
[155] *Ibid.*, 231, l. V.

Outre cette faiblesse de la nature, Mélanchton subit les limitations de sa profession exclusive. Mais quelle profession ? Pour expliquer comment la philologie — poussée subitement mais trop peu affermie par le fait même de son progrès rapide — a troublé la science de la religion, Bossuet emploie, par deux fois, le terme d'humaniste, dans un contexte qui l'a défini pour la langue française :

> Jeune encore *et grand humaniste, mais seulement humaniste,* nouvellement appelé par l'électeur Fridéric pour enseigner la langue grecque dans l'Université de Vitemberg, [Mélanchton] n'avait guère pu apprendre d'antiquité ecclésiastique avec son maître Luther [156].

Il est établi désormais que la science des livres a deux branches : l'humaniste sera le savant *laïque,* que l'érudition peut préparer analogiquement, s'il le veut, à la lecture des lettres divines, mais sans lui en faire franchir la porte.

Une tentation peut le détourner d'y frapper, tentation incluse dans son excellence même. Car la philologie — étymologiquement le goût de la littérature, ou de l'érudition — s'exerce et se développe, dans les

---

[156] *Ibid.,* 220, l. IV. — A l'appui de son 2ᵉ sens : « Celui qui sait, qui enseigne les humanités, en ce sens il ne se dit guère qu'avec une épithète. Un bon, un savant humaniste », Littré donne en exemple notre citation, mais en l'amputant de la restriction « mais seulement humaniste », qui est capitale dans l'intention de Bossuet.

Ce qui est remarquable, et témoigne de la docilité de Bossuet dans l'usage de sa langue, c'est qu'il reprend exactement l'opposition entre « humanistes » et « théologiens », fixée par Montaigne (chap. *Des Prières,* p. 313 de l'édition Thibaudet), que Littré donne pour l'origine de cette acception. Mais Bossuet pense à l'inspiration philologique, à la « littérature » comme il dit. Plus limité il est donc plus près des conditions d'une définition.

Que cette signification du mot « humaniste » fût dès lors arrêtée, et que, par conséquent, les meilleures têtes historiennes de l'époque classique aient eu la notion juste de la grande révolution philologique qui conditionna l'avènement du monde moderne, un autre texte le prouve, issu du groupe des familiers de Bossuet, et contemporain, autant qu'il se peut, de l'*Histoire des Variations* : L'abbé Claude FLEURY commence son *Traité du choix et de la méthode des études* (1686) par une sorte d'histoire des études, les belles-lettres, et les sciences connexes, étant passées de la Grèce à Rome, puis dans la scolastique. Ce que nous appelons Renaissance, il l'appelle « renouvellement des humanités » : « On recommença de s'appliquer aux humanités, je veux dire principalement à la grammaire et à l'histoire. On peut compter ce renouvellement depuis l'an 1450 et la prise de Constantinople. » (FLEURY, *Traité des études,* p. 73). Il fait de ce « renouvellement » un assez bon tableau : « Cette nouvelle espèce d'étude excita une manière de guerre entre les savants. *Les humanistes,* charmés de la beauté des auteurs antiques et entêtés de leurs nouvelles découvertes, méprisaient le commun des docteurs qui suivaient la tradition des écoles, négligeant le style pour s'attacher aux choses et préférant l'utile à l'agréable. Les docteurs de leur côté, je dis les théologiens et les canonistes, regardaient ces nouveaux savants comme des grammairiens et des poètes qui s'amusaient à des jeux d'enfants et à de vaines curiosités. Mais *les humanistes se faisaient écouter,* parce qu'ils écrivaient poliment et qu'ils avaient appris par la lecture des anciens à railler de bonne grâce. » (*Ibid.,* p. 78. La marge renvoie à Erasme). Selon Fleury, Luther commença par faire la guerre aux « humanistes » aussi bien qu'aux docteurs.

L'accord de Fleury ne prouve pas qu'il y avait une sorte d' « école historique », dont Bossuet aurait été le plus brillant promoteur. Mais il faut bien constater que les plus humanistes des classiques — c'est-à-dire ceux qui lisaient les textes afin d'enseigner l'histoire — avaient parfaitement conscience de leurs origines intellectuelles.

On sait que le substantif abstrait « humanisme » est bien postérieur au concret « humaniste » — Littré au *Supplément* ne l'atteste pas avant 1877 — ce qui est normal ; la qualification des hommes étant plus aisée, et plus utile, que le baptême des mouvements historiques ou des systèmes. On voit toutefois que la catégorie n'était pas très éloignée d'être concevable à Bossuet. C'est ce qui justifie le choix de notre titre général. Cf. notre AVANT-PROPOS, début.

domaines de la critique et de l'esthétique, en dehors des perspectives de la croyance. L'humaniste s'appuie donc sur la grammaire, et dans quelques générations il sera historien. Mais au temps de Mélanchton et de Luther, sortant des ergotages rebutants de la scolastique, ce qui guette le lecteur-grammairien ébloui du beau langage reconquis sur les Anciens, ce sont les vanités de la rhétorique, appliquée ou formelle. Et Bossuet frappe rudement ces nouveaux excès :

> Figure pour figure, la métonymie que nous recevons vaut bien la synecdoque que vous admettez. Ces messieurs étaient *humanistes et grammairiens.* Tous leurs livres furent bientôt remplis de la synecdoque de Luther et de la métonymie de Zwingle : il fallait que les protestants prissent parti *entre ces deux figures de rhétorique* [157].

D'esprit plus juste, Mélanchton comprendra que le sens juste doit être cherché avec un esprit moins formaliste, et qu'il faut d'abord se fonder sur de bons textes :

> Il avait... composé un livre des sentiments des saints Pères sur la cène, où il avait recueilli beaucoup de passages très exprès pour la présence réelle. *Comme la critique en ce temps n'était pas encore fort fine,* il s'aperçut dans la suite qu'il y en avait quelques-uns de supposés, et que les copistes, ignorants ou peu soigneux, avaient attribué aux anciens des ouvrages dont ils n'étaient pas les auteurs. Cela le troubla, encore qu'il eût produit un assez bon nombre de passages incontestables [158].

« Faible théologien » sans doute, mais aussi faible philologue, pas encore averti de la nature syncrétique de la parole humaine ! Car

> toutes les fois qu'il faut accorder ensemble deux vérités qui semblent contraires... il se fait *naturellement* une espèce de langage *qui paraît confus,* à moins qu'on n'ait, pour ainsi parler, la clef de l'Eglise et la compréhension de *tout* le mystère. *Mélanchthon n'en savait pas tant* [159].

Mais Bossuet n'a-t-il pas donné de cette « clef » la transcription en principes d'exégèse, par ce qu'il appelle

> la règle des changements et la règle des apparences ?

L'objet de la foi peut être considéré à des points de vue multiples et opposés. Mais

> il ne faut s'imaginer aucun embarras à discerner la vérité parmi ces expressions différentes : car enfin, lorsque l'Ecriture sainte nous explique la même chose par des expressions diverses, pour ôter toute sorte d'ambiguïté, *il y a toujours l'endroit principal auquel il faut réduire les autres,* et où les choses sont exprimées telles qu'elles sont *en termes précis* [160].

Pour affiner la « critique », Bossuet la veut rendre plus complètement humaine par la considération du sujet parlant et des conditions

---

[157] *Œuvres,* III, 184, *Variations,* Livre II.
[158] *Ibid.,* 220, l. V.
[159] *Ibid., infra.*
[160] *Iibid.,* 185, l. II.

actuelles du discours. Ce sentiment des contextes multiples de chaque parole et dans toutes les dimensions, bien loin d'attaquer l'unité de la foi, lui semble propre à la mieux dégager. Dans l'*Histoire des Variations des Eglises protestantes,* Bossuet est pleinement et joyeusement critique. C'était la conséquence de la convention qu'il avait posée de ne rien dire des confessions de foi des réformés

> qui ne soit tiré le plus souvent de leurs propres écrits, et toujours d'auteurs non suspects [161].

Cette règle de la bonne dialectique — transposition sur les livres des principes de Socrate — produit son effet d'optimisme sur l'esprit de celui qui l'observe. Jamais le raisonnement de Bossuet n'a été plus fort et plus tranquille ; jamais il ne s'est moins senti isolé. Il semble qu'enfin les leçons et les exemples reçus en sa jeunesse dans « Paris, capitale de l'érudition [162] », après avoir produit bien d'autres effets dans les années de prédication, portent maintenant leurs fruits intellectuels. « La théologie devenue érudite [163] » des maîtres parisiens a fécondé son esprit jusque dans les racines logiques. A ces devanciers déjà lointains Bossuet apporte, dans l'élaboration d'une théologie positive, son écot original : celui d'une controverse adulte.

Ensuite la méthode pourra vieillir, le fatiguer lui-même et passer en d'autres mains. Si dans sa *Défense de la Tradition et des Saints Pères* (commencée en 1693 et inachevée), Bossuet redoute la philologie, cela nous sera un indice que fléchit la dialectique de son humanisme, car, par définition, l'humaniste croit aux conséquences bonnes de la lecture critique : en 1688, Bossuet veut que la vérité historique se fasse par la confrontation rigoureuse de textes certains, et il a confiance en la méthode philologique.

La pratique pédagogique des lettres humaines s'achève donc normalement par cette œuvre historique où le témoignage le plus sûr est utilisé *a d h o m i n e m.* En un sens, l'*Histoire des Variations des Eglises protestantes* est la réalisation — tournée vers la controverse religieuse — d'une conception humaniste et laïque de la vérité.

V. L'ASSIMILATION DES RHÉTORIQUES.

Le fruit personnel des lectures.

En règle générale dans la vie intellectuelle de Bossuet, la théorie vient au jour après que la pratique a mûri assez pour être détachée des particularités de l'apprentissage individuel. Ainsi adressait-il au jeune

---

161 *Ibid.,* 152, Préface.
162 Cf. dans MARTIMORT, *Le Gallicanisme,* le chapitre de ce titre, pp. 154-174. Il s'agit du travail magnifique de la première moitié du siècle, dont bénéficieront et l'esprit et la bibliothèque de Bossuet.
163 *Ibid.,* p. 158.

cardinal de Bouillon son *Ecrit sur le style et la lecture des Pères de l'Eglise pour former un orateur,* quand sa propre éloquence atteignait son achèvement formel, et la lettre à Innocent XI vient proposer la synthèse philosophique de ses efforts en divers domaines, quand l'éducation du Dauphin en arrive à ses conclusions. A partir de là, l'enseignement pragmatique de l'histoire, qui avait été mené de front avec celui des belles-lettres, conduira Bossuet à réunir ses vues sur la méthode philologique et à retracer l'histoire de la culture en certains points de l'humanité, dans les trois ouvrages que nous venons de voir en leur état d'inégal achèvement.

Or, ce visage historique et littéraire de la « suite » humaine, le même exercice de l'enseignement le lui avait fait découvrir dans la philosophie : Bossuet ne donnait pas à lire à son élève Platon ni Aristote, non, pas même dans leurs traductions, latines ou françaises, mais il a lui-même lu, ou relu, tous les ouvrages principaux, la plume à la main, et les notes qui nous sont parvenues [164] témoignent des orientations les plus personnelles de sa pédagogie.

Ces notes ne visent point à construire un commentaire continu. Car la philosophie « parfaite » ne consiste pas dans le rayonnement des œuvres des philosophes [165], pas du moins au même degré que la foi se tient dans le rayonnement de l'Evangile. Et l'élève de Bossuet qui « a lu l'*Evangile,* les *Actes des Apôtres* » directement [166], ne connaîtra les *Morales* d'Aristote que dans le résumé où elles s'amalgament utilement [167]. Bossuet n'a pas jugé à propos de l'initier aux utilités plus fines, périlleuses

---

[164] Ces notes constituent principalement le manuscrit 12830 du Fonds français. Voir en appendice notre INVENTAIRE, n⁰ˢ 90-93 ; et la publication de notre thèse complémentaire.
[165] Cf. *Corr.,* II, 152, mars 1679, à Innocent XI. « Pour devenir parfait philosophe, l'homme n'a besoin d'étudier *autre chose que lui-même.* »
[166] *Corr.,* II, 139, lettre à Innocent XI, « *les Actes des Apôtres* et les commencements de l'Eglise. » Il les a lus « étant un peu plus avancé en âge » (*Ibid.*). L'étude du catéchisme a précédé la lecture des textes sacrés, et elle était accompagnée de récits. Cf. *ibid.* : « Il savait dès lors toutes les histoires de l'Ancien et du Nouveau Testament ; il les récitait souvent. » La lecture de la Bible est progressive, orientée vers la vie spirituelle et la consolidation des structures catholiques de la foi. Cf. : « Que si, en lisant l'Evangile, il paraissait songer à autre chose ou n'avoir pas toute l'attention et le respect que mérite cette lecture, nous lui ôtions aussitôt le livre, pour lui marquer qu'il ne le fallait lire qu'avec révérence. ...Nous lui expliquions *clairement et simplement* les passages. Nous lui marquions les endroits qui servent à convaincre les hérétiques, et ceux qu'ils ont malicieusement détournés de leur véritable sens. Nous l'avertissions souvent qu'il y avait bien des choses en ce livre *qui passaient son âge,* et beaucoup même qui passaient l'esprit humain...
Après avoir lu *plusieurs fois* l'Evangile, nous avons lu *les histoires* du Vieux Testament, et principalement celle des Rois. ...
Quant aux Epîtres des Apôtres, nous en avons choisi *les endroits* qui servent à former les mœurs chrétiennes. Nous lui avons aussi fait voir *dans les Prophètes,* avec quelle autorité et quelle majesté Dieu parle aux rois superbes. » (*Ibid.,* pp. 141-142).
Il faut tenir compte dans cette relation de la prudence dont le prélat français doit faire preuve devant l'orthodoxie romaine, plutôt réservée pour engager les laïcs à la lecture personnelle de la Bible. Lecture que sans doute le fils de Louis XIV et de Marie-Thérèse ne réclamait que modérément. Mais on voit l'ampleur des « morceaux choisis » sacrés *a d u s u m D e l p h i n i,* et leur appropriation personnelle.
L'enseignement de la Religion a des ressemblances, autant que des rapports, avec la méthode de la philologie profane.
[167] C'est le manuscrit 3426-29 de la Bibliothèque Royale de Bruxelles. Cf. INVENTAIRE, n⁰ 93, et notre publication.

133

peut-être, en tout cas sujettes aux hésitations, de la lecture personnelle et critique des philosophes.

Mais lui qui tendait à reculer dans le temps l'origine manifestée de chaque vérité, il reconnaissait pour son esprit plusieurs courants nourriciers. Aux yeux de l'humaniste qu'il était devenu par devoir d'état, il a donc paru profitable de recueillir les lumières partielles, les éclairs de vérité jetés par les philosophes païens, afin de mieux dégager les relations des choses, ces ressorts et structures dont la Révélation elle-même a respecté l'originalité. Maintenant encore les vérités touchées avant le temps de l'Incarnation, par Platon ou par Aristote, subsistent dans l'ordre naturel amélioré. S'il négligeait de les aller rencontrer dans la forme où elles se sont produites avec un éclat notable [168], le philosophe chrétien ne serait-il pas ingrat envers le Créateur, qui a dispensé progressivement les lumières salvatrices à l'humanité ?

Pour s'informer des philosophies profanes, le précepteur du Dauphin aurait pu cependant, sans choquer les usages, se contenter d'un Aristote commenté par saint Thomas et par toutes les écoles, et d'un Platon diffus dans saint Augustin et les autres Pères. Mais alors il n'aurait pas tenu rigoureusement sa promesse d'impartialité. Car, voulant préparer un roi capable de juger, et non un docteur habile à disputer, il s'était engagé, sur les points où la décision n'avait été apportée ni par l'autorité de la religion, ni par les observations certaines de la science, à « rapporter historiquement » les diverses « opinions » [169].

Son exigence d'un contact littéral s'est d'ailleurs développée en même temps que sa curiosité d'esprit. Cette sorte de conversation avec les Philosophes, tenue sans témoins, tire certaines de ses pensées d'une demi-conscience où elles restaient sans usage. Par les retouches que suscite l'interlocuteur sympathique, ces pensées naissantes s'activent, elles existent. Mais, spontanées et fragiles, toutes ne se développent pas. Il ne serait pas vrai de dire que les plus fines meurent prématurément, mais elles n'arrivent pas à leur détermination parfaite. Il ne convient donc pas de trancher, autour de ces formes inachevées, les effectifs liens d'origine, mais de les interpréter libéralement, comme des expressions provisoires, en respectant leurs contiguïtés multiples. En leur qualité de réflexions occasionnelles, elles peuvent nous ouvrir des vues sur les structures mentales les plus profondes en l'homme, sur cet ordre tellement personnel qu'on ne pense même pas à l'énoncer. Mais elles n'ont pas reçu assez longtemps l'insufflation créatrice, elles ne s'élèvent pas toutes seules.

Notre lecture des notes sur Platon et Aristote sera plus amplement mise à contribution dans l'étude de la philosophie [170]. Sous le rapport de la philologie, elle sera peu insistante, et, ici comme là, elle s'avancera toujours éclairée par la connaissance des pensées principales.

---

[168] Cf. *H.U.*, II, xv, 277. « Ce qui se passait même parmi les Grecs était *une espèce de préparation* à la connaissance de la vérité. Leurs philosophes connurent que, etc...
[169] *Corr.*, II, 152, à Innocent XI.
[170] Les notes de Bossuet sur les philosophes ont donné à notre humanisme philosophique les formulations de nos grands thèmes : « La Science civile », et « La divine Philosophie ». Voir dans le chapitre de La Science civile, la section II : Lecture des Philosophes de « la Science civile ».

Perspectives sur la rhétorique.

> Pour la logique, nous l'avons tirée de Platon et d'Aristote. ... De cette source nous avons tiré la rhétorique... [171].

En profondeur les deux enseignements se tiennent. Nous constatons même que Bossuet les présente en renversant l'ordre habituellement suivi dans les écoles. La rhétorique a été pratiquée en fait dès que le langage a commencé à s'organiser par l'application grammaticale, et cependant, il ne pense pouvoir en dégager les principes que lorsque la faculté d'abstraction sera suffisamment fortifiée en son élève :

> ...De cette source, nous avons tiré la rhétorique pour donner aux arguments nus, que la dialectique avait assemblés comme des os et des nerfs, *de la chair, de l'esprit et du mouvement.* ...Nous avons tiré d'Aristote, de Cicéron, de Quintilien et des autres, *les meilleurs préceptes ;* mais nous nous sommes beaucoup plus servis *d'exemples* que de préceptes, et nous avions coutume, en lisant les discours qui nous émouvaient le plus, *d'en ôter* les figures et les autres ornements de paroles, qui en sont comme la chair et la peau, de sorte que, n'y laissant que cet assemblage d'os et de nerfs dont nous venons de parler, il était aisé de voir ce que la logique faisait dans ces ouvrages, *et ce que la rhétorique y ajoutait* [172].

De ces exercices qui, vu leurs difficultés, ont dû être pratiqués, selon la progression habituelle des classes, dans la période terminale ou subterminale des études, il ne nous reste aucun spécimen. Peut-être d'ailleurs se faisaient-ils à peu près complètement de vive voix. Mais la lecture expliquée des auteurs les comportait déjà, sous une forme moins systématique et sans doute plus captivante. Nous connaissons donc assez bien ce que furent les « exemples » proposés au Dauphin. Mais si le maître composa un recueil des « préceptes » de rhétorique à retenir, celui-ci ne nous est pas parvenu. Au surplus, avait-il besoin de codifier des remarques si présentes à sa mémoire, et qu'il pouvait renouveler à volonté en les retrouvant à leur place, dans l'auteur où elles ont toute leur force ?

Sur les lectures que fit, ou refit, Bossuet, de Cicéron, de Quintilien « et des autres », en vue de préparer personnellement sa rhétorique au Dauphin, nous n'avons pas de document. Mais nous avons ses extraits des traités rhétoriques d'Aristote. En les étudiant et en les joignant aux réflexions issues de Platon sur l'essence de la rhétorique, nous montrerons une fois de plus combien exactement la lettre à Innocent XI explique l'histoire de sa pensée.

D'une manière générale le travail du préceptorat lui a donné le désir, en tous domaines, d'ajouter au profit littéraire des bonnes lectures, un approfondissement de culture historique. Ainsi, vers 1670, avant de recevoir la charge du Dauphin, il enseignait l'utilité des livres, français, latins, grecs, profanes et chrétiens, « pour former un orateur », et il se

---

[171] *Corr.,* II, 154, à Innocent XI. Cf. *supra* les notes (64) à (66).
[172] *Ibid.,* p. 154-155.

nourrissait de l'abondance accueillante du *De Oratore* [173] ; mais, dix ans après [174], il interroge comme des témoins les philosophes grecs dont l'intelligence lui offre de bonnes garanties, et il leur demande, avec une théorie expérimentée, une ébauche d'histoire de la littérature. Ce n'est pas pour devenir lui-même un théoricien. A d'autres les discussions sur les règles ! Ce n'est pas non plus pour se faire à son usage un tableau coordonné de la succession des écrivains et des genres, car l'autonomie d'une histoire des arts, littéraires ou plastiques, n'est pas alors concevable [175] : Dans ses notes, Bossuet ne fait de la critique et de l'histoire littéraires que par rapport aux besoins de son esprit. C'est-à-dire que, les œuvres antiques qu'il admire, il veut, en s'informant personnellement des règles et des conceptions du temps d'Aristote, les comprendre sans tomber dans l'anachronisme, faute honnie de l'historien qu'il est devenu ; et les préceptes, ou les exemples, des maîtres antiques, lui permettront indirectement de mieux connaître sa propre activité créatrice. Après avoir réfléchi « sur le style » en praticien ouvert à toute la réalité humaine, il s'adresse maintenant aux philosophes de la rhétorique.

L'histoire de la littérature dans Aristote.

Prima elocutio fuit poetica [176].

Cette affirmation extraite de la *Rhétorique* précède à dessein l'analyse de la *Poétique,* comme pour déclarer l'importance de celle-ci et justifier l'attention soutenue que lui accorde Bossuet au seuil de sa lecture d'Aristote. Pour un traité relativement court, le résumé n'aura pas moins de dix pages [177]. Les motifs de son intérêt, Bossuet a tenu à les marquer : en se relisant, il a souligné au crayon les remarques dominantes dans sa perspective. Quinze points se détachent ainsi, que nous joindrons d'un fil ténu pour dessiner une virtuelle explication de la littérature.

On sait qu'Aristote commence sa *Poétique* par une théorie de l'imitation universelle, qu'il applique aux différents genres littéraires durant cinq chapitres. Bossuet rapporte cette théorie fidèlement, et il la dégagera encore à la fin du livre :

PoÉSIE, IMITATION. Trois sortes d'imitation : *les choses telles qu'elles sont, telles qu'elles paraissent et telles qu'elles devraient être* [178].

[173] Cf. l'écrit *Sur le style...*, au cardinal de Bouillon, *O.O.*, VII, p. 13 et sq. Pour son interprétation, nous renvoyons à notre chapitre de L'INSTITUTION ORATOIRE.
[174] La date de 1680 sera pour le manuscrit 12830 du fonds français un point d'arrêt convenu, résultant d'un calcul arrondi. Cf. notre *Introduction*, à BOSSUET, *Platon et Aristote. Notes de lecture*.
La lecture d'Aristote a suivi celle de Platon, mais comme Bossuet est revenu sur ses notes à plusieurs reprises, les courants d'idées ne se continuent pas distinctement et nous y puiserons comme dans une pensée étale.
[175] Nous venons de voir p. 125 que le *Discours sur l'Histoire universelle* ne s'intéressait aux lettres et aux arts que par rapport au progrès de la civilisation.
[176] Fonds français 12830, fº 158 rº ; p. 173, ARISTOTE, III, *Rhéto.*, 1404 A (I, 9).
[177] De 158 rº à 162 vº inclus. Pour ces trois livres, la *Rhétorique*, aura seulement 18 pages de résumé. Le soin donné à la *Poétique* se marque : par les deux citations de la *Rhétorique* la concernant, mises en tête du résumé, et par la rature d'un premier résumé des trois premiers chapitres, jugé insuffisant.
[178] *Ibid.*, 162 rº fin, *Poétique*, 1460 B (XXVI, 2), p. 178. Voici le texte original de Bossuet avec son mélange de langues (sous-titre marginal et texte) et le soulignement original :

moraliste fataliste et l'idéaliste ; elles vont fonder l'opposition d'Euripide et de Sophocle [179]. Chez ces contemporains de Corneille et Racine la critique procède souvent par parallèles, et celui de Sophocle et d'Euripide, traditionnel chez les rhéteurs, sera encore une fois souligné par Bossuet [180].

Il n'a pas trouvé dans la *Poétique* les fameuses « trois unités », et pour cause. Mais l'unité fondamentale, l'unité d'action, lui paraît une belle nécessité, qu'il remarque souvent : Homère l'a gardée [181] ; elle fait la cohésion de l'épopée [182]. Elle est la condition implicite de ces trames solides, où le dénouement sort de la constitution même de la pièce [183], où la terreur et la pitié proviennent du fond, et non d'un apparat coûteux et sans art [184]. Il ne nous semble pas excessif d'avancer, d'après les soulignements de la *Poétique,* que Bossuet aime les poèmes où l'action est naturelle et forte. Il notera encore que les Grecs avaient précisément un mètre pour exprimer sa progression [185].

La distinction des genres, il la ramène à des différences spécifiques simples : celle de la durée : l'épopée n'a pas de limite dans le temps, tandis que la tragédie se renferme en un jour [186]. Et encore, la tragédie ne se définit pleinement que par sa fonction, qui est de purger par la pitié et par la terreur ces passions mêmes [187]. Et son cher Homère a, du premier coup, avec ses deux chefs-d'œuvre, réalisé les doubles possibilités de la littérature : donnée simple ou action complexe, effet pathétique ou création des caractères [188].

Par le choix des soulignements portés dans l'analyse d'Aristote, se marquent aussi deux tendances de son goût : le dédain pour « trop de brillant [189] » qui rejette dans l'ombre les pensées, et un sentiment qui

« POÉSIE, IMITATION : Triplex imitatio : *qualia sint, qualia videantur, qualia esse oporteat.* »

Sur ce sujet, les soulignements portés dans les citations (texte et notes) seront ceux de Bossuet, tels que les présente notre édition.

Il doit être entendu dans toute la durée de ces notes de lecture que Bossuet ne *traduit* pas ses auteurs : il en tire ce dont il a besoin et dans la langue qui lui convient le mieux. Bien souvent, il rapproche des idées — qui, dans l'auteur, sont éloignées — selon le rythme de ses propres associations, et parce qu'il est pressé.
179 162 v°, à *Poétique*, 1460 B (XXVI, 11), ibid. « SOPHOCLE, EURIPIDE. *Sophocles qualia oportet, Euripides, qualia sunt.* »
180 En 161 r°, à *Poétique*, 1456 A (XVIII, 18), p. 176.
181 Cf. 159 v°, *Poétique*, 1451 A (VIII, 3), p. 174. « Atque *haec unitas actionis apud Homerum in Odyssea.* »
182 Cf. 161 v°, *Poétique*, 1459 A (XXIII, 1), p. 177. « EPOPŒIA. Poesis narrativa. *Cujus una actio.* »
183 Cf. 161 r°, *Poétique*, 1454 B (XVI, 1), p. 176. Parmi les différents types de reconnaissances : « Optima quae ex ipsis rebus, ut in *Oedipo* et *Iphigeneia.* » Le nom des pièces souligné.
184 Cf. 160 v°, *Poétique*, 1453 B (XIV, 3), p. 176. « Terribile et miserabile non ex apparatu quia id est *sine arte et sumptuosum,* sed ex constitutione. »
185 Cf. 162 r°, *Poétique*, 1460 A (XXIV, 10), p. 177. « IAMBE. Tetrametrum aptum saltationi. *Iambus, rebus agendis.* »
186 Cf. 159 r°, *Poétique*, 1449 B (V, 7-8), p. 174. « At illa [epopaeia] longior, *indefinita tempore ;* haec intra unum solem. »
187 Ibid., *Poétique*, 1449 B (VI, 2) « Tragoedia imitatio actionis probae et perfectae magnitudinem habentis, suavi sermone, non enarratione, sed actione, *misericordia et metu has ipsas perturbationes purgans.* »
188 Cf. 162 r°, *Poétique*, 1459 B (XXIV, 3), p. 177. « *Ilias,* simplex et patheticum, *Odyssea,* moralis et implexa. » Les noms soulignés.
189 Cf. 162 r°, *Poétique*, 1460 B (XXV, 11), p. 178. « TROP DE BRILLANT. *Dictio valde splendida* mores ac *sententias obscurat.* »

pourrait être contraire au premier, si l'honnêteté de l'esprit n'accompagnait la liberté poétique. Toutes les fois qu'Aristote défendait le style figuré contre ses détracteurs prosaïques, Bossuet l'a remarqué ; disons qu'il l'a approuvé de son trait de crayon, car il ne pouvait que reconnaître son propre génie dans la « métaphore ingénieuse » ou inventrice, qui découvre les rapports [190].

L'attention donnée ensuite à la *Rhétorique* marque d'abord bien moins de sympathie. On pourrait même croire que Bossuet a manqué la pensée essentielle d'Aristote : la correspondance symétrique, ou l'analogie, de la rhétorique avec la dialectique [191], qui aurait dû faire son affaire, puisqu'il voulait « tirer » sa rhétorique de sa logique ou dialectique [192]. Comment a-t-il pu encore manquer la belle définition hédoniste et morale du beau, qui devait satisfaire un classique, en tant qu'elle concilie tous les biens [193] ? Mais remarquons plutôt ce qu'il trouve en réalité.

Le début de son analyse n'est pas serré ; la première remarque, faite presque à la fin du premier chapitre, concerne la possibilité d'user, pour les contraires, de la rhétorique et de la dialectique, en bien ou en mal, comme de toutes les bonnes choses [194]. Le résumé du premier livre est utilitaire : les espèces de preuves, les différents biens dont la promesse peut capter la bienveillance, les raisonnements qui se font croire. Du livre II, toute la partie psychologique est passée, après une simple annonce ; le reste est représenté par l'énumération, de plus en plus dépouillée, des exemples, des lieux et des enthymèmes [195] : Bossuet n'a pas cherché à éviter l'ennui, mais il se borne à une revue rapide. Seuls quelques noms familiers ont éclairé son pensum : Antigone et sa loi non écrite, selon Sophocle ; Homère, témoin judiciaire ; les paraboles socratiques ; les fables de Stésichore et d'Esope ; Pythagore vénéré en Italie [196] ; ces rappels littéraires pourraient bien marquer les seuls moments où ne sommeille pas l'intérêt dans son cahier scolastique.

L'étude technique du style.

Aristote, comme maître de la rhétorique judiciaire, a fourni un manuel du plaideur en général, du plaideur abstrait ; Bossuet le rangera sur ses rayons en vue d'une utilisation (bien improbable). Mais dans le

---

[190] Trois fois en 161 v°, p. 177. *Poétique*, 1458 A (XXII, 1-3). *Grandis [oratio], immutans proprium.* Souligné au crayon ; 1459 A (XXII, 14). Ariphrades blâmant dans le style de la tragédie les tournures inusitées : « At nesciebat efficere *grande quia propria non essent.* » Et ceci, qui est une justification philosophique, l'invention de pensée par la métaphore : « MÉTAPHORE INGÉNIEUSE. *Granditas metaphoricum esse. Quod boni ingenii est intuentis quid simile.* » Que nous traduisons : « *La noblesse du style repose sur la métaphore.* Parce qu'un bon esprit saisit les ressemblances. » *Poétique*, 1459 A (XXII, 17).
[191] Cette relation ext exprimée dans la première phase de la *Rhétorique*[e]: Ἡ ῥητορική ἐστιν ἀντίστροφος τῇ διαλεκτικῇ.
[192] Cf. *supra* n. (64) ; *Corr.*, II, 154 ; le mot *l o g i q u e* traduit *D i a l e c t i c a m*, p. 128.
[193] I, *Rhétorique*, 1366 A (IX, 3) « Le beau est ce qui, préférable par soi, est louable ; ou ce qui, étant bon, est agréable parce qu'il est bon. » (Trad. M. Dufour).
[194] F. français 12830, f° 163 r°, début, p. 178 ; correspond à *Rhéto.*, 1355 A-B (I, 12-13).
[195] 1er livre, de 163 r° à 166 r° ; 2e livre, de 166 v° à 167 v° début ; une demi-page suffit pour les 19 premiers chapitres. (Le 3e livre aura 9 pages, jusqu'à 172 r°, début inclus, autant que les deux autres ensemble).
[196] En 166 r°, 166 v°, 167 r°, pp. 182-183.

troisième livre de la *Rhétorique,* Aristote réfléchit, en artisan observateur, sur un objet dont l'artiste qui pense son art, aimera toujours à s'entretenir. Bossuet va donc lire cet autre « écrit sur le style » en confrère, avec une attention passionnée. Une ou deux fois il va trop vite et présente la pensée d'Aristote à contresens : il retarde l'apparition de la tragédie, ou veut montrer le goût qui va croissant vers la simplicité [197], précisément parce que son penchant intervient dans l'interprétation. Mais en général son analyse est, pour ce livre, claire, substantielle et bien distribuée.

Le premier posé des principes conteste audacieusement le principe même de la rhétorique, avec une outrance qui conviendrait mieux à Platon qu'à Aristote :

> Faire un traité du style paraît une entreprise futile si on l'évalue correctement. Car toute rhétorique s'organise en vue de l'opinion, non selon une juste constitution mais comme une nécessité ; s'il en faut traiter, c'est à cause de la malhonnêteté de l'auditeur. Car dans le discours, rien n'est en soi à rechercher, sauf d'éviter de faire plaisir ou peine. Car il serait juste de ne combattre qu'avec les faits tout purs [198].

Mais cette exactitude qui anéantirait l'art, personne ne l'a gardée. A l'origine, concession faite à la nécessité de la vie, la rhétorique se développe par une riche information, due à l'expérience. Bossuet a suivi Aristote dans ce troisième livre, chapitre par chapitre. Il arrive que les remarques faites sur une langue se traduisent mal dans une autre (où il faut forger des exemples analogues), comme lorsqu'il s'agit de la correction grammaticale [199], mais en général il a bien rendu l'esprit des conseils, et il entre sans se scandaliser dans cette sorte de complaisance motivée et retenue, qui permet à l'éloquence sérieuse de réussir, quel que soit l'auditeur. C'est toujours *l'effet* qu'on envisage dans cette technique de l'opinion. S'il faut fuir « trop d'ornements », c'est qu'on se méfie de celui qui ne cache pas « l'art et les richesses » [200] ; la métaphore a toutes sortes *d'utilités :* la douceur, l'exotisme, la clarté [201]. La « froideur du style » est tellement à redouter qu'on en recherche les causes de plusieurs côtés [202]. Les qualités sociables : l'urbanité, la convenance du langage, sont comprises largement et presque égalées aux dons de l'invention [203].

Le résumé est assez complet, sur tous les points, mais il faut surtout remarquer les passages où Bossuet est si satisfait de la pensée d'autrui

---

[197] En 167 v° ; III *Rhéto.,* 1403 B (I, 3) « Poetae primum agebant tragoedias. Ac sero in tragoediam ac rhapsodiam ventum est. » 1404 A (I, 9) « Nomina abjiciunt nunc, exametrum autores. » Voir les notes de notre édition, p. 184-185.

[198] 167 v°, III, *Rhéto.,* 1403 B-1404 A (I, 5), p. 184. Voici le latin de Bossuet : « De elocutione tractatio videtur res levis si recte existimetur. Nam omnis rhetorica, institutio ad opinionem, neque ut recte se habens sed ut necessaria ; tractanda est propter auditoris improbitatem. In sermone enim per se nihil quaerendum, nisi ut neque delectet neque molestus sit. Aequum enim ipsis certare rebus. »

[199] Cf. 168 v°, Chap. v, p. 186. EMENDATE DICERE.

[200] Cf. 167 v°, p. 185, dans un sous-titre à 1404 B (II, 4).

[201] Cf. 168 r°, *ibid.,* 1405 A (II, 8). « MÉTAPHORE : Metaphora habet maxime et suave et peregrinum et perspicuum. »

[202] En 168 r°-v°, pp. 185-186, ch. III, FRIGIDA ELOCUTIO.

[203] Cf. 170 v°, ch. X et XI, pp. 187-188. URBANA LOCUTIO (ΤΑ ΑΣΤΕΙΑ) ET PROBATA

qu'elle se coule dans sa langue maternelle. Son latin, sans doute, lui vient aussi sans effort, mais il est plutôt la langue de la connaissance abstraite. Nous avons remarqué, en faisant notre édition des notes, que les remarques en français exprimaient mieux le tempérament. La syntaxe en est plus vive, le vocabulaire est neuf : c'est la pensée immédiatement sentie. La greffe d'idées a si bien réussi que la cicatrice de jonction s'est effacée. Voici alors les principales remarques d'Aristote sur le style, assimilées en langue de Bossuet :

— La beauté inférieure qui ne nourrit pas l'écrivain « fort de ses verbes », comme dit Valéry :

ÉPITHÈTES, COMME DES RAGOÛTS, NON COMME DES VIANDES [204].

— L'artifice essentiel de la présentation :

ART DE FAIRE PARAÎTRE VRAI CE QU'ON DIT [205].

— Les remarques sur le rythme, les clausules, les divers types de périodes, ont toute leur portée quand elles sont expliquées dans les deux langues pour lesquelles elles furent faites. Elles sont inadéquates à la langue moderne qui a perdu le *cursus* antique. Cependant, il arrive un moment où Bossuet les applique analogiquement, et son expérience du nombre français se fait reconnaître :

La brève, comme imparfaite, ne finit pas [206].

— Et voici une façon bien naturelle, et bien bonhomme, de mesurer, sur le bon plaisir de l'auditeur-compagnon de route, le circuit périodique (qu'on s'imagine être chez Bossuet le résultat d'un calcul savant) :

PÉRIODES. Période, ni trop courte de peur qu'il n'arrive à l'auditeur comme à celui qui, ayant pris sa course pour aller plus loin, tout d'un coup se sent obligé de s'arrêter et repoussé. Ni trop longue, de peur qu'on ne laisse aller l'orateur tout seul comme dans la promenade lorsqu'on passe le terme accoutumé [207].

— Et ce secret de la vitesse, qui opère justement dans le style de ces notes, non assemblées et vivantes : l'asyndète :

La conjonction rend un. Otez-la, c'est mettre par pièce. Augmente la vitesse de l'action et fait paraître en un temps égal plus de choses [208].

La *Rhétorique* peut finir tranquillement, ou plutôt s'arrêter sans conclusion réelle, sur des conseils particuliers à l'usage des plaideurs [209], Bossuet a pris la haute main sur ces difficultés techniques dont il ne se laissera plus embarrasser : la *Rhétorique à Alexandre* (dont il ne discute pas l'authenticité) est, à la suite de la *Rhétorique*, littéralement expédiée.

---

[204] En français, 168 v°, p. 185 ; 1406 A (III, 3). Les épithètes sont subordonnées, mais elles ont leur fonction : « Les épithètes et mots composés, convenables au discours passionné, comme à la colère, et lorsque l'auditeur est pris par le discours et comme en fureur. » 169 r° fin, 1408 B (VII, 11), p. 186. En français également.
[205] *Ibid.*, 169 r° ; 1408 B (VII, 9).
[206] *Ibid.*, 169 v° ; 1409 A (VIII, 6), p. 187. Voir les remarques de Bossuet sur la quantité française au chapitre suivant, p. 174, n. (132).
[207] *Ibid.*, 170 r°, p. 187 ; 1409 B (IX, 6).
[208] *Ibid.*, 171 r°, p. 188 ; 1413 B (XII, 4).
[209] Cf. 171 v°-172 r°, p. 189 ; ch. XVII, sur les preuves.

Oui, il y a trouvé des remarques sensées qui peuvent éveiller dans le lointain des souvenirs littéraires [210], mais en général le commentaire qu'il fourre entre des parenthèses d'un type spécial, dans le cours même du texte, est persifleur :

Il propose les moyens de faire le discours long (· et ennuyeux ·) [211].

Et après une collection de procédés bizarres, il se gausse :

(· Tous moyens ou impossibles, ou vains, ou trop communs ·) [212].

Et tant de conseils sans à-propos !

(· L'artifice quand tout ne concourt pas, comme jamais il ne concourt, car on n'y hésiterait pas à balancer l'un par l'autre ·) [213].

L'ironie méprisante :

(· Précepte rare et nouveau ·) [214].

ou le haussement d'épaules :

Tout commun et sans artifice [215].

Enfin, Bossuet n'en veut plus de cette rhétorique sans inspiration :

(· En tous ces préceptes le bon sens découvre d'abord ce qu'il y a à dire, et on perd le temps à les examiner, encore plus à en charger sa mémoire, ce qui ne fait qu'étouffer la force du génie ·) [216].

Mais après cet éclat de jeune, homme, Bossuet n'a pas osé fermer le livre immédiatement : avant de passer aux *Morales,* il a encore relevé quelques remarques psychologiques de la *Rhétorique à Alexandre,* comme pour s'apaiser...

Il est tout de même amusant de voir le grand précepteur de l'Humanisme congédié par le classique qui avait le plus hérité de cette sagesse lentement accumulée dans l'art, par-dessus les premières et indispensables définitions. Mais la rupture de Bossuet et d'Aristote se fit dans le secret.

« Le capital de la Rhétorique, la vérité ».

La rhétorique devrait se passer de la rhétorique :

Aequum enim ipsis certare rebus [217].

Ce divorce, pour motifs ascétiques, de la raison et de l'agrément, Bossuet l'a tenté, mais c'était en classe et pour la démonstration [218]. Dans la pratique, l'homme est forcé de renoncer à la rigueur du philosophe, et il

---

210 Cf. 173 r°, *Rhéto. à Alex.,* 1424 B (II, 15), p. 190. Les arguments « pour conseiller de faire la paix » lui rappellent : ((Virgile, *Énéide,* XI. Turnus, Drancès)). La ressemblance est vague.
211 *Ibid.,* 173 r° ; 1434 B (XXII, 2).
212 *Ibid.,* (XXII, 3).
213 *Ibid.,* 173 v°, p. 191 ; 1439-1440 A (XXXIV, 3).
214 *Ibid.,* 174 r° ; 1440 B (XXXV, 4).
215 C'est-à-dire : sans art. *Ibid.,* 1441 A (XXXV, 5).
216 *Ibid.,* après le chap. XXXVIII, p. 192.
217 Aristote, cité n. (198).
218 Cf. *supra,* n. (172) et p. 135.

appliquera plutôt sa connaissance des hommes à former un style efficace. Et même le philosophe Aristote s'est trop complu à analyser et régler cette pratique : ce que Bossuet lui reproche, au fond, dans la *Rhétorique à Alexandre,* c'est un abus de la technique, étouffant pour le génie. Les moyens, ou les fins immédiates, lui ont fait oublier la vraie fin, comme dans l'action politique où son amoralité a scandalisé Bossuet, qui, au cours de la *Politique,* le traite de déclamateur [219]. La suspicion qu'expriment généralement ses notes à l'égard d'Aristote, renforce l'impression que donnaient, à l'entrée, ses extraits de la *Poétique* et des *Rhétoriques :* renseignements historiques, tradition des genres, définitions fonctionnelles, exemples bien remarqués, la collaboration d'Aristote lui fournit tout cela, mais jamais un principe : *l'esthétique* aristotélicienne lui échappe, ou ne l'intéresse pas.

Mais le philosophe Platon a saisi l'âme du discours :

((Le capital de la Rhétorique, la vérité, et ce qui appartient à la vérité...)) [220].

Bossuet a trouvé très clairement dans le *Phèdre* de Platon une rhétorique digne d'un philosophe. Mais ne disons pas qu'il a adopté, ni même qu'il a compris l'esthétique platonicienne. Car cette esthétique, qui n'est peut-être pas — comme l'est celle d'Aristote — monnayable en des techniques particulières, tient à un mysticisme doctrinal, dans lequel Bossuet n'a pas cherché à entrer. En effet, il est sans contact avec les néo-platonismes ; il ne lit pas les arguments de Marsile Ficin qui précèdent, dans son édition, les dialogues de Platon, et il se détourne du vocabulaire de sa traduction latine [221]. *Le Banquet* ne l'a aucunement ému : les « six degrés de beau » sont récapitulés sans que s'élève l'enthousiasme pour la beauté pure de laquelle participe toute beauté [222]. Or, l'esthétique du *Phèdre* perd sa transcendance si on ne la rattache pas à cette religion d'amour, expliquée plus ou moins allégoriquement dans *le Banquet,* puis dans le *Phèdre.* Mais l'amour platonicien est pour Bossuet une idolâtrie : l'équivoque initiale, ou l'impureté côtoyée à plaisir, le blessent, même si finalement il rend justice à la droite intention de Platon et à la chasteté effective de Socrate [223]. Ce traumatisme sentimental, si l'on peut dire, l'empêchera de prendre son essor métaphysique avec les âmes ailées du *Phèdre.* D'autre part, sa lecture *successive* ne lui donne pas la possibilité de retrouver un plan dans la pensée qu'il parcourt. Le fait d'avoir relu ses notes à plusieurs reprises en vue de recherches déterminées, ne compense pas le manque de recul. Chaque dialogue est affecté, dans ces

---

[219] Cf. F. fr. 12830, f° 224 v°, p. 262, à *Polit.* V, MOYENS DE CONSERVER LA TYRANNIE. ((Philosopho indignum ut tyranno adjumenta conquirat. Declamatoris est qui ad omnia paratus)).
[220] *Ibid.,* 121 v°, p. 147, dans Platon, commentaire du *Phèdre,* sans rattachement précis au texte.
[221] Cf. l'*Introduction* de notre édition des notes, pp. XXXVII-XXXVIII et XLVI.
[222] Cf. 115 r°, p. 139. SIX DEGRÉS DE BEAU. SCIENTIA PULCHRI. (*Banquet,* 210 A-212 A). Pas de commentaire proprement dit pour tout le *Banquet.*
[223] Cf. 118 r°, p. 143 ; *Phèdre* 252 D ((Impura philosophia nec Socrate digna)). etc., et « Castitas Socratis » noté à la fin du *Banquet,* 115 v°, p. 140.

reprises de lecture, à un sujet principal, ce qui lui ôte quelques autres de ses possibilités :

> ((La dialectique dans le *Philebus* et dans le *De Justo* ou *De Legibus*. Les marges le feront voir)).

et quant au *Phèdre* :

> ((Ce discours regarde la rhétorique...)) [224].

et nul autre ne lui est adjoint à ce titre. A la pensée de Platon sur la rhétorique, ainsi mise à part, il manque donc bien des considérants et quelques dépendances : beaucoup de remarques données à la dialectique pourraient aussi bien être attribuées à l'art du discours, qui est souvent la même chose ; l'inspiration poétique a été mentionnée beaucoup plus tôt, comme une simple curiosité [225] ; l'utilité de la rhétorique, qui fait le drame du *Gorgias,* ne reviendra pas en ligne au moment du *Phèdre* ; ainsi le problème de la moralité dans les arts, ou de la bonne rhétorique [226], est-il écarté pour que se pose, plus difficilement encore dans sa nudité, celui de la « *vraie* rhétorique » [227].

Et pourtant ce n'est pas la rhétorique qui tient le plus de place, ni dans le texte du dialogue, ni dans le résumé de Bossuet. Sur les bords de l'Ilissos avec son ami Phèdre, Platon prend le chemin des écoliers. La griserie poétique (incantation des cigales, ardeur de midi) allège ses pas rusés. Peut-être se moque-t-il quand il admire, tout en gardant un peu d'estime quand il raille :

> ((...Deux exemples de discours, un mauvais, l'autre bon, et puis les préceptes. Le mauvais, pas mauvais absolument. *Finesse pour le connaître*)) [228].

Ce jeu de Platon bat son plein après le récit de l'aventure des âmes, dans le mythe des cigales [229]. Et il le déclare pour inviter à passer outre la lettre de ses inventions symboliques [230]. Tout ce qu'il a écrit n'est peut-être même qu'une « pensée par jeu » destinée à soulager sa vieillesse oublieuse [231].

Puisqu'on joue, l'objet principal s'introduira comme par digression et sous un déguisement poétique. Il ne s'agit de rien moins que de la nature de l'âme. Quelque différente que soit la propre croyance de Bossuet, il rapporte volontiers les allégories de Platon [232]. Car le mythe sert

---

224 Ces deux remarques en tête du *Phèdre*, 115 v°, p. 140.
225 Io. DE FURORE POETICO, en 19 v°, p. 21.
226 Cf. 17 r°, début, p. 17 ; RHÉTORIQUE SERT AU PLAISIR. LES ARTS FLATTEUX, C'EST-A-DIRE CEUX QUI POUR LE PLAISIR, DISTINGUÉS DES BONS. (*Gorgias*, 500 B).
227 Cf. 120 r° fin, p. 146. ((Erreur. D'où, vraie rhétorique)).
228 *Ibid.*, 115 v°, p. 140. En tête du *Phèdre*. A partir d'ici, c'est nous qui soulignons à nouveau dans les citations.
229 Cf. 119 v° fin, p. 145, *Phèdre*, 259 A-D. «Multa de cicadis hic *et passim* in hoc dialogo *ludit.* »
230 Cf. 120 v°, p. 146, *Phèdre* 265 C. « IL Y A DU JEU DANS LE DISCOURS DE SOCRATE. Caetera lusimus. Duas autem species attigimus. »
231 Cf. 123 v°, p. 149, *Phèdre*, 276 D « Ita *ludens scribet* qui rerum peritus, monumenta colligens ad senectutis oblivionem sublevandam. »
232 De 116 r° à 119 v° inclus, *Phèdre* 245 C-256 E.

comme d'assouplissement à l'intelligence de qui doit comprendre le fond de la rhétorique :

L'ORATEUR DOIT CONNAÎTRE LE VRAI. NUL ART SANS LE VRAI. Oratorem veri compotem esse debere. ((Noter le grand précepte de Rhétorique)). Si justum ab injusto secernere non possit, civitatem pervertet. Sed qui veri compos est, eo magis poterit suadere. Sit ergo rhetorica ars. Sed nulla ars sine vero. ((Id.)) [233]

Sans se fâcher, en sautant de badinage en badinage, Socrate convainc Phèdre d'avoir à choisir entre le ridicule et la vérité [234]. Alors la rhétorique se découvre : elle a toutes les exigences de la dialectique : définitions, accord avec soi-même, division organique (« Discours comme animal, un corps : sa tête, ses nerfs, etc. »), et en outre elle connaît les « quatre parties du discours » [235]. On peut d'ailleurs passer rapidement sur les différentes trouvailles des théoriciens [236].

Mais Socrate est de loisir ; sa pensée court dans plusieurs lits à la fois. La différence par rapport à la dialectique, l'acquisition propre de la rhétorique, elle se voit mieux dans le résumé que tire de sa conversation capricieuse un moderne plus pressé. Elle consiste en une sorte de doigté, l'instinct du conducteur d'âmes, qui complète intimement dans l'orateur la lumière de la vérité objective :

((Le capital de la Rhétorique, la vérité, *et ce qui appartient à la vérité. La disposition irritable des auditeurs*)) [237].

Si difficile que soit la dialectique, la rhétorique est un art plus complet ; elle est comparable à la médecine, qui a pour mérite propre d'adapter des remèdes classés aux conjonctures et aux personnes [238]. Justement ne doit-on pas compter parmi ses grands fondateurs Anaxagore qui enseignait « la nature de l'esprit et de la pensée » et Hippocrate, de qui viennent les définitions [239] ? Selon l'âme, le discours :

CONSIDÉRER CE QUE CHACUN PEUT SOUFFRIR ET DE QUOI. ...PAR QUELLES RAISONS CHACUN PEUT ÊTRE PERSUADÉ [240].

La persuasion se fait aussi dans l'homme d'après l'objet :

L'ART EN DEUX CHOSES. 1. COMMENT L'AME EST DISPOSÉE. 2. CE QUI CONVIENT A CHACUN DANS CHAQUE AFFAIRE [241].

---

[233] *Ibid.*, 120 r° début, p. 145, *Phèdre*, 259 E-260 E. Nous traduisons : « L'orateur doit posséder le vrai. ... S'il ne sait pas discerner le juste de l'injuste, il bouleversera la cité. Mais celui qui possède le vrai, n'en pourra que mieux persuader. Soit donc la rhétorique un art. Mais point d'art sans le vrai. »
[234] Cf. 120 r°, p. 146, *Phèdre*, 262 C. « QUI NE SAIT POINT LA VÉRITÉ A UN RIDICULE ART DE DISCOURIR. »
[235] *Ibid.*, 120 v°-121 r°, pp. 146-147, *Phèdre*, 264 C-266 E.
[236] Cf. 121 v°, p. 147, « Caeterorum instituta », résumé *Phèdre*, 267 B-267 D.
[237] *Ibid.*, 121 v°. Bossuet ne suit plus le texte même de Platon. C'est une réflexion générale inspirée par ce texte.
[238] Cf. *ibid.*, 121 v°. « PAS ASSEZ DE SAVOIR LES REMÈDES, MAIS A QUI ET QUAND. RHÉTORIQUE COMPARÉE A LA MÉDECINE. » *Phèdre*, 268 B-269 D.
[239] Cf. *ibid.*, 121 v°, *Phèdre*, 270 A-270 C.
[240] *Ibid.*, 122 r° début, p. 148, *Phèdre*, 271 B.
[241] *Ibid.*, 271 D-272 A.

La rhétorique de Platon discutant avec ses disciples, pris un à un, varie selon la *forme* (εἶδος) qu'a reçue l'âme de chacun à sa naissance. Mais Bossuet, qui a généralement affaire à une foule peu homogène, s'inquiète :

((At agens cum turba quid faciet ? Nimirum qua in re consentiant)) [242].

Du moins, si Platon ne peut le guider dans sa prédication au peuple, il a affiné son esprit en y déposant une insatisfaction subtile. Le *Phèdre* ne s'achève-t-il pas par la condamnation — relative — de l'écriture, qui est l'imprudente invention de l'intelligent Theuth ? Les livres ne donnent qu'une science trompeuse :

AIDER LA MÉMOIRE ET AIDER L'INTELLIGENCE, DEUX. PAR LA MÉMOIRE LES HOMMES NON SAVANTS, MAIS LE PARAISSENT [243].

Bossuet, qui réunit sous le même vocable de *s a p i e n t e s* les sages et les savants, se rencontre avec Montaigne à la suite de Platon : La sagesse a un gîte plus intérieur que les connaissances livresques :

((Nota. Remarquer bien ce que c'est qu'entendre)) [244].

Quand Platon oppose le *S e r m o   s c r i p t u s,* qui ne peut se défendre ni conquérir, au *S e r m o   m e n t i s ,   v i v u s,* c'est l'auteur des sermons sur la parole de Dieu, et sur la prédication évangélique, qui se réveille pour l'approuver :

((La vraie éloquence *vive,* accommodée aux auditeurs)). ((Noter)) [245].

Oui, tout ce que le philosophe peut écrire, tout ce que l'écrivain donne à l'apparat, n'est qu'une « pensée par jeu », un jardin d'Adonis, fleurs de serre bientôt fanées. C'est dans l'âme qu'il faut écrire, sur le juste et l'injuste, qui ne se séparent pas du vrai [246].

Par cette exigence réaliste d'intériorité, commune aux philosophes de l'âme, la rhétorique est comme abolie. Cette conclusion, paradoxale après tant de discours réussis, se laisse deviner dans le *Phèdre* de Platon. Elle paraît plus clairement dans les notes de lecture de Bossuet, au cours desquelles précisément il déclarera sa lassitude à l'égard des livres [247]. Cependant, ni l'un ni l'autre ne se laissent aller à la haine de la parole, ou de la raison (λόγος) : les plaisirs de la parole vraie leur ont donné le désir des vrais biens, qui sont « les dons de l'âme et les vertus ». Pour tous les deux, le païen et le chrétien, l'élévation d'une prière achève ce discours sur les discours [248].

---

[242] *Ibid.,* 122 r°, p. 148. « Quand il aura affaire à une foule, comment s'y prendra-t-il ? Bien sûr, par le point où ils s'accordent. »
[243] *Ibid.,* 122 v° début, *Phèdre,* 275 A-B.
[244] *Ibid.*
[245] *Phèdre,* 275 D-276 A, Bossuet, 122 v°-123 r°, p. 149.
[246] *Phèdre,* 276 B-278 A. *Bossuet,* 123 r°, p. 149. « Sed maxime de justo et injusto animo inscribet. Quae vero consentanea sint. » Le texte même de Platon est logiquement moins serré.
    Le cardinal d'Aguirre rappelle ces « jardins d'Adonis » dans une lettre latine à Bossuet, du 26 septembre 1697, *Corr.,* VIII, 370.
[247] Cf. 202 r°-v°, pp. 230-231 et Planche VII. Entre les *Grandes Morales* et la *Morale à Eudème.* La lecture « nous attache aux pensées des autres, à les savoir, à les retenir. Charge la mémoire, embarrasse le raisonnement, éteint la vivacité et l'invention ... ». Cf. dans notre Introduction aux notes, III. BOSSUET LECTEUR, pp. XXIX-XLV.
[248] F. fr., 12830, 123 r°, p. 149, *Phèdre,* 279 B-C. « Qua precatione finem disserendi facit. »

CHAPITRE IV.

« LITTERAE HUMANIORES ».

Le progrès de Bossuet dans son goût profane, jusqu'ici nous l'avons suivi en observant la réalisation de son œuvre : l'œuvre de prédication d'abord, qui se perfectionne sous l'influence esthétique de l'antiquité, est le fruit d'une activité publique ; ensuite, c'est en faisant l'éducation du prince, dont il est comptable au roi et à la catholicité, qu'il accomplit sa propre « institution », historique et critique. L'évolution artistique et intellectuelle, que nous avons suivie dans nos deux précédents chapitres, coïncidait avec les « époques » de sa vie ; aussi la découvrions-nous dans une succession de textes éclatants.

Nous savons bien que la providence de son génie aisé veille, avec un soin toujours égal, sur sa vocation d'expression au service des peuples et des rois. Mais maintenant, nous avons à découvrir une conjoncture plus secrète, dont le public a tout juste aperçu les affleurements officiels, et que la postérité a pratiquement ignorée. Nous voulons parler dans le présent chapitre des *événements* littéraires de la vie de Bossuet, dont aucun ne fut bien marquant. Dès lors, nous abandonnons les limitations chronologiques de la biographie pour rassembler, à la fin de cette première partie, les actes et les textes par lesquels Bossuet s'est prononcé, de quelque façon et à un moment quelconque, sur des valeurs littéraires.

Nous laisserons de côté tous les traits de sa critique enflammée, qui est peut-être — même dans son injustice — la critique la plus éclairante, mais qui déchirerait la paix de nos lettres humanistes[1]. Tandis que les menus faits ou les jugements simples que nous rassemblons ici, dans nos deux premières sections, sont l'expression d'une humanité apprivoisée. Un caractère général de sociabilité dans l'usage des lettres, doit donc justifier notre titre, si large, de « *Litterae humaniores* ». Une troisième section

---

[1] Les textes réservés sont essentiellement les actes de quelques querelles de Bossuet : querelle du théâtre avec le P. Caffaro (mai-août 1694), querelle de la mythologie avec J.-B. Santeul (juin 1694), et querelle... avec lui-même dans le *Traité de la concupiscence*, qui est probablement aussi de 1694. — L'espèce d'appréciation littéraire qu'expriment ces jugements passionnés, est liée aux préoccupations morales ou à l'attraction mystique du vieillard, pasteur d'âmes ; c'est la nuance, le contour irisé d'un monde différent de celui que nous regardons ici, et qui doit aussi être considéré à un autre point de vue.

du chapitre réunira les jugements portés par les contemporains sur le génie littéraire de Bossuet. Enfin, nous reviendrons lui demander à lui-même, dans la quatrième et dans la cinquième sections, le témoignage, presque l'aveu, que nous livrent les productions mineures de sa plume. Son comportement personnel, en même temps, éclairera l'utilité vitale qu'avait pour lui le plus humain des divertissements.

I. BOSSUET ET LA LITTÉRATURE DE SOCIÉTÉ.

Devant la littérature française.

Pour le monde, il a forcément une certaine physionomie d'homme de lettres. Mais on aurait tort de la graver au burin, car elle reste, pour la postérité, presque furtive. On la voit paraître, par ricochet, dans les occasions de sa conversation. Recueillons au vol cette boutade « d'honnête homme » :

De toutes les bagatelles la poésie est la plus jolie.   Bossuet [2].

L'anonyme qui a détaché cet aphorisme d'une conversation de Bossuet sur le rapport des Pères à l'Ecriture et de saint Thomas à Aristote, et sur les qualités du poète Horace, lui a laissé son allure gracieuse. Sur la définition d'une chose légère, Bossuet n'a pas pesé. D'un agrément de la vie sociale, le clerc, comme le laïc, doit parler agréablement.

C'est que Bossuet ne pense être *connaisseur* qu'en latin. Il laisse aux Jésuites, à Rapin ou à Bouhours [3], la juridiction délicate des lettres françaises. On ne voit pas qu'il ait blâmé le ministère profane de ces religieux artistes et grammairiens, alors que, selon Ledieu, il trouvait déplorable :

que des prêtres et des religieux perdissent le temps à divertir le public, ou par des *aventures* galantes, ou par des *entretiens frivoles* et même par des *histoires...* [4].

Il nous aurait d'ailleurs suffi de savoir qu'il approuvait la doctrine autant que le style des *Provinciales* pour penser qu'il réprouvait toutes ces fleurs mondaines poussées aux lieux d'Eglise : la raillerie de Molière pour Trissotin-Cotin aurait dû lui convenir, car elle allait dans la direction (pour les Classiques, c'est une seule et même voie) de son goût et de sa conscience...

Il n'a pas expliqué d'auteurs français au Dauphin, et, d'après son écrit au cardinal de Bouillon, il en avait peu lu pour son propre compte. Mais il n'est pas sans avoir conscience que la production contemporaine

---

2 Recueil Monmerqué, B.N., n. acq. fr. 4333, fol. 44 (dans *Revue Bossuet*, 1905, p. 110). Recueil d'*Ana* rédigé environ de 1670 à 1675.
3 Lettre au P. Rapin, qui montre de l'estime, 3 août 1687, *Corr.*, III, 413. — A Bouhours, 14 déc. 1671, *Corr.*, I, 232, « ce jugement exquis qui vous fait si bien distinguer les caractères propres à chaque matière » ; *ibid.*, III, 453, à Huet, 7 déc. 1687 : « quelques auteurs approuvés et, entre autres, le P. Bouhours ».
4 LEDIEU, *Mémoires*, I, p. 153. Les soulignements sont dans Ledieu.

mérite d'être appréciée avec le même soin, équitable et sympathique, que les œuvres des Anciens qui sont acquises à la mémoire humaniste. Seulement ce n'est point son affaire de parler des littératures modernes. Ou plutôt ce n'est pas son affaire d'en écrire doctoralement. Et maintenant qu'il nous reste peu de traces des conversations avec les amis, ou avec les collègues de l'Académie, nous ne pourrions réunir, sur tout l'espace de sa vie, un nombre de jugements sur les auteurs français suffisant pour tracer la ligne de son goût.

Nous retrouvons donc, à propos de littérature française, l'écrit de 1670 « sur le style et la lecture des Pères de l'Eglise pour former un orateur », que nous avions étudié au point de vue de l'institution oratoire donnée par le paganisme. C'est même son morceau de critique le plus long, et l'un des plus libres, puisque le profit cherché à cette occasion pour l'orateur-étudiant était d'ordre littéraire. Car « pour former le style », « les poètes aussi sont de grand secours ». Nous avons expliqué précédemment de quelle nature était ce secours profane. Il se trouvait que les poètes d'avant le christianisme, constituant pour Bossuet le fonds de la littérature humaniste, donnaient le plus grand « secours ». Cependant l'orateur chrétien parle français, et un petit nombre d'exemples, qui, justement, ne sont pas pris dans la chaire chrétienne, l'initiera aux possibilités de sa langue. Ces exemples ne pouvant être copiés à cause de la différence des genres, le danger — redoutable pour les écrivains cultivés — de l'imitation dans la même langue, est écarté, pourvu que l'orateur ait vraiment conscience du genre chrétien, et le profit est le même que dans les lectures en langue étrangère. Et même le choix de Bossuet parmi la prose française, par ses considérants très personnels, combat les restes du cicéronianisme dans l'éloquence en langue moderne :

> Selon ce que je puis juger par le peu de lecture que j'ai fait des livres français, les *Œuvres diverses* de Balzac peuvent donner *quelque idée du style fin et tourné délicatement*. Il y a peu de pensées ; mais il apprend par là-même à donner plusieurs formes à une idée simple. *Au reste, il le faut bientôt laisser ;* car c'est le style du monde le plus vicieux, parce qu'il est le plus affecté *et le plus contraint* [5].

C'est excellemment juger de la « rhétorique » que Jean-Louis Guez de Balzac fit faire, comme on l'a dit, à la langue française, afin que d'au-

---

[5] BOSSUET, *Sur le style...*, O.O., VII, 14. — Comparer ce que nous disons ici de Bossuet devant la littérature française, à ce que nous avons dit de ses lectures grecques et latines dans la première section de notre INSTITUTION ORATOIRE.
 Nous avons eu le plaisir, en décembre 1956, de voir, mis en vente par les soins de M. Pierre Berès (librairie Dorbon) un exemplaire de Balzac ayant appartenu à Bossuet.
 Ce sont les « *Lettres de Mr de Balzac,* | Seconde partie | Edition III | à Paris, chez Pierre Rocolet | M.DC.XLI ». — Au verso de la couverture, Bossuet lui-même a écrit « lues et notées en Janer 1667 ».
 Il n'y a pas d'autre annotation, mais de très nombreux appels à l'attention ; à l'encre ou au crayon, de formes variées. Par exemple, a été mis entre crochets à la marge le passage suivant, lettre II à M. Rigault, p. 11 : « Il est certain que pour acquérir de la foi il faut se tenir dans la vraisemblance et présenter à la postérité des exemples qu'elle suive et non pas des prodiges qui l'étonnent. »
 1667 : Bossuet recueillait méthodiquement la substance des conseils qu'il donnerait impromptu au cardinal de Bouillon, et alors ses impressions de lectures françaises seront récentes.

tres, moins scolaires et plus inspirés, la missent hors de page. Mais il fallait aussi rendre hommage à ce régent supérieur qui inculque aux débutants la propriété de la langue, les fournit d'une abondance de tournures (c'est le sens ici du mot *phrases*), et leur inspire la tenue du style :

> Au reste, il parle *très proprement* et a enrichi la langue de *belles locutions et de phrases très nobles* [6].

Les exemples qui suivent, proviennent d'écrivains qui sont presque de la génération de Bossuet, et tous de Port-Royal. Leur utilité agit plus en profondeur que celle de Balzac :

> J'estime la Vie de *Barthélémy des Martyrs* [de Le Maistre de Saci], les *Lettres au Provincial*, dont quelques-unes ont beaucoup de force et de véhémence, et *toutes une extrême délicatesse*. Les livres et les préfaces de Mrs de Port-Royal sont bonnes à lire, parce qu'il y a *de la gravité et de la grandeur* [7].

Toutefois cette littérature sérieuse, et si bien proportionnée à la dignité chrétienne, ne peut nourrir longtemps l'esprit, qui a besoin de renouvellement :

> Mais, comme ce style *a peu de variété*, il suffit d'en avoir vu quelques pièces [8].

Si, comme nous l'avons dit [9], le mot dominant de cette rhétorique de 1670, rhétorique grave et de portée religieuse, est *l'agrément*, il n'est pas étonnant que Bossuet vienne ensuite chercher les exemples de style, qui doivent assouplir l'esprit et modeler la langue, dans les productions purement profanes. Et notamment dans ces traductions des littératures-mères, « belles infidèles », plus adaptées aux besoins nouveaux des lecteurs qu'attachées au sens, voulu par l'auteur ancien mais forcément révolu pour l'homme du XVIIe siècle. Bossuet ne se met pas au point de vue de l'exactitude archéologique, si l'on peut dire, mais à celui du goût que nous appelons « classique », lorsqu'il prononce (d'accord avec Boileau, que :

> Les versions d'Ablancourt sont bonnes [10].

Parmi les auteurs traduits, il choisit les plus substantiels, Corneille Tacite et Thucydide, qui peuvent fournir « le sublime et le grand », et l'on voit bien quelles raisons le précepteur avait d'admirer le profond historien grec, et pourquoi l'orateur chrétien qui a la charge, dans les grandes circonstances, de présenter l'histoire en termes d'éternité, aimait recourir aux « paroles fortes du plus grave des historiens » [11]. Mais quel bienfait attendait-il de la lecture des poètes dramatiques *français,* qu'il n'a jamais

---

[6] *O.O.*, VII, 14, .
[7] *Ibid.*, 14-15, .
[8] *Ibid.*, 15, .
[9] Cf. chap. II, L'INSTITUTION ORATOIRE, I, L'ÉCRIT SUR LE STYLE, fin p. 57.
[10] BOSSUET, *Sur le style...*, *O.O.*, VII, 15. Cf. BOILEAU, *Satire* IX, *A son esprit* (1668), v. 290.
[11] Tacite, ainsi désigné dans l'O.f. de H. d'Angleterre, *O.O.*, V, 677 (1670).

cités en chaire, comme il y citait les auteurs anciens, en tant que témoins de la nature humaine [12] ?

> Pour les poètes, je trouve *la force et la véhémence* dans Corneille ; *plus de justesse et de régularité* dans Racine [13].

Tous ces termes ne s'inspirent pas des conventions régnantes sur les règles et les genres, et ce sont des éloges, mais nous ne voyons pas dans quel sens Bossuet met entre eux la gradation. Il ne cherche pas non plus à faire un portrait abrégé des quelques auteurs retenus : il donne seulement des indications de lectures souhaitables, en dehors de l'Ecriture et des Pères (qui sont les « autres lectures sérieuses »), d'après son expérience :

> Une ou deux pièces suffisent pour donner *l'idée* et faire connaître *le trait* [14].

Ainsi, aucune de ces lectures ne s'impose particulièrement, mais Bossuet donne des raisons pour excepter chacune d'elles de ce « reste » qui :

> ne fait que gâter et inspirer les pointes, les antithèses, les grands mots, le peu de sens et les froides beautés [15].

Le choix de quelques auteurs français veut peut-être simplement dire que la beauté du style est toujours utile à l'esprit.

Bossuet n'aura plus l'occasion de reprendre ce point de vue. Ses jugements ultérieurs sur les écrivains contemporains seront tous engagés dans un dessein d'action. Par exemple, à Madame de La Maisonfort, qui, l'interrogeant sur le moyen d'éviter les passions, lui a allégué une maxime de La Rochefoucauld, il répond assez durement :

> Vous citez en ce fait un mauvais auteur [16].

L'appréciation littéraire n'est pas davantage celle qui compte quand il déconseille à Madame Cornuau les lettres de Saint-Cyran, parce qu'elles « sont d'une spiritualité *sèche et alambiquée* », et qu'il lui recommande au

---

[12] Mais dans sa jeunesse il se rencontrait d'expression avec Corneille sur l'idéal du « généreux », *O.O.*, I, 222, Zizanies, 1652. Cf. l'INSTITUTION ORATOIRE, p. 76 et n. (111). Mais plus il avance, moins il accepte de compromettre le style chrétien avec le style du monde, et Racine ne lui donne absolument rien, sinon un argument : sa conversion. Il a pourtant assez bien connu l'homme qui est « très proche parent » d'Ellies Du Pin (Cf. *Corr.*, V, 81 et 151). Selon le cardinal de BAUSSET, il aurait donné son approbation à *Athalie* dans un voyage de Fontainebleau, longtemps avant qu'elle parût (*Histoire de Bossuet*, 1. VII, XXIII). Cf. pour les relations littéraires, Th. GOYET, *Racine dans la dépendance de Bossuet*, dans les *Annales littéraires de l'Université de Besançon*, 1954. Sur leurs relations personnelles, p. 62 particulièrement.

[13] BOSSUET, *Ecrit sur le style*, *O.O.*, VII, 15. La date de cet écrit n'étant pas fixée précisément, Bossuet peut alors connaître le théâtre de Racine jusqu'à *Britannicus* ou *Bérénice*, inclusivement ou exclusivement.

[14] *Ibid.* Pour compléter le tableau, peu fourni, de ses relations avec les écrivains de son temps, rappelons la lettre respectueuse et confiante qu'il écrit, sur la mort de leur commun ami Pellisson, le 16 février 1693, à Madeleine de Scudéry (*Coor.*, VI, 311). Il la connaissait sans doute depuis l'hôtel de Rambouillet, et sa sœur Mme Foucault, faisait lire la *Clélie* « aux jeunes Messieurs Bossuet ses neveux », alors âgés de neuf ou dix ans (*Ibid.*, note).

[15] *Ibid.*, 14.

[16] 30 mai 1701, *Corr.*, XIII, 83.

contraire les œuvres d'Arnauld d'Andilly et de Claude Fleury [17]. « L'agrément » qu'il prend à lire *la Mort chrétienne,* du Père Mabillon [18], est aussi trop spécial pour être assimilé à ce *d e l e c t a r e* qui est l'âme profane de l'éloquence, ou de la littérature.

Naturellement la sympathie, ou l'antipathie, pour l'auteur diminuent dans ce genre d'appréciations la part du goût. Celle-ci sera encore plus faible à propos d'éloquence religieuse. Au point de vue strict du *métier,* Bossuet n'a guère plus parlé de ses confrères que de lui-même, et toujours il songeait à l'efficacité de leur ministère. Il peut être chargé, officieusement, de juger de la capacité d'un prédicateur, mais le mérite qu'il qualifie est alors un tout [19]. Dans une conversation, vers 1670, on a pu relever de lui ce propos qui caractérise assez bien le génie de Bourdaloue :

> Monsieur Bossuet dit *qu'il est moral,* a de la netteté et de la facilité, point de dessein ni d'élévation. Il parle assez bien [20].

Mais dans la suite, ayant maintes fois employé le jésuite dans son diocèse, il l'estime très vivement comme personne apostolique, sans plus rien préciser sur le style [21]. C'est peu aussi de dire d'une oraison funèbre de Gabriel de Roquette qu'elle est « une pièce pleine de piété et d'éloquence » [22]. Comme si toutes les formes de talent lui paraissaient légitimes, il ne marquait pas une hiérarchie entre les orateurs ses contemporains.

Ce fut vrai du moins tant qu'il avait à craindre en lui-même la particularité du rival. Mais vers la fin de sa vie, quand sa voix ne compte plus du tout dans la chaire, le journal de Ledieu nous apprend qu'il avait perçu cette évolution du siècle qui se faisait sans lui vers un agrément plus facile, où il vit une sorte d'abaissement. De Massillon, il loue « sa voix douce, son geste réglé, ...la grâce de l'élocution » ; il trouve « de la politesse dans son discours, des termes choisis et de l'onction », mais il juge que :

> cet orateur *bien éloigné du sublime* n'y parviendrait jamais [23].

Et c'est la même note au sujet du Père Maure de l'Oratoire :

> Il a loué la pureté du style, la netteté, les tours insinuants et pleins d'esprit ; mais il n'y a trouvé *ni sublimité, ni force* [24].

La ressemblance entre ces deux jugements peut être, dans une certaine mesure, le fait du transcripteur, Ledieu, qui, pour tirer son maître hors de

---

[17] A Mme Cornuau, 14 mai 1695, *Corr.,* VII, 88 : « Pour la *Vie des Pères du désert,* c'est un livre également saint *et délicieux ;* je vous exhorte à le lire, et même l'*Histoire ecclésiastiaue.* »
[18] A Mabillon, 26 avril 1702 : *Corr.,* XIII, 295-296.
[19] *Corr.,* III, 75, 13 avril 1685, à Huet : « Je crois qu'il serait à propos que j'entendisse le P. de La Rue. Alors *ma recommandation,* fondée sur la connaissance, sera plus forte. »
[20] N. acq. fr. 4333, f° 166. Dans *Revue Bossuet,* déc. 1905.
[21] *Corr.,* VI, 381, 4 août 1694, à Mme d'Albert : « Il nous a fait un sermon qui a ravi tout notre peuple et le diocèse. »
[22] *Corr.,* I, 286, 20 nov. 1672, à François Diroys.
[23] LEDIEU, *Journal,* 8 décembre 1699, t. II, pp. 2-3. Il est cependant « très content » du sermon de la Samaritaine, 4 mars 1701 (*ibid.,* p. 176).
[24] *Ibid.,* 165, 8 décembre 1700.

comparaison, rabaisse la génération montante, mais le *Journal,* écrit sur le vif, doit garder assez bien le ton des propos entendus. Il nous apparaît donc, qu'au même temps où il prévoyait l'affaiblissement de la religion par « l'indifférence des religions », Bossuet souffrait, dans son sens esthétique, d'entendre une prédication émasculée.

Sur l'art de Fénelon, son jugement sera forcément suspect : l'antipathie pour l'homme devait passer jusqu'au style ! Se sentant en danger de partialité, il avait d'abord voulu éviter de se prononcer, mais il insinuait :

> Le *Télémaque* de M. de Cambrai, écrit-il à son neveu, est, sous le nom du fils d'Ulysse, un roman instructif pour Mgr le duc de Bourgogne. *Il partage les esprits :* la cabale l'admire ; le reste du monde trouve cet ouvrage *peu sérieux pour un prêtre* [25].

Mais la publication avait fait tant d'éclat que tout homme cultivé fut tenu de déclarer son goût. Ecartons le jugement de moralité sur ce *roman,* comme l'appelle Ledieu avec mépris. Il apparaîtra combien le sentiment composite, qui règne vers 1700, scandalisait un homme qui, ayant appris ses cadences dans Guez de Balzac et la « délicatesse » dans les *Provinciales,* avait joui de la prose française en sa maturité, vers 1670. Voici l'impression littéraire, telle qu'elle s'est démêlée en huit mois :

> Le samedi précédent au soir, il fut aussi parlé de *Télémaque.* Dès qu'il parut et qu'il [Bossuet] en eut vu le premier tome, il le jugea écrit *d'un style efféminé et poétique,* outré dans toutes ses peintures, *la figure* poussée au-delà des bornes de la prose, et en termes tout poétiques. ... M. de Meaux en avait vu le manuscrit *il y avait plusieurs années*, et je l'avais ouï souvent en reprendre *seulement le style poétique.* C'est qu'il s'était contenté de courir dessus sans attention et ne s'était laissé frapper que des peintures outrées [26].

Ainsi la querelle des théologiens se répercutait en un conflit des générations littéraires. L'aîné devine même que son opposition en matière théologique travaille pour la gloire littéraire du cadet.

> Il fut fort surpris de le voir imprimé [*Télémaque*] et ne douta pas que ses amis [de Fénelon] n'eussent pris le temps que la condamnation du livre des *Maximes des Saints* était venue, pour le répandre [*Télémaque*], dans le public, et y conserver au moins à l'auteur *la réputation du meilleur écrivain de la France,* comme ils le prétendaient [27].

Que ce titre soit une usurpation, Bossuet n'ose pas le dire, mais de sa mauvaise humeur il appert assez clairement que le succès du *Télémaque* est littérairement illégitime. L'archevêque-romancier sort des droits de la prose, et il viole la distinction des genres. C'est comme s'il s'était mis

---

[25] *Corr.,* XII, 6 ; 18 mai 1699, à l'abbé Bossuet.
[26] LEDIEU, *Journal,* concerne le 23 janvier 1700 ; II, 12.
[27] *Ibid.,* pp. 12-13. Selon Bossuet, Fénelon, en critiquant le gouvernement, cherchait encore « l'honneur d'avoir seul le courage de dire la vérité », p. 14.
Des déclarations si nettes ont dû être enregistrées exactement par Ledieu.

hors-la-loi de la sagesse artistique, tantôt excessif d'imagination, tantôt bas dans la simplicité. Ledieu ayant reçu une nouvelle critique du *Télémaque* :

> Comme j'en faisais la lecture, j'ai dit que j'avais Sophronisme [*sic*] et les Dialogues, que je trouvais d'un style plus supportable que Télémaque. Il est ainsi, dit M. de Meaux, mais aussi *ce style est-il bien plat*, et pour les Dialogues *ce sont des injures* que les interlocuteurs se disent les uns aux autres [28].

Ainsi l'idéalisme intégral de l'artiste mystique prenait-il la figure du cynisme aux yeux de l'homme *modéré* d'un autre âge, et l'écrivain trop original passa pour avoir perdu même la politesse.

Le protecteur des lettres humanistes :

Vers latins et théâtre édifiant.

Mais Fénelon a sans doute une manière trop personnelle qui peut étonner tout lecteur, à quelque génération qu'il appartienne. La sévérité dans son cas ne prouve pas que Bossuet s'oppose par principe au renouvellement des formes littéraires. Au contraire, le temps humain lui paraît être l'espace des conciliations. Nous verrons qu'il ne prit point parti dans la Querelle des Anciens et des Modernes. Fidèle aux traditions, il encourage les divertissements poétiques à l'ancienne mode, et il admet le théâtre scolaire ; mais, soucieux de former l'avenir, il reçoit aussi la poésie moderne, qui est normalement d'inspiration chrétienne, et ses encouragements ont alors une signification plus complexe, que nous étudierons plus tard.

Pour le moment considérons, par rapport à Bossuet, le milieu qui produit de si nobles plaisirs. Dans l'Université, si voisine de l'Eglise, les modes passent lentement. Tant de chères habitudes d'ailleurs s'attachent à la conservation d'une langue polie par l'usage scolaire, et qui donne si facilement, aux compliments ou aux regrets, tant de dignité [29] ! Comme dans les autres collèges, jésuites ou universitaires, les fleurs artificielles des vers latins poussaient au Collège de Navarre depuis sa fondation. Au début du XVIe siècle, Ravisius Textor y avait composé un recueil fameux d'*Epitheta*. Au milieu du XVIIe siècle, quand Bossuet était étudiant de théologie, des vers latins accompagnaient « le panégyrique du roi et du collège de Navarre qu'il prononça en faisant les *Paranymphes* » [30]. Devenu

---

28 *Ibid.*, p. 22, 14 janvier 1700. Le premier ouvrage est de MALÉZIEU. Cf. *infra*, n. (70).
29 Cf. Abbé VISSAC, *De la poésie latine en France au siècle de Louis XIV*, thèse, 1862 ; MONTALANT-BOUGLEUX, *J.-B. Santeul, ou de la poésie latine sous Louis XIV*, 1855 ; SAINTE-BEUVE, *Lundis X* ; BRUNOT, *Histoire de la langue française*, t. V, ch. I.
   Un compliment en vers latins est une amabilité courante entre gens de lettres, et même chez les érudits de cour. Ainsi PELLISSON félicite Bossuet d'avoir été choisi par le roi comme évêque de Condom, en vers latins et français, entre une ode au roi et une petite poésie pour le Dauphin : *Ad Regem. Ode I. Ad. J.-B. Bossuet... Ode II. Delphinus inducitur loquens, Ode III*, in-8°, s.l.n.d. (après le 8 septembre 1669 et avant la nomination de précepteur, 5 septembre 1670). Des échantillons suffisent pour faire connaître ce commerce littéraire où Bossuet a dû beaucoup recevoir, mais ne paraît avoir rien donné.
30 LEDIEU, *Mémoires*, I, 41 ; en février 1648.

orateur célèbre, il reçut lui-même son bouquet quand il revint dans son collège, pour y prononcer l'éloge funèbre de son maître, Nicolas Cornet [31]. Etant docteur de Sorbonne, il préside ou rapporte des thèses à la Faculté de théologie ; nommé supérieur de la maison et société de Navarre, le 14 août 1695, et conservateur des privilèges de l'Université, le 14 décembre [32], on peut dire qu'il n'est jamais sorti de l'orbite universitaire.

Aussi, bien naturellement, les clercs latinisants lui adressent-ils leurs productions, comme à un confrère dont le jugement fait autorité. Etant précepteur, il a l'occasion d'apprécier une devise de l'érudit bourguignon J.-B. Lantin, et Halley, qui avait appris à Huet à faire des vers latins « si beaux », lui envoie ses *Miscellanea* en même temps qu'au Dauphin [33]. Le cardinal de Furstenberg lui envoie, avec un livre d'antiquités, ses vers, et ceux, idylliques, d'un de ses chanoines ; et Bossuet lui fait un remerciement enthousiaste en latin [34]. Par l'intermédiaire de l'abbé Claude Nicaise, l'universel correspondant, il adresse au savant Jacob Spon des conseils pour l'honnêteté du style, latin ou français : il réprouve l'emploi flagorneur d'une citation liturgique, et, tout en louant « le goût antique » d'une dédicace au Dauphin, il retranche un mot qui « paraît un peu trop figuré et trop éloigné de la simplicité », et donne une belle leçon classique de mesure [35]. Etant évêque de Meaux, son ancien collègue Huet lui fait plaisir avec une « belle ode » [36]. Leibniz lui a envoyé une épigramme fulgurante contre les bombes, et Bossuet le complimente poliment, en français, langue qui veut de la discrétion [37]. Même modération sentie pour louer les vers, que lui envoie l'abbé Nicaise, en l'honneur du cardinal Le Camus. Bossuet les a trouvés dignes de celui-ci :

> Il y a beaucoup de bonne latinité et un style fort coulant dans ces poésies, avec de beaux sentiments [38].

Mais le plaisir que lui donne un vrai poète, le victorin Jean-Baptiste Santeul, est trop profond pour que nous le passions rapidement au nombre de ces divertissements mineurs. La querelle sur la mythologie qui en

---

31 Le 27 juin 1663. — Cf. *O.O.*, IV, 470. Les vers latins sont dans l'édition d'Amsterdam, 1698. — Voir notre chapitre : LA FORMATION HUMANISTE, II, PARIS.
32 Voir la *Chronologie de la Vie de Bossuet, Corr.*, t. XV. Cf. *infra*, n. (181). L'éloge de Rollin résume bien ce que Bossuet a été, en effets ou en espérance, pour les lettres universitaires.
33 *Corr.*, I, 231, à J.-B. Lantin, 23 octobre 1671, et I, 341, à Huet, 19 mars 1675.
34 *Ibid.*, I, 331, 30 nov. 1674.
35 *Corr.*, II, 104-108, à Claude Nicaise ; 9 février 1679. « Dans l'inscription pour le Roi, il y a trois adverbes de suite, *c e l e r i t e r , f o r t i t e r , a u d a c t e r :* ce qui est *du style affecté*, plutôt que de la grandeur qui convient aux inscriptions. Je les ôterais tous trois. Je doute aussi un peu du *c o n c u l c a t i s ,* et je ne sais si ce mot se trouve en ce genre : il paraît *un peu trop figuré et trop éloigné de la simplicité.* Je ne sais si *p a c e d a t a* ne serait pas mieux que *o b l a t a*. Le reste est excellent.
  Voilà, Monsieur, ce que vous avez souhaité de moi, c'est-à-dire mon avis, très simplement. Conseillez à M. Spon d'éviter les railleries excessives dans sa réponse aux turlupinades ; elles tombent bientôt dans le froid, et *il sait bien que les plaisanteries ne sont guère du goût des honnêtes gens :* ils veulent du sel et rien de plus. S'il faut railler, *ce doit être du moins avec mesure.* Assurez-le de mon estime : comme je le vois né pour le bon goût, je serais fâché qu'il donnât dans le mauvais. » (p. 107-108).
36 *Ibid.*, III, 46-47. A Huet, 5 décembre 1684.
37 *Ibid.*, V, 291, à Leibniz, 27 décembre 1692.
38 *Ibid.*, III, 311-312, à l'abbé Nicaise, 7 oct. 1686.

sort, marque d'ailleurs l'ouverture d'une crise, dont il faudra traiter d'un point de vue moral plutôt que littéraire [39].

Les prélats cultivés et les grands de ce monde se partagent parfois les mêmes panégyristes. On est payé chez les uns, on est mieux écouté chez les autres. Ainsi, le poète attitré de Bossuet est l'abbé François Boutard, qui n'est pas une des grandes gloires du nouveau Latium, quoiqu'il s'intitule « le poète des Bourbons » [40]. Il célèbre assidûment Bossuet, dans son intimité champêtre comme dans ses grandes entreprises. Cinq poèmes au moins composent cette chronique fleurie : un *Germinium* sur la maison de campagne, pour remercier Bossuet de sa protection, après un séjour à Germigny [41] ; un panégyrique général, latin et français :

> A | Monseigneur | l'Evesque de Meaux | que l'interest | de la religion | Doit l'exciter à entreprendre | de nouveaux Ouvrages [42].

Le latin en est *sublime* ; le français, quoique chargé de la majesté des symboles, compose un tableau assez précis, avec la glose de l'auteur dans la marge, des activités de Bossuet. Et quel mouvement épique pour célébrer cette « geste » de l'esprit !

> Qui peut tarder ces fruits qui te coûtent si peu ?
> Ton génie a-t-il moins et de force et de feu ?
> La Sorbonne attentive aux progrès de ta course,
> Te voit toujours puiser la sagesse en sa source,
> Les Maîtres de la langue, arbitres du Discours,
> De ta savante bouche empruntent du secours,
> Et le Clergé, ravi par ta douce éloquence,
> De nos Droits vient en foule admirer la défense...

Le dessein est le même dans le « Portrait | de Messire | Benigne Bossuet... » qui accompagna le portrait peint que Bossuet envoyait au Grand-Duc de Florence [43]. Mais, cette fois, Boutard s'était joint à un poète français plus célèbre que lui, « Perrault, de l'Académie française » (Charles Perrault) ; et s'il avait, lui, dans ses distiques iambiques, la force vengeresse (*Infame Calvini genus... Demens Quietis Artifex*), l'Académicien apportait dans ses strophes tout le liant de la banalité :

> Chrysostome autrefois fut l'honneur de Byzance,
> L'Afrique doit sa gloire au fameux Augustin,
> L'Illyrie à Jérôme, et Bénigne à la France
> Assure un semblable destin.

[39] Mais ce sera hors des limites du présent travail. — Les principales difficultés sont exprimées dans une lettre de Bossuet à Santeul, de juin 1694, *Corr.*, VI, 343 .— Santeul lui avait donné des vers sur Germigny, en 1690. Cf. *Corr.*, II, 230 et *infra* : « Le bonheur de Germigny ».
[40] Sur Boutard (1664-1739), voir VISSAC, *op. cit.*, pp. 155, 181, 193, 201-202, 306. Boutard reçut les ordres à Meaux, avec un démissoire de l'évêque de Troyes, si l'on s'en rapporte à une lettre de Bosquillon à l'abbé Nicaise, du 27 décembre 1698, qui parle précisément du portrait en vers (lettre publiée par G. de MOUCHY, dans le *Bulletin du Bibliophile* de 1910, p. 321-322).
[41] Publié dans la *Revue Bossuet*, avril 1904.
[42] Paris, Veuve J.-B. Coignard, 1694, in-4°, 15 pages.
[43] Cf. *Corr.*, IX, 338, à l'abbé Bossuet, 12 mai 1698. *Portrait* publié en 1698, chez J.-B. Coignard, avec privilège de Sa Majesté, in-4°, 8 p. L'exemplaire de la B.N. (Yc. 2408) était « pour Monseigneur L'Evesque d'Avranches » (Huet).

Ces *gros* hommages avançaient peut-être moins les courtisans dans la faveur que des attentions plus fines, par exemple autour de la pénible maladie qui éprouva Bossuet à la fin de sa querelle avec Fénelon, en 1699. Sur l'érésypèle qui tira du malade — nous le verrons — des plaintes pieuses en style humaniste, Boutard a d'abord lancé des imprécations : *In Erysipelen... Tenaciter inhaerentem Dirae* [44], et puis, il a triomphé de ce que ses « charmes » avaient mis le mal en fuite [45].

Ce sont là jeux de l'amitié que la culture humaniste commune rend possibles entre inégaux. Fidèle jusqu'après la mort, Boutard élèvera pour son bienfaiteur le tombeau d'une ode, où — retour inattendu du paganisme — c'est aux Muses qu'il demande de lui décerner l'immortalité [46]. Bossuet avait servi auprès du roi Boutard qui avait ailleurs d'autres intercesseurs [47], et Boutard avait été employé plus sérieusement dans la polémique [48] ; sa gloire tenait même tellement à celle de Bossuet qu'il lui continuera ses services en traduisant, cette fois du latin en français, la *Dissertation sur les Psaumes,* à l'usage de la duchesse de Bourgogne [49].

Nous ne connaissons naturellement pas tous les compliments, plus ou moins finement tournés dans la langue d'Horace, que Bossuet a reçus d'amis plus ou moins familiers, ou de solliciteurs. Un clerc de son diocèse, par exemple, lui envoie de Rome, après sa « victoire » sur le Quiétisme, un *Epinicion,* et l'abbé Bossuet avait fait à Rome au moins une douzaine de vers qui n'étaient guère iréniques [50].

Sur sa tombe enfin, comme jadis sur celle de Nicolas Cornet, on versera les larmes solennelles de ces *Thrènes,* dont les figures ne diffèrent pas essentiellement de celles qui avaient célébré un Pierre d'Ailly à Navarre au XVe siècle : « lumière du clergé, maillet de l'erreur » [51]. Dans ce *d e c o r u m* d'un style traditionnel, le goût peut en effet ne pas changer...

---

44 En juillet 1699. Poème publié par Lévesque dans la *Revue Bossuet* de janvier 1900, p. 103.
45 Cf. *Revue Bossuet,* juin 1911.
« *Ad pertinacem Illustrissimi Meldensium episcopi | Eresypelem | Carminibus fugatum | Et in tenues sudores abeuntem.* »
46 « *Ad Musas ut doctissimo Meldensium Episcopo Benigno Bossuet perenne statuant Monumentum,* s.l.n.d., in-4°, 4 p. (B.N. = Yc. 1257).
47 LEDIEU, *Journal,* 21 sept. 1700, t. II, p. 147-148 : « Ce soir, le roi a donné à l'abbé Boutard une pension de mille francs par an... C'est principalement M. Bontemps qui a servi le Boutard, mais le témoignage de M. de Meaux l'a aussi fort aidé, et surtout auprès de M. de Pontchartrain, a aidé à conclure promptement la chose. »
En mai 1703, nouveau bénéfice, de deux mille livres de rente, mais cette fois, Bossuet n'y est pour rien. (*Ibid.,* p. 429)
48 A traduire en latin la *Relation sur le Quiétisme,* version qui fut envoyée manuscrite à Rome. *Corr.,* X, 7 ; 23 juin 1698, note de Lévesque, 3.
49 En 1706, traduction restée manuscrite. Note de Lévesque à *Corr.,* IV, 181. En 1710, il en avait achevé une autre, en latin, de l'*Histoire des Variations* (d'après Ch. URBAIN, dans le *Bulletin du Bibliophile,* 1897, p. 173).
50 Il s'agit d'un certain Nicolas LE COCQ, en mars 1699. *Recueil* de Ledieu, cité *Revue Bossuet,* déc. 1905. suppl. II. Ceux de l'abbé Bossuet sont aux Archives de Seine-et-Marne, 42 Z 8. Cf. Jean HUBERT, *Manuscrits de J.-B. Bossuet...,* Melun, 1955, n° 26.
51 « Dans une pièce intitulée *Threni,* où l'auteur P. PESTEL célèbre le cardinal Furstemberg, mort le 10 avril, Bossuet mort le 12 avril, l'abbé Boileau mort le 4 mai et le P. Bourdaloue, mort le 13 mai, on lit cet éloge de l'évêque de Meaux : *Occidit lux cleri, malleus erroris...* », Ch. URBAIN, dans *Revue Bossuet,* juillet 1903, p. 186.

L'influence contemporaine au contraire se marque davantage dans des récréations cléricales plus ouvertes au monde, dont la principale est le théâtre de collège. Une fois dans sa vie Bossuet a été le modèle d'un héros de théâtre..., allégoriquement, il est vrai, dans une prophétie, à la manière de Virgile dans les Enfers, qui le préfigure en la personne d'un martyr de son nom, sur la place de sa ville natale :

> *Bénigne,* tragédie, sera représentée sur le théâtre du Collège Royal de Navarre, pour la distribution des prix, le mardi 19 jour d'août, à une heure précise après-midi [52].

Il est probable que Bossuet était présent [53], pour applaudir à l'idéal d'un beau sacrifice et féliciter de leur gentillesse les petits acteurs, dont plusieurs étaient justement ses compatriotes. Et quatre ans après sa querelle avec le Père Caffaro, il a accepté — souriant ou simplement condescendant ? — qu'une action aussi sainte qu'un martyre soit doublée d'un intérêt d'amour, qui, pour n'être pas intégré à l'action principale, n'en est pas moins continu et fournit une seconde conclusion [54].

Puisque nous nous plaçons toujours au point de vue du goût de Bossuet, sans discuter ici la logique de sa conduite, nous remarquerons que le théâtre édifiant à l'usage de la jeunesse, qu'il n'a d'ailleurs pas mentionné dans l'anathème général de 1694, lui a aussi donné des plaisirs de très haute qualité puisqu'il assistait à la première représentation d'*Esther* [55].

Le bon théâtre, c'est aussi le théâtre fait par ses amis, par exemple l'*Electre,* de son compatriote Bernard de Requeleyne, baron de Longepierre, dont la traduction des *Idylles,* de Bion et de Moschus, avait reçu seize ans plus tôt ses applaudissements mitigés d'inquiétude [56]. Le 13 février 1702, après le dîner, Longepierre a lu sa tragédie d'*Electre,* pièce faite sur celle de Sophocle, et que le Dauphin a prise sous sa protection, et, dit Ledieu,

[52] Signalé dans la *Revue Bossuet,* suppl. II, décembre 1905. — C'est le titre du prospectus conservé à la Bibliothèque Mazarine, sous la cote A. 15454, P. 35, et imprimé chez la Veuve Claude Thiboust et Pierre Esclassan, 1698 ; le même, à la B.N., Rés. Yf. 2596.
L'auteur était Bénigne CAILLET, de Dijon, professeur de rhétorique à Navarre. Cf. *Revue Bossuet.* Nous n'avons pas retrouvé le texte même dont la *Revue* ne donne pas de références valables, mais le prospectus est suffisamment explicite. Il contient un *Argumentum* latin qui raconte des supplices effroyables accompagnés de miracle, et un résumé français, acte par acte.
[53] On l'attendait pour ce jour-là à Paris, lettre d'Antoine de Noailles à l'abbé Bossuet, 18 août 1698, *Corr.,* X, 397.
[54] La Princesse Pascasie qui a converti, par l'amour, le ministre Térence, épouse celui-ci après le martyre de Bénigne, et l'empereur Aurélian, touché, conclut (comme Sévère dans *Polyeucte*) par la tolérance.
[55] Cf. RACINE, Ed. des G. Ecrivains, t. III, p. 408 (*Journal* de Dangeau, à la date du 26 février 1689).
[56] *Corr.,* III, 312, à l'abbé Nicaise, 7 octobre 1686 : « Je prends beaucoup de part à la gloire qu'il peut attirer à sa patrie, et je souhaite seulement que son cœur ne se ramollisse pas en écrivant des choses si tendres. »
LONGEPIERRE, né à Dijon le 18 octobre 1659, et, comme Bossuet, élève du collège des Godrans, avait été, par la précocité de son érudition, un des « enfants célèbres » d'Adrien BAILLET. *Des enfants devenus célèbres par leurs études ou leurs écrits,* 1688, in-12°. Cf. BOSSUET, *Corr., ibid.,* n. 3, et PORTALIS (baron Roger), *Bernard de Requeleyne, baron de Longepierre,* 1905, in-8°.

M. de Meaux en a été très content et en a fait un grand éloge à l'auteur, et encore depuis à tous ses amis... Il n'y a aucune intrigue d'amour, tout se soutenant par la terreur [57].

Bossuet se fera lire deux fois la *Pénélope* de l'abbé Genest, et l'admirera plus encore la seconde fois, car :

M. de Malézieu, par son action, lui donne encore beaucoup de relief [58].

L'introducteur des gens de lettres.

La protection et la considération, que Bossuet accorde à Malézieu, sont très significatives d'un état littéraire : les grands écrivains ne le consultaient pas, mais il avait ses petits satellites, qui se sont bientôt éteints faute de génie propre. Amis et protégés ne se croient d'ailleurs pas tenus de lui ressembler, mais la déférence qu'ils lui gardent, ou, au contraire, leur éloignement soudain, témoignent du mouvement de l'esprit public.

Comme point de repère, nous marquons un fait : c'est que l'éducation du Dauphin a été l'éducation par excellence, un type pour le siècle de Louis XIV. Elle n'a jamais été copiée — l'héritier de la couronne est unique — mais les précepteurs des autres princes ont le plus souvent été choisis sur les conseils, ou à la satisfaction, du précepteur de cet héritier. Fontenelle, qui avait une longue mémoire, l'a attesté en général, à propos de Valincourt :

L'illustre évêque de Meaux, *qui ordinairement fournissait aux princes les gens de mérite dans les lettres,* dont ils avaient besoin, le fit entrer en 1685 chez M. le comte de Toulouse [59].

On peut compter un certain nombre de ces gens, de mérite divers : L'abbé Claude Fleury, pour qui Bossuet avait fait les entretiens d'ordination en 1669, à Saint-Lazare, Fleury, le secrétaire du Petit Concile, a été précepteur des princes de Conti, du comte de Vermandois (fils de Madame de La Vallière), et sous-précepteur des fils du Dauphin [60]. Selon d'Olivet [61], c'est la recommandation de Bossuet qui aurait fait choisir

---

57 LEDIEU, *Journal,* II, 271. *Electre* devait pourtant échouer sur la scène, malgré l'appui de la duchesse du Maine. Cf. VOLTAIRE, préface d'*Oreste,* 1750.
58 LEDIEU, *Ibid.,* 28 février 1702, p. 274.
59 FONTENELLE, *Eloge de M. de Valincourt,* dans *Œuvres,* 1766, t. VI, p. 380. — Sur Bossuet recommandant des professeurs dans les grandes maisons, et en général, sur ses relations avec les gens instruits dans tous les ordres, voir LEDIEU, *Mémoires,* I, p. 135-136, et l'*Histoire de Bossuet,* par le C\al de BAUSSET, l. VII, XXIV. — Il est ordinaire qu'on prenne ses recommandations. Par exemple, cf. *Corr.,* VI, 481, Fénelon à Bossuet, 12 décembre 1694 : « J'ai oublié, Monseigneur, de vous demander si vous avez parlé de M. le Blanc pour M. le comte de Toulouse. » (Il s'agit d'enseigner l'histoire).
60 Sur Fleury, cf. GAQUÈRE (F.), *La vie et les œuvres de Claude Fleury,* 1925, in-8°.
61 SERVOIS, éd. des *Caractères* de LA BRUYÈRE, Notice, p. LVIII. L'autorité alléguée de l'abbé d'Olivet est mince, mais il rapporte ce qu'on disait, et l'opinion nous intéresse. Les excellentes relations de Bossuet et La Bruyère sont d'ailleurs bien attestées, et l'éducation du duc de Bourbon selon la volonté de Condé paraît s'inspirer de celle du Dauphin, par l'insistance sur l'histoire comme science des causes morales. Voir par exemple la lettre de La Bruyère à Condé, du 14 août 1685 (Ed. Servois, II, 489). Le 20 février 1685, Bossuet fit à La Bruyère une sorte d'inspection, sur une explication de Descartes, dont il sortit « fort content » (d'après *Corr.,* IV, 18, n. 3).

La Bruyère à Condé pour son petit-fils, le duc de Bourbon (1684-1686). Le choix — éclatant — de Fénelon pour le duc de Bourgogne lui parut un « bonheur de l'Eglise et de l'Etat » et lui donna une « très sensible » joie [62].

Avec d'autres précepteurs, ses relations firent heureusement moins de bruit qu'avec celui-là. Longepierre, son compatriote, qu'il félicitait pour ses traductions du grec, a été placé par lui comme précepteur du comte de Toulouse, puis attaché au duc de Chartres, le futur Régent [63]. Auprès de ce même duc de Chartres, ne trouvons-nous pas Nicolas-François Parisot de Saint-Laurent, qui, dans le temps même de sa mort subite (3 août 1687), s'occupait, à ce que nous croyons, à faire recopier la *Morale* de Bossuet [64] ? Selon Ledieu, Bossuet prêtait libéralement ses manuscrits pédagogiques [65].

Les hommes de lettres courtisans qui se sentent une vocation de Mentors princiers, tournent autour de lui, tel l'abbé Genest [66]. Avec Montausier, il avait recommandé comme précepteur pour le duc du Maine, Nicolas de Malézieu, qui restera à la cour de Sceaux, « sorte de Benserade composant à tout bout de champ de petits opéras [67] », l'intendant des plaisirs, le véritable maître de maison [68]. Malézieu est aussi l'ami de Fénelon [69], dont il pastiche le style, pour prêcher la même vertu idéale [70].

[62] *Corr.*, VII, 27, à la Marquise de Laval, 19 août 1689.
[63] Cf. PORTALIS, *loc. cit.*, n. 56. Selon SAINT-SIMON (*Mémoires*, année 1702, éd. Boislisle, t. X, pp. 5-7), ses intrigues l'auraient fait chasser des deux endroits. Voir encore pour sa carrière, *ibid.*, XXIII, 295 et XXIV, 63.
[64] Cf. notre édition de BOSSUET, *Platon et Aristote*, Introd., pp. XVII-XVIII.
[65] Cf. *ibid.*, p. XVI.
[66] Sur la lecture de *Pénélope*, cf. la n. (57). *Pénélope* remontait à 1684 et ne fut imprimée qu'en 1703. Est-ce à cause de l'estime que Bossuet en faisait, que La Bruyère la met au rang des *Bérénices* (*Caractères*, I, 47, éd. de 1689) ?
L'abbé GENEST se fit le chantre-courtisan des éducations princières par des poèmes de conseils vertueux aux princes, et de louanges au Roi, exemple *Le voyage d'Alsace* à Monseigneur le Dauphin, 1673, et *L'Histoire*, à Madame la Duchesse de Bourgogne, 1697. — Il a produit des tragédies bibliques et des tragédies antiques.
L'abbé Genest est passablement ridiculisé par d'OLIVET, dans sa lettre au président Bouhier, du 6 février 1735 (publiée par Ch. LIVET, dans PELLISSON-D'OLIVET, *Histoire de l'Académie française*, 1858, t. II, p. 369), pour ses origines modestes, son amour de la table, son peu d'instruction et son « large nés » (anagramme de Charles Genest), crayonné par le duc de Bourgogne. Qu'il ait reçu le Dauphin, tous les mardis avant la leçon au Dauphin, des leçons de philosophie cartésienne (comme le prétend d'Olivet, *ibid.*, p. 376), cela n'est pas autrement établi.
Voir encore sur Genest et l'entourage, SAINTE-BEUVE, *Lundis* III, p. 213-214.
[67] Expression de DESNOIRESTERRES, *Les cours galantes*, 1860-1864, t. III, p. 166.
[68] Sur MALÉZIEU, voir BOSSUET, *Corr.*, VIII, 31-32, bibliographie des éditeurs ; SAINTE-BEUVE, *Lundis* III, *La duchesse du Maine*. SAINT-SIMON (année 1697, t. IV, 82) le qualifie de « domestique gouvernant surtout chez M. et Mme du Maine ».
MADAME, duchesse d'Orléans, rapporte un propos du duc du Maine défendant Malézieu qui montre les mathématiques à la duchesse « en robe de chambre et en bonnet de nuit » : « Ne me parles pas contre Malecieu, il maintien la paix dans ma maison. » (*Corr.*, éd. JAEGLÉ, t. I, p. 269).
[69] Fénelon quittant la cour « se relaissa [= prit un relais] chez Malézieu, son ami... où il ne fut qu'à six lieues de Versailles » (SAINT-SIMON, *loc. cit.*). — Sur ce séjour de l'adversaire commun, voir BOSSUET, *Corr.*, VIII, 211, à son neveu, 31 mars 1697.
Malézieu avait enseigné les mathématiques au duc de Bourgogne, cf. *Ibid.*, p. 32.
[70] Dans son *Sophronime* [cf. LEDIEU, cité au 14 janvier 1700, n. (28)]. C'est un livret imprimé, non relié, de 40 pages, rangé à la B.N. parmi les Mss., Clairambault, 1094, fol. 218. « Cet ouvrage, dit une note manuscrite, est de M. de Malézieux, qu'il a fait à l'imitation de Télémaque fait par M. l'archevêque de Cambrai. Il a prétendu y décrire sa famille, sa fortune et ses avantures. » — C'est le roman de la reconnaissance. Le style

LA CONSULTATION DE L'ACADEMIE SUR L'ORTHOGRAPHE.
Une page particulièrement annotée par Bossuet, qui signe J. B.

Bossuet semble l'avoir fait recevoir à l'Académie française et il aura besoin de lui comme chancelier des Dombes, en 1702, dans l'affaire du *Nouveau Testament de Trévoux* [71]. Par Malézieu, il est en honneur chez la petite-fille de Condé et le pupille de Madame de Maintenon ; il connaît les « Divertissements de Sceaux » [72] et même il ne refuse pas d'assister au théâtre de Molière dans cette cour très profane [73], où la grande ombre de l'évêque, vieux et savant, peut apporter aux princes frivoles et agités, comme une garantie d'orthodoxie religieuse, et un renom de culture classique. Et Malézieu, ce filleul humaniste qui émeut Bossuet par sa déclamation passionnée des tragédies à l'antique, ce mathématicien homme du monde, Malézieu est un des parrains de Voltaire [74].

en est harmonieux et fade. Sous le titre « Les aventures d'Aristonoüs », il est généralement donné comme étant une fable en prose de Fénelon, par exemple, édition Gaume, 1850, t. VI, p. 228.

Le témoignage de Ledieu, à la date du 14 janvier 1700, peut aider à préciser un point de la difficile bibliographie fénelonienne. Quand est-ce que ce conte, sous le titre d'*Aristonoüs*, ou celui de *Sophronime*, a paru pour la première fois, et comment s'est-il introduit dans l'œuvre de Fénelon ?

Nous croyons que Ledieu avait en main une édition comme celles que possède la Réserve de la B.N., in-12, s.l.n.d. ; d'une part : Réserve Y2, 3108, où Sophronime va de p. 1 à 32, quatre dialogues des morts faisant suite, de p. 33 à 82 ; ou, d'autre part, Réserve Y2, 3106 et 3110, qui contiennent identiquement *Sophronime*, p. 1 à 40, et, imprimés indépendamment (p. 1 à 63), les quatre dialogues. (Cotes non portées au catalogue imprimé des œuvres de Fénelon, 1912, données par URBAIN et LÉVESQUE, n. 1, p. 25, t. I de leur édition de LEDIEU, *Les dernières années de Bossuet*, 1928).

L'édition de *Télémaque* de 1699, à La Haye, chez Moetjens, dont la B.N. possède les t. I et IV (Y2 34178 et 34181) ne donne pas *Sophronime* (Malgré Urbain et Lévesque, *loc. cit.*, et Albert Cahen, *Introduction* à l'éd. de *Télémaque*, 1927, t. I, p. CXII). Les deux éditions de 1700, chez François Foppens à Bruxelles (Y2. 34192, 1 vol. in-12, et Y2. 34193-34194, 2 vol.) qui le contiennent, étaient-elles diffusées avant le 14 janvier 1700, où Ledieu parle de *Sophronime ?* (Cahen n'a pas remarqué l'édition en un volume cotée Y2 34192, n° 272 du catalogue imprimé).

L'attribution de l'œuvre de Malézieu à Fénelon s'est faite par une induction du public, que les libraires n'ont pas expressément trompé : les avertissements imprimés que nous avons vus (Réserve Y2. 3108 et Y2. 34192) peuvent bien faire croire, mais ne disent pas que l'auteur de *Sophronime* soit le même que celui des *Dialogues* ou de *Télémaque*.

[71] Cf. LEDIEU, *Journal*, 16 juin 1701 (II, 189). « Il a été, ce jeudi 16, à l'Académie française, pour la réception de MM. de Malézieu et Campistron. M. de Malézieu a loué M. de Meaux, en passant, dans son compliment qu'il faut garder pour servir de mémoire à la vie de M. de Meaux.

Et voici sans doute, le passage visé dans le discours imprimé de Malézieu, discours par ailleurs vide et banal : « Il est assis parmi vous, ce grand personnage, qui a daigné me protéger dès mes premières années, qui m'a ouvert l'entrée d'un pays où je n'avais aucun accès, qui a bien voulu y répondre de moi, et qui, par l'autorité de son témoignage m'a fait appeler à l'instruction de plusieurs grands princes. Voilà mon principal mérite auprès de vous. » (p. 6).

Sur le rôle de Malézieu dans la dernière affaire avec R. Simon, voir la *Corr.* de Bossuet, t. XIII, p. 296, 308, 336.

[72] Titre d'un recueil d'auteurs mêlés (Malézieu, Genest, Chaulieu, etc.) p. p. l'abbé GENEST, Paris - Trévoux, 1712-1715, in-12.

[73] Cf. *Corr.* VI, 279-280, n. 92 des éditeurs, citant Ledieu : « Plus de deux mois depuis [la condamnation de Fénelon], M. le duc et Mme la duchesse du Maine jouant avec leurs domestiques dans leur appartement au château de Versailles, la comédie du *Misanthrope*, après que le prologue fut fait par M. de Malézieu à l'honneur de la maison de Condé et de M. le Prince présent, M. le duc du Maine se réserva pour l'épilogue, qu'il conclut, après quelques louanges de M. le Prince, par féliciter M. de Meaux aussi présent sur le grand procès qu'il avait gagné à Rome. » Chez les mêmes, à Clagny, Bossuet aurait vu jouer *Tartuffe* en 1703 (*Ibid.*, p. 280). Le lendemain de la réception de M. de Malézieu, le 17 juin 1701, il passe par Sceaux pour les « voir encore » (LEDIEU, II, 189).

[74] Voltaire le donne comme une des sources orales du *Siècle de Louis XIV*, chap. XXXVIII, p. 775, de l'éd. Émile Bourgeois, et il rappelle comment Malézieu l'enthousiasma pour la tragédie antique, dans l'*Épître à la duchesse du Maine*, préface à *Oreste*, 1750.

Le « climat » des éducations princières avait donc bien changé dans les trente années de Louis XIV qui suivirent l'éducation du Dauphin. Décrire de ce point de vue l'évolution philosophique, ferait un riche chapitre de la « Crise de la conscience européenne ». Bornons-nous à regarder comment varia dans ce temps l'utilisation des « lettres humaines » dans le goût des courtisans : autour du Dauphin on s'intéresse à de lourdes éditions des classiques latins, qu'on veut d'une clarté cartésienne, et qui sont, plus ou moins mal, subventionnées par le pouvoir. Autour du duc de Bourgogne, l'opinion favorise, contre le roi, les *Aventures de Télémaque,* qui sont un roman, mystique et politique. Et chez le fils légitimé, qui prolonge son enfance dans les jeux auxquels le condamne son inutilité politique, le précepteur devient un intendant des plaisirs ; on fait de petits vers et les princes en personne jouent la comédie.

Si le *Télémaque* a scandalisé Bossuet en tant que roman, comment peut-il admettre l'activité théâtrale de la cour de Sceaux ? On peut croire qu'il a fléchi sous les compliments du duc du Maine, mais n'était-ce pas aussi qu'il avait épuisé contre les « nouveaux mystiques » ses facultés de vigilance et d'étonnement ? Ou bien encore, les harmonies routinières et les nobles transports des *Pénélope,* des *Electre* et des *Sophronime,* berçaient-ils sa conscience, devenue plus avide de sentir et moins critique ? Son évolution propre nous fait du moins comprendre comment l'inclination humaniste a contribué à introduire les beautés conventionnelles, et les attendrissements stylisés du XVIIIe siècle, dans un classicisme de moindre santé, que ne nourrissait plus la robuste vérité des chefs-d'œuvre. Le goût du XVIIe siècle s'assoupit dans la médiocrité polie des épigones de Racine.

La moderne poésie chrétienne.

Mais si l'imitation sérieuse de l'antiquité peut ennoblir et légitimer les plaisirs du théâtre, à plus forte raison Bossuet doit-il se réjouir de la poésie chrétienne de langue française. Du coup il se trouvera l'allié des Modernes ! Mais c'est à peu près sans le savoir, tant les discussions des chapelles littéraires sont peu son occupation. D'une part il accepte le *Saint Paulin* de Charles Perrault — c'est un peu avant que n'éclate la

---

Bossuet vieilli et Voltaire écrivain sérieux s'apparentent encore par le goût d'un style noble et décent. Ainsi Bossuet écrit à Mabillon, le 22 mai 1703, à propos d'une vie de saint Fiacre : « Il faudrait *un peu adoucir* l'endroit de la Becnaude, page 9, et en supprimer le nom *qui n'est pas assez sérieux pour être imprimé. La raison* voudrait qu'on ne parlât point de la pierre ; mais comme il y a là une instruction pour la modestie, il faut seulement *adoucir* l'endroit avec des *on dit, on voit communément sur le témoignage de quelques auteurs assez anciens,* et ainsi du reste. Il faut aussi *adoucir* par de semblables expressions ce qui est rapporté dans la même page sur l'ambassade des Ecossais et la royauté de saint Fiacre. Il faut aussi *retrancher* une grande quantité de vers *fort impertinents.* Au lieu des miracles qu'on y énonce trop *grossièrement,* on pourrait se contenter de traduire la prose qu'on lit dans l'église : ce qu'on dit de la chasteté de saint Fiacre et de cette fille, *est compris* parmi ces vers. » (*Corr.,* XIV, 83-84).
Il craint alors le scandale de l'expression « grossière » — de laquelle il n'avait pas conscience dans sa jeunesse — et son sens critique d'historien, joint au sentiment des bienséances, veut une narration épurée : on dirait qu'il sent posés sur saint Fiacre les yeux moqueurs des Philosophes.

querelle du *Siècle de Louis-le-Grand* [75] — et d'autre part il fera avec empressement « le pèlerinage d'Auteuil avec M. l'abbé Boileau, pour aller entendre de la bouche inspirée de M. Despréaux l'hymne céleste de l'amour divin » [76]. Si les intentions également bonnes des deux poètes contentent également son équité bienveillante, cela ne signifie pas que la différence de leurs génies lui échappe. Dans le deuxième cas, le ton enthousiaste fait entendre qu'il aime vivement Boileau. Mais pour le *Saint Paulin,* c'est la longue épître dédicatoire de Perrault qui est intéressante, en ce qu'elle montre l'idée qu'on se faisait de Bossuet promoteur de la poésie chrétienne : Perrault s'y déclare engagé par lui en des « sujets semblables » ; il le prend pour juge des objections techniques qu'on lui a faites [77], et il lui propose la rénovation de la poésie, qui n'a pas à devenir catéchistique pourvu qu'elle garde en sa libre invention la volonté d'édification chrétienne [78]. A cette épître, extrêmement flatteuse, qui, de surcroît, traite de l'histoire d'un Père de l'Eglise, Bossuet répond avec une amabilité polie [79]. Et nous ne saurons jamais si la lecture du *Saint Paulin* lui donna du plaisir.

Mais Boileau est un ami de ses amis, et le sujet de son *Epître* XII est le plus riche et le plus beau de la vie, à savoir que l'amour de Dieu est essentiel au chrétien. Cette poésie, fondée sur le seul vrai, renouvelle par la voix de la nature l'invitation de la grâce, que le prédicateur de l'Eglise est normalement chargé de porter. La poésie étant ainsi une alliée de la religion, Bossuet peut-il la juger d'un point de vue esthétique ? Il en doutait lui-même, puisqu'il a écrit au P. Mauduit de l'Oratoire qui lui avait soumis une traduction en vers :

> Les deux psaumes que vous m'avez envoyés m'ont transporté en esprit dans les temps où ils ont été composés ; et si je n'ose encore prononcer sur l'impression [i.e. sur l'opportunité de les imprimer], c'est à cause que *je n'ose aussi me fier à mon jugement ni à mon goût sur la poésie,* dans l'extrême délicatesse, pour ne pas dire dans la mauvaise humeur de notre siècle [80].

Politesse à part, cette déclaration d'incompétence, comme l'imprécision de la réponse à Perrault, a sa signification. Même pour la poésie chrétienne, la seule qui convienne aux personnes d'état religieux, Bossuet ne veut pas se prononcer en juge : le succès en littérature dépend de trop de facteurs mondains qu'il ignore (et le succès est, dans une certaine mesure, preuve de bonté). D'autre part, son plaisir personnel réside dans

---

[75] En septembre 1685. Cf. *Corr.,* III, 127. La lecture du poème de Perrault à l'Académie française, par quoi l'on fait commencer la querelle entre Boileau et Perrault, est du 27 janvier 1687.
[76] *Corr.,* VII, 75-76, à l'Abbé Renaudot, 25 avril ou 2 mai 1695 ; cf. p. 77.
[77] Perrault, en *Corr.,* III, 128 et 129.
[78] *Ibid.,* 139 « Il suffit que la gloire de Dieu soit le but principal de tout l'ouvrage, et qu'il s'y mêle de temps en temps de certains traits de piété qui frappent le cœur et qui l'émeuvent. »
[79] *Corr.,* III, 140, à Perrault, 25 sept. 1685. « La lettre dédicatoire que vous rendez utile en la faisant servir de préface à tout l'ouvrage, est pleine de bon sens et de modestie. Le poème est plein de grandes beautés et sera fort estimé des esprits bien faits. Le reste se dira quand on aura l'honneur de vous voir. »
[80] *Corr.,* VI, 183, au P. Mauduit, 7 mars 1691.

des profondeurs, au-delà de son intelligence critique : il ne l'expliquera qu'à ses intimes, et même il ne le libérera tout à fait qu'en s'exerçant lui-même à la poésie.

Toutefois, avant de passer à l'étude des vers de Bossuet, posons qu'entre la critique littéraire où, comme nous venons de le voir, se récuse en quelque sorte, ou bien s'aventure peu, sa simplicité, et la jouissance directe du poète-amateur, on trouve une place pour l'estime active des belles-lettres. Voyons les services pratiques que Bossuet a cru devoir leur rendre.

II. L'ACADÉMICIEN ET LE SERVITEUR DE LA LANGUE.

La position officielle.

Nous savons bien que Bossuet, depuis qu'il a des responsabilités publiques — les premières ont été les grades théologiques et le sacerdoce — se reconnaît le devoir, en grande partie profane, d'être savant et de bien dire. La fréquentation de l'hôtel de Rambouillet et l'admission chez les frères Dupuy, dès le temps du collège de Navarre, avaient rendu officieux ce tacite engagement dans la république des lettres [81]. Et quand il a été chargé de l'éducation humaniste du prince héritier, cette obligation est devenue en quelque sorte officielle : elle a reçu immédiatement la consécration de l'Académie française, qui a « abrégé en [sa] faveur, [ses] formes et [ses] délais ordinaires » [82].

Dans ces fonctions supplémentaires, Bossuet entre avec joie. Rien ne le caractérise mieux que les deux lettres qu'il écrit au secrétaire perpétuel, Valentin Conrart, pour le remercier et pour le prier de revoir son discours de réception [83]. Il y a là une sorte d'humilité joyeuse devant ses pairs et un enthousiasme confraternel, qui sont d'heureuses vertus de société. Le nouveau précepteur est heureux de préparer pour « les savants et les sciences » un futur protecteur, et sa joie patriotique se lit dans « cet agréable épanouissement de cœur et de visage » que saluait le chancelier François Charpentier [84].

Bossuet fut un académicien zélé, mais peu assidu en raison de ses grandes occupations : la chronologie de sa vie le compte 26 fois en 33 ans présent dans le corps de l'Académie, soit aux séances, soit dans les députations près du roi où sa présence est naturellement tout indiquée. Il n'assiste pas aux séances hebdomadaires de la révision du dictionnaire, mais il ne répugne pas à remplir à son tour les petites fonctions temporaires qui lui échoient par le sort. Il tâche à servir et honorer ses amis, il pousse les candidats qu'il croit méritants, et il accourt aux réceptions qui l'intéressent [85-86].

---

[81] Cf. *supra*, LA FORMATION HUMANISTE, II, PARIS, p. 42.
[82] BOSSUET, *Discours de réception*, 8 juin 1671, *O.O.*, VI, 6. Cf. LEDIEU, *Mémoires*, p. 139.
[83] Lettres du 26 mai 1671 et du 2 juin, *Corr.*, I, 218-222.
[84] Réponse de Charpentier, citée *O.O.*, VI, 12.
[85-86] *Chronologie* dressée par les éditeurs de la *Corr.*, au t. XV. Cf. *Registres de l'Académie française* (1672-1793), Paris, Firmin-Didot, 1895, t. I.
 Par ex. le 1er avril 1681, il est désigné directeur ; il est chancelier le 21 août 1683 ; scrutateur le jour de l'élection de Boileau-Despréaux, le 17 avril 1684. *Loc. cit.*

Mais peut-être ne comprend-il pas toujours bien les difficultés de ses confrères, ni le fondement de leurs querelles. Car en littérature, domaine de la liberté créatrice, il ne connaît pas de camp hérétique, et ses amis sont chez les Modernes comme chez les partisans des Anciens. Ainsi, après le scandale, ou la petite émeute, provoqué par le discours de réception de La Bruyère, le Père Léonard de Sainte-Catherine nous apprend que :

> En juillet 1693, Mgr l'Evesque de Meaux donna à disner aux Academiciens françois avec Mr de La Bruyere pour les reunir [87].

Et pourtant, comme il avait enseigné les littératures classiques, comme il avait pour amis Huet, Boileau, La Bruyère, Valincourt, Malézieu — tous, à divers titres, partisans des Anciens —, on le rangeait dans ce dernier parti, que soutenait contre la Ville le goût de la Cour. La Bruyère est un des responsables de cette délimitation des camps : il ridiculise la Ville où règnent le *Mercure Galant* et le goût des femmes vaines ; il s'annexe Versailles, Marly et Chantilly [88]. Bossuet était sur un plan trop élevé au-dessus des querelles littéraires pour être compromis par l'éloge agressif que lui décernait La Bruyère, le jour de sa réception, à la face des Modernes de l'Académie. Mais l'opinion publique aime à classer les hommes en groupes opposés. Sans trop de rancune, mais non sans ironie, Fontenelle a placé Bossuet à la tête d'une « société » bien retranchée sur son goût :

> La Cour rassemblait alors un assez grand nombre de gens illustres par l'esprit, MM. Racine, Despréaux, de La Bruyère, de Malézieu, de Court. *M. de Meaux était à la tête. Ils formaient une espèce de société particulière*, d'autant plus unie qu'elle était plus séparée de celle des Illustres de Paris, qui ne prétendaient pas devoir reconnaître un tribunal supérieur, ni se soumettre aveuglément à des jugements quoique revêtus de ce nom si imposant de jugements de la Cour. *Du moins avaient-ils une autorité souveraine à Versailles*, et Paris même ne se croyait pas toujours assez fort pour en appeler [89].

Il recommande vivement Louis-Géraud de Cordemoy, à Huet, 20 nov. 1675 et 24 nov., *Corr.*, I, 379 et 381-382 ; il s'emploie pour l'abbé Renaudot, lettre à Renaudot, 22 déc. 1688, *Corr.*, III, 532 533.

Il tient à assister aux réceptions de ses amis, cf. LEDIEU, *Journal*, 16 juin 1701, 31 janvier 1704, etc. ; *Corr.*, XIII, 45, n. 1.

[87] LÉONARD DE SAINTE-CATHERINE de Sienne, Augustin, dans Ms. 22580 du fonds français de la B.N., f° 313. Cf. *Corr.*, VII, 411.

D'OLIVET, dans son *Histoire de l'Académie française*, à propos de l'incident soulevé par *le Siècle de Louis-le-Grand*, met hors de cause Bossuet et Fléchier (éd. LIVET, t. II, p. 282).

Dans une autre querelle, celle des dictionnaires, Furetière, dans son premier factum, prend soin d'excepter de ses attaques Bossuet, avec 17 de ses collègues nommés « et autres qui ont un vrai mérite dans la littérature. » ! ! ! LIVET, *ibid.*, p. 470.

[88] Cf. LA BRUYÈRE, *Préface du Discours à l'Académie* (1694) et *Caractères*, passim, notamment VII, 15 et V, 75 où Cydias-Fontenelle est « fait pour être admiré de la bourgeoisie et de la province. »

[89] FONTENELLE, *Eloge de M. de Malézieu*, dans *Œuvres*, in-12, t. VI, 1766, pp. 274-275.

Le discours de réception.

Quand on connaît peu Bossuet, comme c'est le cas de Fontenelle, on le voit ainsi, noblement supérieur, mais, somme toute, partisan. Mais quant à lui, il s'était cru une vocation de conciliation par les principes, dans le service de la langue comme dans celui de la religion : il apportait à ses collègues l'expérience de sa pratique oratoire et celle de l'enseignement des langues. Sa forte dialectique s'employait à définir en leur nom, clairement et fièrement, l'idéal historique qui pouvait diriger l'émulation de la noble compagnie.

On a comparé son discours de réception à la *Défense et Illustration de la langue française,* qu'il n'avait vraisemblablement pas lue. (Le Du Bellay qu'il connaît est l'historien Martin Du Bellay, seigneur de Langey [90]). Mais Bossuet ne reprend pas le point de vue du progrès littéraire, qui est celui de la Pléiade, et les deux manifestes français, si différents par leurs circonstances, ne se rencontrent pas non plus dans leurs sources latines. Bossuet a nourri son discours du plaidoyer (familier par ailleurs aux humanistes de la Renaissance) de Cicéron pour le poète Archias [91] : l'amour de la gloire est le stimulant universel, et les meilleurs lui doivent leurs plus grandes entreprises. Cet orgueil, inscrit dans la nature, le chrétien Bossuet le transpose et en fait le moteur du dévouement patriotique :

> Oui, Messieurs, c'est cette ardeur infatigable qui animait le grand cardinal de Richelieu *à porter au plus haut degré la gloire de la France ;* c'est, dis-je, cette même ardeur qui lui inspira le dessein de former cette Compagnie [92].

Nous avons parlé dans le chapitre précédent de la ressemblance de Louis XIV que Bossuet projette sur François Ier [93]. Sans bien y penser, les Français triomphants de 1670 devaient rencontrer les accents glorieux des générations de la Renaissance que n'avaient pas encore démoralisées les guerres civiles. *Deffense de la langue françoise pour l'inscription de l'arc de triomphe,* ou *De l'excellence de la langue françoise,* ce sont des titres de manifestes qui auraient pu sonner cent vingt ou cent quarante ans plus tôt. Dans ces livres, l'helléniste Charpentier — ce même chancelier qui reçoit Bossuet — entreprendra de défendre contre les nouveaux latiniseurs la langue qui honore le mieux Sa Majesté [94].

---

[90] *Corr.,* II, 123, 148 (Lettre à Innocent XI).
[91] « Trahimur omnes studio laudis et optimus quisque maxime gloria ducitur. » CICÉRON, *Pro Archia poeta,* 26.
[92] *O.O.,* VI, 7, Discours de réception, 8 juin 1671.
[93] Cf. dans notre PHILOLOGIE DU PRÉCEPTEUR, s. IV, L'HISTORIEN DE L'HUMANISME. *La Renaissance vue dans l'Abrégé de l'Histoire de France,*
[94] En 1676 et 1683. CHARPENTIER ne se réfère point du tout aux manifestes de Du Bellay et d'Henri Estienne. Il fait des plaidoyers historiques assez bas, inspirés par l'opportunité du courtisan. Son histoire de la langue française, dans la 3ᵉ partie du recueil de 1676, n'en est que plus étonnante : « Il y a plus de cinq cents ans que la langue française a des auteurs célèbres, qui ont composé des ouvrages excellents. » p. 231. « La langue française n'a pas changé extrêmement depuis quatre cents ans. », p. 317. Il exprime l'espoir que : « Le Dictionnaire de l'Académie fixera la langue française. » p. 323.

Dans la querelle des langues latine et française, Bossuet, qui produit des ouvrages d'éloquence, de théologie et même de poésie *in utraque lingua,* ne semble pas avoir pris parti. C'est sur un plan plus haut que la polémique, qu'il veut glorifier la langue française. Entrant à l'Académie il se propose, en remerciement, d'exprimer l'utilité philosophique de la gloire donnée par la littérature :

> Comme les actions héroïques animent ceux qui écrivent, ceux-ci réciproquement vont remuer par le désir de la gloire ce qu'il y a de plus vif dans les grands courages. ...L'homme est élevé au-dessus de ses propres forces [95].

Et l'art se sauve de la caducité humaine en atteignant une beauté, si l'on peut dire, absolue :

> Ce caractère *de perfection* [dans les ouvrages] que le temps et la postérité respectent. ...Elever la langue française *à la perfection* de la langue grecque et de la langue latine... Elle semble avoir atteint *la perfection qui donne la consistance* [96].

Pour agrandir (*augere*) un sujet aussi rebattu que l'éloge de l'Académie, Bossuet n'a eu qu'à se laisser reprendre par la métaphysique des Sermons *sur l'Ambition* ou *sur la Mort* :

> Travaillez sans relâche à vous surpasser tous les jours vous-mêmes, puisque telles sont tout ensemble la grandeur et la faiblesse de l'esprit humain, que *nous ne pouvons égaler nos propres idées,* tant celui qui nous a formés *a pris soin de marquer son infinité* [97].

L'expression idéalement belle de la grandeur immanente à notre nature étant donc le but de l'éloquence — éloquence ainsi nécessairement vertueuse — tout le discours de Bossuet revient à montrer quels moyens l'Académie donne à la France de son temps pour servir cette fin. Richelieu a marqué les premiers objectifs :

> Qui ne voit qu'il fallait plutôt, pour la gloire de la nation, *former la langue française ?* ...Vous avez été choisis, Messieurs, pour ce beau dessein [98].

---

[95] *O.O.,* VI, 7, Discours de réception.
[96] *Ibid.,* pp. 8, 9.
[97] *Ibid.,* p. 10. Cf. *Ambition,* 19 mars 1662, *O.O.,* IV, 259 : « Il y a dans l'esprit de l'homme un désir avide de l'éternité... » ; Mort, 22 mars 1662, *ibid.* p. 275, la citation du psaume : « Un rayon de votre face, ô Seigneur, s'est imprimé dans nos âmes. », et p. 276 : « O éternité ! ô infinité, dit saint Augustin, ... par où donc es-tu entrée dans nos âmes ? ».
Un indice que Bossuet devant l'Académie touchait, dans les surfaces de la rhétorique, ses propres profondeurs, c'est qu'il se citait lui-même :*Toussaint* 1668, *O.O.,* V, 331. Il explique l'efficace de la parole divine analogiquement par le charme de la parole humaine, et marque la faiblesse de celle-ci par rapport à notre propre fond : « Mais si cette vérité nous délecte quand elle nous est exprimée par des sons qui passent, combien nous ravira-t-elle quand elle nous parlera de sa propre voix éternellement permanente. ... Ici nous proférons plusieurs paroles ; nous parlons beaucoup et disons peu ; *et nous ne pouvons égaler même la simplicité de nos idées.* »
Le discours de réception se contente de reconnaître la poussée de la vérité dans le travail de l'artiste.
[98] *O.O.,* VI, 8.

L'usage est « le père des langues », mais pour « tempérer les dérèglements de cet empire trop populaire », l'Académie fait les fonctions d' « un conseil réglé et perpétuel ». Son activité ressemble ainsi beaucoup à l'exercice des vertus cardinales de prudence et de tempérance, en équilibre entre le désordre de l'inspiration et la stérilité des règles :

> La licence est restreinte par les préceptes ; et toutefois vous prenez garde qu'une trop scrupuleuse régularité, qu'une délicatesse trop molle n'éteigne le feu des esprits et n'affaiblisse la vigueur du style [99].

La langue française sera donc louée pour sa sagesse adulte :

> Ainsi, nous pouvons dire, Messieurs, que *la justesse* est devenue par vos soins le partage de notre langue, qui ne peut plus rien endurer ni d'affecté ni de bas ; si bien, qu'étant sortie des jeux de l'enfance et de l'ardeur d'une jeunesse emportée, *formée par l'expérience, et réglée par le bon sens,* elle semble avoir atteint la perfection qui donne la consistance [100].

Tous les écrivains français que nous appelons aujourd'hui « les classiques » ont eu conscience qu'ils arrivaient au point le plus haut d'un progrès historique. Tous n'ont pas pensé qu'on allait redescendre, mais tous à peu près également avaient méprisé les temps de l'enfance de leur langue, et ceux de la « jeunesse emportée ». Toutefois, en célébrant l'hégémonie intellectuelle de leur pays, ils ont été plus ou moins incompréhensifs, et, dans la réussite de leur temps, ils ont exalté partialement les qualités que chacun aimait le mieux.

Bossuet, lui, a le triomphe pacifique. Les poètes du XVIᵉ siècle ne sont pas pour lui des rivaux, comme ils l'avaient été pour Malherbe, et il écarte l'Italie de la souveraineté littéraire sans l'humilier [101]. Tant il est tranquille, voyant unies la réputation de la langue française et la durée de « l'empire français » ! La louange du Roi est donc chez lui plus qu'un devoir cordialement accompli ; elle tient à son sujet plus fortement que par une ingénieuse transition [102]. Car les langues, comme les peuples, se succèdent à l'empire du monde. Et, comme la langue française tend à « la perfection de la langue grecque et de la langue latine » [103], de même et simultanément :

> Le voyez-vous, ce grand roi, dans ces nouvelles conquêtes, *disputant aux Romains* la gloire des grands travaux, comme il leur a toujours disputé celle des grandes actions [104] ?

Sans doute n'y avait-il pas alors de panégyrique possible sans la comparaison à l'antique, mais, sachant quelle philosophie de l'histoire Bossuet porte en lui à la même époque, nous croyons pouvoir interpréter

[99] *Ibid.,* 9.
[100] *Ibid.*
[101] *Ibid.* « ... Toute l'Europe apprend vos écrits, et quelque peine qu'ait l'Italie d'abandonner tout à fait l'empire, elle est prête à vous céder celui de la politesse et des sciences. »
[102] *Ibid.,* p. 10. « Au milieu de nos défauts, un grand objet se présente pour soutenir la grandeur des pensées et la majesté du style. »
[103] *Ibid.,* p. 9.
[104] *Ibid.,* p. 11.

son discours, avec toutes ses servitudes conventionnelles, comme l'acte d'une espérance historique. Cette espérance se fonde sur la gloire *demeurée* aux civilisations antiques, et elle se nourrit de leur émulation.

La consultation sur l'orthographe.

Dans la pratique, il reste bien des inquiétudes, et l'excellence d'une langue n'est pas un règne paresseux. Le gouvernement de l'usage par l'Académie s'est révélé aussi difficile que n'importe quel gouvernement politique ! L'assurance qu'a Charpentier de pouvoir *fixer* la langue par le dictionnaire [105], c'est chez Bossuet le désir, plus modéré, d'éviter à la langue des variations aussi rapides que les caprices de la mode [106]. La révision du dictionnaire, entreprise en 1672, allait montrer à tous les Académiciens la difficulté de légiférer quand ni les droits du souverain, ni les principes constitutionnels, ne sont connus avec certitude. Dans cet état constaté d' « anarchie grammaticale » [107], les uns voudront étendre l'autorité académique et imposer aux formes les distinctions péremptoires des doctes ; les autres, restant dans leur rôle de conseillers, chercheront à concilier la raison et l'usage, par la soumission de la raison, et ils voudraient, avant de résoudre des hésitations légitimes par des règles dures et arbitraires, trouver les principes (historiques et philosophiques) de la vie de la langue.

Que Bossuet soit de ces derniers n'étonnera personne, mais on connaît peu son empressement de grammairien et la précision de ses remarques.

Comme d'habitude, c'est un devoir de son état qui l'oblige à dégager et formuler sa pensée. Sur la proposition de Mézeray, l'Académie avait résolu de convenir des règles qu'elle adopterait quant à l'orthographe, et nous avons le manuscrit préparé par celui-ci, sur lequel chaque académicien avait été prié de porter son « sentiment » en le marquant d'un signe distinctif [108]. Ce travail, fait entre le 14 août et le 12 octobre 1673, aboutit à l'impression d'une plaquette, provisoire encore, sous le titre de : *Cahiers | de Remarques | sur l'Orthographe Françoise | Pour estre examinés par chacun de | Messieurs de l'Académie* [109], et ce premier résultat,

---

[105] Cf. dernière citation de la n. 94.
[106] Cf. *O.O.*, VI, 8. « Mais, Messieurs, l'éloquence est morte, toutes ses couleurs s'effacent, toutes ses grâces s'évanouissent, si l'on ne s'applique avec soin à fixer *en quelque sorte* les langues et à les rendre durables. Car comment peut-on confier des actions immortelles à des langues toujours incertaines et toujours changeantes ; et la nôtre, en particulier, pouvait-elle promettre l'immortalité, elle *dont nous voyions tous les jours passer les beautés*, et qui devenait barbare à la France même *dans le cours de peu d'années ?* »
[107] Expression de Marty-Laveaux. Cf. *infra*.
[108] B.N., Fonds français 9187.
[109] S.l.n.d., in-4°. Publiés à nouveau par Ch. MARTY-LAVEAUX, 1863, in-16 (300 ex.). En préface, Marty-Laveaux étudie le manuscrit préparatoire, F. Fr. 9187, et il s'attache particulièrement aux remarques de Bossuet, qui lui ont paru de beaucoup les plus intéressantes. Cette préface a été reproduite dans les *Etudes de langue française*, 1904, in-4°, où se référeront toutes nos citations, avec la seule indication *Marty-Laveaux*. Toutefois nous suivons l'orthographe de nos contemporains, comme dans nos autres citations, sauf quand la démonstration porte sur l'orthographe même. La transcription de Marty-Laveaux est bonne, sauf quelques fautes d'impression, et elle est complète pour Bossuet.

qui n'a pas dû non plus contenter ceux qui trouvaient le manuscrit préparatoire insuffisamment ordonné par principes, semble avoir servi de fondement au *Dictionnaire* de 1694 [110].

C'est qu'on allait trouver plus de difficultés que n'en avait prévues Mézeray. *V e t e r a n o v o e t f a c i l i m o d o* promettait la première épigraphe [111]. A cette ambition pédagogique, bien comparable à celle qui, au même moment, inspirait les projets de classiques latins *ad usum Delphini,* dont les premiers volumes allaient sortir en 1674, les bizarreries de l'usage, les exigences de l'analogie et les survivances étymologiques, devaient opposer leurs scrupules respectifs. On était mal armé alors pour remettre chaque difficulté en son rang. Mais le plus exigeant de tous ces nouveaux philologues était cependant le plus optimiste. En émargeant à la première page sur la liste des académiciens consultés, Bossuet écrit devant son nom :

> Revoir, arranger, digérer tout ce qui est ici en confusion, et dans le texte et dans les remarques, surtout dans les miennes. *Tout ceci n'est qu'un premier trait qui est très bon, mais qui attend une révision exacte sur le tout* [112].

En attendant, il n'a pas craint de s'engager lui-même : Ses annotations sont les plus importantes de toutes, non par le nombre, mais par leur ampleur et leur netteté ; souvent approuvé par ses collègues, notamment par Régnier-Desmarais, il ferme la marche et semble donner la

Marty-Laveaux a connu deux exemplaires des *Cahiers* imprimés ayant appartenu à Huet (entré à l'Académie le 13 août 1674), à la B.N. sous les cotes actuelles : Réserve X. 930, 71 p., et Rés. X. 929, 61 p. Il a publié ce dernier qui lui paraissait la rédaction définitive. Mais il n'a pas connu l'exemplaire, absolument identique, Rés. X 913 qui porte les notes manuscrites de Racine. L'édition de Racine des Grands Ecrivains, t. VII, p. 374, signale, sans les publier, ces deux notes. Il y en a trois, en fait (pp. 4, 7, 8), sans grande importance. Racine, reçu à l'Académie le 12 janvier 1673, n'a pas été appelé à donner son avis sur le manuscrit préparatoire, on ne sait pourquoi. En fait, treize noms seulement composent la liste des académiciens à consulter, et huit seulement ont répondu. Ce ne sont même pas ceux dont les *Registres* signalent la présence aux séances de cet été 1673. Avait-on formé une sorte de commission large de l'orthographe ? Ch. BEAULIEUX, (*op. cit, infra,* p. 353) remarque que « les *Cahiers* n'ont été examinés que par ceux des Académiciens qui étaient conservateurs en orthographe. »

110 Cf. la thèse de Charles BEAULIEUX, *Histoire de la formation de l'orthographe française des origines au milieu du XVIe siècle,* 1927, pp. 347-348, 353-359. « Le système qui y était exposé fut adopté avec un certain nombre de modifications et fut appliqué dans la rédaction du Dictionnaire. Or ce système était basé entièrement sur la tradition et l'étymologie. Il proclamait comme des axiomes les grands principes de distinction et de rapprochement. Il blâmait les tentatives de réforme. » (p. 347).

Il nous paraît toutefois excessif de qualifier de « système » les remarques de Mézeray, qui sont assez maladroitement groupées, en quelque état du texte qu'on les examine.

F. BRUNOT dans son *Histoire de la langue française,* t. IV (I), ch. v, exagère véhémentement ; il a sommairement examiné les *Cahiers :* « En somme, pas une fois, d'un bout à l'autre des écrits académiques, ne se manifeste le moindre désir d'apporter dans le chaos orthographique un peu de clarté et de logique [! ! !]. On refuse de s'engager même dans les voies frayées. » (*loc. cit.,* p. 109). Il ne voit pas les difficultés qui se posaient réellement et conclut, comme si les *Cahiers* avaient été définitifs : « C'était la victoire du pédantisme, plus complète que ne le demandaient ses partisans les plus attardés. Je voudrais pouvoir dire que l'erreur était de Boyer ou de Doujat. Mais parmi les sept académiciens auxquels nous devons ces déplorables décisions, il y avait aussi Perrault, moderniste, uni ce jour-là au latiniste Bossuet. » (p. 110).

111 *Marty-Laveaux,* 296. Cette épigraphe a été rayée dans le manuscrit.
112 *Marty-Laveaux,* 295.

conclusion de ce travail préparatoire. Son écriture est fort belle, rapide — avec des lapsus assez fréquents : ce sont des notes improvisées — et cependant très soignée : il récrit les mots peu lisibles et reprend les tournures peu claires. Sur certains articles il n'a rien à dire, par exemple sur la ponctuation. Mais sur les types qu'il a retenus il a voulu être très précis, dans la mesure même où il demandait une doctrine large et certaine.

Cette doctrine, Bossuet croit qu'elle est en puissance dans l'accord de l'Académie : Il va donc jalonner cette voie moyenne qu'on devrait tenir entre l'encombrement arbitraire des étymologistes, et les prétentions de l'orthographe phonétique, laquelle conduirait à des résultats barbares pour l'indigène lettré :

> Le principal est de se fonder en bons principes dès l'article 1 et 2 et de bien faire connaître l'intention de la Compagnie : qu'elle ne peut souffrir une fausse règle qu'on a voulu introduire, d'écrire comme on prononce, parce qu'en voulant instruire les étrangers et leur faciliter la prononciation de notre langue, on la fait méconnaître aux Français mêmes. ...Il y a aussi une autre orthographe vicieuse qui s'attache scrupuleusement à toutes les lettres tirées des langues dont la nôtre a pris ses mots, et qui veut écrire *nuict, ecripture,* etc. Celle-là blesse les yeux d'une autre sorte en leur remettant en vue des lettres dont ils sont désaccoutumés, et que l'oreille n'a jamais connus [sic]. C'est là ce qui s'appelle l'ancienne orthographe vicieuse : la Compagnie paraîtra conduite par un jugement bien réglé quand, après avoir marqué ces deux extrémités si manifestement vicieuses, elle dira qu'elle veut tenir un juste milieu [113].

Ses principes, Bossuet les engage en optant sur les détails [114]. Il ne veut pas qu'on escamote les difficultés, par exemple celle des lettres conservées dans l'écriture quoique en fait « changées en d'autres » :

> Pourquoi observer « en passant » ? On doit s'y arrêter, et on le fait [115].

Il voit bien d'ailleurs que l'embarras sera considérable, et il souhaite avec Régnier que le travail se poursuive de fort près en commission restreinte [116]. Il veut surtout éviter l'outrecuidance, qui est le péril chez les doctes :

> Les termes de « déclarer » et de « maintenir » me semblent trop juridiques. « La Compagnie désire suivre, etc., et s'y attache, etc., ou : s'en veut servir », etc. [117]

Et quand on ne sait plus où est l'opinion dominante, il n'y a qu'à donner la sienne :

> Dire *le sentiment* de l'Académie [118].

---

113 *Ibid.*, 299.
114 *Ibid.*, 308, fol. 10 r°. « Tous ces mots regardent une autre règle et ne sont point de celle-ci », ou fol. 12 v° : « Je crois la remarque bonne, sauf à chercher les exceptions. »
115 *Ibid.*, 301. J'ai ajouté la ponctuation qui souligne, de même qu'à la citation n. 117.
116 A la fin du ms ; cf. *Marty-Laveaux*, 307. A Mézeray et Doujat, Bossuet voudrait adjoindre l'abbé Régnier-Desmarais.
117 *Ibid.*, 297.
118 *Ibid.*, 301.

Marty-Laveaux félicite Bossuet d'être en général opposé aux distinctions arbitraires des formes qui rompent la physionomie du mot, unique sous des acceptions variées [119]. Enfin il veut être pratique : les exemples trop loin cherchés lui paraissent inutiles sauf comme témoins, à l'occasion, de l'évolution de la langue usuelle [120].

On tient pour une vérité établie que l'esprit conservateur de l'Académie au XVIIe siècle ait freiné, autant que possible, les réformes de l'orthographe. Cependant la logique de l'algèbre avait opéré en matière de langue chez ces savants. Ils étaient d'accord pour supprimer les « lettres superflues » (qui enrichissaient les greffiers et autres « praticiens » depuis l'édit de Villers-Cotterets). Mais ces lettres superflues qu'on doit immoler à la raison, qui sont-elles ?

> Il ne faut pas les appeler ainsi quand elles servent à marquer l'origine, mais quand elles y sont inutiles et même vicieuses ; par exemple, quand dans un mot qui vient du latin, de l'italien ou de quelque autre langue, on a changé quelque lettre en une autre, si on remet cette lettre-là *avec celle-même pour laquelle on l'a changée, on y en met une de trop, et c'est vouloir, pour ainsi dire, avoir tout ensemble la pièce et la monnaie* [121].

Mais, aux yeux de Bossuet, la Compagnie dissimule ici, sous la rigueur de cet énoncé, l'irrégularité de ses applications :

> Parmi les lettres qui ne se prononcent pas et qu'elle a dessein de retenir, *il y en a qui ne servent guère* à faire connaître l'origine [122].

Ensuite on doit, selon lui, prendre de l'histoire de notre langue une vue plus étendue et plus nuancée, et choisir, entre tous les états passés du français, celui qu'on veut rappeler :

> De plus, il faut marquer *de quelle origine* on veut parler, car l'ancienne orthographe retient des lettres qui marquent l'origine à l'égard des langues étrangères, latine, italienne, allemande ; et d'autres qui font connaître l'ancienne prononciation de la France même [123].

Ses critiques, bien posées, laissent prévoir qu'un dessein si « étendu » sera difficilement réalisé par une compagnie de logiciens ou d'empiriques, tous faiblement historiens. Il a beau encourager ses confrères à la besogne :

> Il faut démêler tout cela. Autrement, dès le premier pas, on confondra toutes les idées [124].

---

[119] *Ibid.*, 302-303. Toutefois, il en propose une, dubitativement, au fol. 7 v°, mais il en écarte d'autres, 42 r°, 6 v°, 11 r°.
[120] Cf. *ibid.*, 301. A propos de *Chaudecole :* « J'ôterais tous ces vieux mots qui ne servent de rien dans ce traité, que lorsqu'on les emploie à faire connaître l'origine et l'ancienne prononciation des mots que nous retenons. »
[121] *Ibid.*, 297. Rédaction de Mézeray.
[122] *Ibid.* Remarque de Bossuet.
[123] *Ibid.* Il fait sentir aux Académiciens leurs inconséquences, et, sans se fâcher, il leur remet sous les yeux « les deux bouts de la chaîne » qu'ils ont l'engagement de tenir, p. 298 : « On veut suivre, dit-on, l'ancienne orthographe (art. I) et cependant, on la condamne ici et ailleurs une infinité de fois. Veut-on écrire *recebuoir, deub, nuict*, etc ? On les rejette. Ce n'est donc pas l'ancienne orthographe qu'on veut suivre, mais on veut *suivre l'usage constant et retenir les restes de l'origine* et les vestiges de l'antiquité *autant que l'usage le permettra.*
[124] *Ibid.*, 297.

S'il est conservateur lui-même, il l'est modérément, et certaines innovations graphiques, comme celles que Mézeray propose, à la suite de Corneille, pour les différents sons de s, ne le trouvent pas réfractaire :

> Où est l'inconvénient ? ...Les Hollandais [c'est-à-dire les impressions hollandaises de livres français] ont bien introduit u et v pour u voyelle et u consonne, et de même i sans queue ou avec queue. Personne ne s'en est formalisé ; *peu à peu les yeux s'y accoutume[nt] et la main les suit* [125].

Il semble qu'un but des *Cahiers* de Mézeray soit de mettre fin aux tentatives individuelles de réformes orthographiques, à celles surtout qui, rapprochant l'écriture de la prononciation, donnaient une « vilaine et ridicule orthographe ». Mais pour certains, comme Régnier-Desmarais, ces tentatives, qui faisaient encore le décri de Ramus, ne méritaient même pas d'être rappelées [126]. Bossuet a plus de scrupules : il voit bien que, par exemple, si l'on peut répartir les graphies **en** et **an** selon l'étymologie, il existe un autre principe de répartition, selon la nature grammaticale des mots. Il cherche donc à dégager « pour l'instruction » un énoncé pratique :

> On pourrait donc donner pour règle que tous les participes et gérondifs ont - **ant**, que tous les adverbes et noms en - **mant** s'écrivent - **ment**, parce que les noms semblent venir de quelques latins terminés en - **mentum** et les adverbes semblent venir : **fortement** de **forti mente**. Cela est commun *mais instructif* et ne doit non plus être omis que beaucoup d'autres choses qu'on a remarquées [127].

La science doit donc condescendre aux explications pratiques, mais ce n'est pas une raison pour que les savants s'expriment moins exactement. Ainsi Bossuet ne laissera pas dire que **Ph** est une « lettre double » [128], et il critique de près le style du traité [129].

Ses réflexions rapides donnent, au naturel, certains traits du grammairien que Bossuet aurait pu devenir, qu'il était déjà, en honnête homme, pour servir ses amis et guider l'opinion sans la tyranniser. Mais, plus même que ses positions grammaticales, ce que nous devons ici remarquer, c'est la racine de son sentiment, le tempérament linguistique, si l'on peut dire, qu'éclairent des réflexions consacrées au langage. Nulle part dans sa production publique, nous l'avons dit plus d'une fois, Bossuet, trop saisi par sa création pour s'en justifier, n'a expliqué son art ; mais il en montre les principes dans de telles notes privées, au courant de la plume. Ici, nous le trouvons attentif, réagissant dans les moindres cas [130], épris

---

125 *Ibid.*, 306. Bossuet lui-même n'a jamais fait dans son écriture la distinction de i et j, u et v alors que certains secrétaires à son service la font habituellement.
126 *Ibid.*, 298. Remarque de Régnier. Bossuet aussi condamne ces tentatives, mais elles lui paraissent mériter réflexion : « Au reste, je ne voudrais pas faire de remarques contre l'orthographe impertinente de Ramus, mais *on peut faire voir par cet excès l'équité de la règle* que la Compagnie propose comme je le dis à la fin. » (p. 299).
127 *Ibid.*, 298-299.
128 *Ibid.*, 301.
129 *Ibid.*, 307, remarques aux fol. 5 r° et 8 v°.
130 Voir les notes groupées par Marty-Laveaux, pp. 307-308.

de justesse dans le style. Et surtout, cet homme dont l'écriture est devenue de plus en plus belle, et les manuscrits de plus en plus harmonieux et dégagés (entre la *Méditation sur la brièveté de la vie* et les *Elévations sur les Mystères*), se déclare consciemment comme un visuel. La langue est pour lui une symphonie dessinée autant que prononcée :

> On ne lit point lettre à lettre, mais *la figure entière du mot fait son impression sur l'œil et sur l'esprit,* de sorte que, quand cette figure est considérablement changée, les mots ont perdu les traits qui les rendent reconnaissables à la vue *et les yeux ne sont point contents* [131].

Le discours qui parle aux yeux n'est pas moins *entendu* comme une mélodie originale, et Bossuet qui n'a jamais rien dit du nombre oratoire (tant il lui est naturel — ou nécessaire !) s'inquiète de définir le *cursus* poétique. Il ne parle pas du rythme, mais des quantités et des sonorités :

> Il faudrait expliquer à fond la quantité française en quelque endroit du dictionnaire, aussi bien que l'orthographe. La principale remarque à faire sur cela, *c'est que la poésie française n'a aucun égard à la quantité que pour la rime,* et nullement pour le nombre et pour la mesure ; ce qui fait soupçonner que *notre langue ne marque pas tant les longues à beaucoup près que la grecque et la latine* [132].

C'est le même homme qui — Vaugelas étant incertain, Bouhours et Mézeray en désaccord — n'osera décider « s'il faut écrire la *Vie de Henry* ou la *Vie d'Henry* » [133].

La pratique personnelle.

Quant à l'orthographe *pratiquée* par Bossuet, elle témoigne que, s'il eut toujours le souci d'une certaine régulation grammaticale, il ne la concevait pas à notre manière.

La première observation de ses manuscrits, qui s'échelonnent sur plus de cinquante ans, est troublante, tant elle révèle de libertés et de variations dans l'orthographe. Et même Bossuet ne semble pas voir d'inconvénient à ce que des mots courants disposent simultanément de

---

[131] *Ibid.,* 299. Cette fidélité visuelle lui est une raison pour refuser certaines simplifications. Par ex. p. 308 (fol. 44 v°) : « Les yeux ne sont point encore accoutumés à **econome, economie.** Les secrétaires d'Etat etc., écrivent **œconomat.** » (Dans l'écriture de Bossuet les groupes - **oe** - et - **ae** - ne se distinguent pas. Cf. notre *Introduction* aux notes de lecture, p. xxv et n. (43), et aussi p. xi.

Que Bossuet, qui s'est excusé auprès de ses correspondants de sa « méchante écriture », écrive pour le plaisir de ses yeux, cela ressort de ses manuscrits aux caractères harmonieux, mais libres. Qu'on compare l'écriture parfaite de Racine : on sentira la différence des deux inspirations poétiques.

[132] *Marty-Laveaux,* 300-301. Quant aux sonorités, il nous apprend (p. 308, ou fol. 38 r°) qu'on « prononce les **sept seaümes,** mais on dit les **pseaümes** de David. » Les lettres gardées du latin « ont divers autres usages comme de marquer les longues et les brèves, les lettres fermées et ouvertes » (p. 299). Cette raison avait été alléguée par des grammairiens comme Régnier, et elle combattait l'extension des accents. Ailleurs, Bossuet interroge sur le choix entre S et X (p. 302). Quant au **c** intérieur, à supprimer quand il ne se prononce plus : « Pour **infect,** il me semble qu'on le sonne un peu comme à **respect.** Ainsi je le retiendrais. » (p. 302).

[133] *Corr.,* III, 453, à Huet, 7 décembre 1687. Il imprimera lui-même constamment « de Henri » au l. VII de *l'Histoire des Variations* (orthographe de l'éd. originale).

plusieurs formes, comme par exemple **vrai** et **vray,** qui se rencontrent dans la même page, **apellons** et **appellons, authorité** et **autorité,** etc. [134]. Et cependant, s'il subit des automatismes de la mémoire, formés en lui à des époques différentes, qui entraînent sa plume en des directions diverses, cela ne constitue pas à ses yeux une anarchie. Car la courbe de ses variations décisives a pu être dégagée, de sa jeunesse à l'âge mûr, et elle se stabilise à l'apogée de son talent, qui coïncide, pour la langue classique, avec l'été radieux des certitudes. Nous ne voulons pas dire qu'on puisse dater le mouvement d'une langue par les étapes d'un écrivain, même capital : chacun ne prouve que pour soi, ayant son rythme personnel d'évolution, en retard ou en avance sur son temps. Mais un témoin, qui ne suffirait pas pour établir un synchronisme général, permet de marquer le passage d'un courant d'opinion, en grammaire comme dans les idées morales. Grâce à la patience et à la méthode de l'abbé Lebarq qui a comparé cinquante manuscrits de la jeunesse, nous savons que Bossuet eut, vers 1650, sa crise rationaliste de l'orthographe, c'est-à-dire une volonté d'écriture phonétique ; puis, qu'il revint, dès avant 1656, à l'usage, qui était fidèle, autant que possible, à l'étymologie. Avec l'écriture phonétique :

> la rupture était définitive : que l'on prenne en effet *tous les sermons déjà datés, postérieurs à 1656,* ou *les lettres autographes* qui nous conduisent *jusqu'en 1703,* on n'y trouvera jamais de retour à l'orthographe phonétique.

Ainsi, lorsque Bossuet disait à l'Académie : « Il ne faut pas souffrir une fausse règle qu'on a voulu introduire d'écrire comme on prononce », il était comme toujours conséquent avec lui-même, puisque cette « fausse règle », il y avait longtemps qu'il l'avait répudiée [135].

[134] Cf. notre introduction à BOSSUET, *Platon et Aristote,* alléguée plus haut, n. (131), et surtout *O.O.,* VII, 62, *Principales formes orthographiques des sermons manuscrits,* étude de LEBARQ, revue et augmentée par URBAIN et LÉVESQUE.
[135] LEBARQ, *Histoire critique de la Prédication de Bossuet,* 1re éd., 1888, 2e partie, chap. 1, p. 108. Les soulignements sont de Lebarq. Le *Tableau des principales singularités orthographiques de 50 manuscrits de la jeunesse de Bossuet,* à la fin de la thèse, a été reproduit, pour 20 manuscrits, dans *O.O.,* VII, 60-61.

Citons encore, ce lumineux résumé de Lebarq (p. 117) qui accorde, avec autant de précision qu'on en peut raisonnablement mettre, la pratique de Bossuet à son ambiance grammaticale : « Les principales modifications, qu'a subies l'orthographe de Bossuet, correspondent exactement à ses principaux changements de résidence. Au sortir de rhétorique, il apporte à Paris (1642) l'habitude de l'orthographe commune, l'orthographe étymologique, à laquelle l'avaient formé ses premiers maîtres, les Jésuites de Dijon. Il trouve au collège de Navarre des logiciens qui préconisent le système phonétique ; il en essaye, s'y façonne insensiblement, et, quand il part pour son canonicat de Metz (1652), il est acquis à la méthode des réformateurs. Cependant, il ne s'obstinera pas à marcher contre le courant général ; bientôt il revient par degrés à l'orthographe dite étymologique. En 1656, le retour en fait accompli. Il ne reste plus à modifier que quelques points de détail. Enfin, lorsqu'en 1659, sans renoncer à son domicile légal de Metz, et sans abandonner les œuvres de cette ville, il s'en choisit un autre à Paris, au doyenné de Saint-Thomas du Louvre, il dépouille encore son écriture d'un reste d'archaïsme, condamné par l'analogie : quand il écrivait autrefois **cest** au masculin, il était logique d'écrire au féminin **ceste** ; mais l'orthographe de Vaugelas ayant prévalu pour **cet,** (sauf un accent inutile), il se décide pour le féminin **cette,** qui en vient régulièrement. C'est ainsi que la constitution définitive de son orthographe, qui consiste dans un retour pur et simple à l'usage commun de son siècle, correspond au début de l'époque de Paris, c'est-à-dire de la grande époque de son éloquence. »

Quant à QUILLACQ, *La langue et la syntaxe de Bossuet,* 1903, venant après les travaux de Lebarq et la publication de Marty-Laveaux, il n'a même pas soupçonné que Bossuet pût suivre ou professer une doctrine grammaticale.

Cette préférence donnée à l'usage sur la logique, est bien significative de la soumission que Bossuet consent de tout son comportement aux normes de l'honnêteté. Sa pratique, sans leur être rigoureusement ajustée, revenait à ses opinions d'académicien, qui sont résolument des opinions moyennes. Et le métier d'académicien rentrait dans l'unité de son dévouement au public, l'Académie ayant fonction, par ses conseils, de régulariser l'opinion dont elle est une partie, et une partie soumise aux lois du tout.

On comprend que Bossuet ait eu du plaisir à participer au contrôle des formes du langage par un corps constitué. Ce contrôle, il le veut libéral, semblable à celui que sa raison exerce sur les habitudes de sa plume. D'ailleurs il n'a pas le temps de le régler par lui-même. En annotant le cahier de Mézeray, il a seulement eu l'occasion de débrouiller quelques principes, en les illustrant de quelques exemples. Mais il a aimé voir faire le travail grammatical à côté de lui par des hommes compétents.

Relations avec les grammairiens.

Nous avons parlé au chapitre précédent de son voisinage amical avec les commentateurs des classiques latins *ad usum Delphini*. Mais sa liaison est bien plus longue et plus approfondie avec un grammairien français, l'abbé Régnier-Desmarais [136]. Cet abbé de commendes et d'ambassades, reçu à l'Académie un an avant lui, l'avait d'abord congratulé pour son préceptorat [137] ; secrétaire perpétuel de l'Académie française à partir de 1684, il avait si bien imposé à ses collègues son mérite grammatical, que La Bruyère, difficile pourtant dans ses admirations, l'a loué à la face de tous [138]. Il peut être considéré comme un défenseur autorisé du parti des Anciens puisqu'il a traduit Cicéron et un livre de l'*Iliade*, mais sa culture est plus encore moderne : « Il est grand italien et de l'académie *della Crusca*. [139] » A ce titre, il rendra à Bossuet les plus grands services au moment de porter outre-monts sa campagne contre Fénelon. Sans accepter d'être nommé, car il avait aussi traduit en français pour les Jésuites un traité d'ascétisme ignatien fort répandu, il a traduit en italien la *Relation sur le quiétisme*, avec tant de talent que « beaucoup de gens ne peuvent croire que ce soit un Français qui l'ait faite [140] ». A ce propos, nous apprenons que Bossuet, qui ne cite aucun auteur italien,

---

[136] Sur l'abbé RÉGNIER, dit RÉGNIER-DESMARAIS, (au lieu de : des Marets), voir notice de la *Corr.*, X, 92-93. Voir en particulier D'ALEMBERT, *Histoire des membres de l'Académie française* ..., t. III, 1785, pp. 201-299.
[137] Voir n. (2) de LA PHILOLOGIE DU PRÉCEPTEUR.
[138] « L'un, aussi correct dans sa langue que s'il l'avait apprise par règles et par principes, aussi élégant dans les langues étrangères que si elles lui étaient naturelles, en quelque idiome qu'il compose semble toujours parler celui de son pays : il a entrepris, il a fini une pénible traduction que le plus bel esprit pourrait avouer et que le plus pieux personnage devrait désirer d'avoir faite. »
LA BRUYÈRE, *Discours à l'Académie* (5 juin 1693).
L'abbé Strozzi fit passer une ode italienne de Régnier pour une pièce nouvellement découverte de Pétrarque. Sa traduction de RODRIGUEZ, *Pratique de la perfection chrétienne*, 1675-1679, 3 vol., in-4°, eut beaucoup de succès (68 éditions de 1675 à 1914).
[139] *Corr.*, X, 92-93, à l'abbé Bossuet, 28 juillet 1698.
[140] De l'abbé Bossuet, 21 octobre 1698, dans *Corr.*, X, 253.

PLANCHE X

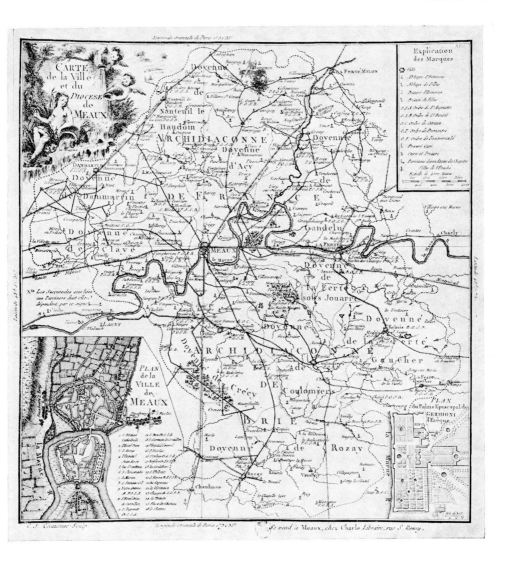

avait une teinture de langue italienne [141], comme en son temps tous les hommes du monde. On ne sait pas quand il l'avait prise. Peut-être son collègue fut-il celui qui l'initia, ou bien ce fut à l'occasion du voyage de l'abbé Bossuet. Leur collaboration a pu nouer entre eux une certaine amitié, et, plus tard, la lecture que l'abbé Régnier vient faire (en ami ou en « client » ?) de sa grammaire française, sera un des passe-temps de Bossuet dans sa dernière maladie [142].

La grammaire, en sa relative justesse, aura donc été pour cette nature, logique mais sociable, une occupation, ou un loisir, sans inquiétude.

III. L'EXEMPLE DU GOÛT.

Toute cette application, sous toutes les formes, de Bossuet aux lettres humaines, sert un but défini :

> Jamais homme ne fut plus éloigné de la démangeaison de se faire imprimer. ... *Il n'écrivait donc pas qu'il n'y fût forcé par quelque nécessité ou quelque grande utilité,* et quand il avait composé son ouvrage, si la raison de le publier cessait, il le supprimait [143].

Je crois qu'il est tout à fait juste de nous représenter Bossuet, l'écrivain classique par excellence, comme écrivain par la conséquence d'une autre vocation. La beauté littéraire aura été le surcroît — nécessaire — de ses actes. Car, du côté de ceux à qui il dévoue ses livres et ses paroles, la beauté, l'agrément, est une nécessité ; et, en conséquence, l'écrivain la doit. Le public s'habitue à en jouir, et il forme alors à son usage une sorte de double de l'homme apostolique, qui est son personnage d'homme de lettres [144].

L'homme de lettres est une personne agissante, comme nous l'avons vu dans les deux sections précédentes, mais c'est aussi une image, réfléchie par les témoins et selon leurs préjugés. Ces préjugés sont même une instruction de plus pour l'historien.

---

[141] Cf. *Corr.* X, 111, à l'abbé Bossuet, 10 août 1698. « Elle (la *Relation*) est traduite en italien par M. l'abbé Régnier, *autant que j'en puis juger,* très élégamment. » et 122, au même, 13 août 1698. « On imprime la *Relation* italienne de M. l'abbé Régnier, *que j'ai revue avec lui,* et qui est si bien que je doute qu'on puisse faire mieux au pays où vous êtes. »
  On a un peu de peine à voir tant de soin, et tant d'espérance, mis en une publicité bien faite.
  Le *Catalogue de la bibliothèque de Messieurs Bossuet* porte 17 titres de livres, ou collections, en italien — le neveu peut avoir rapporté une bonne partie de ces livres, en général très profanes — et la *Nouvelle méthode d'apprendre l'italien,* par Vénéroni, 1683 (nº 774).
[142] Ledieu, *Journal,* 14 février 1704 : « Ce soir, M. l'abbé Régnier l'est venu voir et lui a lu une Grammaire française qu'il a composée. » (III, 68). *Id.* 22 février et 25 février. La *Grammaire française* de l'abbé Régnier, dédiée à Messieurs de l'Académie française, comme ayant été faite sur leur ordre, ne paraîtra qu'en 1705 (datée de 1706. L'approbation royale, en date du 15 juillet 1705, est signée de Fontenelle).
  Cette grammaire, très précise sur la prononciation, se déclare contre l'orthographe phonétique et fait un historique de la question. Elle n'a pas de syntaxe.
[143] Ledieu, *Mémoires,* I, 153.
[144] Bonne étude à ce point de vue, la seule que nous connaissions, du P. G. Longhaye, *Histoire de la littérature française au* XVIIᵉ *siècle,* t. III, 1895, *Bossuet,* ch. IV, *L'homme de lettres.*

Partons, si l'on veut, d'une figurine en cire qui classe Bossuet dans
« le sublime », genre, ou qualité, plus complexe assurément que de nos
jours, puisqu'il comportait à la fois l'agrément et la grandeur, et qu'il n'y
avait pas à la Cour de compliment plus délicat. M. de Condom est la
seule personnalité ecclésiastique à être entrée dans la « Chambre du
Sublime », bibelot instructif et flatteur, que Madame de Thianges offrit
en 1675 au duc du Maine. Outre quelques courtisans, il avait la compagnie de La Rochefoucauld, de Madame de La Fayette, de Racine, de
Despréaux, et, dans le lointain, de La Fontaine [145]. Si le choix était
incomplet, il était joli du moins, et la postérité peut le retenir comme un
symbole conciliateur entre son propre jugement, qui court le danger d'être
arbitraire, et les préjugés des contemporains, qui peuvent être aveuglés
par leur proximité.

L'homme de lettres devant l'opinion.

Les contemporains n'ont pas *expliqué* l'art de Bossuet parce qu'il
ne leur posait pas de problèmes. Ceux-mêmes d'entre eux, placés pour
avoir une opinion critique, qui constituent pour nous le témoignage de
son siècle, ne nous ont laissé que peu de remarques motivées.

On sait que le meilleur journaliste du temps — j'ai nommé Madame
de Sévigné — parle plus souvent de Bourdaloue comme prédicateur. Cela
tient d'abord à ce que les lettres à sa fille commencent en 1671, lorsque
Bossuet précepteur ne prêchait plus qu'exceptionnellement, et le souvenir
des paroles s'envole toujours vite. L'on oubliera d'autant mieux l'orateur
des carêmes parisiens qu'un autre personnage de Bossuet l'a remplacé,
attachant ou considérable, selon les points de vue. Madame de Sévigné
parle sur un ton amical d'un homme du meilleur monde, qui admire sa

---

[145] Anecdote connue par les *Menagiana*. Dans la 3ᵉ édition, par Bernard de LA MONNOYE,
1715, 4 vol. in-12, au t. I, p. 222-223. « En 1675, Madame de Thianges donna en étrennes
une chambre toute dorée, grande comme une table, à M. le duc du Maine. Au-dessus
de la porte, il y avait en grosses lettres : *Chambre du sublime*. Au-dedans, un lit et un
balustre avec un grand fauteuil, dans lequel était assis M. le duc du Maine, fait en cire
fort ressemblant. Auprès de lui, M. de la Rochefoucauld, auquel il donnait des vers pour
les examiner. Autour du fauteuil M. de Marcillac et M. Bossuet, alors évêque de Condom.
A l'autre bout de l'alcôve, Madame de Thianges et Madame de La Fayette lisaient des
vers ensemble. Au-dehors du balustre, Despréaux avec une fourche empêchait sept ou
huit méchants poètes d'approcher. Racine était auprès de Despréaux, et un peu plus loin
La Fontaine auquel il faisait signe d'avancer. Toutes ces figurines étaient de cire en petit,
et *chacun de ceux qu'elles représentaient avait donné la sienne.* »
Bossuet, chargé de représenter la religion, est censé la montrer avec toute la délicatesse appropriée à la société du courtisan Marcillac. Il a donné sa figure, c'est-à-dire
qu'il est entré avec plaisir dans cette fiction que s'offre la cour à elle-même pour sym-
boliser le goût qui doit entourer un enfant de sang royal, celui d'un « sublime » aussi
varié qu'agréable.
Nous n'avons pas besoin de rappeler que BOILEAU venait de publier dans son édition
d'*Œuvres diverses*, de 1674, (avec *l'Art poétique*), une traduction du *Traité du Sublime*
de Longin, avec une importante préface. La « querelle du sublime » l'occupera toute sa
vie, et il discutera encore de la définition et de ses exemples dans ses dernières *Réflexions
sur Longin*, écrites en 1710 et publiées dans l'édition posthume de 1713. Dans cette
discussion impossible à conclure, La Bruyère (qui trouve « le grand et le sublime » dans
le *Cid* ; *Caractères*, I, 30, éd. de 1689), apporte les exigences du philologue logicien :
« Qu'est-ce que le sublime ? Il ne paraît pas qu'on l'ait défini. » *Ibid.*, 55, éd. de 1689.

fille [146]. D'autre part, aux heures sérieuses de ses lectures, l'*Histoire des Variations* fait les « délices » de sa tête logique [147]. Quelqu'un de son entourage met M. de Meaux au nombre de « ces grands panégyristes », en concurrence avec « Messieurs ... d'Autun, Fléchier et Bourdaloue » sur l'éloge du Roi [148]. Cette qualification, qui peut si facilement être ironique, ne gêne pas Madame de Sévigné : au contraire, elle défend contre son cousin Bussy-Rabutin le parallèle de Turenne et Condé, pour la raison qu'il revient à féliciter Sa Majesté de son bonheur providentiel [149]. Mais quant à l'appréciation du talent même, on est d'abord surpris par l'emploi de qualificatifs ... féminins, qui sentent surtout la mode : c'est un billet « fort *joli* », ou un sermon de profession, qui « ne fut point aussi *divin* qu'on l'espérait » [150]. Ce sont là des sortes d'hypallages précieux, que nous avons à convertir en impressions plus distinctes, sans les forcer à la rigueur. Leur première explication c'est que « le Bourdaloue » convenait trop fortement au cœur et à la raison de Madame de Sévigné pour lui laisser la liberté de goûter, et dans le même ordre de délectation, un génie fait d'un rapport différent entre le cœur et la raison. Pour l'éloquence de Bossuet, quand elle n'en parle pas par ouï-dire, c'est une solide estime qu'elle semble avoir, et qu'elle soutient même contre le goût de ses correspondants. Ainsi, de l'oraison funèbre de Condé, elle soutient contre Bussy-Rabutin :

> Elle est fort belle et de la main de maître [151].

Assurément elle ne distingue pas Bossuet des autres « panégyristes », comme a pu le faire une postérité pour qui le temps dégage les sommets, mais elle le met vraiment à leur tête, et, les admirant tous, la page qu'elle retient est une grande page d'histoire, production du seul Bossuet :

> Nous relisons aussi ... toutes les belles oraisons funèbres de *Monsieur de Meaux*, de M. l'abbé Fléchier, de M. Mascaron, du Bourdaloue : nous repleurons M. de Turenne, Madame de Montausier, Monsieur le Prince, feu Madame, la reine d'Angleterre ; *nous admirons ce portrait*

---

[146] SÉVIGNÉ, *Corr.*, éd. MONMERQUÉ, t. II, 106, 13 mars 1671 ; 135, 1er avril 1671 ; t. VI, 141, 13 décembre 1679 ; VIII, 478-479 et 492, 21 et 28 février 1689, à deux représentations *d'Esther*. Bossuet qui écrivait à Mme de Grignan en 1671 (lettre perdue), lui fait « mille amitiés » 18 ans après, en 1689 : c'est donc plus qu'une relation mondaine.
[147] *Ibid.*, IX, 65, 1er juin 1689 ; IX, 99, 26 juin 1689.
[148] *Ibid.*, VIII, 535. L'expression est de Corbinelli à Bussy, 16 mars 1689. « Panégyriste » est employé avec mépris par La Bruyère, au chapitre *De la chaire*, nos 13 et 18 (1689 et 1688).
[149] *Ibid.*, p. 50 à Bussy, 25 avril 1687 : « Le parallèle de M. le Prince et de M. de Turenne est un peu violent ; mais il s'en excuse en niant que ce soit un parallèle et en disant que c'est un grand spectacle qu'il présente de deux grands hommes *que Dieu a donnés au Roi*, et tire de là, *une occasion fort naturelle de louer S.M.*, qui sait se passer de ces deux grands capitaines, tant est fort son génie, tant ses destinées sont glorieuses. Je gâte encore cet endroit ; *mais il est beau.* » Cf. son premier rapport, favorable sur ouï-dire, VIII, 32, 10 mars 1687, au même.
Mais pour l'autre orateur, ce n'est pas une défense motivée, mais l'enthousiasme : « *Je suis charmée et transportée* de l'oraison funèbre de Monsieur le Prince, faite par le P. Bourdaloue. Il se surpassa lui-même, c'est beaucoup dire ». *Ibid.*, p. 47.
[150] *Ibid.*, II, 106, 13 mars 1671 ; III, 466, 5 juin 1675, à sa fille, sur le sermon pour la Profession de Louise de La Vallière. « Elle ne l'avait pas entendu ; elle se faisait l'écho du désappointement des mondains. » (Note dans *O.O.*, VI, 32).
[151] SÉVIGNÉ, *Corr.*, VIII, 50, à Bussy, 25 avril 1687.

de Cromwell : ce sont *des chefs-d'œuvre* d'éloquence qui *charment* l'esprit : Il ne faut point dire : « Oh ! cela est vieux » ; non, *cela n'est point vieux, cela est divin.* » [152].

« Divins » et jamais « vieux », telle était dans le style impressionniste de Madame de Sévigné, cette fois prégnant d'enthousiasme, la valeur de ceux que nous appelons « les classiques ». Son appétit des vraies nourritures distingue trop peu, à notre gré, mais du moins il triomphait, instinctivement, des préjugés sociaux des délicats.

Un des plus notoires était son cousin, Roger de Rabutin, comte de Bussy, que Bossuet « honore comme fait toute la France et tout le monde poli » [153]. L'exil, rempli d'hommages littéraires, n'avait pas appris à Bussy à se défier de son goût. Il est d'autant plus péremptoire, et partial, qu'il est solitaire :

J'ai lu le compliment de M. de Condom à l'Académie. Il est beau ; cela ne me surprend pas : *il ne fait rien qui ne soit de cette nature* [154].

Et une autre fois il souscrira, avant d'avoir lu la pièce, au blâme des courtisans :

Comme j'ai ouï parler de l'oraison funèbre qu'a faite M. de Meaux [celle de Condé], elle n'a fait honneur ni au mort ni à l'orateur [155].

C'est à cause de ce parallèle qui donne trop l'avantage à Turenne : une chicane politique de préséance en abolit toute la beauté ! Et Bussy félicite Corbinelli d'avoir utilement réprimandé M. de Meaux. [156]

Par ce que nous savons du caractère et du goût de Bussy, nous pouvons apprécier la subjectivité de son témoignage. Mais dans le cas d'une déposition anonyme, c'est l'opinion publique, bien ou mal éclairée, qui se révèle, selon le hasard qui a déterminé les points de sondage. Le même témoin qui nous a donné, au début de ce chapitre, une boutade de Bossuet sur la poésie, consigne dans son recueil d'*Ana,* entre 1670 et 1675, des impressions assez déconcertantes.

Avec différentes remarques sur la carrière de Bossuet, qui sont peut-être des potins, car nous n'avons pour les corroborer ni contexte, ni circonstances, il fait de Bossuet un portrait moral, où nous retrouvons assez bien la manière de Port-Royal, rigoureuse sur « la vérité », avec

---

[152] *Ibid.,* IX, 409, à sa fille, 11 janvier 1690.
[153] Bossuet, *Corr.,* II, 205, lettre présumée adressée à Bussy, 17 sept. 1670. *Ibid.* : « Je souhaite, au reste, Monsieur, que l'oraison funèbre de Madame puisse obtenir *sous des yeux aussi délicats et aussi exacts que les vôtres,* la réputation qu'on lui a donnée auprès de vous. »
[154] Bussy à Mlle Dupré, 27 juillet 1671, cité Bossuet, *Corr.,* I, 221.
[155] Sévigné, *Corr.,* VIII, 33 ; lettre de Bussy, 31 mars 1687.
[156] *Ibid.,* VIII, 56, Corbinelli à Bussy, 31 mai 1687 : « Je pris l'autre jour la liberté de dire à Monsieur de Meaux qu'il aurait pu ne pas le pousser jusques à la comparaison de leur mort. » Réponse de Bussy, 4 juin 1687, p. 55-56 : « Ce que vous avez dit à Monsieur de Meaux pourra peut-être l'empêcher une autre fois de s'entêter de son ouvrage. »

une indulgence appuyée pour le caractère [157]. Quant au talent, il porte ce jugement qui, à l'époque, doit signifier un léger blâme à l'égard d'un style assez démodé :

> Bossuet, un peu précieux [158],

et qui ne s'accorde pas parfaitement avec cet autre, un peu plus explicite :

> M. Bossuet
> a de belles choses ; *ses discours ne sont point achevés*. Il ne tient pas tout ce qu'il promet [159].

Mais on comprendra peut-être quelle sorte d'achèvement logique et artistique passait pour la perfection dans le milieu de notre témoin, par cette autre appréciation :

> Oraisons funèbres. Préface de Monsieur Huet. M. Lombert ne goûte nullement l'oraison funèbre de Monsieur Bossuet. Il goûte la préface de M. Huet [sans doute la préface à *Zaïde*, un traité du roman] *à cause de ses liaisons*, non par ses raisons [160].

L'*invention* chez Bossuet aurait-elle manqué de ces « liaisons » ? Et ce qu'on appelle, après 1670, sa préciosité, ne serait-ce pas un je ne sais quoi de personnel et d'ailé où s'essoufflent les génies pédestres ?

> Oraison funèbre de la reine d'Angleterre.
> Cette pièce de Monsieur Bossuet a été beaucoup estimée, *quoiqu'on l'ait trouvée trop poétique.* Mais si le style poétique peut avoir quelque lieu, il me semble qu'il ne peut pas mieux être placé que dans ces sortes d'ouvrages. *Le style naturel est pourtant infiniment plus beau* [161].

Ce qui devait le moins plaire aux contemporains, il semble donc que ce soit la spontanéité de Bossuet, qui se crée une langue peu commune (« un peu précieux », « trop poétique ») et l'emporte à des hauteurs imprévisibles (« ses discours ne sont point achevés »). Assurément on le trouve sublime, mais il se conforme si peu aux canons du goût établi, qu'on est plus tranquille pour l'admirer sur le terrain de l'intelligence : Madame de Sévigné le tenait dans l'éloquence pour un historien, et c'est avec l'oraison funèbre de Périclès dans Thucydide que Charles Perrault le met en parallèle pour l'oraison funèbre de la reine d'Angleterre [162].

---

[157] Cf. *Revue Bossuet*, décembre 1905, pp. 104-120. Eugène GRISELLE : *Bossuet d'après ses contemporains. Notes inédites extraites de manuscrits du temps (1670-1698)*.
Nous nous référons directement au manuscrit du fonds français, Nouv. Acq. 4333. Voir les folios 313, 352 v°, 353. Sur la poésie, cf. n. (2) du présent chapitre.
Au fol. 353 : « M. Bossuet est un homme *doux*, qui parle toujours avec réflexion, en écoutant la vérité, qui veut faire son devoir, qui aime à être à lui pour faire des réflexions, qui se lasse à son âge de se réduire à la grammaire, qui, dans la religion, ne se conduit point par des vues humaines, qui est d'un naturel *tendre, complaisant, doux.* Il est éclairé et pénétré de la vérité. »
[158] *Ibid.*, f° 140 r°.
[159] *Ibid.*, f° 166 v°.
[160] *Ibid.*, f° 205.
[161] *Ibid.*, f° 234.
[162] PERRAULT, *Parallèle des Anciens et des Modernes en ce qui regarde l'éloquence.* (T. II des *Parallèles*, 1690, in-12°). Perrault fait suivre sa discussion de pièces qu'il pense justificatives : L'oraison funèbre de Périclès, au livre II de Thucydide, dans la traduction d'Ablancour, est balancée par la première partie de l'oraison funèbre de la reine d'Angleterre, par Bossuet ; Isocrate l'est par Fléchier et Lysias par Bourdaloue.

Les oraisons funèbres, imprimées, ont donc, par le poids de leur matière historique et du vivant même de Bossuet, rejeté au second rang les sermons prononcés. Le même concurrent ne peut recevoir deux premiers prix dans deux catégories trop voisines !

> Quand Bourdaloue parut, Bossuet ne passa plus pour le premier prédicateur [163].

Voltaire est ici l'écho de la tradition orale du XVIIᵉ siècle — dont il systématise intelligemment les classifications esquissées — aussi le tiendrons-nous pour une sorte de contemporain, orienté par le mouvement de l'avenir. Avec lui Bossuet orateur va être cantonné dans un seul genre, le plus élevé, le plus syncrétique aussi :

> Il s'était déjà donné aux oraisons funèbres, *genre d'éloquence qui demande de l'imagination et une grandeur majestueuse qui tient un peu à la poésie,* dont il faut toujours emprunter quelque chose, quoique avec discrétion, quand on tend au sublime. ... Les sujets de ces pièces d'éloquence sont heureux à proportion des malheurs que les morts ont éprouvés. *C'est en quelque façon comme dans les tragédies,* où les grandes infortunes des principaux personnages sont ce qui intéresse davantage [164].

Voltaire n'est pas fâché de tirer l'orateur chrétien vers le poète de *Zaïre,* et de faire triompher par celui-là l'esthétique sensible de celui-ci. Mais il témoigne aussi d'un aboutissement historique, qu'il n'a pas inventé : le critère des larmes versées, le siècle de Voltaire ne l'avait-il pas reçu des authentiques classiques, eux-mêmes pétris de sensibilité latine par Horace ?

> Pour me tirer des pleurs, il faut que vous pleuriez [165].

Vers le temps où Bossuet descendait de la chaire après avoir pleuré le grand Condé, le pragmatisme d'un Fénelon avait dangereusement *isolé* ce précepte naturel :

> L'éloquence, qui consiste *toute* à émouvoir... [166].

L'immortalité de Bossuet n'a donc pas été constituée selon les règles complexes de l' « agrément », qu'il avait données vers 1678 en sa jeune maturité. Avant la fin de sa vie, le goût fénelonien l'emporte, et Voltaire le recueille [167] :

> Ses discours soutenus *d'une action noble et touchante...,*

dit-il du Carême du Louvre. Et à quoi reconnaît-on la plus belle des oraisons funèbres ? Aux larmes qu'elle fait répandre :

---

[163] VOLTAIRE, *Siècle de Louis XIV*, ch. XXXII, p. 627, éd. BOURGEOIS, in-16, s.d.
[164] *Ibid.,* p. 627-628.
[165] BOILEAU, *Art Poétique,* III, 142 (d'après Horace, *Art Poétique,* 102-103).
[166] FÉNELON, 2ᵉ *Dialogue sur l'éloquence,* début. C'est une des toutes premières œuvres de Fénelon, avant 1688.
[167] Cf. les commentaires des contemporains cités dans *O.O.,* II, 119 ; III, p. VIII et p. 643, et notre chapitre de L'INSTITUTION ORATOIRE, en particulier le commentaire de l'*Écrit sur le style.*

L'auditoire *éclata en sanglots ;* et la voix de l'orateur fut interrompue *par ses soupirs et par ses pleurs* [168].

Et voilà pourquoi et comment « l'illustre prélat » eut généralement un traitement de faveur auprès des « Philosophes » incroyants [169], qui accommodèrent sa renommée en poncifs sentimentaux.

Le propre secrétaire de Bossuet avait commencé ce « beau » travail. Pour composer de son maître le portrait le plus séduisant, Ledieu n'emprunte rien à la majesté souriante et presque impersonnelle du peintre Rigaud. Il aime mieux expliquer l'ascendant du génie par les dons sympathiques du tempérament [170].

Les panégyriques *a n t e* et *p o s t m o r t e m.*

Nous voici arrivés aux panégyriques de Bossuet, c'est-à-dire aux compliments solennels et généraux, qui ont même pu être prononcés avant sa mort, où l'auteur décide de prendre le recul de la postérité pour juger d'un mérite *s u b s p e c i e a e t e r n i.* Quelles sont alors les beautés qui subsistent devant la conscience, plus ou moins bien située, des critiques ?

---

168 VOLTAIRE, *op. cit.,* p. 627 et 628.
169 Voir une biographie « philosophique » de Bossuet, dans D'ALEMBERT, *Histoire des membres de l'Académie française,* 1785, in-12°, t. I, pp. 133-174.
   La réputation de sensibilité et d'agrément personnel de Bossuet alla de pair avec un renom de tolérance morale — qui dispensait quelquefois de parler de la gênante intolérance dogmatique — de largeur de cœur, en un mot, de sociabilité, qui convenait à ce siècle plus facile. C'est ainsi que, le « mariage » de Bossuet lui est compté comme un bon point philosophique. Voltaire (*Siècle,* ch. XXXII, p. 627) a l'air d'admirer le touchant sacrifice de Mlle Desvieux ; et l'inventeur de l'histoire, J.-B. Denis, « ci-devant, secrétaire de M. l'évêque de Meaux », l'interprète bien curieusement : « On l'a souvent prié (à ce que m'ont assuré des gens de probité et très distingués), de donner son sentiment par écrit [sur la validité du mariage d'un prêtre], mais il l'a toujours refusé. Il aimait trop la paix pour vouloir exciter quelques troubles dans l'Eglise, ou la diviser, *lui qui avait tant travaillé pour la réunir.* Il se contentait de faire faire à la *conscience* ce qu'une cabale politique et intéressée avait fait autrefois rejeter dans leur Eglise. Un homme qui était si fort pour le *lien* de la *Société* naturelle et civile, mérite bien d'être ici distingué du reste de tous ces autres prélats rigoureux et farouches, car enfin, il me paraît très excusable (quoi qu'en puissent dire ces outrés dévots) encore qu'il ait tenu la même route qu'eux dans la gestion de son temporel. » J.-B. DENIS, *Mémoires anecdotes de la cour et du clergé de France,* Londres, 1712, in-12, p. 117. Les soulignements sont de Denis lui-même.
170 LEDIEU, *Mémoires,* pp. 94-95. « Il excellait dans le dogmatique par sa sublimité, *dans le pathétique, il s'insinuait jusqu'au plus intime* par ses tours nouveaux et inconnus *. Ses tendres yeux,* son air accueillant, *sa voix douce,* son geste modeste et naturel, sa noblesse et sa dignité, *tout parlait, tout était passionné.* Dans la narration, dans le panégyrique et dans les éloges funèbres, qui jamais a pu l'atteindre ? Les vives images, la variété, l'abondance modérée, *le tendre et le passionné,* l'ont rendu inimitable en ce genre comme dans les autres. »
* Variante de la copie Floquet : « Ses yeux tendres et modestes, son air touchant, sa voix douce, son geste simple et naturel... » Cf. URBAIN, *Nouvelles corrections,* dans *R.H.L.,* juillet décembre 1915.
   Cette interprétation sensible est bien délibérée : Ledieu a pris son temps pour la dresser, car un fragment des Mémoires aux archives de Seine-et-Marne (42 Z 49) prouve que « Ledieu avait commencé à rédiger des Mémoires sur la vie de Bossuet au moins dès le mois de janvier 1700. » (J. HUBERT, *Manuscrits de J.-B. Bossuet conservés aux Archives de Seine-et-Marne,* Melun, 1955, p. 11).

« Quel besoin a Trophime d'être cardinal ? » L'opinion s'est accordée à reconnaître que, par ce détour, c'était Bossuet que La Bruyère [171] mettait au-dessus des honneurs les plus grands et les mieux mérités. Bossuet sera toujours ainsi pour La Bruyère au-dessus de tout ce qu'il peut proposer. Le chapitre *De la Chaire* ne le concerne pas, cela va de soi quant aux critiques, mais même aussi dans son idéal positif d'éloquence : la « noble *simplicité* », le « bel *enthousiasme* » qui jette « la persuasion dans les esprits et *l'alarme* dans les cœurs » [172], sont des termes selon le cœur et le goût *de Fénelon*. L'élan final du chapitre emporte ce nom de Fénelon dans la catégorie du « plus beau talent, ...celui de prêcher apostoliquement » [173]. En somme, Bossuet n'est plus alors un modèle *vivant* : il a donné *le type* de l'oraison funèbre qui consiste à :

s'unir seulement avec les peuples pour bénir le ciel de si rares présents qui en sont venus [174] ;

mais personne n'a le devoir de l'imiter. Le mot de « classique » est celui qu'il faudrait à La Bruyère, celui que son admiration appelle :

Que dirai-je de ce personnage qui a fait parler si longtemps une envieuse critique et qui l'a fait taire ; *qu'on admire malgré soi, qui accable* par le grand nombre et par l'éminence de ses talents ? [175]

Un hommage aussi éclatant met Bossuet hors-pair, et cette sorte de canonisation littéraire a pu détourner de chercher les nuances d'un mérite plus original. Par La Bruyère, Bossuet a été fait :

un défenseur de la religion, une lumière de l'Eglise ; parlons *d'avance* le langage de la postérité, un Père de l'Eglise [176].

La Bruyère est assez érudit pour savoir précisément ce que signifie son hyperbole, et la netteté de son style la fixera dans la mémoire des

---

[171] LA BRUYÈRE, *Caractères*, II, 26, 4e éd., 1689. A partir de la 10e édition, l'éditeur Michallet remplace *Trophime* par *Bénigne*, pour que l'allusion soit plus claire.
[172] *Ibid.*, xv, 26 et 29.
[173] *Ibid.*, xv, 30, éd. 4. L'éd. 5, de 1690 (Fénelon vient d'être nommé précepteur) ajoute en conclusion du chapitre : «Fénelon en était-il indigne [d'un évêché] ? aurait-il pu échapper au choix du prince que par un autre choix ? »
[174] *Ibid.*, 13, éd. 4. La Bruyère fait, de confiance, de l'oraison funèbre de la Princesse Palatine, un très beau compliment. Lettre à Condé du 18 août 1685 (Servois, II, 491).
[175] *Discours à l'Académie*, 15 juin 1693 (Servois, II, 462). Je ne sais quelle est cette « envieuse critique », qui s'est tue à la date de 1693. L'opposition protestante ? mais pourquoi se serait-elle tue alors ? Il peut s'agir de contestations sur son éloquence — qui me sont inconnues — si l'on se réfère à xv, 25 : Rapprochement avec Bourdaloue : «Tous deux, maîtres dans l'éloquence de la chaire, ont eu le destin des grands modèles : *l'un a fait de mauvais censeurs, l'autre* de mauvais copistes. » (Ed. 4).
L'indignation — intéressée — que souleva dans une partie de l'opinion le discours de La Bruyère, rejaillit sur Bossuet. Eugène GRISELLE a publié (*La Bruyère et Bossuet*, dans *Bulletin du Bibliophile et du Bibliothécaire*, 1911, p. 154-165), 2 chansons et 5 épigrammes, suscitées par ce discours, qui le mettent en cause, ainsi que Racine.
« Aux dévots tels que moi l'on ne fait point d'affront »,

(cité p. 162).

Bossuet se chargea d'exprimer auprès de leurs confrères le mécontentement et les menaces du poète (cf. p. 156-157). On reprochait à La Bruyère d'avoir loué Bossuet sans dire un mot de l'archevêque de Paris, François de Harlay, académicien, et qui était présent (cf. pp. 159, 164).
[176] *Ibid.* Le portrait de Fénelon, qui couronne les éloges personnels d'Académiciens, est bien plus riche et plus sensible : «La force et l'ascendant de ce rare esprit. ... Toujours maître de l'oreille et du cœur de ceux qui l'écoutent... ». Fénelon alors n'a encore publié que son *Traité de l'éducation des filles*.

hommes, pressés d'avoir un jugement tout formulé. Le compliment sans doute n'était pas inouï entre savants ecclésiastiques, et depuis longtemps Bossuet l'avait reçu, en vers latins par exemple [177], mais, cette fois, fait publiquement par un laïc, et en bonne prose française, il donnera un poids supplémentaire à sa doctrine dans la controverse qui va s'ouvrir. Mais la formule trop bien frappée ne tenait pas compte des siècles de l'histoire, accumulés en théologie comme dans la réflexion morale (« Tout est dit ») ; et elle simplifiait arbitrairement l'homme. Si Ledieu avait tiré son maître vers le touchant, La Bruyère, par contre, définissait trop par les qualités de l'invention intellectuelle son ami trop vénéré.

« Tout excellent écrivain est excellent peintre », a dit La Bruyère, à propos précisément de ces portraits ou « caractères » qui illustrent son Discours. Mais après lui il n'était pas resté de bon peintre à l'Académie. Les éloges funèbres, prononcés le 2 août 1704, lorsque l'abbé de Polignac fut reçu à la place de Bossuet, donneront une image banale du collègue disparu [178]. Toutefois, comme dans l'estimable oraison funèbre prononcée à Meaux par le Père de La Rue, le 23 juillet 1704, l'insistance y est mise sur les qualités sociables et la politesse de l'esprit. Le Père de La Rue, éditeur du Virgile dauphin, qui est tout de même un grand lettré, et qui a prêché plus d'une fois sous les ordres de Bossuet, fera sentir une importante distinction :

Ses sermons étaient médités *plutôt qu'étudiés et polis* [179].

[177] Cf. *Corr.*, VIII, 53, 3 septembre 1696, Bossuet décerne ce titre au cardinal Noris, en latin ; il le reçoit de Simon Treuvé, *ibid.*, IX, 97, en 1697 (Treuvé se réfère à La Bruyère) ; et de Pequini, IX, 113, 6 janvier 1698. Sans compter les vers latins-français de Boutard et Perrault associés (cf. *supra*, citations, nᵒˢ 42 et 43).
Il faut mettre « dans le même sac » que ces thuriféraires, les auteurs de dédicaces « à la Montoron ». Mais Bossuet n'en attire pas beaucoup. Celles, par exemple, que lui fait son cousin Pierre Taisand, d'une traduction des *Lois* de Cicéron (en projet, le 27 juillet 1673), et d'une *Histoire du droit romain* (20 mars 1678), sont confiantes, reconnaissantes, mais nullement flatteuses : « On est ... assuré de l'approbation générale, lorsqu'on peut acquérir la vôtre, quoique j'avoue qu'il soit difficile de la mériter... Au reste, si on ne loue pas mon travail, on approuvera du moins le choix que j'ai fait d'un si habile et si puissant patron. » (20 mars 1678, *Corr.*, II, 60). — Celle du géomètre Pierre Varignon, pour de *Nouvelles conjonctures sur la pesanteur*, est même fort belle, et elle caractérise les deux hommes : « Elles [les personnes qui ont lu les ouvrages de Bossuet] ne sauraient ignorer que les esprits du premier ordre trouvent Dieu partout, et le trouvent partout également grand, dans les ouvrages de la nature comme dans ceux de la grâce. ... Je suis rassuré par les manières obligeantes avec lesquelles vous recevez les gens de lettres, et par la bonté que vous avez de les encourager à faire leurs efforts pour la perfection des sciences. » (*Corr.*, IV, 92, fin de juillet 1690).
Mais il y a aussi les « clients » balourds comme ce prêtre de son diocèse, Hébert de Rocmont, qui lui dédie une vie de saint Faron (restée manuscrite). Il compare Bossuet successivement à saint Augustin, à Elie, à Joiada, et à Arsène, précepteur du fils de Théodose. Le trait de Joiada est intéressant à deux ans d'*Athalie* : « Toutes les nations du monde qui loueront et qui admireront Monseigneur le Dauphin feront en même temps votre éloge, à l'exemple des oracles sacrés qui mêlent souvent les louanges du roi Joas avec celles du pontife Joiada, qui eut l'honneur d'élever ce jeune prince et d'imprimer dans son âme encore tendre les sentiments élevés qui distinguent les âmes royales d'avec les âmes du commun. » (Hébert de Rocmont à Bossuet, dans *Corr.*, IV, 48, année 1689).
Le compliment était désobligeant pour le Dauphin puisque Joas fut un ingrat, mais on voit que l'opinion tendait alors à se représenter Bossuet en grand pontife biblique, responsable de la Loi auprès des Rois.
[178] Par l'abbé de Polignac et l'abbé de Clérambault, cf. Bossuet. *Œuvres*, I, 398 et sq. *L'Éloge* par l'abbé de Choisy a été publié à part, 1704, in-4ᵒ. La fadeur en est grande ; même les citations, mal faites, y dégradent le style de Bossuet.
[179] Père de La Rue, dans Bossuet, *Œuvres*, I, 404.

Mais la plus solide louange qu'on puisse donner au panégyriste iné-
galable, sera de le présenter avec les œuvres de ses mains. Elle aura la
forme d'un article de dictionnaire ou d'un catalogue bibliographique.
Ainsi l'abbé Ledieu, en même temps qu'il révise les écrits de feu M. de
Meaux, que son neveu, M. de Troyes, aura la gloire de publier, Ledieu
prépare un « éloge *historique* », que la nouvelle édition du Moréri repro-
duira « mot à mot » [180]. Le meilleur travail en ce genre est dû à la reconnaissance de Joseph Saurin que sa conversion attache à Bossuet. Le
8 septembre 1704, il donne, dans le *Journal des Savants* qu'il rédige, une
biographie exacte et intelligemment ordonnée par le sens d'une continuité
apostolique ; même la véhémence du controversiste dans la chaleur de la
dispute y a sa place et son explication. Les œuvres se situent dans leurs
circonstances et avec leurs racines dans l'action, et Saurin nous fait
connaître le développement qu'elles devaient avoir, en décrivant les travaux non encore publiés. Puisque chaque témoin défigure son objet en
choisissant quelques traits selon son inclination, il reste aux fidèles désin-
téressés et loyaux à préparer la saisie de l'histoire par une première, et
excellente, bibliographie [181].

IV. L'USAGE DE LA POÉSIE

Les responsabilités historiques de Bossuet lui ayant conféré, dans la
société traditionnaliste, un caractère d'autorité, il aura été, dans le royaume
sérieux des lettres chrétiennes, un exemple considérable ; ce qui ne veut
pas dire un exemple compris. La beauté de son style, dans tous les genres, est reconnue ; elle passe pour égaler la sûreté de sa doctrine, mais
nous n'avons trouvé aucun témoin qui l'ait ressentie complètement. Sans
doute, les grands se reconnaissent à cette solitude qui les entoure, comme
les phares, mais ils ne brillent pas toujours de façon si redoutable. On
les approche mieux quand ils sont en veilleuse.

---

180 LEDIEU, *Journal ;* t. III, pp. 334, 335, 381. Cf. *passim.* Il s'agit de l'édition de Moréri,
mise sous presse en 1705, et parue avec le millésime de 1707. L'article de MORÉRI renvoie
d'ailleurs au travail désigné ci-dessous.
181 [J. SAURIN] *Eloge de M. l'Evesque de Meaux,* sans signature, dans le *Journal des
Savants,* 8 septembre 1704, pp. 561-576 ; le *Catalogue des Ouvrages de M. de Meaux*
commence à la p. 572.
  Il va de soi que notre enquête, si longue et si ample qu'elle ait été, ne prétend pas
avoir réuni tous les témoignages contemporains qui sont de quelque intérêt pour éclairer
le génie littéraire de Bossuet, mais nos témoins sont divers et tous bien placés pour faire
connaîre des traits essentiels. Ils seront souvent pillés. *Le Journal de Trévoux,* de novembre 1704, par exemple, se borne à analyser l'Oraison funèbre de Bossuet par le Père de
La Rue, en citant Pline : « Le comble de son bonheur est d'avoir eu un panégyriste très
éloquent » (!!!) et il donne aussi un catalogue de ses ouvrages.
  Nous devons dire encore que son rôle d'intermédiaire officieux entre le protecteur
royal et les clercs de l'Université a été exprimé avec dignité et enthousiasme par le recteur Louis Rollin, lorsque l'Université élut Bossuet conservateur de ses « privilèges apos-
toliques », le 14 décembre 1695 (cf. dans *Corr.,* VII, 265, le compliment de Fénelon à Bossuet, 18 décembre, et la n. 2 ; BAUSSET, *op. cit.,* l. X, XXIV). « Amabit ille profecto, amabit
dici *defensor atque vindex Academiae,* et eruditorum vocari pater ; amabit esse *medius
quodammodo et sequester Regem inter et Academiam,* per quem et Academiae vota ad
Principem et Principis in illam beneficia deferantur. » ROLLIN, *Oratiunculae* dans *Opuscu-*

Dans l'intimité d'un homme illustre, l'historien peut espérer de trouver l'intimité du goût. Il doit connaître ce délassement favori, que chacun a raison de tenir secret. Quand on publie soi-même ses œuvres minimes, c'est que la vieillesse vous a persuadé que toute votre production exprime utilement votre personnalité essentielle. Et c'est une illusion, pour ce qui est du message profond : le violon d'Ingres ne fait rien à sa peinture, sinon par ce qu'il donne de joie à l'homme. Sous ce biais seulement, et avec ces réserves qui nous sauvent de l'indiscrétion — détestable en critique humaniste — nous achèverons de peindre la personnalité créatrice en considérant les occupations littéraires de Bossuet en récréation.

Nous l'allons surprendre faisant des vers, faisant des vers religieux après avoir lu des vers profanes. « La plus jolie » des bagatelles, comme il disait de la poésie, va d'abord lui être un délassement à la mode humaniste : c'est le talent secondaire du professeur de latin, ou l'expression liturgique du chrétien enthousiaste ; ce sera enfin le soupir d'un corps harcelé, que viennent secourir les expressions des poètes restées dans la mémoire. Telles sont les fonctions des trois pièces de vers latins que nous allons d'abord étudier, et d'assez près.

Les vers français sont un passe-temps plus original, la récréation d'amis jouant ensemble sous le regard de Dieu. Nous verrons que Bossuet se prit assez au jeu pour penser qu'il y devait faire entrer tout son troupeau spirituel.

Dans l'explication d'une activité qui n'a pas vraiment des fins littéraires, l'intuition psychologique va guider la critique, car ici les affinités sentimentales de l'homme choisissent les thèmes et appellent les figures dans les cadres des vers, bien plus que cette libre raison créatrice, que nous avons appelée le goût. Retrouvant donc le cours de la vie, nous allons suivre à nouveau le déroulement chronologique.

Les vers latins de Bossuet.

Trois poèmes latins, c'est peu pour un homme d'Eglise, dont tout le monde au XVIIe siècle admire la parfaite connaissance du latin, le charme

---

les, 1771, in-12, t. II, p. 267. « Père des lettrés », Bossuet peut l'être, grâce à sa double culture, profane et sacrée. *Ibid.*, p. 268.

Des témoins, par eux-mêmes très caractéristiques, ont insisté sur les deux traits que nous étudions principalement : la science de Bossuet, acquisition de l'humaniste, et ses dons naturels, fonds de l'écrivain. C'est SAINT-SIMON d'une part (*Ecrits inédits*, p. p. FAUGÈRE, 1880, in-8°, t. II, p. 483-486) : « M. de Meaux savait tant et avec tant d'ordre et de mémoire, *qu'il écrivait avec une facilité étonnante. Comme les poètes, il n'avait point d'heures de travail*, quoiqu'il travaillât beaucoup tous les jours. [S.-S. veut dire que Bossuet travaillait selon son inspiration, et volontiers la nuit.] ...En deux mots, il ne manque à ce grand évêque que quelques siècles d'antiquité pour être un des plus illustres, des plus cités et des plus révérés Pères de l'Eglise... [Sa mort] fut un deuil universel pour toute l'Eglise *et pour tous les vrais savants.* » D'autre part, l'érudit protestant Ezéchiel SPANHEIM, en contestant la science, relève les dons : « Au reste, on lui doit accorder le mérite ou les qualités *d'un esprit vif, net et ardent, d'une imagination prompte et féconde, de beaucoup d'éloquence* pour la chaire, *d'une facilité, d'une clarté et d'une justesse assez grande d'expression et de tour* dans les ouvrages. ... Le savoir même de ce prélat ... est plus fondé *sur la beauté et sur le tour de l'esprit*, et sur quelque application particulière aux matières de religion les plus débattues entre les deux partis, que sur une connaissance profonde de l'antiquité sacrée ou profane et des langues originelles qui en traitent. » SPANHEIM, *Relation de la Cour de France en 1690*, éd. Bourgeois, 1900, in-8°, p. 452.

de la langue, égal à celui de Térence, et un style « pressé et trop sublime » [182]. La prose latine de Bossuet nous donne aujourd'hui encore l'impression d'une savoureuse originalité [183], mais ses poèmes nous paraissent moins vivants. Il faut restituer à chacun ses circonstances et sa destination pour les trouver personnels. L'intention pédagogique du premier détourne d'y chercher un soupir poétique ; l'hymne liturgique, que Bossuet se commande à lui-même, cherche le sublime, et l'élégie est une poésie personnelle mais faite « d'expressions variées tirées des poètes anciens » [184].

La fable en sénaires « contre les grands parleurs », selon Ledieu fut crue l'œuvre de Phèdre, à cause de « sa latinité digne du siècle d'Auguste ». Elle manque tout à fait d'action, sinon d'éloquence : le concours des animaux pour la royauté se fait par des discours ; un discours le conclut, sentence arbitraire d'une des parties contre sa rivale, qui ne décide pas l'affaire. C'est que le *criterium* retenu est peu naturel : pourquoi les animaux feraient-ils de la ressemblance avec l'homme un titre à la royauté parmi eux ? C'est la règle donnée par le singe, réclamant pour lui-même :

> Natura, quod se fecerit simillimum
> *Homini, cui nemo regium invideat decus.*

Le métaphysicien Bossuet n'est pas entré dans le monde animal. Son apologue se joue bien dans la nature, c'est-à-dire dans de vastes espaces aérés, palpitants de vie :

> Huc omne *adcurrit* animantum genus,
> Quaeque arva, quaeque *saltus umbrosos* tenent,
> Et quae *patentes* aetheris *vasti* plagas.

---

[182] Cf. les compliments reçus, de l'évêque de Paderborn, *Corr.*, I, 289 ; de l'abbé Bossuet, 26 novembre 1697, *ibid.*, IX, 41 ; de Phélipeaux, 4 février 1698, *ibid.*, IX, 168. « Votre style est pressé et trop sublime pour être entendu par des *frates* et des cardinaux qui n'en savent pas tant. » Ce style même aurait dû le porter à s'exprimer plus souvent en vers. Un anonyme (Boileau ?) lui a dédié en 1675 une défense d'un poème latin de Santeul (*Corr.*, I, 376).

[183] Cf. MARTIMORT, *Le Gallicanisme*, p. 597 et sv. *La double parure du style*, et notre introduction à BOSSUET, *Platon et Aristote*, p. XLVI.

[184] Pour toute cette section, nous nous référons à l'édition LACHAT, t. XXVI, pp. 43-107, plus complète que l'édition Guérin, que nous suivons habituellement, sans l'être tout à fait. Le texte, en provenance de copies diverses, n'offre aucune garantie critique. Cf. ce qui est dit à propos des lettres à Mme Cornuau, *Corr.*, IV, 398-447.

L a fable, *In locutuleios*, des débuts du préceptorat, est donnée dans toutes les éditions. Cf. LEDIEU. *Mémoires*, pp. 141-142, et, pour les manuscrits, notre appendice à LA PHILOLOGIE, n° 11.

L'hymne *In festo sancti Bartholomaei apostoli | Ecclesiae Germaniaci. Episcopi patronis | Hymnus*, datée du 23 août 1684, a été publiée par A. *Gasté*, dans la *Revue Bossuet*, d'avril 1901, p. 116.

L'élégie *Animae morbis lethalibus laborantis | invocatio | ad Christum sospitatorem*, composée par Bossuet pendant son érésipèle de 1699, est donnée par LACHAT, t. XXVI, pp. 43-44, mais il faut absolument tenir compte des indications des manuscrits. Elles ont été relevées par E. LEVESQUE, *Revue Bossuet*, avril 1900. L'autographe et la copie du grand séminaire de Meaux sont actuellement cotés C. 6 ; une des deux copies de Saint-Sulpice porte cette note de Ledieu : « Fait à Germigny, ce 28 de juin 1699, par M. de Meaux » ; et l'autre : « Ainsi corrigé de la main de l'auteur et laissé en cet état ce 24 de juin 1700. » Après le titre, Bossuet avait indiqué sur l'autographe « *Ex variis antiquorum poetarum locis* », raturé (quoique très vrai).

Mais quant aux caractères, il n'y en a qu'un : c'est l'orgueil intellectuel qui fait le style commun de toutes les passions, dans ce monde pensé par un humaniste :

> *Extollit audax* robur invictum *Leo* ;
> *Elephantus* moli admixtam *uim prudentiae.*

Avec humour et non sans une gaieté moqueuse, Bossuet dépeint ici ce qu'il appelle dans ses sermons « l'histoire de la vie humaine ». L'idée a du mouvement, mais Bossuet lui a sacrifié l'individu, borné par son espèce et vivement particulier, qu'est un animal. Fénelon, qui choisira plus tard de mettre en prose latine les fables de La Fontaine, sera bien plus sûr de retenir l'attention des enfants par l'intérêt de l'action.

Mais le lyrisme éloquent, qui, dans une fable, entrave la narration, la strophe sapphique de l'hymne à saint Barthélémy, patron de Germigny-l'Evêque, l'utilise heureusement à ses fins d'antithèse. L'exemple des saints est toujours un défi, à la nature et à la société. Or, le contraste de l'adonique final, à la fois sérieux et léger, avec la régularité implacable des trois hendécasyllabes, rend ce défi avec élégance. La langue latine, rapprochant sans peine les mots de sens opposé, permet même une tension excessive — l'illustre Santeul n'en est pas exempt [185] — et la véhémence de Bossuet ne doit pas étonner dans la poésie liturgique des humanistes. L'enchaînement des thèmes ne nous laisse pas de répit. C'est la course du Verbe par le monde, loin de l'Empire romain, jusque chez « les Indiens colorés » ; l'opposition courageuse du saint à la fausse sagesse ; la profusion sanglante de son martyre et sa gloire présente, sur la terre de Brie et dans la cité céleste. Voici l'antithèse, avec anaphore :

> Huc crucem vexit cruce victor ipsa ;

et l'image outrancière :

> Clamat avulsa cute vulnus unum
> Caesaque cervix.

La clameur de tout ce corps écorché et de cette tête coupée, qu'on nous jette dans le vers adonique, rejoint dans un même paroxysme celle de saint Gorgon déchiré par les fouets,

> glorieux de confesser par tant de bouches la vérité [186].

Tout se passe comme si le latin des humanistes avait conservé le goût baroque de 1649, chez un écrivain où il s'était apaisé en langue française, ou comme si la langue de Sénèque et de saint Augustin conservait au fond des écrivains, dans les temps du goût classique, un certain romantisme sensoriel. Mais où l'on reconnaît la disposition permanente de l'imagination de Bossuet, c'est dans l'avant-dernière strophe, quand il

---

[185] Cf. VISSAC, *op. cit.,* p. 147.
[186] *O.O.,* I, 141, Panég. de saint Gorgon, 9 septembre 1649.

élève majestueusement en collines les humbles horizons de Germigny, afin d'incliner en salut les flots tourbillonnants de la Marne :

> Te canunt agri, nemus omne, *colles* :
> Pronus *inclinat* tibi *vorticosos*
> Matrona *fluctus.*

Si Bossuet montra la fable avec une fierté candide à l'entourage latinisant du Dauphin, s'il donna l'hymne de saint Barthélemy à son clergé pour la chanter, il garda pour lui l'élégie « Invocation d'une âme en proie aux maladies mortelles, au Christ sauveur ». Mais le soin qu'il prit de la revoir et d'en faire faire des copies (d'où sont ôtées les références aux poètes qui avaient fourni les expressions) atteste une certaine tendresse d'auteur. Un beau jour de l'été 1699, dans la paix de Germigny et dans la fièvre d'un érésypèle consécutif à la lutte contre Fénelon, sous le coup de la mort de son frère très aimé, Antoine, et de son triomphe en cour de Rome [187], Bossuet avait éprouvé le besoin d'une double transposition : d'une part l'inquiétude de son corps souffrant sera exprimée par la peinture de la tentation ; d'autre part les chaînes de l'amour profane, douloureusement portées par les païens, seront le symbole des entraves qui retardent le chrétien d'aller vers la santé suprême. En somme, dans ce poème naïvement ingénieux, Bossuet spiritualise ce qu'il sent, et il incarne ce à quoi il tend. Pour exprimer cette double et inverse analogie, il emploie la méthode des *centons,* qui s'impose plus ou moins quand on fait des vers dans une langue dont l'évolution naturelle est arrêtée, et il fait des insertions *accomodatice* de tournures et même de vers entiers. Dans les marges de son manuscrit autographe, il s'est référé cinq fois à Virgile, une fois à Horace et cinq fois à Catulle, et encore ce sont des références globales. Dans le détail, sur un total de 48 vers, Virgile lui a donné trois expressions ou mouvements, un hémistiche littéral (*T r a h i t s u a q u e m q u e v o l u p t a s*), et un vers entier où *D e u m* devient *D e i*, et *J o v i s , P a t r i s* [188] ; Horace a donné un vers entier, avec une simple retouche grammaticale [189] ; Catulle a été employé massivement : les dix vers de la fin lui reviennent, avec de simples retouches de convenance : six vers où Catulle s'exhorte à se délivrer d'une funeste passion, et quatre

---

[187] Antoine Bossuet mourut le 29 janvier 1699. Cf. *Corr.,* XI, 114-155 : le décret de condamnation de Fénelon fut signé le 12 mars, *ibid.,* p. 205. La « petite ébullition » était commencée le 12 avril, cf. *ibid.,* p. 290 ; le 20 juin, Bossuet écrit de Meaux à son neveu : « Je continue à prendre les bains que j'ai commencés à Germigny, il y aura demain huit jours, et j'y retournerai les achever, s'il plaît à Dieu. Ils me font fort bien et on les a crus nécessaires pour guérir à fond une manière d'érésipèle, qui me tient depuis environ deux mois, sans aucune incommodité considérable, sans m'ôter l'appétit ni le sommeil. J'ai fait la procession à l'ordinaire [le 18 juin] et sans aucune peine. *Je demeure fort en repos et ne songe qu'à vivre avec un bon régime, et qu'à me rétablir entièrement.* Il n'y paraît rien au dehors. » *Corr.,* XII, 65 — L'élégie est du 28 juin. On voit qu'à ce moment, le soin de son corps était pour Bossuet une grande occupation.

[188] Dans la pièce de Bossuet les vers 13 (pour 2 expressions), 26, 35, 19, rappellent respectivement ceux de Virgile, *En.* II, 274 ; VI, 279-280 ; plusieurs expressions de la 4ᵉ *Eglogue* (pour le v. 26) ; *Egl.* II, 65 et *Egl.* IV, 49. (L'espérance fervente de la 4ᵉ églogue s'impose à l'humaniste chrétien).

[189] Bossuet, V, 17 Horace II, *Epîtres,* II, 127, « *Si* mea » au lieu de « *Dum* mea ».

où il engage à Lesbie une tendresse éternelle, qui deviennent la promesse d'aimer Dieu, avec la grâce de Dieu [190].

Des emprunts aussi visibles tendraient à nous faire croire que Bossuet n'était pas très entraîné à ce jeu des vers latins, où le larcin subtil doit être placé d'une manière inattendue. Dans l'imitation il a suivi le chemin large. Sa transposition, littérairement trop facile, ne tend qu'à expliquer une découverte morale qui est simple, mais qui n'avait pas été si intime en lui tant qu'il s'était bien porté. Cette découverte, c'est que la délectation de l'amour et de la grâce est unique :

> Quisquis et audit, amat.
> *Quisquis amat, sequitur,* novaque et secura voluptas,
> Suspensos animos huc agit unde venit.
> Nempe subest vis grata : *trahit sua quemque voluptas :*
> *Casta trahit castos.* ... [191].

Dans les deux cas, celui du poète païen et celui de l'âme chrétienne, il s'agit d'une passion, naturelle ou surnaturelle, qui désarme la volonté. Il est peut-être imprudent d'insister sur cette similitude, mais c'est une vieille tradition chez les théologiens de constater la rencontre des moralistes profanes et de la conscience chrétienne : l'épicurisme douloureux de Virgile avait révélé à saint Augustin le mal de sa nature blessée, et l'on cite couramment Ovide à côté de saint Paul, pour attester le combat déchirant des deux hommes en chacun de nous [192]. Quand il lui est donné d'éprouver dans sa chair la continuité de l'épreuve humaine, Bossuet se trouve à son tour à ce confluent banal des expériences, et, avec une naïve sécurité, il recourt, pour exprimer la condition chrétienne, à la langue littéraire des païens.

Le jeu de la poésie française.

> Ne parlons point de me divulguer comme faisant des vers, quoi qu'en dise le P. Toquet, à qui je défère beaucoup. ... Je ne fais des vers que par hasard, *pour m'amuser saintement d'un sujet pieux, par un certain mouvement dont je ne suis pas le maître.* Je veux bien que vous les voyiez, *vous et ceux qui peuvent en être touchés* [193].

C'est ainsi que Bossuet définissait, dans l'intimité sans contrainte de Madame d'Albert, les fins et les conditions de son activité poétique : il est poussé par une nécessité, d'ordre affectif, à une activité dont les fruits ne peuvent être que pour les amis. Car, chez ceux qui aiment ensemble, le cœur gagné ouvre l'intelligence aux mots, qui sont en eux-mêmes impropres ou convenus, mais puissants quand ils restent dans leur climat originel d'émotion.

---

190 Bossuet, v. 39-44 correspondent à Catulle LXXVI, v. 11-16 ; v. 45-48 correspondent à Catulle CIX, v. 3-6.
191 Bossuet, v. 32-36.
192 OVIDE, *Métam.*, VII, 20-21 (Médée se morigène), « Video meliora proboque, deteriora sequor », et SAINT PAUL, *Romains*, VII, 15-20. — Ce déchirement de la nature — mieux connu des chrétiens parce que, pour eux, il se répète sur deux plans, le sensuel et le mystique — n'est-ce pas le ressort d'un roman, *Manon Lescaut*, et l'âme d'un poème, *Les Fleurs du Mal* ?
193 BOSSUET, *Corr.*, VII, 426, à Mme d'Albert, 7 juin 1696.

La spontanéité et le secret sont donc corrélatifs. Et c'est pourquoi les cantiques de Bossuet ont pris essor dans la période la plus sensiblement épanchée de sa vie, quand il eut un diocèse dans le cœur, et dans ce diocèse des âmes de femmes avides de ressentir en sa plénitude le don de Dieu. La poésie est l'acte le plus ardent et le plus libre de sa direction spirituelle. L'Ecriture commentée échauffe son cœur, et le surcroît de flamme vient s'apaiser dans les vers [194]. Cette relation vitale est ce qu'a parfaitement compris Madame Cornuau, lorsqu'elle s'est chargée de justifier devant le cardinal de Noailles les passe-temps de son bien-aimé directeur. Elle n'a pas tort, dans le fond, d'en faire remonter l'origine à elle-même :

> On s'étonnera sans doute comment il a pu, avec ses grands ouvrages, trouver ce temps ; et on s'en étonnerait encore plus, si l'on savait que souvent il faisait ces vers *en un moment,* où il exprimait cependant tout ce qu'il y a de plus grand, de plus intime et de plus élevé dans l'amour de Dieu et dans la vie intérieure. Il est vrai que, comme il était plein de toutes ces sublimes pensées, il lui coûtait peu de les tourner en vers. Il disait quelquefois à cette personne qu'*il y avait des temps où le langage divin semblait augmenter l'amour pur et céleste ;* que du moins cela lui donnait *une nouvelle pâture ;* que, comme Dieu attirait les âmes à lui par diverses voies, il y en avait à qui les divines ardeurs du divin amour ainsi expliquées *leur étaient quelquefois très utiles.* C'est ce qui a fait que ce saint prélat n'a presque jamais refusé à cette personne ce qu'elle lui demandait, tant en vers qu'en prose, et non seulement à elle mais à toutes celles que Dieu avait mises sous sa conduite [195].

« Le langage divin », c'est, à n'en pas douter, l'usage du nombre poétique et des rimes, adjuvant musical de la nature en proie à la passion indicible. Il ne doit pas servir dans la communication avec les étrangers, et c'est pourquoi le secret — le secret relatif — est toujours demandé par Bossuet dans ses lettres [196]. En même temps il insiste sur la mise en pratique immédiate des sentiments qu'il a exprimés pour sa fille spirituelle autant que pour lui-même [197]. Ce sont des « consolations » [198].

La fonction poétique a ainsi plus d'importance que les œuvres, dont il sent bien l'imperfection (mais autrement que nous !). Sur le plan litté-

---

[194] La première mention que je trouve de sa poésie française est dans une lettre du 14 juin 1692 à Mme Cornuau (*Corr.*, V, 196). Il dit dans une autre du 19 juin 1692, à Mme Nxxx (une amie de Mme d'Albert), *Corr.*, V, 200 : « J'ai achevé ce matin la révision des Cantiques. » Il pourrait s'agir de l'exégèse en latin des *Libri Salomonis,* dont l'achevé d'imprimer est du 29 mai 1693, mais n'est-ce pas plutôt de sa paraphrase du *Cantique des Cantiques ?* L'explication du texte sacré et l'émulation poétique iraient de pair.
[195] *Corr.*, IV, 444, second avertissement de Mme Cornuau, écrit vers 1706.
[196] Pour le secret cf. *Corr.*, IV, 422 (particulièrement sur le *Cantique des Cantiques,* dit Mme Cornuau) ; V, 196 ; VII, 402-403, 415, 426 (cité n. 193) ; VII, 39, 265, 318, 323.
[197] Pour l'utilisation spirituelle, cf. *Corr.*, VIII, 3, à Mme Cornuau, 1er juillet 1696 : « Chantez l'hymne, qui est pour vous en beaucoup d'endroits, et dans son tout à toutes les âmes » ; VIII, 38, 265, 318. Quand il dit à Mme Cornuau (VI, 504, 30 décembre 1694) : « Ne savez-vous pas que le silence est sa louange ? », il renvoie à son propre poème *Tibi silentium laus* (Lachat, XXVI, p. 96). Cf. *Corr.*, XIV, 494.
[198] *Corr.*, VIII, 318, à Mme d'Albert, 9 août 1697 : « Voilà des consolations que je vous envoie : faites-en part à Mme de Luynes, sans oublier ma Sœur Bénigne. Je vous en permets des copies, à condition aussitôt qu'il y en aura une de me renvoyer le tout. »

raire encore, Madame Cornuau a voulu l'excuser : par l'occupation des autres ouvrages et par son empressement à elle (et aux autres filles de Bossuet) à lui arracher ses vers des mains, « à peine étaient-ils sortis de son cœur et de sa plume » [199]. Ils sont donc en quelque sorte inachevés, et l'on ne peut espérer d'en avoir un texte définitif (ou certain) :

> Il est vrai qu'il en a retouché quelques-uns, mais je ne crois pas qu'il y ait mis tout à fait la dernière main, ni à tous ceux qu'il a faits. *Je sais bien qu'il en avait le dessein,* m'ayant fait l'honneur de me le dire ; mais, comme il a eu une santé si languissante et si souffrante les deux dernières années de sa vie, *je doute ... que ce saint prélat les ait entièrement revus* [200].

Cette fois Madame Cornuau représente Bossuet comme l'auteur consciencieux à qui le temps, simplement, aurait manqué. Elle ne s'aperçoit pas que cette image diffère de celle qu'elle vénère, du pasteur uniquement inspiré par la charité. Pour concilier ces deux aspects, il faut demander, sur la dernière activité littéraire de Bossuet, le témoignage plus précis de Ledieu.

C'est à partir de décembre 1700 qu'il a vu son maître travailler activement à la révision de ses *Psaumes,* par exemple quand, étant à Versailles, il n'a pas ses livres [201]. C'est une manière de méditer l'Ecriture quand

---

199 *Corr.,* IV, 422, la sœur Cornuau au cardinal de Noailles.
200 *Ibid.,* 422-423.. La base des éditions est le manuscrit du fonds français 12811, qui porte sur le v° du feuillet de garde : « Sr de Luynes ». Il contient la traduction française du *Cantique* et du commentaire de Bossuet, suivie des poésies au complet 251 r° - 384 v°). Aucune marque n'authentifie autrement cette copie. (Voir la note de Lachat, t. XXVI p. 46-47).
Un exemple du travail de correction de Bossuet sur ses vers se trouve dans le brouillon autographe du *Ps.* XLV, *Deus noster,* à la Bibliothèque Victor Cousin, Mss. de Bossuet, Section III, n° 43. Les ratures sont assez nombreuses, bien que Bossuet ait laissé des manuscrits plus surchargés, et il semble que les modifications tendent vers plus de vie. Entre les différentes surcharges on ne sait toujours laquelle choisir et il ne faut pas s'étonner que la vulgate de Lachat diffère quelquefois de ce qu'on déchiffre sur l'autographe. Voir par exemple la publication du *Ps.* XIX, *Exaudiat,* faite sur une mise au net conservée dans les papiers de l'abbé Lebarq, par TOUGARD, *Bulletin du Bibliophile,* 1898, p. 140. La tradition des copies n'est pas débrouillée. Ainsi Dom Pitra donnait dans le *Correspondant* du 29 juillet 1849 (pp. 498-501, avec *erratum* p. 522) le *Ps.* LXIV, *Tibi silentium laus* (trad. de saint Jérôme), d'après un manuscrit de la Bibliothèque de La Flèche A. 99, copie datée de 1734. Cette copie est aujourd'hui perdue (cf. *Corr.,* IV, 405, n. 12). Bossuet fait allusion à ce psaume sous cette forme dans une lettre à Mme Cornuau du 30 décembre 1694 (*Corr.,* VI, 504). La copie de La Flèche différait du texte courant.
Pour les vers inspirés du *Cantique* ou de sujet libre, je ne connais aucun autographe.
201 LEDIEU, II, 167-168, *Journal,* 19 décembre 1700. « M. de Meaux a travaillé beaucoup, depuis 15 jours, à sa version des Psaumes en vers, à cause de ses voyages de Versailles où il n'avait point de livres. Ici encore il est entièrement appliqué à la méditation de la Bible. Je crois dans le même dessein de sa version, car je ne lui vois pas encore sa *Politique* entre les mains. »
Ledieu montre encore Bossuet travaillant à sa version p. 169 (31 décembre 1700, « matin et soir » ; 170 (4 et 7 janvier 1701) ; 171 (10 janvier) ; 172 (21, 22, 23 janvier) ; 176 (2 et 3 mars) ; 190 (4 juillet 1701) ; 308 (23 septembre 1702 où il est explicite : « Ces jours passés M. de Meaux nous parlait de ses traductions des Psaumes en vers, et que mercredi 20 septembre, jour de jeûne des quatre-temps, attendant le dîner, il avait relu tout le *Psaume* 118, qu'il avait fait entièrement en vers, avec un argument général aussi en vers, et paraissait en être content ; il m'a répété la même chose les jours suivants, et qu'au milieu de son occupation ordinaire, il ouvrait quelquefois son portefeuille où sont ces traductions, pour les retroucher ; et c'est ainsi qu'il entretient sa piété. » — Cette traduction du *Ps.* 118 ne nous est pas connue. — Cf. encore LEDIEU, II, 315.
Pendant tout ce temps, Bossuet est censé être en bonne santé.

il est en santé ; dans la maladie, c'est l'occupation de son loisir. Il envisage peut-être une publication de ses psaumes en vers puisque, pour connaître les nécessités du goût contemporain, il recourt aux lumières d'un littérateur de profession. Et c'est l'abbé Genest, l'auteur de *Pénélope* deux fois écoutée, qui lui a donné les derniers conseils littéraires [202].

Toutefois il faut remarquer que, dans cette entreprise de corrections, il n'est jamais question de la paraphrase en vers du *Cantique,* dont Ledieu connaît cependant l'existence [203], ni des poésies sur un thème libre comme celui de *la parfaite amante.* Comment expliquer cette différence ? Peut-être l'abondante tradition des *Psaumes* français aurait-elle pu décider Bossuet à se produire comme poète religieux sur des thèmes que l'accoutumance publique rendait impersonnels, mais il n'aurait pas livré le secret de l'époux. L'expression des tendresses mystiques restait entre les âmes en communion. Mais retoucher ses *Psaumes,* c'était faire comme Socrate mettant en vers les fables d'Esope, et accomplir plus sûrement la prescription du dieu intérieur qui veut que chacun avant de mourir s'adonne à la musique. Bossuet demande des conseils à l'abbé Genest parce qu'il n'est pas sûr de son style en vers, et cela au moment même où il a le plus besoin de se faire entendre, à cause de la solitude qui le gagne affreusement.

Tandis que naguère, en santé, épanoui au sein de sa famille spirituelle, c'est lui qui se faisait le conseiller littéraire des religieuses de Jouarre, tout bonnement. L'émulation était partie des deux filles du duc de Luynes qui, élevées à Port-Royal, appuyaient leur piété sur une forte instruction. Madame d'Albert qui, la première, avait reçu de lui « la parole de vie » [204], s'applique à porter aux oreilles moins savantes la parole de son père spirituel : elle traduit en français son livre latin sur les psaumes, préface et notes [205]. Bossuet l'y engage même par l'obéissance :

Je trouve très bon que vous fassiez des traductions : cela ne vous

[202] LEDIEU, *Journal,* II, 272, 18 février 1702. « Il nous dit en venant de Paris qu'il avait mis ses Psaumes en vers français entre les mains de M. l'abbé Genest pour les voir à loisir, et qu'il fallait à présent les lui demander parce qu'il les avait depuis plus de trois et quatre mois. » Genest est son hôte à Versailles le 27 et le 28 février (où Malézieu fait la lecture de sa *Pénélope.* Cf. *supra* n. 57 et 66). Il n'a pas dû voir le *Ps.* 118, auquel Bossuet travaille encore en septembre, à moins qu'on ne le lui ait remis séparément. Ledieu parle une dernière fois de la version en vers le 28 février 1703 — Bossuet alors est seul à croire qu'il n'a pas la pierre — : « Il y a quelque temps que M. l'abbé Genest rapporta à M. de Meaux ses traductions des psaumes en vers que notre prélat lui avait données à examiner. Hier au soir, M. de Meaux en parla à cet abbé qui le vint voir ; il lui dit qu'il avait repris ces papiers depuis quelque temps, *et qu'il trouvait ses remarques fort bonnes, qu'il songeait actuellement à en faire son profit.* Depuis sa meilleure santé, *évitant d'autres plus grandes occupations,* il a pris celle-ci à Paris même déjà plusieurs fois, ce qu'il continue encore ici tous les jours à son loisir. »
[203] Ainsi quand Bossuet écrit à Mme Cornuau : « Tenez-vous-en, ma Fille, à mes ordres *sur la communication de ces vers,* persistant à ne vouloir pas qu'on les voie », Ledieu a porté en note sur sa copie : « Qui étaient des traductions du Cantique. » (*Corr.* VIII, 265, n. 6, à Madame Cornuau, 7 juin 1697).
[204] *Corr.,* IV, 64-65, à Mme d'Albert, 10 mars 1690. Bossuet avait prêché sa profession à Jouarre le 8 mai 1664 (*O.O.,* IV, 556).
[205] *Corr.,* IV, 233 (13 juin 1691) ; VI, 497 (22 décembre 1694), 510 (30 décembre 1694). « Je vous renvoie le *Magnificat ;* j'en suis très content : vous avez pris un tour si naturel, qu'on ne peut point apercevoir que ce soit une version, tant tout y est droit et original. Faites de même le *Benedictus* et le *Nunc dimittis,* et à votre grand loisir le psaume *Eructavit,* ou le *Dixit Dominus.* Cf. encore VII, 3, 8, 11, 51, 87, 146, 162, 275.

retirera point de l'esprit d'oraison, non plus que l'emploi où l'obéissance vous engage, *et où je vous en donne le mérite* [206].

L'application aux travaux littéraires, comme à toute autre activité,
est donc réglée par les besoins spirituels :

> Je n'improuve pas que vous composiez en latin ; mais pour le grec,
> je crois cette étude peu nécessaire pour vous [207].

Sous cette énergique protection, Madame d'Albert a risqué discrète-
ment ses propres essais poétiques, en latin et en français, et Bossuet la
complimente sans entrer dans le détail [208].

Avec sa sœur Madame de Luynes, plus forte et plus intellectuelle,
le ton est davantage celui de la critique littéraire : Bossuet lui propose de
faire une traduction presque officielle de sa préface à l'explication des
Psaumes [209], et il a vu d'elle des vers « très beaux, très élevés, *très régu-
liers* » [210]. Par les deux sœurs se répand le goût et même la technique de
la poésie, qu'on a la permission d'expliquer à Madame de Sainte-Gertrude [211]. Madame Dumans est aussi une sorte de correspondante littéraire, et Bossuet lui corrige, avec assez de malice, une épigramme et un
sonnet [212]. Il n'est pas jusqu'à l'humble et ignorante Madame Cornuau
qui n'ait risqué ses vers, où Bossuet n'a trouvé « qu'une seule faute » [213].

Assurément nous sommes loin, avec cette petite académie dévote de
Jouarre, des abbesses humanistes et polyglottes de la Renaissance ; loin
même de la contemporaine abbesse de Fontevrault, sœur de Madame de
Montespan, qui se faisait assister par Racine dans sa traduction du *Banquet* de Platon [214]. Ici, l'objet de l'occupation littéraire est religieux, et le
plaisir même de l'expression a des fins religieuses : il sert à dilater l'âme

---

[206] *Corr.*, VII, 275, 2 janvier 1696.
[207] *Corr.*, VI, 497, 22 décembre 1697 ; défense réitérée le 23 décembre, p. 499.
[208] *Corr.*, VII, 426, 7 juin 1696. « Les vers latins sont très beaux : vous pourriez les
avoir faits comme les français, dont vous m'avez enveloppé l'auteur : je soupçonnais
que c'était vous. »
[209] *Corr.*, IV, 181, 6 mars 1691. « Je suis bien aise, ma fille, de la satisfaction que vous
me témoignez de mes Psaumes. Je vous propose la traduction de la préface, *qui pourra
aider celles de nos filles à qui Dieu donnera le goût et le désir d'en profiter* ; mais à
votre grand loisir. »
[210] *Corr.*, VII, 418, à Mme d'Albert, 29 mai 1696. Puis Bossuet explique son propre
style : « Le mot que vous n'avez pu lire est celui de *los,* pour louange, antique, mais qui
se conserve dans la poésie et y a même de la noblesse. « Il donne un conseil pour
dire *poète* au féminin, en latin, p. 426 (7 juin 1696). Il précise son texte, VIII, 396
(10 octobre 1697) et donne une leçon de prosodie française : « On dit indifféremment
avec ou *avecque,* le dernier rend la mesure complète. »
[211] *Corr.*, VII, 426, à Mme d'Albert, 7 juin 1696 « Il n'y aurait point de mal d'apprendre un peu les règles de la poésie française à Mme de Sainte-Gertrude, si l'on ne crai-
gnait qu'elle s'y donnât trop. » Apparemment, elle s'y était exercée sans trop de succès,
cf. p. 417 (29 mai 1696).
[212] *Corr.*, VII, 419, à Mme Dumans, 29 mai 1696. « Vous voyez bien que j'ai lu votre
épigramme. J'ai lu aussi le sonnet, dont le sens est bon. Les règles ne sont pas tout à
fait gardées ; mais il n'importe pas beaucoup, puisque vous vous déclarez contre les
occupations poétiques. » Bossuet tient compte de son goût, V, 240 (25 septembre 1692) :
« Ce que vous me dites de mes réflexions sur le sermon de N.-S. sur la montagne me
donne courage pour achever quelques autres ouvrages de cette nature. » ; il l'encourage
à la lecture, IV, 238 (18 juin 1691) ; et à la musique, VII, 419, *loc. cit.*
[213] *Corr.*, V, 68, à Mme Cornuau, 19 mars 1692.
[214] Cf. RACINE, *Œuvres* (Ed. MESNARD, t. V, p. 429). Traduction faite entre 1678 et
1686 probablement.

qui, pour recevoir l'Ecriture, n'aura jamais trop de capacité. La prudence même de Bossuet emploie la diversion poétique pour occuper ce surplus inquiet et ardent, qu'il connaît dans l'affectivité féminine. C'est par l'expérience des âmes, et d'âmes saintement unifiées, qu'il a découvert l'utilité humaine de la poésie.

Le maniement du « langage divin ».

Que dire maintenant de sa pratique, qui ne soit injuste ou pesant ? On pourrait dans ses marges écrire bien des choses irrévérencieuses comme l'a fait Jules Lemaître (si gentiment). Mais l'équité veut qu'on se rappelle les humbles prétentions de Bossuet. La plus grande partie de ses vers, ayant été tenue secrète, ne peut être traitée comme une production littéraire. Nous ne savons au juste quels sont les psaumes qu'il a donnés à revoir à l'abbé Genest, qu'il aurait peut-être publiés, et que nous aurions le droit de considérer comme à peu près définitifs. Et même pour ceux-là, soutiendrons-nous qu'à la date du 28 février 1703, où Ledieu nous parle pour la dernière fois de la satisfaction que Bossuet trouvait dans ses vers, soutiendrons-nous que son goût était tout à fait libre, dans le désarroi grandissant de sa maladie ? En outre, l'incertitude des éditions, dont nous avons parlé, nous prive d'une base critique. Si donc le point de vue de la beauté et de la signification intrinsèques est celui qui convient à des œuvres achevées et publiées, ou même à celles qui ont été interrompues, lorsque celles-ci visaient le public, ce point de vue n'expliquerait guère ici l'inspiration du style. Il faut placer notre centre dans la subjectivité de Bossuet.

Psaumes ou *Cantique,* il n'a paraphrasé en vers français que des textes dont, par ailleurs, il avait donné pour son clergé, en latin, l'explication littérale. Libre de soucis d'exégèse, il peut s'abandonner au bonheur lyrique comme au mouvement de son fond intime. C'est le silence adorant, qui veut se surpasser, s'assouvir, et qui ne pourra même pas s'exprimer :

> Si je veux commencer tes divines louanges,
> Et que, déjà mêlé parmi les chœurs des anges,
> Ma voix dans un cantique *ose se déployer,*
> Dès que, pour l'entonner, ma langue se dénoue,
> Je sens sortir un chant *que mon cœur désavoue*
> Et ma tremblante voix *ne fait que bégayer* [215].

L'impuissance poétique est alors comparable à celle des prophètes pressés par l'inspiration, qui, ne trouvant pas dans leur bouche le langage absolu dont ils ont besoin, récusent violemment toutes les ressources humaines de l'expression :

> Changement merveilleux : accablé de ta gloire,
> *De tout langage humain j'ai perdu la mémoire ;*
> Interdit, éperdu, *je n'articule plus :*

---

[215] *Ps.* LXIV, *Tibi silentium laus,* Version de saint Jérôme, Lachat, t. XXVI, p. 97.

A, a, a, *mon discours n'a ni force ni suite ;*
A des cris enfantins ma parole est réduite,
Et pour tout entretien *n'a que des sons confus* [216].

Le poète est nécessairement déçu par son poème ; le musicien entend toujours dans sa musique une cacophonie par rapport à son chant idéal ; mais inversement, il est tout aussi vrai que la plus mauvaise expression participe à l'absolue bonté de l'admiration inspiratrice :

Je sens, d'un cœur transporté,
Sortir, *pleins de majesté,*
Les vers qu'au Roi je présente.
. . . .
Sous une maîtresse main
D'un diligent écrivain,
La langue, plume empressée,
Produit de saintes chansons ;
Et ma voix *se sent poussée*
Jusqu'aux plus sublimes sons [217].

L'insuffisance, et l'excellence, inhérentes à toute expression de la foi, n'empêchent d'ailleurs pas l'ouvrier en vers de faire son possible pour atteindre la noblesse du style qui est requise [218]. Mais on ne lui demande point la netteté logique ; et les chevilles sont d'autant plus autorisées que la piété procède par surenchère. En termes de syntaxe, disons qu'elle aime les appositions, si commodes aux versificateurs. La même ferveur, qui a inventé les litanies, associe, sur une personne ou un thème, les images de provenance diverse. Bossuet n'a d'ailleurs aucune obligation de s'en tenir au texte principal qu'il paraphrase, et toute l'Ecriture et toute la littérature mystique peuvent à tout moment l'alimenter d'images ou de motifs. Les Prophètes surgissent dans les *Psaumes,* et saint Bernard influe sur le *Cantique.* La « contamination » des sources, pour prendre un terme de critique, ou, si l'on veut, la confusion des influences, rend donc impossible une étude de genèse. Une mémoire bien fournie est même l'instrument d'une poésie nécessairement peu originale : ces vers français sont un peu dans la même condition que les vers latins des humanistes, tissés de réminiscences, et même plus que les vers latins, puisqu'aux clichés des littératures antiques s'ajoute le souvenir inévitable des harmonies contemporaines. Homériques sont les coursiers d'Aminadab,

Avec leurs pieds ailés [219] ;

___

216 *Ibid.*
217 *Ps.* XLIV, *Eructavit cor meum,* Lachat, p. 94.
218 Cf. dans le poème de *La parfaite amante,* cette remarque sur le paradoxe de la vie cachée de Jésus à Nazareth, qui,
        « D'un vulgaire artisan gouvernait la boutique.
        Et ce qui maintenant *paraît bas à mes vers,*
        Trente ans était l'emploi du Roi de l'univers. »
(Lachat, p. 87).
219 *Le Saint Amour* (d'après *Cantique,* VI, 12), Lachat, p. 55.

elle est tout à fait classique la *p a l l i d a   M o r s,* qui règne sur le royaume d'en-bas :

> Et vous, Mort, qui tenez *entre vos pâles mains*
> Le sceptre des humains [220] ;

de même que :

> La famine aux hideux regards, etc. [221]

qui sort de l'enfer virgilien. Et comment ne pas penser aux moralistes latins dans cette annonce de l'âge d'or :

> Sous votre sceptre, la loi,
> La pudeur, la bonne foi,
> Seules tiendront la balance :
> Les crimes seront punis ;
> L'outrage et la violence
> A jamais seront bannis [222].

Naturellement, Ovide est traduit dans une *Ode sur la liberté créée, perdue...* [223] qui commente la théologie de saint Paul ; et bien des mouvements de style, plus ou moins distincts, proviennent de lectures classiques bien incorporées.

Quant à l'imitation des poètes français, celle des stances de *Polyeucte* est bien connue [224], mais l'attirance racinienne n'a pas été remarquée. Elle nous paraît probable dans trois cas [225], sans compter le vocabulaire

---

[220] *Les trois amantes, seconde amante,* Lachat, p. 77.
[221] *Ps.* XLV, *Deus noster refugium et virtus,* Lachat, p. 96.
[222] *Ps.* XLIV, Lachat, p. 94, cf. encore *Ps.* XLV, Lachat, p. 96,
> « Il rompra les arcs et le fer,
> Contre nous forgés dans l'enfer » etc.
[223] *Ode sur la liberté...,* Lachat, p. 102,
> « Que me sert d'avoir en naissant
> Reçu d'un maître tout-puissant
> Une lumière que j'adore,
> Si contraire à mes propres vœux,
> *J'embrasse le mal que j'abhorre*
> *Et laisse le bien que je veux ? »*
Cf. notre note (192).
[224] *Les trois amantes, Seconde amante,* Lachat, p. 74,
> « Que me présentez-vous, fortune de la terre ?
> Rien que l'éclat d'un verre.
> Une glace luisante et qui fond dans les mains
> Ou des fantômes vains. »
Cf. CORNEILLE, *Polyeucte,* v. 1110-1114. Corneille est plus sonore, Bossuet attaché aux images naturelles.
[225] Cf. *Salomon au lecteur,* Lachat, p. 47, de l'âme.
> « Sans grâce, sans espoir, *captive condamnée,*
> A tes mauvais désirs sans guide abandonnée. »
et RACINE, *Andromaque,* 301 et 304.
> « *Captive,* toujours triste, importune à moi-même
> Qu'à des pleurs éternels vous avez *condamnée.* »
Le Saint Amour, XIV, Lachat, p. 66.
> « Éprise des beautés *de la simple nature,*
> Sur les fruits, sur les fleurs, elle voit *la peinture*
> De son docte pinceau. »
et *Athalie,* v. 323, et 328 :
> « Il donne aux fleurs *leur aimable peinture*
. . . .
> Il commande au soleil d'animer la nature. »
(Il est vrai que la rime *peinture-nature* s'impose).

commun de la tendresse poétique ou de la galanterie. La traduction célèbre de Sapho par Boileau est aussi clairement rappelée [226], et il ne vaut
pas la peine de chercher qui, le premier, dans la lyrique française à partir
de Malherbe, avait donné à Bossuet l'exemple des associations conventionnelles, et rituelles, telles que : *amoureux tourment, rigueurs de l'absence,
aimables lieux, chants amoureux, doux attraits, sainte mélodie, sacré
caractère, traits perçants, feu céleste*, etc...

La poésie de Bossuet n'a pas la pureté aérienne et le ferme mouvement des traductions d'hymnes et des cantiques spirituels de Racine, et
elle a encore plus vieilli que ceux-ci. Une première raison, c'est qu'on y
trouve beaucoup de sentiments d'actualité. La beauté de l'Epouse, par
exemple, est une beauté du dix-septième siècle [227]. La prière pour Salomon
nous ramène à Louis XIV, pour qui Bossuet faisait toujours prier Madame
Cornuau [228]. Je crois trouver une louange pour la conversion des enfants
des protestants [229]. L'*Ode sur la liberté créée, perdue, réparée et couronnée* est une dissertation sur la loi et la grâce, sujet caractéristique de l'époque. Le trouble de Jésus-Christ mourant est un trouble volontaire : on

Seconde amante, Lachat, p. 81.
« Me voulez-vous tenir de Sion éloignée,
A l'exil éternel sans pitié *condamnée ?*
Venez ; qu'attendez-vous ? *cruel*, hâtez vos pas,
Dans l'erreur de la nuit, ne m'abandonnez pas. »
Racinien dilué, avec un souvenir assez précis du passage cité plus haut d'*Andromaque.*

[226] Cf. *L'amour insatiable*, Lachat, p. 71 :
« Je sens mille et mille morts
Me couler de veine en veine
Pendant qu'à force d'aimer
Je me vois comme pâmer. »
et Boileau, traduction du *Traité du Sublime*, de Longin (1674) :
« Je sens *de veine en veine*, une subtile flamme
Courir par tout mon corps sitôt que je te vois.
Et pâle, sans haleine, interdite, éperdue,
Un frisson me saisit, je tremble, *je me meurs.* »
D'après le catalogue de 1742, Bossuet a dans sa bibliothèque (nos 1315 et 1316) le
Recueil des œuvres poétiques de J. BERTAULT, Paris, 1605, in-8° et *Les Bergeries* de
M. MALHERBE (*sic*), Paris, in-8°, Il a encore (nos 1016 et 1017) *Les Psaumes de David
mis en rimes françaises* par Clément MAROT et Th. de BÈZE, Charenton, 1654 et 1679,
in-12. Mais rangés parmi les *Interpretes heterodoxi*, et non les *Poetae*, ils n'ont guère
dû servir à sa poésie affective.

[227] *Le Saint Amour*, XIII, Lachat, p. 64 :
« L'Epouse est au milieu des beautés différentes
Un rare composé de douceurs attirantes,
Où tout est réuni :
*On y voit la grandeur et la délicatesse,
La grâce avec la force, et partout la justesse
D'un ouvrage fini.* »

[228] *Ps.* XIX, *Exaudiat te Dominus*, Lachat, p. 93 :
« Dieu qui nous a donné ce prince incomparable,
Conservez ses beaux jours, soyez-nous favorable,
Quand nos vœux enflammés se présenteront pour lui. »
Quant à la prière pour le Roi et pour l'Etat, cf. Mme Cornuau au Card. de Noailles,
Corr., IV, 428.

[229] *Ps.* VIII, *Domine Deus noster*, Lachat, p. 91 :
« Par tes soins les enfants de la race infidèle
Suçant le même lait,
Que donne à tes enfants une chaste mamelle,
D'un injuste vengeur condamnent les projets. »
Qui est ce vengeur ? Guillaume d'Orange ?

insiste pour bien condamner Fénelon qui s'était si malencontreusement abandonné à dire le contraire [230]. Enfin, tout l'ensemble des poèmes du *Saint Amour* (qui comprend la paraphrase du *Cantique* avec les *Réflexions,* les poèmes de *l'amour insatiable* et des *trois amantes*) a pour objet de mettre la délectation mystique au service de la charité vigilante dans l'Eglise [231]. Ces vers commencés vers 1692, nous ne savons quand ils furent achevés ou retouchés ; l'opposition avec Fénelon ayant éclaté au début de 1697, nous ne pouvons assurer qu'ils sont d'une quelconque façon contemporains de la querelle du pur amour ; mais, du moins, comme ils expriment bien la sensibilité réaliste qui, de façon permanente, poussait Bossuet, en tant qu'homme, au choix de sa doctrine mystique !

Si purs qu'en soient les motifs et les fins, cette poésie est au fond un programme de jouissance, de jouissance bien ordonnée. Et voilà une autre raison de la sentir aujourd'hui comme démodée, cette fois par anticipation : elle nous paraît avoir la mollesse des élégies du XVIIIᵉ siècle. Jean-Baptiste Rousseau achève d'épuiser la sève de Racine ! Ce n'est pas seulement à cause de l'usure inévitable d'un style conventionnel ; mais une certaine ambiance naturaliste noie parfois les contours, fort précis, du christianisme, comme une brume sensuelle. Ainsi, les cieux qui, selon le psaume, « racontent la gloire de Dieu », ne vont-ils pas maintenant enseigner la religion naturelle, en des termes que pourront reprendre les « Philosophes » ?

> *C'est du grand univers la voix simple et première,*
>   Qui, jusques au couchant,
> Depuis où le soleil découvre sa lumière,
> Porte sans varier *ce langage touchant.*
>
> *Sans docteur* on l'apprend, sous la ligne brûlante,
>   Sous les pôles glacés,
> Et par tous les climats où la terre opulente
> Enrichit de ses dons les hommes dispersés.
>
> Des Juifs et des Gentils cette langue entendue,
>   Du barbare et des sourds,
> *Par un secret instinct* dans les cœurs descendue,
> Leur fait *du ciel propice* implorer le secours [232].

Sans doute, l'existence permanente d'une certaine religion *naturelle* est un dogme catholique : Bossuet ne pense pas à une autre, et il n'a rien

---

[230] *Troisième amante,* Lachat, p. 83 :
  « D'un amour éternel sa mort est le mystère,
  Et son dernier soupir n'a rien d'involontaire.
  ....
  .... son âme désolée,
  Qui même en se troublant ne fut jamais troublée. »
[231] *Le Saint Amour,* VI, Lachat, p. 56. Sulamite :
  « Assise aux pieds sacrés comme une autre Marie,
  Des hommes la merveille et du ciel si chérie,
    Il faudra toutefois
  Qu'elle serve à son tour et que, nouvelle Marthe,
  Au désir de l'Epoux souvent elle s'écarte
    Du doux son de sa voix. »
[232] *Ps.* XVII, *Caeli enarrant,* Lachat, p. 92-93.

de déiste. Mais qui ne voit que le choix de termes *sensibles* désarme les *distinguo* théologiques ? Si l'on met au départ du déisme panthéiste de Jean-Jacques la mystique fénelonienne (par un contre-sens des héritiers), il faut mettre, en présage du *Poème sur la loi naturelle,* l'enthousiasme optimiste de Bossuet devant la nature. Car pour ce qui est de la sensibilité, il n'échappe point à l'ambiance de son temps en devenir, dont, vieilli, il ne gouverne plus la pensée.

Mais il faut aussi fermement « tenir l'autre bout de la chaîne » dans sa personnalité, à savoir un faisceau original d'inquiétudes et de certitudes. Si maintenant nous lisons ses vers en songeant à l'homme, nous y reconnaissons, au sujet du cœur humain, une déception :

La source de l'amour en vos cœurs est gâtée [233],

mais en même temps une pédagogie optimiste du désir naturel, dont la conversion change radicalement le sens de la vie. Entre l'amour tout humain et l'amour de Dieu, il n'y a point de délais ni d'intermédiaires, et les mêmes mots, retournés, restent en usage :

Tes péchés ne sont qu'une amorce
A ses excessives *bontés.*
....

Quitte donc ton superbe atour.
Purge la source de l'amour :
Nul amant avec plus de joie
Ne t'offrit *de semblables vœux,*
Et jamais *de plus belle proie*
Ne fut prise dans tes cheveux [234].

Le thème des cheveux de la pécheresse, essuyant les pieds de Jésus, est l'ornement des poèmes de la conversion [235] : c'est un rets d'amour. Car voulant expliquer *humainement* l'Evangile, Bossuet compose son style avec les figures et le vocabulaire galants, qui facilitent (hélas !) la transmutation pieuse du sentiment.

V. NATURE ET LITTÉRATURE.

Cette équivoque, ou cette ambivalence, des sentiments humains, a si souvent nourri l'ardeur du « baroque », que nous la recevons sans étonnement en peinture ou en sculpture, dans les représentations de

---

233 *Salomon au lecteur,* Lachat, p. 47.
234 *Première amante,* Lachat, p. 73.
235 *Seconde amante,* III, Lachat, p. 78 :
  « A la magnificence elle joint les tendresses ;
      Et de ses longues tresses
  Marie en même temps déployait les beaux nœuds,
      L'objet de mille vœux.
  ....
  Sur ces pieds ondoyait la riche chevelure,
      Sa plus noble parure.
  ....
  Pour vous seul, ô Jésus, ces belles tant aimées
      Vont être désarmés. »

sainte Madeleine ou des mystiques passionnés. Mais chez Bossuet, si sévère pour les expressions d'une Marie d'Agréda ou d'une Madame Guyon, ce style nous paraît une confusion, et il nous choque un peu comme une sorte d'inconsistance... Croirons-nous que les rimes avaient endormi sa raison ? Ou plutôt, ne chercherons-nous pas à soutenir des vers étriqués ou mollement faciles, par la plénitude d'une prose contemporaine, qui est précise encore qu'étonnamment travaillée en vue de l'effet poétique ?

Les « délicatesses » de l'amour.

Madeleine captive de Jésus, et Jésus captif de Madeleine. Mettant sa tête aux pieds de Jésus, elle se déclare assez sa captive ; mais tenant les pieds de Jésus, elle le fait aussi son captif. Comment tient-elle les pieds de Jésus ? Elle les tient par sa bouche, en les baisant mille et mille fois ; elle les tient par ses yeux, en les arrosant de ses larmes ; elle les tient par ses mains, en les embrassant et en les parfumant. Tout cela n'arrête pas et il faut des chaînes. *Déployez vos cheveux, ô Madeleine, et liez-en les pieds de Jésus. O les chaînes délicates* que Madeleine prépare à son vainqueur, qu'elle veut faire son captif [236].

En voyant le thème des vers repris dans la prose et orchestré par le lyrisme habituel de Bossuet, nous découvrons que « les aimables délicatesses, et, si j'ose expliquer toute ma pensée, les saintes galanteries de l'amour pénitent » [237], sont le comportement normal d'une âme touchée de la grâce : sans changer de nature, elle a comme changé d'univers.

[236] *O.O.*, VI, 627. Cf. p. 622. Le texte de *L'Amour de Madeleine* a été découvert dans une copie, en 1909 à Saint-Pétersbourg, par l'abbé BONNET. Par le sujet, il apparaît comme contemporain des vers du *Saint-Amour*. Il y a cependant une divergence entre les vers et la prose : La « première amante » des vers est la pécheresse de saint Luc (VII, 37) ; la « seconde » est la sœur de Marthe et de Lazare (LUC, X, 39) ; dans la méditation en prose, Madeleine, ou Marie-Madeleine, pécheresse, et la sœur de Marthe, semblent être la même personne (cf. p. 630, 631). — La confusion provient de MATTHIEU, XXVI, 7. — Mais l'exégèse catholique est peu contraignante sur ce point : Dans son opuscule *Sur les trois Magdelènes* (Lachat, t. XXVI, p. 114-116), Bossuet distingue, en critique, dans l'*Evangile* trois personnages différents de femmes qu'on confond souvent : ce seront « les trois amantes » des vers, précédant la Vierge Marie, qui est « la parfaite amante » ; mais entre cette interprétation et l'interprétation unitaire de la méditation en prose, il laisse un passage pour l'imagination (tel Racine conciliant ses sources divergentes par la création d'une atmosphère commune) : « la seconde amante » des vers, Marie, sœur de Marthe et de Lazare est aussi pécheresse, et l'amante-pécheresse de la prose n'est pas considérée dans ses liens familiaux. En réalité, bien qu'appartenant à l'histoire, elle est symbolique ; elle est l'Epouse du *Cantique,* dont le texte se mêle à celui du *Nouveau Testament ;* elle est l'âme humaine.
Quant à l'authenticité générale de la méditation en prose, les arguments de critique interne nous paraissent, ainsi qu'aux éditeurs, décisifs pour l'attribution à Bossuet (cf. la notice, *O.O.*, VI, 622-623). De 1692 à 1694 environ, Bossuet a vécu de toutes les façons avec le texte du *Cantique.* Cf. le conseil d'en continuer la lecture à Mme d'Albert, le 8 juillet 1694, *Corr.*, VI, 349-350. L'exégèse latine des *Libri Salomonis* a été publiée en 1693, achevée d'imprimer le 29 mai 1693. (Le privilège royal remontait au 1er septembre 1689).
[237] *O.O.*, VI, 627. Cette conversion des sentiments, du profane au divin, qui est si bien dans la pédagogie de la Contre-Réforme, fait un grand thème du baroque religieux. « Madeleine, c'est Vénus repentie », J.-A. STEELE, *Conversions,* dans les « Cahiers de l'Association Internationale des Etudes Françaises », 1958, p. 78. Saint François de Sales dit : « la glorieuse amante Madeleine ». *Ibid.,* p. 81. Mais la simplicité et la rectitude du symbolisme de Bossuet éclatent quand on lit Le Moyne, cité, *ibid.,* p. 79.

L'attention de Bossuet est ici tournée vers les nuances, ou les agitations, de cette nature humaine, identique à elle-même dans ses révolutions. Trente ans auparavant, le même exemple de la pécheresse Madeleine lui avait servi de fondement à trois beaux sermons du Carême du Louvre [238], mais alors il n'avait pas été développé au point de vue psychologique : l'héroïne, agissante, qui tirait le pécheur à la pénitence, c'était la grâce de Dieu, efficace, ardente, intégrale. L'équilibre supérieur de la « morale » chrétienne et du « mystère » chrétien, qui est l'idéal de la prédication pour Bossuet, portait le conflit intérieur de la créature jusqu'à la tension eschatologique [239]. Au lieu que, dans la méditation d'après 1690 — est-ce l'effet de l'âge ou de ses occupations alors très absorbantes de directeur de conscience ? — Bossuet tient le point de vue subjectif de la créature. « La méthode de Jésus-Christ » [240] est surtout regardée dans ses effets humains. L'objectivité de la foi catholique n'est naturellement pas sacrifiée, et la volonté de Dieu reste à tout moment tangible au fond des variations psychologiques de Madeleine. Mais l'Écriture n'agit plus sur Bossuet de la même façon qu'en 1662. Tout le Carême du Louvre était fait avec les *récits* évangéliques : la parabole du mauvais riche fournissait le sermon du même titre et celui de la Providence ; la fuite de Jésus suscitait le sermon sur l'Ambition ; la résurrection de Lazare amenait le sermon sur la Mort, et l'histoire de Madeleine soutenait les trois sermons sur la Pénitence. L'Ancien Testament aussi apportait son témoignage *sous forme d'histoires*, et tout l'ensemble faisait comme un récit enthousiaste de l'activité divine, une « geste » de l'Incarnation. On pourrait donc parler alors d'une sorte d'allégresse *épique*. Au lieu que la méditation — qui d'ailleurs dut être prononcée et pensée sur un autre rythme que les sermons — se nourrit plutôt des paroles aux significations multiples : *Retirez-vous, Seigneur. — Ne me touche pas. — Viens, mon bien-aimé. — Viens du Liban, mon époux. — Revenez, mon bien-aimé. — Fuyez, mon bien-aimé* [241]. Moins active désormais, l'âme prend son temps pour écouter de longues résonances. Jadis la créature et la grâce s'affrontaient fréquemment dans un dialogue [242]. Maintenant c'est l'élégie qu'il faut à une sensibilité consumée.

L'amour de Madeleine nous paraît être pour Bossuet comme une sorte d'achèvement littéraire — nous ne voulons pas dire sa perfection, mais une extrémité profane de son génie — parce que, d'une part, il y est livré à la psychologie selon le style romanesque de son époque, et, d'autre part, c'est le moment où il découvre dans toute son étendue l'accompagnement poétique du sentiment religieux.

---

238 *Sur l'efficacité, Sur l'ardeur, Sur l'intégrité de la Pénitence* ; 26 mars, 29 mars, 31 mars 1662 ; *O.O.*, IV, 298-355.

239 Cf. dans le sermon *Sur l'ardeur de la Pénitence*, p. 236, le dialogue de l'homme avec la grâce, qui produit la confrontation du jugement dernier ; p. 331-332, le « cœur ingrat » accablé par « la face de cette colombe tendre et bienfaisante. »

240 Expression de *O.O.*, VI, 631.

241 Cf. *O.O.*, VI, les pages 625, 632, 635, 636, 638, etc.

242 Cf. le Carême du Louvre, *O.O.*, IV, les dialogues entre la justice de Dieu et le parti du mauvais riche, p. 203 et 206 ; celui de l'ambitieux et de la raison, p. 258 ; ceux du pécheur, découragé ou endurci, avec la grâce, p. 308 et 326, etc.

Sans doute une riche littérature, de tous les temps et de tous les pays, a-t-elle fixé traditionnellement les étapes de l'union mystique. Mais ne connaissant pas les lectures que faisait Bossuet en même temps qu'il composait son opuscule [243], nous ne pouvons poser avec précision le problème des influences. Celle du *Cantique des Cantiques,* seule déclarée, nous a permis d'élire une date approximative. Les sentiments du *Cantique,* pris symboliquement, sont appliqués à l'histoire de l'amante-pécheresse selon saint Luc [244]. La tradition chrétienne porte naturellement à cette assimilation, et le cycle des sentiments de Madeleine n'a rien d'original, car l'alternance des délices et des rigueurs dans l'attrait divin constitue l'expérience commune. Mais le style se caractérise par un raffinement passionné :

> Madeleine, la sainte amante de Jésus, l'a aimé en ses trois états. Elle l'a aimé vivant, elle l'a aimé mort, elle l'a aimé ressuscité. Elle a signalé *la tendresse* de son amour envers Jésus-Christ présent et vivant ; *la constance* de son amour envers Jésus-Christ mort et enseveli ; *les impatiences et les transports, les fureurs, les défaillances et les excès* de son amour délaissé envers Jésus-Christ ressuscité et monté aux cieux [245].

Le deuxième temps, celui de l'amour affermi, ne retiendra guère Bossuet, car Madeleine au pied de la croix est en action, et sa simplicité stoïque ne fournit rien aux épanchements [246]. Mais quand elle a retrouvé Jésus pour qu'il se dérobe (« *Ne me touche pas, car je ne suis pas encore remonté à mon Père.* Paroles inven-

[243] Il avait dans sa bibliothèque (*Catal.* de 1742, Rubrique : *Poetae,* n° 1318). *La Madeleine au désert de la Sainte-Baume en Provence,* Lyon, 1694, in-12. Il ne peut s'agir que du poème du Père PIERRE DE SAINT-LOUIS (Jean-Louis Barthélemy, carme déchaussé) dont le poème a paru à Lyon en 1668, 1694, Paris et Lyon, 1700, s'insérant dans une suite de Madeleines poétiques (F. RÉMI DE BEAUVAIS, Tournay, 1617, J. DESMARETS, Paris, 1669). Bossuet ne peut avoir pris de plaisir à ce tissu d'extravagantes beautés, dont il est impossible de lire dix lignes sans rire, et impossible de lire dix pages.
[244] LUC, VII, 37 et X, 39. Sur l'identification, tacite ou explicite, des deux femmes, cf. notre n. (236).
[245] *O.O.,* VI, 623. Plan de la méditation qui est développé jusqu'à la p. 633.
L'emploi du vocabulaire contemporain de l'expression amoureuse (roman ou comédie) ne doit donc pas étonner. Ne parlons point *d'amant* et *d'amante,* qui sont assez nobles pour être mystiques, mais remarquons : Jésus « laisse sa chaste épouse sur la terre, *jeune veuve désolée,* qui demeure sans soutien. » (p. 638). On s'interroge sur les changements de l'Epouse : « Est-ce inconstance ? Est-ce dégoût ? Est-ce *quelque dépit amoureux ?* » (p. 628). Et cette conclusion qui sent le cliché romanesque : « Telle est la conduite, tels sont les détours, *telle est la tyrannie* de l'amour divin durant ces temps misérables de captivité et d'exil. » (p. 639).
Bossuet ne fait pas d'exégèse ; il cherche à conduire des sentiments, sans doute dans un auditoire de femmes qui ont besoin d'une certaine adaptation à la mode. Cette raison, croyons-nous, doit prévenir le scandale (esthétique) de l'expression mièvre. Le thème de la veuve par exemple — c'est-à-dire l'âme privée de l'époux — ne s'impose-t-il pas d'ailleurs à la mystique chrétienne ? Et des femmes y sont particulièrement sensibles. Cf. à Mme Cornuau, qui était veuve, lettre du 10 octobre 1694, *Corr.,* VI, 420 : « Toute l'Eglise est donc veuve », et la suite inspirée du *Cantique.*
[246] Cf. p. 631 : « Il parle à la sainte mère et à son disciple chéri ; il ne dit pas un mot à sa chaste amante, qui languit au pied de sa croix. *Elle ne se rebute pas.* ...Elle trouve le tombeau vide. Pierre et Jean, ne trouvant plus le divin corps, se retirent ; *Madeleine demeure ferme et persévérante.* »
Ce sont les temps forts de l'épreuve amoureuse, où il y a beaucoup à apprendre et peu à dire.

tées pour être éternellement le tourment de son amour. » [247]), c'est à nouveau le temps des plaintes et des cris.

« L'amour pénitent » et « l'amour frustré de ce qu'il désire » font donc les deux concerts de l'humanité que Dieu veut entendre, au commencement et dans les suites de l'amour. Le premier est tumultueux et varié, car la contradiction est le fond de la créature qui n'a pas encore retrouvé son unité :

> L'amour unit, le péché éloigne, *et l'amour pénitent tient de tous les deux*. ... Au lieu de chanter avec l'Epouse : « Qu'il me baise du baiser de sa bouche » ; ha ! il s'estime trop heureux qu'on lui laisse dire : « Qu'il me souffre seulement de baiser ses pieds. » *C'est le cantique de l'amour pénitent ;* c'est celui que chante Marie-Madeleine par ses larmes, par ses sanglots, *par son silence mélodieux* [248].

Dans ce premier temps, la conscience déchirée de Madeleine découvre les réalités inconcevables :

> Elle commence à sentir de quoi son cœur était capable, et s'afflige sans mesure d'avoir si longtemps prodigué l'amour. *Elle s'en prend à elle-même.* ... Voyant après cela qu'au lieu de coups de foudre, il ne lui donne que des coups de grâce, *elle s'irrite ; elle frémit de nouveau ; elle entre en fureur contre soi-même ;* et, les supplices manquants, *elle se laisse accabler et anéantir par les bienfaits* [249].

Et alors, le mouvement qui la sauve est un élan sans limites :

> Va, *cœur épuisé, fatigué,* qui n'as jamais rien trouvé qui fût capable de recevoir l'immensité de ton amour, *va t'abîmer dans l'océan ; va te perdre dans l'infini ; va t'absorber dans le Tout* [250].

Au lieu que, dans le dernier temps, celui de la privation après la rencontre, la douleur n'a plus d'issue et ne peut plus que consumer l'être en attente :

> C'est là que l'amour, frustré de ce qu'il désire, entre en fureur *et ne peut plus supporter la vie*. Madeleine, *pressée et tirée,* ne peut embrasser Jésus qu'au travers des obscurités de la foi, c'est-à-dire qu'elle peut embrasser plutôt son ombre que son corps. Que fera-t-elle ? Où se tournera-t-elle ? Elle ne peut faire autre chose que de *crier sans cesse* avec l'Epouse : *R e v e r t e r e , r e v e r t e r e;* retournez, ô mon bien-aimé, retournez. Hélas ! je ne vous ai vu qu'un moment ! Retournez, retournez encore. Ha ! que je baise vos pieds encore une fois ! *Et Jésus cependant ne retourne pas ;* il est sourd aux plaintes et aux désespoirs d'une amante si passionnée [251].

La créature en proie à l'amour surnaturel selon Bossuet invente autant de façons de souffrir que l'héroïne la plus douloureuse de Racine.

---

247 *Ibid.*, 632.
248 *Ibid.*, 624-625. Cf. *Le Saint Amour, Seconde amante* (Lachat, t. XXVI, p. 78) :
    « Attache tes regards aux pieds plus qu'au visage,
      Des saintes c'est l'usage ;
    Que la pudeur te guide et relève tes yeux
      Seulement pour les cieux. »
249 *O.O.*, VI, 628.
250 *Ibid.*
251 *Ibid.*, 632-633.

Mais littérairement, comment qualifier l'expression de ces ardeurs diverses ? La méditation de Bossuet est trop vive et variée pour porter une exégèse méthodique, telle, par exemple, que Bossuet lui-même l'a appliquée au texte du *Cantique des Cantiques,* où il voit une « églogue pastorale » en fonction d'épithalame, et en même temps un « poème dramatique » réparti en sept jours [252]. Mais ce qui apparaît dans ce poème en prose, c'est que le déroulement de l'action est sacrifié au chant de l'âme. Et, sans doute, il est naturel que le lyrisme se déclare dans les moments d'attente où s'accumule la passion : Racine est lyrique aussi, quand ses héroïnes se souviennent, regrettent ou espèrent ; mais Bossuet, pour ces mêmes moments, a l'avantage de la prose et d'un genre libre, qui n'est limité par aucune obligation d'adaptation dramatique. L'exemple de la Bible élargissant son champ littéraire, toute la nature est requise pour exprimer la désolation surhumaine de l'Epouse :

> Car, avant la venue de Jésus-Christ, on avait ouï la voix du désir et des plaintes au sujet du retardement. Mais après son Ascension, une autre voix, un autre soupir, un autre gémissement a commencé de se faire entendre. C'est le gémissement de l'Eglise privée de son Epoux, qu'elle n'a possédé qu'un moment ; *et c'est la voix de la tourterelle qui a perdu son pair,* qui ne trouve plus rien sur la terre, *qui cherche les déserts et les lieux affreux pour gémir et se plaindre en liberté* [253].

Et voilà comment le *Cantique,* remplissant de sentiments poétiques le simple tracé de l'Evangile, a conduit Madeleine à la Sainte-Baume, c'est-à-dire :

> dans *l'horreur* de ce désert *épouvantable,* dans ce silence *affreux* et dans ces cavernes *ténébreuses* pour laisser *ravager* son cœur *aux fureurs de son amour délaissé et abandonné* [254].

Le paroxysme de l'épreuve mystique est responsable de ce romantisme, ou plutôt de ce paroxysme « baroque ». Car

> il y a un ... amour, éperdu, désespéré, poussé à bout par des absences, par des privations, par les dédains de l'aimé et par ses propres violences. *Celui-là aime les lieux affreux, où il voit,* ainsi que j'ai dit, *ses désolations vivement représentées* [255].

---

[252] Cf. *Praefatio in Canticum,* I, II, III (*Œuvres,* t. II, p. 1-5).
[253] *O.O.,* VI, 633-634.
[254] *Ibid.,* 635.
[255] *Ibid.,* 636. C'est le commentaire du *Cantique,* II, 14. Sur le même texte, Bossuet dans ses vers n'avait point du tout trouvé de correspondance entre la nature et l'homme ; la lecture était galante et la description point du tout affreuse :
> « Loin d'un fidèle amant la chaste tourterelle
>   Soupire son amour ;
> Et sans vouloir souffrir une flamme nouvelle,
>   Murmure nuit et jour.
>
> Solitaire colombe en ces creux enfoncée,
>   Pousse tes sons plaintifs. »

(Lachat, XXVI, 52).

Mais ceci est une extrémité de la passion. Durant son cours, la nature, une nature à la fois libre et protégée, lui offre un champ pour se déployer ou pour s'apaiser :

> On remarque dans le saint Cantique *que l'amour aime la campagne et la solitude,* où il trouve je ne sais quoi de plus libre ; car le tumulte des compagnies et la vue même des hommes le détourne et l'étourdit. C'est pourquoi et l'Epoux et l'Epouse ne respirent dans ce Cantique que les jardins *renfermés,* que les forêts *solitaires,* que les prairies *verdoyantes,* où on ne voit que des troupeaux qui paissent parmi les fleurs et parmi les herbes : « Viens, mon bien-aimé, dit l'Epouse ; sortons à la campagne... ». Il n'y a aucune de ces paroles qui ne respire *un air de solitude et les délices de la vie champêtre.* Soit que l'amour, jaloux de sa liberté, aime les campagnes découvertes, où il promène ses rêveries et laisse exhaler plus à son aise ses désirs impétueux ; soit qu'ennemi des tumultes et se plaisant à s'occuper de soi-même, il cherche les lieux *retirés,* dont *le silence et la solitude* entretiennent son oisiveté toujours agissante ; soit quelque autre cause qui lui fasse aimer la campagne, *il est certain qu'il en est charmé* [256].

Ce « charme » n'est pas toujours « l'horreur », et Bossuet promène l'amour jeune dans un paysage d'idylle :

> Mais il y a un certain amour qui remplit le cœur de délices : c'est ordinairement l'amour qui commence. *Celui-là aime les jardins, les fleurs, les campagnes cultivées et agréables, qui, par leur face riante, si je puis parler de la sorte, servent à entretenir ses joies* [257].

[256] *O.O.,* VI, 635. Bossuet avait déjà traité de la solitude favorable à l'amour de Dieu, ou conforme aux sentiments de pénitence, Sur la véritable conversion, Avent de Saint-Thomas du Louvre, 16 décembre 1668 (*O.O.,* V, 404-405), et dans le Panégyrique de Saint-Benoît, 21 mars 1665 (IV, 622), cf. notre INSTITUTION ORATOIRE, n. (38). Dans le sermon de 1668 se rencontre même textuellement une phrase, que nous citons, de la méditation.
Le sentiment religieux a une grande part dans l'exaltation du sentiment de la nature, mais dans les textes de la prédication ce n'était encore entre eux qu'une rencontre ; au lieu que dans la méditation, la correspondance du paysage et de l'âme est régulière, et la nature acquiert un « état d'âme ».

[257] *O.O.,* VI, 635. Après une citation du *Cantique,* VII, 12-13. Les vers correspondants développent le thème du printemps et de la liberté campagnarde, Lachat, XXVI, p. 65.

> « Allons où la beauté du printemps nous appelle :
> La campagne nous rit,
> Nos arbres ont repris leur verdure nouvelle,
> Et le ciel s'éclaircit.
>
> Demeurons au village, et laissons de la ville
> Le bruit tumultueux. »

Avec de tels clichés Bossuet arrive cependant à donner l'impression de sa joie physique. Cf. Lachat, 51-52 (*Cantique,* VII, 11 et sq.) :

> « Nous ne sentirons plus les pluvieux orages
> Ni l'horreur des hivers :
> Et la terre, en repos de si cruels outrages
> Etend ses tapis verts.
>
> A de nouveaux soleils les fleurs développées
> Dilatent leurs boutons ;
> L'arbre qui ne voit plus ses feuilles dissipées
> Pousse ses rejetons.
>
> La vigne se parfume, etc. »

Les libertins n'étaient donc pas seuls à *jouir* de la nature.

Paysage vraiment classique, où le beau est agréable, où l'agréable est le sourire de l'utile, mais paysage attendri : n'est-ce pas celui que se donnait Bossuet pour le délassement de son âme ?

Le bonheur de Germigny.

Il y va l'été, dès le printemps même ; il aime y être à l'automne et s'y est quelquefois trouvé à la mi-novembre [258]. Il travaille beaucoup à Germigny d'où sont datés tant de lettres et d'actes administratifs, et il y trouve le loisir pour ses ouvrages de longue haleine. Sa campagne lui permet de s'appartenir tout en travaillant, et il appelle cela « faire sa volonté », car il n'aime pas « être à l'étroit » dans son temps, non plus que « dans son domestique » selon la formule célèbre au maréchal de Bellefonds [259]. Dans ces moments réservés à la vie personnelle, les amis ont leur place, ou bien ils tâchent de la prendre, telle Madame Cornuau qui, selon Ledieu, aurait profité des séjours — nécessités par les affaires de sa communauté — pour « s'insinuer dans l'esprit du prélat » [260]. Bossuet annonce volontiers à ses amis qu'il se rend à Germigny, ou qu'il y est allé, comme on fait part d'une circonstance agréable de son existence.

Etant le « seigneur spirituel et temporel », il prend gravement ses obligations, ainsi qu'il appert d'une stricte « ordonnance pour la police et le règlement des mœurs de la paroisse de Germigny » rendue dès le début de son épiscopat [261]. C'est même un gros tracas que l'entretien d'un domaine au bord de l'eau : la Marne menace de ruiner la terrasse, et pour « la conservation du marchepied ou voie de trait de la rivière de Marne sous Germigny », Bossuet a dû ordonner de grands travaux, que la rivière oblige bientôt à recommencer. Il a obtenu le financement royal, par un arrêt du Conseil d'Etat, en date du 24 avril 1696, et le célèbre Frère Romain est venu inspecter l'état du fleuve. L'argent étant pris sur « la vente et adjudication faite le 24 octobre 1693, des arbres qui se sont trouvés dans l'alignement des routes étant dans les bois dépendant de l'évêché de Meaux », c'est tout juste si Bossuet verra le règlement final, enregistré le 14 mars 1704 [262]. Ingrat métier que celui d'agent-voyer !

---

[258] Cf. *Chronologie* citée. On l'y trouve par exemple le 7 avril 1698, et encore les 12 novembre 1700, 14 novembre 1701, 10 novembre 1702. Ce jour-là dut être celui de ses adieux à Germigny : on ne l'y voit pas en 1703. Il est vrai qu'il ne fut pas davantage dans sa ville épiscopale : il se soignait à Paris, ou négociait de sa succession, à Versailles.
[259] *Corr.*, III, 401. A Madame de Beringhen, 5 juillet 1687 : « On va aujourd'hui à Nanteuil conclure une mission. Lundi, on reviendra faire sa volonté à Germigny un jour ou deux ; ensuite on ira aux conférences voisines. »
Cf. au Mal de Bellefonds, 9 sept. 1672, *Corr.*, I, 155.
[260] LEDIEU, note dans *Corr.*, IV, 35. Relations commencées en 1685 ; confession générale faite en 1686 ; cf. Mme Cornuau au Cal de Noailles, *ibid.*, p. 418.
[261] Le 28 décembre 1682. *Corr.*, XIV, 378.
[262] Cf. *Corr.*, XII, 488-491 ; XIV, 224-229 ; 387-391. Le devis du Frère Romain est du 20 octobre 1696, *Corr.*, XII, 490. Dans l'administration, fort critiquée, de Bossuet défunt, « la palée de Germigny s'est trouvée sans atteinte à cause qu'elle a été faite avec toutes les solennités de la justice. », LEDIEU, *Journal*, mars 1706, III, 358. Mais les fils d'un notaire mal payé feront remarquer les coupes de bois excessives : « C'est un bien pour la réputation de feu M. de Meaux que cette affaire se soit terminée à l'amiable ; car ç'aurait été une grande honte d'entendre les avocats se chamailler dans des audiences publiques sur les dégradations des bois, sur la palée de Germigny, sur les bassins ruinés, et autres négligences criantes. » *Ibid.*, 359 (suivent trois lignes biffées sur le manuscrit).

Mais n'est-il pas fondamental pour la beauté d'un paysage ? Bossuet annonce joyeusement à son neveu le début de l'entreprise qui va dégager et stabiliser le fleuve dont la nappe emplit son regard :

> Nous allons commencer *un bel ouvrage* le long de la rivière, *et en noyer les petites îles.* Le fonds se prendra sur le prix des routes. *Cela embellira la Marne* [263].

Il est plus attentif à la beauté qu'au rendement de son domaine. Ce seigneur bourgeois n'a pas la sensibilité paysanne : je ne vois pas qu'il ait jamais remarqué la beauté des *cultures,* ni la présence des animaux d'élevage ailleurs que dans l'idylle du *Cantique.* Mais les goûts du Maître de Versailles influant sur l'inclination naturelle des honnêtes gens, Bossuet aime les paysages de jardins. On ne voit pas qu'il ait entrepris de travaux importants dans les jardins ou les bâtiments de son évêché, mais il s'applique à améliorer les jets d'eau de Germigny. Condé lui avait très amicalement prêté son fontenier. On sait qu'en retour Bossuet immortalisera les jets d'eau de Chantilly, dans une phrase merveilleuse de l'oraison funèbre du Prince ; mais rappelons qu'il lui avait d'abord rendu grâces très humbles et joyeuses pour la nouvelle compétence qu'il lui devait [264]. Ce qui le charme, avec le plaisir de comprendre les principes, ce sont les belles lignes montantes des eaux qu'il a captées :

> Les fontaines vont jusqu'aux nues [265].

Quant à son économie domestique, elle a été fort décriée, et Ledieu lui-même ne pourra contester des « négligences criantes » [266]. Son faste a quelque chose d'irrégulier : le mobilier ne devait pas être confortable, on manquait de sièges [267] ; mais il avait une belle orangerie dans chacune de ses deux résidences épiscopales [268], et il se fait envoyer tous les ans

[263] 27 octobre 1696, à l'abbé Bossuet. *Corr.,* VIII, 100.
[264] *Corr.,* III, 144, à Condé, 9 octobre 1685. « Mes ouvrages sont achevés, Monseigneur, et il ne me reste plus qu'à rendre grâces très humbles à V.A.S., et à lui demander pardon d'avoir retenu si longtemps son fontenier. Il a travaillé avec beaucoup de soin jusqu'à hier ; et, pour moi, *je me suis rendu si parfait dans les hydrauliques* que V.A. dorénavant ne me reprochera plus mes âneries. » Cf. pour l'année d'avant, p. 40, et pour l'amabilité de Condé p. 123.
Bien loin que ces dépenses somptueuses aient été reprochées à Bossuet, elles seront continuées par son successeur, et Ledieu les allègue pour sa défense. Cf. *Journal,* III, 357, 359 et IV, 105 (mai 1707) : « L'on ne manque pas de dire que feu M. Bossuet n'y a rien fait [aux jardins de Germigny] ; ce qui est faux, car il a dépensé 10 000 livres aux deux conduites des fontaines, où il a mis des tuyaux de grès à la place des chênes percés et joint les uns aux autres qui y étaient dès le commencement, et il a tout entretenu. »
[265] A son neveu, 27 octobre 1696. *Corr.,* VIII, 100.
[266] LEDIEU, cité n. (262).
[267] Cf. LEDIEU, *Journal,* 24 avril 1706, III, 367 : « L'abbé de Bissy est bien aise qu'on approuve l'achat et le choix qu'il a faits des meubles de l'évêché et de Germigny ; ils sont en effet *plus convenables et plus propres que ceux de feu M. de Meaux,* parce que *les sièges et les fauteuils y sont partout en grand nombre, sont tous à la mode,* ce qui fait un bel ornement dans les chambres, avec des bureaux et des commodes qu'on appelle, aussi partout, qui parent beaucoup. »
[268] Cf. *ibid.,* p. 371 : « Lundi matin 17 [mai 1706], il [l'abbé Bossuet, héritier de son oncle] a fait ôter *vingt-quatre orangers* de la serre de l'évêché, en choisissant *ceux qui pouvaient passer par la porte de l'écurie,* afin de n'être pas obligé d'ouvrir le mur, se réservant à faire cette ouverture quand il ôtera tout le reste, et surtout *les grands orangers.* » P. 390, l'abbé Bossuet négocie la vente des orangers restants de Meaux et de Germigny (7 et 8 juillet 1706).

cent vingt œufs de perdrix pour sa campagne [269]. L'inventaire du mobilier après décès nous donne l'impression d'un homme qui achète vite, qui achète trop et ne pense pas à tout : une certaine profusion le soulage, mais il n'a pas la patience d'adapter chaque chose à ses fins [270].

Est-ce là le style de vie d'un bourgeois invétéré ou celui d'un grand seigneur inachevé ? On peut, si l'on veut, expliquer cette sorte de désordre par l'effet d'une condition sociale mal définie : par sa naissance, Bossuet est noble de robe ; il est, par ses fonctions passées et présentes, attaché à la famille royale ; il est conseiller d'état et seigneur ecclésiastique ; il est un homme d'étude, souvent enfermé dans son cabinet. Mais il faut aussi envisager, de ce train de maison, une explication psychologique, fonctionnelle en quelque sorte. Il nous semble que Bossuet a besoin de cette abondance, ou de ces agréments, dans son cadre, comme il lui faut plusieurs éditions du même auteur pour ses lectures : pour n'être pas « à l'étroit » — toujours selon sa formule — dans son imagination. Alors, afin d'obtenir l'ampleur unie et la profondeur de l'horizon, on noie les petites îles de la Marne ; et dans la troisième dimension, les bassins et les jets d'eau agrandissent sa promenade par leur transparence qui s'approfondit ou s'élève.

De ces beautés à la mesure de ces moyens (ou au-dessus), Bossuet fait un usage personnel et un usage hospitalier, qui assurent dans son être une sorte de régulation vitale. C'est à Germigny qu'il aime recevoir : les hommes de lettres, les amis de haut parage comme Condé ou son ancien élève, les protégés en voie de conversion [271]. Pour comprendre à quel point le plaisir des jardins est un plaisir sociable, unissant le délassement physique à la conversation, qu'on se rappelle le goût de Louis XIV pour la promenade à pied. A Versailles, Bossuet avait avec ses amis son « Allée des Philosophes », qui entendit bien des conversations, religieuses ou littéraires [272]. Chez lui, montrer ses jardins ou entretenir, sans trop d'application, un train seigneurial, c'est sa portion de bonheur humaniste. Ses chiens, par exemple, lui donnent du plaisir ou du désagrément, mais ils lui sont une occasion de détente, et même de badinage [273].

Je dirais même que Germigny le rend sensuellement heureux. A cette façon bonhomme qu'il a de goûter dans un paysage adouci la beauté

---

[269] *Corr.*, XIII, 303, à Jean Le Scellier, 5 mai 1702.
[270] Cf. *Revue Bossuet*, juillet 1901, p. 129, cette appréciation de Brunetière : « Tout y est en abondance... mais il semble qu'en vérité rien n'y soit tout à fait à sa place, n'y reluise ou n'y brille. »
[271] Dès le 23 mai 1681, il y invite François Diroys, *Corr.*, II, 230 ; le 9 mai 1683, il y attend Condé, II, 368 ; le 17 mai 1690, il y reçoit le Dauphin (cf. *Corr.*, IV, 79), etc. Cf. le *Mémoire* de Joseph Saurin : « J'y passai trois semaines ou un mois à disputer tous les jours, le matin et le soir, avec la même liberté que s'il n'y avait eu aucune disproportion entre ce grand homme et moi. ... Je fis mon abjuration à Germigny même. »
Ibid., V, 486, 487, etc.
Le roi est d'ailleurs le voisin des évêques de Meaux dans son château de chasse de Monceaux. Cf. Th. LHUILLIER, *L'ancien château des évêques de Meaux à Germigny-l'Evêque*, Fontainebleau, 1894, in-8°.
[272] Cf. LEDIEU, *Mémoires*, I, 137.
[273] *Corr.*, VII, 446, à son neveu, 30 juin 1696 : « Au reste Castor a été enrôlé dans un régiment qui est passé à Meaux. Il n'y avait plus moyen de supporter sa mordacité. Nous nourrissons la postérité qu'il nous a laissée de Junon ; la beauté en est encore assez ambiguë. » Cf. encore lettre du 29 juillet, VIII, 19.

des saisons [274], on peut rattacher ce que j'appellerais la gourmandise de Bossuet. Il n'est pas « délicat », puisque rien ne l'incommode, ni la fumée, ni la pluie, ni les excès de température [275], mais il apprécie les plaisirs positifs de la bouche. Il y trouve du soutien, et, au moment où il a besoin de sentir toutes ses forces, il les déclare : c'est au commencement de sa lutte contre Fénelon qu'il confie à son neveu la fierté qu'il a d'un régime succulent et riche [276] ; ou bien il avait eu un soupir pour les délices de sa terre que lui gâtaient les intempéries [277].

La jeunesse peu austère de son neveu attire peut-être ces confidences trop vivantes. De plus, dans une polémique trop devenue personnelle, où il veut mettre les rieurs de son côté, Bossuet fait feu de tout son tempérament [278]. Ainsi, après les délicatesses de *l'amour de Madeleine,* la *Relation sur le Quiétisme* le porte à un autre extrême : celui de la verve, de l'ironie, de la colère. Le résultat sera dans son corps un certain épuisement, ce long érésypèle, dont nous avons vu, par son propre témoignage mis sous forme poétique, avec quelle intensité il ressentit les ardeurs éprouvantes.

Dans cette crise, Germigny seul a pu le guérir, l'apaiser [279]. Cette maison de campagne où il a tant travaillé, où il s'est soigné, où il a joui de la nature et de l'amitié, où le peintre Rigaud a commencé son grand portrait [280], cette maison remplit dans sa vie deux fonctions complexes : D'une part elle est « l'Hermitage », comme il dit, c'est-à-dire la retraite

---

274 *Ibid.* « Jamais Germigny ni Meaux n'ont été si beaux que cette année. » VIII, 100, au même, 27 octobre 1696 : « Je suis bien aise de vous savoir à la campagne. La nôtre est plus charmante que jamais. » Cf. Louis Bossuet à son frère l'abbé, 8 juin 1699 : « Je vas voir M. de Meaux à Germigny. J'y serai quelques jours. *Il y jouira de la saison tranquillement pendant quelques semaines.* » (XII, 386).
275 Cf. les anecdotes rapportées par Mme Cornuau, *Corr.,* IV, 441. A propos d'une « fumée épouvantable » : « Ah ! lui dit-il, il est vrai, il en fait beaucoup ; mais je vous avoue, ma Fille, que je ne la voyais pas, et que je la sentais encore moins dans un sens. Dieu me fait la grâce *que rien ne m'incommode : le soleil, le vent, la pluie,* tout est bon. »
276 *Corr.,* VIII, 211, 31 mars 1697, à l'abbé Bossuet : « Si vous vous portez bien, nous nous portons, bien aussi, moyennant les huîtres en écailles, le Volney et le [Saint-] Laurent. » Quant à Fénelon, il « est dans un état dont on écrit avec compassion. »
Maintes fois au cours de la querelle, il se vantera de sa santé ; la préoccupation en est constante dans les lettres échangées avec son neveu, et il écrit à Mme Cornuau, le 23 août 1698 : « Du reste, jusqu'ici ma santé est aussi parfaite qu'à trente ans, Dieu merci. » (X, 143).
Quant au fondement plus ou moins naturel des divers plaisirs, il avait blâmé le classement d'Aristote et exprimé celui de son expérience : Fonds latin 12830, 204 v°, p. 234 : « Les plaisirs qu'il attribue à l'intempérant sont de la bouche et du touché, *qui sont les plus naturels.* »
277 *Corr.,* VII, 446, 30 juin 1696, à l'abbé Bossuet : « Les pluies désolent les jardins. On n'espère ni pêches, ni melons. Les vignes sont menacées de tous côtés. Il n'y a de ressource que dans les vins de Vareddes. »
278 La duchesse d'Orléans écrivait le 17 juillet 1698, à propos de la *Relation sur le quiétisme* : « *C'est bien plus drôle d'entendre raconter* ces histoires-là à M. de Meaux que de lire le livre. *Il m'a bien divertie* pendant la promenade à Marly. ... M. de Meaux a beaucoup d'esprit, *et d'entrain, et il est divertissant* dans ses discours. » (Cité *Corr.* X, 26, note). Même le talent du comédien ! Et le feu du joueur. Du temps qu'il compose sa Relation, il regrette d'être interrompu et s'exclame ingénument : « Ah ! que je suis en bon train, et que c'est dommage qu'on me vienne quérir pour vêpres ! » (A M. de la Loubère, 1er juin 1698 ; *Corr.,* IX, 364). Puis il fait sur Fénelon une plaisanterie peu délicate.
279 Cf. nos notes (184) et (187).
280 Le 3 novembre 1701 ; LEDIEU, II, 245.

purifiante où son âme contemple Dieu ; d'autre part, elle est cette « maison de délices » que lui a reprochée un protestant, aigri sans doute par le luxe des évêques, et que scandalisait la tenue négligée dans laquelle il assiste à sa messe seigneuriale [281].

Or, qu'est-ce qui peut, dans la vie sentimentale, faire se rencontrer la solitude avec les délices, sinon cette puissance qui, transposant la vie dans la conscience, concilie l'âme et les sens parce qu'elle tient des deux ? J'ai désigné le sentiment littéraire. Germigny est en effet un de ces lieux où l'amitié des humanistes cultive ce sentiment. Non point un des hauts lieux, une de ces retraites célèbres dans la littérature, Tusculum ou Cassiciacum. On est plus modeste : on en parle avec bonhomie, on lui fait saluer le « mas » d'un évêque du midi [282]. On s'y ressouvient à l'occasion, entre gens de lettres, de l'Eden premier, l'universel objet des littératures. Bossuet écrit gracieusement à son ancien collègue Huet :

> Si le livre [sur la situation du paradis terrestre] que vous me faites l'honneur de me destiner me venait ici, je serais ravi de le lire *dans le paradis terrestre de la Brie ;* la Marne serait mon Tigre et mon Euphrate, et ce serait sur ses bords que j'irais goûter les délices de vos belles découvertes *et de vos belles expressions* [283].

La Marne est devenue un fleuve poétique parce qu'il y a un poète pour marcher sur ses bords. Et la terre de Brie devient un paradis terrestre parce que l'âme s'enracine dans le paysage qui la nourrit. La littérature l'a dit de cent façons et l'humaniste le sait bien, que son patriotisme est charnel autant qu'intellectuel. Cicéron dans les *Lois* ne prend-il pas pied pour sa synthèse de philosophie politique, dans son paysage d'Arpinum ? et la patrie de sa naissance ne lui est-elle pas aussi douce à aimer que sa patrie politique [284] ? Or, les liens sensibles qui attachent Bossuet à la terre de son diocèse valent une naissance : en demandant son neveu pour successeur, le vieillard peut les alléguer au roi :

> Dans le repos et dans le bon air de Meaux et de Germigny *qui est devenu comme mon air natal,* si Votre Majesté l'a agréable, je pourrai achever mes jours en paix [285].

La douceur de Germigny avait fait éclore des vers latins, plus ou moins courtisans, dont nous avons parlé. Les vers français y fleurissent aussi, mythologiques et parfumés, et sous les pas de quel promeneur !

---

[281] *Corr.*, III, 400, à Mme de Beringhen, 5 juillet 1687 ; et IV, 473, Pierre Frotté à Bossuet, 1er février 1690.

[282] *Corr.*, VIII, 76, à Pierre de La Broue, évêque de Mirepoix, 18 juillet 1698 : « Germigny vous baise les mains, et rend ses hommages à Maserettes. » Les maisons de campagne servent souvent de prétexte littéraire au XVIIe siècle, et c'est un vieux thème humaniste. Bossuet se le rappelle. Cf. *Corr.*, VIII, 106, à l'abbé Bossuet, 5 novembre 1696 : « Soyez bien en repos en votre maison de Frescati : *je voudrais que ce fût en la maison de Cicéron.* »

[283] *Corr.*, IV, 335, à Huet, 16 octobre 1691.

[284] Cf. CICÉRON, *Lois*, II, II, 4-5. « Movemur enim nescio quo pacto locis in quibus eorum quos diligimus aut admiramur, adsunt vestigia. ... Ego, mehercule et illi [Catoni] et omnibus municipibus duas esse censeo patrias, unam naturae, alteram civitatis. ... Dulcis autem non multo secus est ea quae genuit, quam illa quae excepit. »

[285] *Corr.*, XIV, 73, Placet adressé au roi et présenté à Versailles le 1er mai 1703.

Germigny est le jardin où se sont rencontrées les promenades enchantées de l'humaniste Bossuet et de l'humaniste Fénelon :

> De myrte, de laurier, de jasmins et de roses,
> De lis, de fleur d'orange en son beau sein écloses,
> Germigny se couronne et sème les plaisirs.
> Taisez-vous, aquilons, dont l'insolente rage
> Attaque le printemps caché dans son bocage ;
> Zéphyrs, portez-lui seuls mes plus tendres soupirs.
>
> O souffles amoureux, allez caresser Flore [286].

On ne voit nulle part que Bossuet se soit scandalisé de l'emploi du merveilleux païen en cette occasion, lui qui « n'aimait pas les fables », et qui, peu de temps après, en 1690, arrêtera Pomone dans les jardins de Santeul [287]. Il reçoit donc du jeune missionnaire, son disciple, un hymne *vere novo*, qui se termine par un mouvement lyrique digne de la chanson galante :

> Hiver, cruel hiver, dont frémit la nature,
> Ah ! si tu flétrissais cette vive peinture !
> . . . .
> Tremblez, Nymphes, tremblez, c'est Tempé qu'il menace,
> Des grâces et des jeux c'est le riant séjour [288].

La beauté en quelque sorte allégorique de Germigny, c'est la flatterie la plus fine que Fénelon — c'est beaucoup dire en fait de finesse — ait trouvée pour se faire aimer de Bossuet. Et je crois la flatterie sincère sous l'élégance excessive, lorsque par exemple Fénelon souhaite :

> une heureuse disgrâce qui nous ramène à Germigny : ce serait un coup de vent qui nous ferait faire un *joli* naufrage [289].

En l'image délicieuse de Germigny, Bossuet et Fénelon retrouvent tous deux la nature qu'ils aiment, une nature dont les dieux sont ceux d'Homère et de Virgile [290]. Leur communion en ce domaine ne s'est exprimée, par la main aisée du plus jeune, que sous la forme d'un badinage littéraire. Mais comme ce poids léger des grâces poétiques a dû aggraver l'opposition ultérieure des pensées ! Les compliments souriants de Fénelon nous font comprendre que la querelle des mystiques n'a pas seulement déchiré une longue amitié apostolique. Quand Fénelon, archevêque désigné de Cambrai, disait à Germigny un au revoir gracieux et délicatement

286 *Corr.*, III, 451, Fénelon à Bossuet, 7 décembre 1687 (date probable).
287 Cf. les lettres à Santeul, juin 1694, *Corr.*, VI, 344, et 15 avril 1690 ; IV, 73.
288 Fénelon, *loc. cit.*, III, 452.
289 *Corr.*, III, 201, Fénelon à Bossuet, 8 mars 1686.
290 *Corr.*, V, 151, Bossuet à Fénelon, à Versailles, 4 mai 1692 : « Je ne vous parle ni de Germigny, ni du printemps, ni des doux zéphyrs. Les vents les plus furieux qui sortirent du sac donné par Eole à Ulysse, semblent déchaînés pour ramener l'hiver et pour troubler l'Océan. » Quelques jours avant, le 25 avril, Fénelon avait écrit de Versailles (V, 148) : « Quand vous reviendrez, vous nous raconterez les merveilles du printemps de Germigny. Le nôtre commence à être beau : si vous ne voulez pas le croire, Monseigneur, venez le voir. »
La jouissance comparée des printemps est entre eux un lien délicat, des sens et de l'esprit.

ému [291], aucun des deux correspondants ne savait qu'ils allaient ensemble saccager leur bonheur naturel.

Les charmes de la mémoire.

Ce parfum fénelonien que nous trouvons, transmis par une sorte d'osmose, dans la sensibilité de Bossuet, peut-être ne l'aurions-nous pas décelé avant sa vieillesse. Alors que son énergie se détend, il abandonne davantage sa vie privée aux habitudes où se sont coulés, peu à peu, les désirs profonds de son être. Mais le trait de ressemblance était plus ancien entre l'ancien précepteur et le nouveau.

(Vous êtes aujourd'hui ce qu'autrefois je fus).

Les affinités confraternelles sont même indépendantes de leurs positions chronologiques. L'un et l'autre homme, en devenant précepteurs du prince, avaient été faits en quelque sorte « hommes de lettres » — le second ira même jusqu'à écrire un roman — parce que les lettres seules pouvaient envelopper d'un agrément efficace l'enseignement d'une morale praticable. Tout le monde alors sentait l'utilité du plaisir humaniste. Nous avons assez parlé au chapitre précédent de la grande entreprise *ad usum Delphini,* et, pour passer des plaisirs savants aux plaisirs des jeux, nous rappellerons que La Fontaine, en distrait avisé, a dédié aux deux héritiers successifs de la couronne, son premier et son dernier recueils de *Fables choisies mises en vers,* respectivement en 1668 et en 1694. Nous ne savons pas ce que Bossuet pensait des *Fables* de La Fontaine, mais nous voyons, par le rapprochement des trois noms de Bossuet, Fénelon et La Fontaine, dans une sorte de collaboration tacite, que le goût de la poésie est une sorte de lieu géométrique où se rencontrent tous ceux qui veulent avertir et former l'homme. Et ce lieu se trouve dans la solitude de la nature, ou bien dans les livres des poètes acquis à la mémoire.

Après avoir montré dans ce chapitre comment Bossuet a servi les lettres profanes de son temps, qui, de leur côté, lui donnaient du renom ; comment il s'est récréé dans la pratique des vers et comment sa jouissance de la nature s'associait à une sorte d'expérience poétique ; il nous reste pour conclure, après une si ample promenade, à essayer un sondage en profondeur : ce sera dans les instincts de sa mémoire, en nous plaçant aux confins de la mort.

Ledieu est notre témoin, panégyriste dans les *Mémoires,* polis à souhait et souvent récrits, qui inclinent vers une certaine « philosophie »

---

[291] *Corr.,* VII, 49, Fénelon à Bossuet, à Versailles, 27 mars 1695 : « Je m'imagine qu'après les fêtes, s'il vient de beaux jours, vous irez revoir Germigny paré de toutes les grâces du printemps. *Dites-lui, je vous supplie, que je ne saurais l'oublier, et que j'espère me retrouver dans ses bocages,* avant que d'aller chez nos Belges qui sont *extremi hominum.* » — Quand le malentendu entre eux sera déjà lourd, Fénelon mettra son espoir dans un séjour aux lieux où s'ouvrait leur amitié, 18 décembre 1695, *Corr.,* VII, 265. « Quand vous voudrez, *je me rendrai et à Meaux et à Germigny,* pour passer quelques jours auprès de vous et pour prendre à votre ouvrage toute la part que vous voudrez bien m'y donner. » L'amitié durait encore. C'est l'avis de J.-L. GORÉ, *L'Itinéraire de Fénelon,* 1957, « Bossuet et Fénelon », pp. 112-131.

du sentiment et des lumières ; plus spontané dans le *Journal* de la maladie, où une certaine incompréhension vis-à-vis de son maître nous garantit sa fidélité dans les faits. Ledieu n'a d'ailleurs connu Bossuet qu'après son préceptorat, en 1684, mais il sait de façon sûre que la connaissance intime des poètes classiques remonte chez lui aux années où il avait enseigné « la grammaire et la rhétorique », comme il disait « à Saint-Germain et à Versailles [292] ». Par goût personnel, le maître avait poussé ses lectures classiques bien au-delà de ce qu'il proposerait non pas à la lecture, mais pas même à la simple connaissance de son élève :

> L'antiquité grecque et latine repassa sous ses yeux. ... Entre les poètes grecs, il ne s'attacha qu'à Homère. Il ne voulut pas ignorer Pindare, encore moins Euripide, qu'il proposait comme un grand original dans le tragique. Mais son inclination et toute son estime étaient pour Homère : ce fut, en sa vie, son compagnon de voyage. Il le savait aussi bien que Virgile et Horace, et il en récitait des vers avec la même facilité [293].

Homère, Pindare, Euripide, et encore Homère : ce sont précisément les chefs de la discussion dans la Querelle des Anciens et des Modernes, où nous avons vu que Bossuet n'a jamais voulu prendre *un parti*. Mais ses admirations valaient un choix :

> La sublimité du divin Homère, la richesse de ses comparaisons et toutes ses beautés le lui faisaient mettre à la tête des poètes et des orateurs. *Homère était un de ses délassements*, et le sujet le plus agréable de ses conversations : on était surpris qu'il en eût la mémoire si présente [294].

On sait le vers grec qu'il fit en dormant, vers de compassion pour les malheurs d'Ulysse [295]. Et ce qu'il aime le plus dans Horace, dont le cynisme par ailleurs le blesse, c'est la science morale, ou c'est le brillant éclair d'épopée chez le poète à qui le talent épique se refuse [296]. Dans Virgile, le préféré absolu, c'est la douceur qui « était aussi le caractère de notre prélat », comme dit Ledieu ; il se complaît dans « cette tendre

---

292 LEDIEU, *Mémoires*, I, 143.
293 *Ibid.*, 143, texte de la copie Floquet, qui a une addition importante sur les deux épigrammes grecques que Bossuet savait par cœur. Les notes explicatives d'Urbain sont parfaitement exactes. Ajoutons que la *Florilegium diversorum epigrammatum veterum in septem libros divisum*, mentionné dans le catalogue de la bibliothèque de Messieurs Bossuet, est une édition de Josse Bade, 1531, in-8°. (Montaigne, avait la même ; à la B.N., cotée Z. Payen, 512, avec sa signature). Cf. Jacques GUIGNARD, *Imprimeurs et libraires parisiens, 1525-1536* dans *Bull. Ass. G. Budé*, juin 1953.
294 LEDIEU, *Mémoires*, I, 143.
295 *Ibid.* C'est un vers iambique (texte de la copie Floquet) :

Τοῖς δυστυχοῦσιν ἄχθος᾽ ἐστί χὠ λόγος.

Tout est à charge aux malheureux, même leur pensée.
296 *Ibid.*, 144. « Il ne pouvait approuver la licence d'Horace, qui se donne pour stoïcien, mais qui est trop souvent cynique. On l'entendait peu réciter ses vers, hors ses peintures des hommes et des peuples ou les caractères des âges et ses autres beautés connues. Il en répétait souvent cet exemple qui lui plaisait fort [Cite III, *Satires*, I, v. 12-16] Horace, disait-il, laisse échapper les plus beaux vers lorsqu'il s'excuse de n'en savoir pas faire. »

peinture d'une fleur mourante » [297], et il emmène le Mantouan avec lui, dans la plus fraîche partie de sa vie :

> *On n'allait jamais à la campagne sans Virgile*. Il ne cessait de vanter sa sagesse et son jugement avec la douceur de ses vers, et aussitôt l'exemple suivait, pris des *Eglogues* ou des *Géorgiques*. *La beauté de la simple nature* faisait ses délices dans ce poème ; *et combien plus à la campagne* où l'on avait à la fois la chose et l'expression [298].

Dans cette jouissance combinée des lettres et des champs, nous retrouvons le même sentiment pastoral que dans *le Saint-Amour* ou *l'Amour de Madeleine* : Bossuet s'échappe : la nature est là, qui l'apaise et l'élargit. Mais à ce commerce de la créature humaine avec la création, il faut prudemment donner une forme, voire même une forme fixe ou fixée. L'homme classique apprivoise les analogies de la nature, avec les rythmes des poètes reçus, ou bien il fait des vers conventionnels.

Mais il arrivera que les rythmes soient plus puissants que l'homme en train de se défaire. Qu'il est émouvant le *Journal,* ce témoignage immédiat de Ledieu, qui n'a pas soupçonné combien profondément il trahissait son pauvre maître ! Bossuet alors ne soutient plus sa vie que d'une aile de poulet, d'un potage et d'un peu de vin pur. De son lit cependant, il assiste à la messe ou se fait lire la liturgie du jour. Mais les textes les plus chéris, aux moments les plus sacrés, n'arrivent plus à retenir son attention. Le Vendredi-Saint, 21 mars 1704 :

> Son affaiblissement paraît aussi dans sa tête, car il ne peut souffrir de lecture suivie ou appliquante, pas même de choses qui lui sont aisées et familières, *comme sont les Psaumes, qu'aujourd'hui même il a refusé d'entendre lire ;* il se plaint aussi souvent d'être fatigué par ses propres pensées ; *sa mémoire le peine* en lui rappelant avec inquiétude des odes d'Horace, d'où il n'a pas la force de détourner son attention ; et pour s'en délivrer il est obligé de se les faire lire *et d'en passer pour ainsi dire son envie* [299].

Les tendresses fondamentales du chrétien paraissent assez d'autre part dans la longue agonie intellectuelle de Bossuet. De cette dernière « envie » profane, je me garderai donc bien de conclure que les Odes d'Horace tenaient plus de fibres dans son cœur que les Psaumes de David. Mais ce n'étaient pas précisément les mêmes fibres ; elles étaient très

---

[297] LEDIEU, *Mémoires*, I, 44. Complété par une feuille volante dans le ms. Gazier du *Journal*, et la copie Floquet. Ces deux additions nous apprennent l'attachement de Bossuet au vers de *l'Enéide*, IX, 435.
> *Purpureus veluti cum flos successus aratro.*
Cette admiration est un motif de plus (non pas une source), pour la fameuse comparaison : « Madame, cependant a passé du matin au soir, *ainsi que l'herbe des champs.* »
[298] *Ibid.,* texte Floquet.
[299] LEDIEU, *Journal*, III, 85, 21 mars 1704.

proches cependant, associées dans une intimité que l'homme ne soupçonnait pas. Pendant toute sa vie, le mouvement expansif de la poésie et l'élan de l'adoration l'avaient animé *ensemble*. Maintenant, la poésie et la prière étaient en concurrence vitale. L'âme, en se dissociant, laisse voir sa constante inspiration profane, qui était toujours restée dépendante, mais qui, à l'avant-dernier jour, triomphe (pauvrement !) de sa compagne, dont les ailes sont provisoirement brisées.

Dans cette soudaine révolte des « lettres humaines » contre les lettres divines, je vois se désintégrer l'amour unique de la vie [300].

---

[300] Sur ce Bossuet trop humain dont l'amour est finalement déchiré, citons encore un témoignage de Ledieu, peut-être scandalisé, mais somme toute sympathisant : « Jeudi, 18 octobre 1703. M. de Meaux se porte *à merveille*. Il est *très content* du repos de la nuit ; si bien qu'après la messe, il nous a tous menés promener aux Tuileries avec lui ; il l'avait déjà fait ces jours passés et il s'en est fort bien trouvé, revenant *avec bon appétit pour bien dîner*, comme encore aujourd'hui. ... *Il y a plaisir* à l'entendre parler de sa santé *en des termes qui expriment l'amour de la vie*, et il est assez étonnant que la méditation continuelle de l'Evangile *n'ôte pas ce sentiment*. » (III, 17, *Journal*).

LA PHILOLOGIE DU PRECEPTEUR.

APPENDICE.

INVENTAIRE DES DOCUMENTS MANUSCRITS
RELATIFS A L'ENSEIGNEMENT DU DAUPHIN.

[BOURSEAUD, *Histoire et description des manuscrits et des éditions originales des ouvrages de Bossuet*, 1897, nous a rendu très peu de services.]

Les fonds mentionnés sans autre indication que le nom du fonds et le n° d'ordre du ms., sont ceux de la Bibliothèque Nationale.

R o t h s c h i l d désigne la collection léguée à cette bibliothèque par le baron de Rothschild, les numéros d'ordre étant ceux du catalogue de Jean PORCHER, *Catalogue des Manuscrits de Bossuet de la collection Henri de Rothschild*, 1932, in-f°.

M e a u x, sans autre spécification, désigne le fonds du Grand Séminaire de cette ville ; *S a i n t - S u l p i c e*, celui du Séminaire de Saint-Sulpice ; *A m i e n s*, *V e r s a i l l e s*, et *R o u e n*, les bibliothèques de ces villes, et *B r u x e l l e s*, la Bibliothèque Royale de Belgique.

Les documents, affectés d'une numérotation continue, sont rangés selon l'ordre de la lettre à Innocent XI (mars 1679, *Corr.*, II, 112-161) et forment l'ensemble suivant :

SOMMAIRE :

— Les manuscrits de la lettre latine à Innocent XI, n°ˢ 1-3.
— La religion et les mœurs chrétiennes, 4-8.
— La langue latine : la grammaire, 9-15.
— La langue latine : les auteurs, 16-31.

L'histoire de France composée par le Dauphin,
avec la vie de saint Louis :

— Originaux du texte latin, 32-50.
— Originaux du texte français, 51-68.
— Copies latines et françaises de l'Histoire de France, 69.
— L'histoire contemporaine, 70-71.
— Lectures de Bossuet pour l'histoire de France, 72-80.

— La Philosophie générale, 81-85bis.
— La Logique « tirée de Platon et d'Aristote », 86-87.

— La Rhétorique, 88-89.

— « La Morale d'Aristote..., la doctrine de Socrate », 90-93.

— Réflexions sur l'Histoire Universelle, 94-97.

— Compléments :

1) Manuscrits signalés, 98.
2) La bibliothèque philologique du Dauphin, 99-118.
3) L'éducation artistique du Dauphin, 119-124
4) Un billet du Dauphin, 125.

Les manuscrits de la lettre à Innocent XI.

1. Fonds français 20766, f°s 12 r°-44 v°. Charles-Maurice Le Tellier, Mélanges historiques, « De Institutione Ludovici Delphini, Ludovici XIV[1] filii, ad Innocentium XI, Pont. Max. ».

[Cf. *Corr.*, II, 112, notice.]

2. Collection Henri JOLIET à Dijon. « C'est la première copie que Bossuet fit faire sur le texte écrit de sa main, laquelle copie il a corrigée et augmentée. » (Lévesque). Manuscrit de 26 p. in-4°, relié dans une reliure moderne.

[Nous ignorons où il se trouve présentement. Lévesque ne le connaissait pas lorsqu'il a publié le t. II de la *Correspondance*, en 1909, mais il en parle dans sa publication, en 1921, des *Lettres sur l'éducation du Dauphin*, Bossard, in-12, p. 32, et il l'analyse en tête de la publication « Un manuscrit de Bossuet » (s.l. [Dijon] n.d.), in-4°, qui donne la photographie de la dernière page.

Dans une note en-tête à la marge, Ledieu a écrit : « C'est icy l'original corrigé de la main mesme de l'auteur, sur lequel ont été faistes les autres copies. »

3. Rothschild, 319. Original de la traduction de la lettre latine de Bossuet à Innocent XI sur l'éducation de Mgr le Dauphin. — En 34 pages, avec plus de 100 corrections de la main de Bossuet.

[Cf. *Corr.*, II, 112 et 135, notices. Les pp. 1 et 2 sont tout entières de l'écriture de Ledieu, qui a donné ce titre :

« De l'Instruction de Monseigneur le Dauphin, au pape Innocent XI », avec la note suivante : « Cette lettre a été faite par M. de Condom, précepteur de Mgr le Dauphin. L'original latin fut envoyé au Pape Innocent XI, et l'auteur en fit alors cette traduction pour le Roi. En voici une très bonne copie corrigée de la main même de l'auteur, et que j'ai encore revue sur une autre copie au net. On trouvera à la fin la version française du Bref du Pape en réponse à la présente lettre, le Bref même en latin, et aussi la lettre de l'auteur au C^{al} Cibo au sujet de cet écrit, avec la réponse de ce Cardinal. »

C'est Ledieu qui a ajouté la salutation finale. Les pièces qu'il annonçait n'accompagnent plus le ms. Les sous-titres en marge sont de la main de Bossuet. Voici le type de ses corrections, les passages raturés étant mis entre < > :

P. 3 (*Corr.*, 137). « Ces raisons <pousserent> porterent le Roy à destiner chaque jour certaines heures à l'estude qu'il crut pourtant devoir estre <toujours egayées par quelque mélange> entremeslées de choses divertissantes. »

P. 9 (*Corr.*, 141), « la chasteté devoit estre le fondement de la devotion », de la main de Bossuet, et seulement après de nombreuses ratures.]

La religion et les mœurs chrétiennes.

4. Bibliothèque de l'Arsenal, Ms. 2324, « Exemples donnés à Mgr le Dauphin lorsqu'il apprenoit à ecrire. 1er Exemple. Dieu est votre Maître et votre juge. C'est un juge sévère. ... XXXe Exemple. Un trône est inébranlable quand il a pour fondement la raison et la justice, qu'on punit tout ce qui est mal et qu'on récompense tout ce qui est bien. »

[Publié par A.-L. MÉNARD, dans *Œuvres inédites de Bossuet,* 1881, in-4°, t. I, pp. XLV-XLVIII. C'est tout ce qui peut être accepté dans cette publication comme authentique. Outre qu'aucune tradition des manuscrits et aucun témoignage externe ne l'autorisent, les 6 fac-similés publiés à l'appui par Ménard dans son *Bossuet inconnu,* 1877, in-4°, nous donnent toute certitude pour rejeter les commentaires sur Juvénal, etc. : ce n'est pas l'écriture de Bossuet, ni la disposition habituelle de ses notes quand il les fait prendre par des secrétaires].

[Le manuscrit de l'Arsenal provient de la collection du comte d'Artois, XVIIIe siècle, et comprend aussi des Maximes de Montausier, avec une copie de l'écrit que nous portons au n° 7.]

5. Fonds français 12839, f°s 59-71. « Sentences pour Monseigneur le Dauphin, choisies par M. l'Evesque de Condom, 1672, 1. Le plus excellent parmi les hommes n'est pas celuy qui prend le plus ; mais celuy qui donne le plus. (Plat. *Gorgias*) ... 109. La pire des dissensions est de ne s'accorder pas avec soy-mesme ; ce qui arrive necessairement à ceux qui n'ecoutent pas la raison. (Plat. *Gorgias*). »

[*Œuvres*, X, 667 — Copie, calligraphiée et encadrée, de 109 maximes, avec la référence des auteurs à la marge. Le titre est de Ledieu sur une page de garde.]

6. Amiens M 36 (1656), « Catéchisme pour Monseigneur le Dauphin. Ecrit par C. Gilbert son maître à écrire, 1674. » (Sur la page de frontispice, qui représente une couronne et une tête d'ange, dessinées à la plume.) Le texte commence ainsi : « Catéchisme pour Monseigneur le Dauphin. | Première instruction du chrétien. | Leçon I. | Demande. | Etes-vous chrétien ? », et se termine p. 127. « D. Pourquoy Dieu nous a-t-il fait tous ces biens ? | R. Pour faire connaître sa bonté infinie et mériter notre amour. »

[Petit volume de 81 × 125 mm, relié en maroquin rouge, aux armes du Dauphin. La calligraphie est très belle, avec encadrement, lettres ornées, cul-de-lampe, et aussi très simple. Les titres sont en capitales romaines, les demandes en romain ordinaire, les réponses en italique.

Le texte en 11 chapitres est rédigé fort simplement. Il est tout différent du *Premier Catéchisme* du diocèse de Meaux, que Bossuet publia en 1686 (*Œuvres*, X, 382). Cf. Eugène GRISELLE, *Une œuvre inédite de Bossuet. Le « Catéchisme pour le Dauphin »*, dans *Etudes religieuses*, 20 nov. 1898, pp. 522-528.]

7. Fonds français 12839, f° 36-58, « Ludovico Delphino ad virtutis studium exhortatio. | *N o l i   p u t a r e ,   p r i n c e p s* ... à recueillir les fruits abondants qu'elles sont capables de produire. »

[Vers 1674. Copie latine, et française, à laquelle Ledieu, en 46 r°, a proposé le titre ci-dessus, en l'absence de titre à l'original, et le titre français « De l'amour de la vertu », en 58 r°. Imprimé sous le titre *De incogitantia*, dans *Œuvres*, X, 662, titre donné par l'édition de Versailles et par Floquet, *Bossuet précepteur*, p. 172. Texte donné pour la première fois par l'abbé d'Olivet en 1764. Cf. *Corr.*, II, 412, Appendice.]

8. Fonds français 12839, f°ˢ 19-35, « Instruction à Mgr le Dauphin pour sa première communion. | La première communion est un fondement de nouvelle vie pour le Chrétien. ... Que rien ne soit capable de nous séparer de son amour ! Amen. Amen. »

[*Œuvres*, X, 657-661. La copie calligraphiée ne porte point de retouche de Bossuet.

Le Dauphin fit sa première communion à Saint-Germain-en-Laye, le 25 décembre 1674. Selon Ledieu (*Mémoires*, I, p. 146) : « Il y eut des instructions particulières pour la pénitence et la première communion. ... Et, après en avoir ôté ce qui était propre à la personne du prince, il les a fait imprimer dans le livre des *Prières ecclésiastiques du diocèse de Meaux*. » 1689, in-12, Vᵛᵉ de Sébastien Mabre-Cramoisy. Cf. *Œuvres*, X, 462-535.]

La langue latine : la grammaire.

9. Fonds français 12839, f°ˢ 3 r°-4 v°. « Observations de M. de Condom sur la grammaire latine. *V e r b a   c o n t r a r i a e   s i g n i f i c a t i o n i s.* ».

[De l'écriture de Ledieu, qui a mis, f° 4 r°, la note suivante : « M. de Condom a fait des observations aussi curieuses que celles-ci sur les conjonctions et les particules indéclinables pour en déterminer le jeu et l'art dans la composition latine. Je les ai revues et je les ai laissées, parce que ce serait un travail infini de recueillir tout ce qui est sorti en tout genre d'un esprit à qui rien n'a échappé dans ses études. J'ajouterai donc seulement ce qui suit, parce qu'il est plus important et d'un plus grand usage. »
Cf. *Œuvres*, IX, 670-671.]

10. Une autre copie à Saint-Sulpice, avec le nombre 13, qui pourrait être de la main de Ledieu.

11. Fonds fr. 12839, f° 17 r°-18 v°. « In locutuleios ».

[Cf. *Œuvres*, IX, 671. — Copie de la main de Ledieu, avec une note, reproduite par Lachat, XXVI, 44-45, mais Ledieu n'a pas reproduit de l'original les « chiffres qui marquent sur chaque mot l'ordre qu'il doit y avoir dans la suite naturelle du discours : ce qui fait voir que cette fable fut faite dès le temps où Monseigneur en était encore presque aux éléments du latin ».

En 18ᵇⁱˢ, r°-v°, une autre copie, petit format, de la fable, d'une écriture fine, inconnue, et sans doute postérieure à Ledieu.]

12. Fonds latin 10298. — Dictionnaire latin-français du Dauphin.

[In-folio, maroquin rouge, aux armes du Dauphin, dont la reliure n'est pas du tout fatiguée par l'usage. Lexique sommaire et inachevé ; à partir de H la traduction française n'est donnée que de loin en loin et pour les mots spéciaux. Il n'y a pas plus d'une ou deux traductions par mot. Le copiste a laissé de larges espaces interlinéaires qui reçoivent jusqu'à la dernière page des corrections et précisions de Bossuet. Bien que les mots y soient, de la même façon, groupés par familles autour des mots fondamentaux, qui, seuls, suivent l'ordre alphabétique, le lexique manuscrit n'est pas identique aux *Radices* de Danet (1677) ; il est moins abondant.]

13. Saint-Sulpice — 18 cahiers de 4 pages, sans titre, portant les numéros 21, 22, 25 à 38, 41, 42.

[Ce sont des cahiers d'exercices en même temps que des études de vocabulaire, qui visent soit le thème, soit la version. Le copiste écrit l'expression française ou le mot latin, sur la page de droite, et le Dauphin met ses traductions vis-à-vis sur la page de gauche. Bossuet complète ou corrige le copiste et le Dauphin.

Au cahier 41, à propos du mots *O p s,* un exemple d'actualité permet de fixer l'époque *a q u o* de ces exercices : *U r b e c a p t a a r c e m B i s u n t i n i s u m m a o p e p r o p u g n a b a n t.* Les défenseurs de la citadelle de Besançon capitulèrent, après une semaine de résistance, le 22 mai 1674. Cf. O.f. du prince de Condé : « le rude siège de Besançon ».

Ces exercices se situaient donc vers le milieu des études du Dauphin, où l'on voit que des révisions actives de vocabulaire n'étaient pas inutiles.]

14. Versailles, Panthéon Versaillais, Louis Dauphin, n° 17, cahier de 4 pages, portant le n° 23. Fait partie de la série précédente. Exercices portant sur les mots « Aequus, iniquus ».

15. Nouv. acquis. françaises, 10003. — « Grammaire latine pour Monseigneur le D'Auphin [*sic*], composée par M. de Meaux et M. de Soissons. ».

[Cette copie est certainement postérieure à novembre 1685 où Huet fut fait évêque de Soissons (Cf. Bossuet, *Corr.,* III, 162). De plus, Huet était chargé de suppléer Bossuet en cas d'empêchement, non de collaborer avec lui. Cette grammaire a donc très peu de garanties d'authenticité. Ce n'est point celle que Floquet (*B. précepteur,* p. 213, n° 2) disait signée du calligraphe Gilbert.

L'avertissement déclare qu'on a retranché « plusieurs règles qui ne sont formées que des exceptions, en les suppléant par des listes exactes de tous les termes exceptés », et fait remarquer qu'on a rédigé les règles en prose française.]

La langue latine : les auteurs.

Virgile.

16. Rothschild, 320, cahiers 3, 4, 5 (au total 12 pages). « a point de salut dans la guerre : insensé que vous estes. ... rompez les armes de ce voleur Phrygien, tuez lay et faites lay tomber sous la porte ! »

[Version tirée de l'*Enéide*, XI, 399-485, le discours de Turnus et les épisodes guerriers qui suivent, avec la prière de Lavinie. Pas trace de Bossuet : le Dauphin s'est corrigé lui-même.]

Térence.

17. Fonds français 12839, f° 8 v°-15 r°, Argument de l'*Heautontimoroumenos*.

[Copie calligraphiée. Sur la page de gauche le texte français, à droite le latin. Corrections de la main de Bossuet, qui a soigné son écriture, rectifiant les bévues du copiste ou tendant à la précision et à l'élégance. Ex. p. 9 v°, « Bacchis femme débauchée » rectifié en « la courtisane Bacchis. »]

18. *Ibid.*, f° 143 r°-v°, 26ᵉ devoir. « Mition. Hegion — Mition | Pour moy, Hegion, je ne trouve en cela aucun sujet de me tant louer : je fais mon devoir. ... Hegion | Suivez moi donc par la dedans | Mition | Oui. »
[Version des *Adelphes*, IV, III, v. 592-608. Non corrigée par Bossuet.]

19. *Ibid.*, f° 142 r°-v°, 25ᵉ devoir « Syrus. Demea - Syrus - Par ma foy mon petit Syrus, vous estes joliment. ... | Syrus | asseurement je ne voudrais
[Version des *Adelphes*, V, I, v. 763-775. Pas de corrections de Bossuet.]

Salluste.

20. Fonds français 11912 [1], f° 125 r°-v°, 12ᵉ devoir. « A cela Bocchus dit peu de paroles doucement et honnestement tout ensemble ... où Jugurtha avoit mis tous les transfuges en garnison. »
[Version de *Jugurtha*, fin de § 102, début § 103 - non corrigée par Bossuet.]

21. *Ibid.*, f° 124 r°-v°, 11ᵉ devoir. « Ad ea Bocchus placide et benigne simul pauca pro delicto suo verba facit ... ubi Jugurtha omnes perfugas praesidium imposuerat. »
[Exercice de retraduction du passage précédent. Nous n'avons pas toujours comme ici la version française intermédiaire, mais le procédé est certain : le Dauphin passe du latin au français, puis reconstitue, d'après sa version, le texte latin ; *seul,* il contrôle son travail, et les menues différences de vocabulaire et de construction qu'il a laissées par rapport à l'auteur latin, font reconnaître la nature de l'exercice.]

César.

22. Fonds français 12839, f° 4 r° - 6 v°. Maximes de César, tirées de ses commentaires. Les nombres renvoient à l'édition des « *Variorum* ».
[De l'écriture de Ledieu. Cf. *Œuvres*, IX, 670-671, ou Lachat, XXVI, 42-43. Mais aucun éditeur ne s'est donné la peine de relever les « nombres », ni de chercher leurs correspondants dans nos éditions usuelles.]

23. *Id.* à Saint-Sulpice, avec le n° 17.
[Pourrait être de l'écriture de Ledieu.]

---

1 Ce manuscrit est un recueil des papiers de Huet.

Cicéron.

« Ses discours de philosophie ».

24. Nouvelles acquis. fr. 6202, f⁰ˢ 47-49, « Quamquam, Marce fili, annum jam integrum Cratippum audiens idque Athenis ... in eo, qui contra arma ferret, remansit. »

« Ses oraisons ».

25. Fonds français 11912, f° 108 r°-v° ; f° 118 r° ; f° 116 r°-v° ; f° 112 r°-v°. « Ce que j'avais autrefois demandé aux dieux immortels, juges ... à Caton homme plein de gravité et d'intégrité. »

[Version française du *Pro Murena,* I-II, § 1-3, sans interruption. A replacer dans cet ordre. Du Dauphin seul.]

26. *Ibid.,* f° 110 r°-v° ; f° 119 r° ; f° 122 r° ; f° 114 r°-v°. « Quare precatus sum a diis immortalibus ... rationem facti mei probem. »

[Retraduction latine du passage précédent, *Pro Murena,* I-II, § 1-3 ; après l'exercice de retraduction, le § 3 est recopié textuellement en 114 v°. A replacer dans cet ordre. Du Dauphin seul.]

27. Fonds français 11912, f° 131 r°-v° ; 132 r° ; 133 r°-v°. « Si, Caesar, his esset rerum tuarum exitus ut ... sed nulla erit sedes certa neque certum domicilium. »

[Retraduction du *Pro Marcello,* VIII-IX, § 26-28. Du Dauphin seul, qui a placé en tête des 3 devoirs respectivement les indications suivantes : « XXI dim., XXVI, XXVI ».

Auteurs divers et non identifiés.

28. Fonds français 11912, f⁰ˢ 105-107. « Ayant attaqué en vain le roi Syrmus, il tourna ses efforts contre les Gettes ... à la guerre de Perse d'où l'on esperoit retirer plus d'avantage, une chose bien plus utile avec moins de peril. »

[Version tirée des suppléments de Freinshemius à Quinte-Curce, l. I, ch. XII.]

29. *Ibid.,* f° 134 r°-v°. « Apres avoir prescrit le jour de l'assemblée, comme il disait des choses veritables, le peuple romain lui ordonna de régner ... il choisit cent senateurs qu'on appella depuis *p a t r e s   m i n o r u m   g e n t i u m.* »

[Version tirée de Tite-Live, l. I, ch. XXXV.]

Non identifiés.

30. Fonds français 11912, 24ᵉ devoir, 141 r°. Exercice de retraduction. « rei usus et iam et exercitationem postulat. Atque ab honestate trahitur ex quo officium aptum est ex iis rebus quae in jure societatis humanae continentur satis dictum est. »

31. *Ibid.,* 20ᵉ copie, 136 r° ; 21ᵉ copie, 138 r° ; 22ᵉ copie, 139 r° ; 23ᵉ copie, 140 r°. Quatre fragments de version de style très gauche, corrigés, non moins gauchement, par le Dauphin lui-même.

**L'histoire de France composée par le Dauphin,
avec la vie de Saint Louis.**

Originaux du texte latin.

32. Fonds français 11912, 130 r°, 15° copie. « 4. Mortuis fratribus Carolus ad regnum vocandus videbatur ... comitatus Parisiensis et ducatus Franciae. Hoc modo Carolus Crassus regnum occupavit. »

[Correspond, mais non littéralement, à *Œuvres*, X, 21, l. III, Charles III dit le Gras (an 885). « Il semblait que le jeune prince Charles devait être appelé ... dont Paris était la capitale. »]

33. Fonds français 11912, 128 r°, 14° copie. « Carolus nihil suspicatus simul[ut] intravit comprehensus est ... sed qui simplex nominatus propter nimiam facilitatem. »

[Correspond à X, 22, Raoul (an 923). « Charles qui ne soupçonnait rien ... le nom de Simple à cause de son excessive facilité.]

34. Meaux (Musée des Amis de Bossuet). « VII [?] ex ejus latere perfosso sanguis et aqua expressa ... certus incoepta persequi [qu]am c[e]perat abstulit. »

[Correspond à X, 40, Livre V, Louis IX, le projet de croisade de saint Louis formé pendant sa maladie. « Qui lui avait tiré du côté du sang et de l'eau ... après avoir ôté celle qu'il avait prise, il se croisa une seconde fois. » La page qui reste de ce devoir est en très mauvais état.]

35. Fonds français 12763, 184 v° et 184 r°. « [?] eadem felicitate Alphonsum quoque Pictonum comitem, alterum ... Itaque toto ad Damietam fl-. »

[*Ibid.*, p. 41. « Il ne put pas délivrer de même Alphonse, comte de Poitiers, ... il occupa toute l'étendue de la rivière jusqu'à Damiette. »]

36. Fonds français 12763, 185 v°-185 r°. « Aperto obsessis omnibus nostrum exercitum ad summas adduxit angustias ...

... san[c]ti Regis imperiis exem[plis] animadversionibus. »

[Cf. *ibid.*, 41. Ordre à rétablir, comme précédemment. Correspond à : « S'étant rendu maître de toutes les avenues, il réduisit notre armée à une extrême nécessité, ... malgré les exemples, les ordres et même la sévérité du roi. »

37. Fonds français 12763, 191 r°-v°. « XII. His necessitatibus coactus est dux Burgundiae castra repetere ... Rex conjunctis reliquis copiis cum suo exercitu Damietam [*sic*] reverti constituit. At exercitus jam. »

[*Ibid.*, 42. « Ce prince se trouva obligé de rejoindre le reste de l'armée, qu'il avait laissée sous la conduite du duc de Bourgogne ... Mais son armée déjà. ».

En 191 r°, se place une facétie du Dauphin. Après « Burgundiae », il ajoute une glose de son cru. « Quam regionem maximi facio prae omnibus Galliae regionibus, quia preceptor omnium principum facile nugacissimi, inde ortus est. » Bossuet (probablement) a biffé le tout d'un trait vertical, mais non sans avoir corrigé « preceptor » en « praeceptor ».

En haut de 191 v°, l'indication par le Dauphin « dim ». Est-ce « dimanche » ?]

38. Fonds français 12763, 190 r°-v°. « morbo atque inopia confectus, hostium quoque multitudine oppressus ... quarum tam subitae sint in-[?] ac vicissitudines. » (Le Dauphin corrigé par Bossuet ; puis Bossuet reprend seul :) « Itaque in extremis quibusque calamitatibus adeo non quaerebatur [*sic*] ... quam populum sibi creditum deserere maluisset. »

[*Ibid.*, 42. (Son armée) « affaiblie par la maladie et la disette ... les choses du monde dont les retours sont si soudains. » Le paragraphe, ajouté par Bossuet seul, présente les idées dans un ordre qui n'a pas été retenu pour le texte français.]

39. Fonds français 12763, 189 r°-v°. « XII. Interim significatum ei est novum soldanum de ipso cum omnibus Francis neci dando ... fere omnes una voce repetendam Franciam conclamabant. »

[*Ibid.*, X, 42. « Cependant on lui vint dire que le nouveau soudan avait mis en délibération ... presque tous criaient d'une même voix qu'il fallait aller en France. »

40. N. acq. françaises, 4047, 80 v°. Incipit : « Eodem tempore Gregorius decimus concilium totius nominis Christiani. » Explicit : « Quod ideo constitutum est quod biennium integrum in eligendo Gregorio consumpsisset. »

[Correspond à X, 46, l. VI, Philippe III dit Le Hardi (1271). « En ce même temps Grégoire X tint un concile général ... parce qu'ils avaient été deux ans à élire Grégoire lui-même. »]

41. N. acq. françaises, 4047, 80 r°. « Corpus Christi ad sacram aedem deduxisse. Sacerdos hoc facto permotus ... et penes ejus familiam et nostro etiam tempore perseverat. »

[*Ibid.*, 47. « Il accompagna le Saint Sacrement à pied jusqu'à l'église ... et est encore à présent dans cette maison. » L'ordre du latin n'est pas le même que celui du paragraphe français.]

42. Rouen, Leber 3273 (5781), cahier de 4 pages. « LIV. [.?.] in Nogaretum conspicatus : " Age, inquit, sacrilege. ... diu demorati magno et Ecclesiae et regni detrimento ". »

[X, 52, l. VI. « D'abord qu'il vit Nogaret : " Courage, dit-il, sacrilège ... demeurèrent, fort longtemps : ce qui causa de grands maux à l'Eglise et au royaume ". » — Mauvais état ; le bas de la page est déchiré, des mots manquent.]

43. Rouen, Blosseville 1214, 1 page. « Excepta ea Eduardus victor Angliam repetivit ... praefectoque evocavit. »

[X, 60, livre VII, Philippe VI de Valois. « Après avoir fait une trêve de deux ans dont pourtant la Bretagne fut exceptée, ce prince victorieux repassa en Angleterre ... Il envoya ordre au gouverneur de se rendre auprès de lui. »

La transcription de ce devoir latin du Dauphin, avec corrections de Bossuet mises en évidence, a été donnée par E. GRISELLE, dans *Un fragment inédit de Ledieu sur l'éducation du Dauphin, R.H.L.,* 1900, p. 138.]

44. Rouen, Leber 3273 (5781). Un cahier de 4 pages marqué par le Dauphin, XXIV ; deux pages marquées XXV ; un cahier de 4 pages marqué

XXVI. « Francos omnes debellare (ita Christianos) harum ... nec sid ad regis sententiam iuflecti aut a retinendae dignitatis proposito dimoveri potuit. »

[X, 87, livre X, règne de Charles VI. « Subjuguer tous les Francs (c'est le nom que donnent les Orientaux) ... Le peuple abandonna Benoît et le contraignit de se retirer dans le château, où Boucicaut l'assiégea et le réduisit à d'étranges extrémités sans que jamais il voulût fléchir. » En très mauvais état. Nombreuses corrections de Bossuet qui a entièrement récrit ce qui concerne le schisme d'Avignon. La première page de XXVI est entièrement rayée. Subsiste de la main de Bossuet « scilicet vino deditus » (Venceslaus).]

45. Rouen, Leber 3273 (5781). Un cahier de 4 pages marqué par le Dauphin « XXXI dim. ». « Henricus bellorum licet avidus ac vires Gallicas ... pro utriusque principis dignitate summum quidem honorem, sed parum praesidii tulit. »

[*Ibid.*, 88. « Henri qui aimait la guerre et qui méprisait les forces de la France ... digne de la grandeur des deux princes ; mais si on lui fit beaucoup d'honneur, on n'était pas en état de lui donner un grand secours. »

46. Archives de Seine-et-Marne, 42 Z 79, fragments de 6 pages, marquées à la 3e page du chiffre XXXII : (Manuel, empereur de Constantinople, vient demander du secours contre les Turcs...). Thème latin.

[X, 88-89, livre X, règne de Charles VI.] Cf. Jean HUBERT, *Manuscrits de J.-B. Bossuet conservés aux Archives de Seine-et-Marne*, Melun, 1955, n° 44 et planche XII.

47. Fonds français 13793, 2e pièce, 4 pages. « XXXVII [?] -iae dux ludo palam absumeret, contemtus in odium vertit. ... Burgundus sceleris conscientia stimulante atque animum perturbante, regem Siciliae ducemque Biturigum in regia nactus, seductos alloquitur. »

[*Ibid.*, 89-90. « Leur mépris se tourna en haine, quand ils virent qu'on ne les payait point, et que le duc jouait publiquement leur argent. ... Le duc, troublé des remords de sa conscience, ayant trouvé chez le roi le duc de Berri et le roi de Sicile, les tira à part et leur avoua. ».]

48. Rothschild 320, 2e pièce, une feuille, à lire v°-r°. « Burgundi filia Aurelianensis fratri nuberet ... Bonifacio mortuo Innocentius VII, Innocentio vero Gregorius XII. »

[*Ibid.*, 90-91. « Qu'une des filles du duc de Bourgogne épouserait Philippe, comte de Vertus ... Boniface IX étant mort, Innocent VII et ensuite Grégoire XII furent élevés au pontificat.]

49. Meaux, D. 1. Cahier de 332 pages, numéroté par le Dauphin lui-même, feuillet par feuillet, de I à CLVI. « I. Liber XIII. Carolus VIII. Carolus octavus annos quatuordecim natus erat cum patri successit. ... Denique Venetes ab excommunicatione absolvit eisque composuit, Maximiliano et Ludovico repugnantibus. »

[Correspond au début du l. XIII, Charles VIII (An 1483) pour se terminer au l. XIV, Louis XII, année 1510, « enfin pour rendre son parti plus fort, il donna l'absolution aux Vénitiens et s'accorda avec eux, malgré Maximilien et Louis. ». *Œuvres*, X, 140-172.]

50. Meaux, D. 2. Cahier de 128 pages, numéroté par le Dauphin, feuillet par feuillet, de II à LX, et à partir de LX, page par page. « 1515. Eodem tempore archidux Carolus cum Francisco conjungi satagebat. ... In his erant sexdecim millia peditum Hispanorum Germanorumque. »

[X, 180-204, livre XV, règne de François Ier, de 1515 à 1524. « En même temps l'archiduc Charles faisait proposer à François un accommodement ... entre autres de seize mille d'infanterie espagnole et allemande. »

Originaux du texte français.

51. Fonds français 12763, f°s 186-187, r°-v° ; « Les deux Rois arrivèrent en Sicile où, s'étant élevé entre eux de nouvelles dissensions, Philippe relâcha beaucoup de ses droits. ... On élève des tours ; on les avance ; on dresse des batteries pour y poser. »

[X, 30-31. Livre IV. Philippe II. On remarquera de petites différences avec le texte reçu.]

52. Fonds français 12763, 188 r°-v°. « Les conditions furent qu'ils rendraient la vraie croix et tous les prisonniers chrétiens. ... Les assiégés mirent aussitôt les armes bas et se rendirent à discrétion. »

[Ibid., 31.]

53. Musée Pédagogique, 4 pages. « Les troubles recommencèrent quelques temps après par le moien du roi d'Angleterre ... à répandre des médisances contre la reine et à lever des soldats de tous côtés. »

[X, 37-38, livre V, Louis IX, début.]

54. Nouvelles acquis. françaises, 22738, 187-188, r°-v°. « Illustre, il imposait silence à tout le monde et disait qu'il fallait rendre gloire à Dieu. ... Louis ne laissa point de repousser l'effort des ennemis qui furent contraints de se retirer avec grand. »

[Ibid., 41.]

55. Fonds français 13793, 1re pièce, 4 pages. « 128. ecclésiastiques et ceux qui n'auront fait aucun mal. Qu'il appaise le plustost qu'il sera possible les guerres et les dissensions. ... C'est le seigneur à qui toute creature peut dire : Seigneur, vous estes mon Dieu et vous n'avez que faire de mes biens. »

[Ibid., 45.]

56. Collection Barthou. Devoir du Dauphin joint à une édition de l'*Histoire Universelle* : « Mais ces sortes de productions [pour prédictions ?] se répandent ou plustost s'inventent ordinairement après coup. ... L'en empêcha disant qu'il ferait lui seul plus de mal à la chrétienté que Bajazet avec toutes ses forces. »

[X, 86, livre X, règne de Charles VI. L'ordre du texte a été inversé, mais il ne m'a pas été possible de le rétablir, n'ayant vu que le fac-similé dans le *Catalogue de la Bibliothèque de M. Louis Barthou*, 1935.]

57. Meaux, D. 3. Cahier de 184 pages, numéroté par le Dauphin, feuillet par feuillet, en chiffres arabes — les deux premiers feuillets ayant perdu leurs chiffres — de 4 à 92. « Cependant Olivier le Daim, chirurgien et confi-

dent du roi défunt. ... Toutes les mesures semblaient bien prises. Mais qui n'a pas su se servir du temps ne le trouve pas toujours quand il veut. »

[X, 140-159. Livre XIII, règne de Charles VIII, presque complètement, de 1483 à 1498.]

58. Meaux, D. 4. 44 pages numérotées par le Dauphin de 53 à 100, un cahier manquant qui devait couvrir de 69 à 72.

1° pp. 53-68, « de faire prêcher contre la religion de leur maître dans sa propre maison. ... Voilà ce qui s'appela l'édit de Juillet. »

2° pp. 73-100. « 1561. Ces raisons du cardinal de Tournon persuadaient tout le monde excepté le cardinal de Lorraine. ... On crut qu'il était avoué de plusieurs docteurs, de quelques prélats et du cardinal de Lorraine. Quoi qu'il en soit, on ».

[Correspond à X, 295-300, livre XVII, règne de Charles IX, la lacune entre les deux séries se trouvant à la p. 97 de l'imprimé.]

59. Rothschild 320, 3ᵉ pièce, pp. 93-94. « 1561. le cardinal de Lorraine qui avait eu tant de bénéfices par la faveur de la duchesse de Valentinois ... ils cachaient au peuple le plus possible la contrariété qui était entre eux. »

[X, 299, livre XVII, règne de Charles IX.]

60. The Pierpont Morgan Library (New-York) : « Miscellaneous notes of Bossuet », pp. 145, 146, 147, 148. « 1562. elle parut peu touchée de ses raisons, le roy de Navarre vint luy déclarer ... qu'elle n'avoit pas tant dessein de le tromper qu'elle estoit elle. »

[Ibid., 303-304. Cf. Publications of the Modern Language Association of America, New-York, February 1952, Number I, p. 33, liste des mss. de Bossuet. La photographie des notes mêlées de Bossuet nous a été gracieusement adressée par la Pierpont Morgan Library.]

61. Rothschild 320, 3ᵉ pièce, pp. 149-156. « 1562. même irrésolue et le Prince était averti par Soubise que cette princesse ... il fallut beaucoup exagérer la captivité du roi et de la reine afin qu'on ne ».

[Ibid., 304.]

62. Rouen, Leber 3273 (5781), 2ᵉ devoir. 4 pages numérotées par le Dauphin, de 189 à 192. « 1562. ce qu'on ne les menait pas plutôt contre l'ennemi. ... Le pillage d'une seule ville y fit régner la licence. »

[Ibid., 307-308.]

63. Rothschild 326, pp. 207-208. « 1562. douter au duc de Guise du succès qu'il avait espéré du siège ... et sa conduite ne donnait pas moins de réputation aux armes du Roi que sa valeur. »

[Ibid., 309.]

64. Meaux, D. 13. Cahier numéroté par le Dauphin, page par page, de 1 à 346. « Livre XVIII. 1564. Le voyage commença par la Champagne et la Bourgogne. Le roi apprit à Troyes le 11 d'avril. ... Comme l'amiral se trouva en état d'être porté dans un ».

[Ibid., 324-361, années 1564 à 1572. Dans les éditions, c'est encore le livre XVII. — Le brochage de ce cahier est fautif puisqu'il renferme une page numérotée 368, et il y manque les pp. 189-202 (inclus) ; 281-292 ; 329-332, qui sont passées, pour la plus grande partie, respectivement dans les mss. : N. acq. fr. 6202 et 2772, Rouen 3273 (5781) et Rothschild 320, 3ᵉ pièce. Nous indiquons ci-dessous le contenu de ces pages détachées.]

65. N. acquis. françaises, 6202, f° 80 r°-v°, pp. 199-200 du Dauphin « aux mains avec Adolphe, frère de Louis ... soudoyée par l'électeur Palatin, par le duc de Wittemberg, par la ville de Strasbourg et par lui-même. »
[*Ibid.*, 338, année 1568.]

66. N. acquis. françaises, 2772, pièce 130, pp. 201-202 du Dauphin. « Le prince Jean Casimir était encore avec eux. ... Ainsi rien ne remuait. Il n'en était pas ainsi en France. »
[*Ibid.* Fait immédiatement suite à la pièce précédente.]

67. Rouen, Leber 3273 (5781), 1ᵉʳ devoir, 4 pages marquées par le Dauphin, 285 à 288. « 1569. Deux-Ponts était mort de travail, après une fièvre qui le fatiguait depuis longtemps. ... Montgomeri reçut ordre de la reine Jeanne de faire mourir comme traitres quatre ».
[*Ibid.*, 346, année 1569.]

68. Rothschild 320, 3ᵉ pièce, 4 pages numérotées par le Dauphin de 329 à 332. « plus braves hommes du parti, grand nombre de noblesse et plus que tout cela le brave Piles ... empêchaient tous les grands chemins de Lyon, d'Orléans et de Paris par les postes qu'elles occupèrent. | ».
[*Ibid.*, 351, année 1569.]

Copies latines et françaises de l'Histoire de France.

69. Bruxelles 6957 (3426-29 et 3550-51). Bossuet. Histoire abrégée de France, en français et en latin. En deux volumes.
[Cf. l'analyse du *Catalogue des Mss de la Bibliothèque royale de Belgique*, t. X, pp. 145-146 ; et *Bulletins de l'Académie royale de Belgique*, t. XVII, 1850, pp. 269-290, Chevalier MARCHAL. *Sur trois manuscrits inédits de Bossuet.*
On ne peut se fier ni à l'analyse ni à l'interprétation du chevalier Marchal.
Cf. la discussion beaucoup plus sûre, quoiqu'il n'ait pas vu les mss, d'Eugène GRISELLE, *Un fragment inédit de Ledieu*, dans *R.H.L.*, 1900, pp. 134-137.
Sur l'origine possible de cette copie, voir nos conjectures dans l'édition de Bossuet, *Platon et Aristote, Notes de lecture.* Introd., pp. XV-XVIII.]
Il faut distinguer plusieurs manières dans cette copie de l'*Histoire de*

France :
— 1° T. I, f°ˢ 59-67 r°. Sans titre. Une série de notes sur les premiers rois de France, qui ne correspondent pas au texte publié de l'*Histoire de France*. Elles sont ainsi disposées : Le nom du roi comme titre ; le début d'un texte latin, comme point de repère ; une brève discussion historique en français.

Exemple : *I n c i p i t* :

« Clotaire I.

Fratrum omnium qui absque heredibus
decesserant regna suscepisset.

Il n'est pas marqué comment il eut l'héritage de Thierri, qui avait laissé un fils nommé Théodobert », etc...

E x p l i c i t :

« Lothaire.

neque cunctatus Hugo.

Guillaume de Nangis dit que Lothaire y était et qu'il poursuivit les ennemis durant trois jours et trois nuits depuis Soissons jusqu'à la Meuse. »

— 2° T. I. *Histoire de France,* paginée à partir de f° 73 r°, de 1 à 558. Le français à gauche et le latin à droite.

I n c i p i t, 72 v°. « Abrégé de l'*Histoire de France* | par Monseigneur le Dauphin. | Livre I. | Pharamond 420. | Honorius tenait l'Empire d'Occident. »

I n c i p i t, f° 73 r°, ou p. 1. « Ludovici Delphini | Epitome Rerum Francicarum | Liber I | Pharamundus | Honorio in Occidentis partibus imperante. »

Latin et français continuent ainsi parallèlement, jusqu'aux pp. 322 et 323, fin du l. XI, Charles VII, année 1461.

Cf. Fonds français 9518. Abbé FLEURY, *Mélanges,* n° 76, f°ˢ 101-258, même titre, même début. Va de l'année 420 à 1364.

— 3° *Ibid.,* pp. 331-441. « Liber XII. | Ludovicus XI | 1461 | Antea quam solemni more Ludovicus Remis inungeretur ...infimi animi et parum Regii indicia sunt. »

Pp. 450-558. « Livre XII | Louis XI | 1461 | Après la mort de Charles, plusieurs officiers du Royaume ... sont des qualités d'une âme basse et indignes de la royauté. »

[C'est le texte du l. XII, le latin et le français se faisant suite. Cf. *Œuvres,* X, 111. Il y a de légères différences entre le latin et le français, le français étant, comme d'habitude, plus circonstancié.]

— 4° Le t. II (3550-51) contient (f°ˢ 1-502) le reste de l'*Histoire de France,* en français. P. 1. « Livre XIII. Aussitôt après la mort de Louis on tint les Etats généraux à Tours afin de pourvoir ... »

P. 615 (f° 502). « ... Ainsi il [Charles IX] peut servir d'exemple aux Princes pour leur apprendre combien une bonne éducation leur est nécessaire et combien ils doivent craindre de prendre trop tard de bonnes résolutions. »

P. 617 (f° 503). Table (très sommaire et d'une autre écriture.)

L'histoire contemporaine.

70. Fonds français 12839, f°ˢ 72-114. « La Campagne de Hollande en l'an 1672 décrite en latin par Monseigneur le Dauphin. »

[Deux copies, par un scribe, du texte latin ; dans la première, de très menues corrections peuvent être de la main de Bossuet. Ledieu, qui semble responsable de la confection du ms. f. fr. 12839, a porté les titres, en 72 r° et 96 r°.]

71. Saint-Sulpice. « La campagne de Hollande, en l'an 1672, mise en latin par Monseigneur le Dauphin. — Ludovicus decimus quartus Francorum rex magnis conscriptis exercitibus statuit ... tantoque me parente cum per aetatem licebit dignum praestare queam. »

[Troisième copie calligraphiée ; soulignements au crayon, portant surtout sur les noms propres. Le titre sur la couverture peut être de Ledieu.]

Lectures de Bossuet pour l'*Histoire de France*.

[Nous nous bornerons à une énumération sommaire des pièces, avec l'indication des sujets et du type des notes. Il faudrait une étude critique spéciale sur Bossuet préparant l'histoire de France, et elle s'imposerait particulièrement pour Bossuet historien de Charles IX.]

Nous suivons l'ordre chronologique de l'*Histoire de France*.

72. Rothschild 321. Extraits des chroniques d'Enguerrand de Monstrelet, 204 pp., 221 × 171 mm.

[Cf. Porcher, *op. cit.* Le secrétaire qui fait le résumé paraît être au début le même que celui de f. fr. 12830. Le résumé est rarement de Bossuet, mais ses interventions, dans la marge de demi-page, sont nombreuses, à l'encre ou au crayon.

Concerne le règne de Charles VI.]

73. Meaux, D. 9 (ou C. 4), 3ᵉ pièce, une feuille de 4 p. avec le chiffre 3 en haut de page.

[Du même type que ci-dessus. S'achève à la 3ᵉ p., à l'année 1408.]

74. Rothschild 322. Extraits des *Mémoires* de Philippe de Commines, 12 pp., 220 × 172 mm.

[Transcrits par un secrétaire, le même que celui de f. fr. 12830, avec additions et corrections de la main de Bossuet. Correspond, dans son *Histoire de France,* au l. XII, années 1479-1481, et comporte des ressemblances littérales.]

75. Rothschild 323. Extraits de l'*Histoire de France de Mézeray,* 4 pp. autogr., 193 × 138 mm.

[Pour l'année 1561, il n'y a que 3 lignes de surcharge à peu près illisibles. Pour 1562, commence à l'édit de Janvier et finit en annonçant la bataille vers Dreux le 20 décembre. La dernière page est rayée d'un trait vertical. Très mauvaise écriture, marge étroite. Bossuet a souligné au crayon les dates et remarqué une divergence avec de Thou.]

76. Rothschild, pièce sans cote de l'album, 8 pp. autogr.
[Absolument analogues au n. 323 et de même dimension. Rature d'un trait vertical au crayon. Difficile à lire.]

77. Rothschild 324, 18 pp. autogr.

[Sont intercalées dans les extraits du secrétaire de plus grand format. Concernent l'année 1562. « Terreur dans la bourgeoisie de Lyon par le départ des troupes. » — Marge de moitié et trait vertical au crayon, comme dans Meaux, D. 9, 1ʳᵉ pièce.]

78. Rothschild 325. Extraits de Davila, 14 pp., 285 × 286 mm.

[Cf. Porcher, *op. cit.* « 3 et 4 livre » de l'écriture de Bossuet. Le texte sur la demi-page est d'un copiste ; Bossuet l'a beaucoup surchargé en marge et à l'interligne. S'étend sur les années 1560 à 1569. Trait de crayon vertical.]

79. Meaux, D. 9, 1ʳᵉ pièce, 32 pages ; 2ᵉ pièce, 36 pages ; 4ᵉ pièce, 4 pages. Autographes.

[Les 3 cahiers numérotés page par page de la main de Bossuet ; le dernier, p. 33 et 34. Marge de la demi-page ; coup de crayon vertical à toutes les pages, sauf aux 2/3 de la p. 31 et à la p. 32 de la 1ʳᵉ pièce. A la marge, références chiffrées.

1ʳᵉ pièce « Charles IX, u[ide] L. VI, 1564 »
2ᵉ   »   « Charles IX, u[ide] L. VII, 1561-1568 »
4ᵉ   »   « Charles IX, u[ide] L. VIII » (année 1571).

L'écriture me paraît postérieure à toutes celles du f. fr. 12830, et elle est bien plus difficile.]

80. Rothschild 324. Extraits du second volume de l'*Histoire* de J.-A. de Thou (années 1561-1589), 249 pp., 280 × 180 mm.

[Cf. Porcher, *op. cit.* Notes de deux secrétaires qui ne laissent qu'une marge de 1/5. Annotations de Bossuet assez peu nombreuses.]

Nota. — Sur le travail de l'*Histoire de France,* cf. RÉBELLIAU, *Bossuet historien,* pp. 120-127, mais il est inexact qu'on trouve au Grand Séminaire de Meaux « la rédaction du règne de Charles IX » écrite tout entière de la main de Bossuet, car D. 4 et D. 13 sont la rédaction française du Dauphin, avec de très abondantes corrections de Bossuet, et D. 9, qui est presque entièrement de la main de Bossuet, ne constitue pas un récit du règne.

La Philosophie générale.

a) De la Connaissance de Dieu et de soi-même.

81. Fonds français 12828. Copie, avec corrections autographes.

[Considéré comme l'original. A servi de base à l'édition princeps de 1722, et à l'édition Caron de 1846. Cf. Ch. URBAIN, *Quelques documents inédits relatifs à la Connaissance de Dieu et de soi-même,* dans *R.H.L.,* 1902, pp. 98-99.

Cf. n. (258) de LA DIVINE PHILOSOPHIE, en attendant que nous présentions nos remarques sur la publication et la gènèse du traité.]

82. Bibliothèque Mazarine 3543 (ex-2504), 258 feuillets, dont 159 sont numérotés. « Traité de philosophie, par Monsieur Bossuet, Evêque de Meaux, précepteur de Mgr le Dauphin. ».

[Copie ignorée par Urbain, qui la recherchait précisément. Cf. HENRY (Charles), *Sur une première rédaction du « Traité de la Connaissance de Dieu et de soi-même* », dans « *Archiv fur das Studium der neueren Sprachen und Literaturen, Herausgebben von Ludvig Herrig* », Braunschveig, 1878, pp. 203-221 ; B.N. = Z. 37219, t. 60.]

83. Rothschild, Bossuet, 327, et Nouvelles acquis. françaises, 13275.

« Premières Remarques [de Bossuet] sur l'Introduction à la Philosophie de Mgr de Meaux, écrites de la main même de ce prélat à qui M. Dodart père les a dictées à Versailles dès l'année 1691 ou 1692. » (Ledieu, dans Rothschild, fol. 1 r°).

[Leurs références vont jusqu'à la fin du ms. f. fr. 12828. Nous en avons préparé la publication.]

b) Preuves de l'existence de Dieu.

84. Fonds français 12839, f°ˢ 108-114. Deux copies latines. « Postea quam mihi Regum maximus, te, Ludovice Delphine ... nutu suo verboque constituit, idem operis incoeptor et effector. »

[Seuls les mots *P o s t e a   q u a m* sont de la main de Bossuet, le reste est d'un copiste. Notice de Ledieu en tête de la seconde copie latine, à la marge de 112 r°.]

c) Traité des Causes.

85. Bruxelles, 3426-29, f°ˢ 48-56. « Traité des Causes | Chapitre I. | Ce que c'est que cause ... à Monseigneur le Dauphin à l'honneur de la premiere cause et de la fin derniere de toutes choses. »

[C'est ce petit traité qui est appelé « la métaphysique » dans la quittance jointe à la copie. Cf. *supra*, n° 69. Il a été publié pour la première fois par Nourrisson, en 1851, sous le titre de *Métaphysique*, in-8°, 12 p.]

85ᵇⁱˢ. On n'a pas de manuscrit du *Traité du libre arbitre*. Voir la notice bibliographique des *Traités de logique et de morale*, p. p. l'abbé M.ˣˣˣ, Lecoffre, 1858, in-12, qui donne aussi des indications sur le suivant.

La Logique « tirée de Platon et d'Aristote ».

86. Fonds français 12829, *La Logique*. « L'homme qui a fait réflexion sur lui-mesme a connu qu'il y avoit dans son ame deux puissances. » [Publiée par Floquet, Beaucé-Rusand, 1828, in-8. Les deux premiers livres sont une copie au net avec de nombreuses corrections et additions qui paraissent autographes et sont fort lisibles, et le paraphe du censeur à toutes les pages. Le 3ᵉ livre, qui est d'une écriture toute différente, ne porte aucune trace de Bossuet, mais Floquet en a prouvé l'authenticité par des raisons d'ordre interne.]

87. Fonds français 12830. Cf. notre publication, Bossuet, *Platon et Aristote. Notes de lecture.*

La Rhétorique.

« Nous avons tiré d'Aristote, de Cicéron, de Quintilien et des autres les meilleurs préceptes. »

88. Fonds français 12830, f°ˢ 120 r°-123 r°, analyse de Platon, *Phèdre* ; et f°ˢ 158 r°-174 v°, analyse d'Aristote, *Poétique, Rhétorique, Rhétorique à Alexandre*. Cf. notre publication : BOSSUET, *Platon et Aristote*.

89. Fonds français 11912, f° 145 r°-v° et f° 144 r°-v°. « O mon frère Quintus, comme je pensois souvent et que je repassois dans ma memoire les anciennes choses ... a ce flot qui estant empeschez par nous de faire du mal au public a regorgé sur nous. »

[Cicéron, *De Oratore*, I, I, 1-3. Traduction du Dauphin sans correction de ses professeurs.]

« La Morale d'Aristote ... la doctrine de Socrate ».

90. Fonds français 12830. Cf. notre publication.

91. *Ibid.*, f°ˢ 260 r°-297 v°. Extraits de Xénophon.

[Tout en français et de la main d'un secrétaire, mais Bossuet intervient et parfois pour de longues notes.]

92. Fonds français 12831. Extraits de Plutarque, Lucrèce, Diogène Laerce, Stobée, Denys d'Halicarnasse (suivi de Gomez PÉREIRA, *Antoniana Margarita*).

[Sur ce dernier, voir n. (277) de LA DIVINE PHILOSOPHIE.]

[Guillaume a publié dans les *Œuvres complètes* de Bossuet, t. VII, p. 681, les extraits du *De tranquillitate animi* de Plutarque (f° 22 r°-22 v°). Bossuet utilise l'édition grecque-latine de l'imprimerie royale, 2 vol. in-f°, 1624, et tous ses extraits de Plutarque sont tirés du t. II (B.N. = J. 712).

Le rapport entre la main du copiste et l'autographe est fort variable.]

93. Bruxelles 3426-29, f°ˢ 12 r°-43 v°. « Abrégé de la Morale d'Aristote. | A Nicomaque son fils. | De la bonne fortune. | Il n'y a de vraie morale que la chretienne et nous aurions tort de chercher ailleurs ... il faut avant toutes choses faire de bons particuliers. »

[A été publié par Guillaume, édition citée, t. VII, pp. 669-681, moins la première page. Cf. notre publication, BOSSUET, *Platon et Aristote*.]

Réflexions sur l'Histoire universelle.

94. Fonds français 12834. « Premier age du monde, depuis la création jusqu'au déluge dure 1656 ans ... »

[Chronologie calligraphiée. Nombreuses corrections, de graphie et surtout de style, de la main de Bossuet. S'arrête au couronnement de Charlemagne et à son accord avec l'empereur de Constantinople. C'est ce que Bossuet, croyons-nous, appelle la première partie de son *Histoire universelle, Corr.*, II, 158 et pour cette période de l'histoire il n'y a pas d'autre manuscrit.]

95. Fonds français 12835, 12836, 12837. « Seconde partie de l'Histoire universelle ». Ainsi répartie :

— 12835, f°ˢ 3 r°-57 v°, autographe. « 804. Charlemagne acheve de subjuguer les Saxons et y etablit la foy chrestienne. ... Berengere est reconnue

Reyne au prejudice de Blanche qui estoit l'aisné et donne le royaume à son fils Ferdinand III agé de 12 ans. » (année 1217).

— 12835, f°ˢ 58 r°-387 r°. « Histoire universelle de M. de Meaux, seconde partie. | Charlemagne Emp. malgré luy par le Pape Leon III ... Bonheur d'Albert de Brandebourg. 8 <grandes> victoires, une seule perdüe, plusieurs villes, combat partout et jamais blessé, Achile Germaniae. »

[Ceci rayé d'un trait vertical. Va de l'année 800 à 1448. Chronologie de la main d'un secrétaire, le même sans doute que dans f. fr. 12830, marge de demi-page, les corrections de Bossuet apparaissant à partir de 268 v° (année 1217), « l'essence de Sᵗ Louis », rétablie en « naissance ». Le f° 387 r° est la p. 687 du copiste ; 688 est perdue ; fait immédiatement suite.]

— 12836, pp. 688-1179. « Croie est affligée par Amurath et deffendue par Scandenberg. ... Cromwel est deterré et pendu. Les juges du Roy deffunt et les complices de sa mort sont severement recherchez et punis comme meritoit un tel attentat. »

[Va de 1450 à 1661. Même type de copie que le précédent, et même type de corrections autographes.]

— 12837. « Charlemaigne acheve de subjuguer <les Saxons> la Saxe et y establit la foy chretienne. ... L'Angleterre est agitée de guerres civiles. Le Roy est contreint de livrer au peuple de Londre ses favoris qui sont tués. »

[C'est la mise au net des deux manuscrits précédents, moins quelques années au commencement et à la fin. Les corrections de Bossuet ne sont pas très nombreuses et portent sur le style.]

96. Fonds français 12832. *Discours sur l'Histoire universelle*. Exemplaire imprimé de 1681, in-4°, annoté.

[Ce sont les additions publiées pour la première fois en 1806, et leur origine n'a été expliquée ni par les éditeurs de Versailles ni par Jacquinet.

Aucune des annotations ou additions n'est de la main de Bossuet. Il n'existe donc aucun manuscrit autographe, ou aucune copie revue du *Discours*. Ce que Bossuet appelle son *Histoire universelle* dans la lettre à Innocent XI (*Corr.*, II, 157), ce doit être la chronologie en deux parties, contenue dans les quatre volumes, de 12834 à 12837 inclus. Le ms. 12834, qui couvrait la même période que le *Discours*, n'a pas encore été publié. Les volumes suivants l'ont été comme une *Continuation* attribuée à Bossuet, par Renouard en 1806, et reproduits dans toutes les éditions, par ex. *Œuvres*, IX, 551 *et sq.*

Assurément, cette chronologie, dont le style même n'a pas été entièrement revu pour l'exactitude matérielle, n'exprime pas la pensée historique de Bossuet. Mais nous voyons dans l'ensemble de ces cahiers, qui s'intéressent à l'Europe entière, une *préparation* de Bossuet au *Discours*, beaucoup plutôt que « les brouillons du Dauphin », ou « les copies successives de ces brouillons » comme le voulait Rébelliau (*Bossuet historien*, p. 161, n. 3), dont l'inspection des mss. de Bossuet nous semble parfois avoir été un peu rapide.] Cf. nos *Etudes critiques*, 1956.

97. Fonds français 12824, f°ˢ 229-230. Extraits de Josèphe.

[Rédigés à l'époque des extraits d'Aristote du f. fr. 12830 : même écriture, même disposition. Ils ont été joints à des extraits du temps de la jeunesse, faits à l'occasion du sermon du 21 juillet 1652. Ces extraits préparent dans le *Discours* les chap. XXI et XXIII de *la Suite de la Religion*, éd. définitive (ou VIII et IX de l'édition originale).]

COMPLÉMENTS.

Certains des travaux indiqués dans la lettre à Innocent XI ne se font connaître par aucun document manuscrit. Ou bien ils furent accomplis, mais bien après la date de la lettre, comme c'est le cas de la *Politique,* que, le 11 novembre 1703, Bossuet ne se sentait pas la force d'achever, bien qu'il souhaitât la donner au public (LEDIEU, III, 123), et l'abbé Bossuet qui exécuta cette volonté en 1709 ne nous en a pas conservé le manuscrit ; ou bien nous ne leur connaissons aucun commencement d'exécution, comme pour cet « état du royaume et de toute l'Europe » annoncé à la fin de la lettre.

Pour les disciplines où Bossuet n'était pas compétent, nous avons une idée des méthodes qui furent employées par les livres qui firent partie de la bibliothèque du Dauphin, et qui, reliés à ses armes, ont été groupés à la Réserve de la B.N. Mais naturellement ils ne représentent pas toute la bibliothèque du Dauphin, et, d'autre part, rien ne prouve que le Dauphin lisait tous les livres qu'il acquérait ou qu'on lui adressait. De tous ceux que nous avons examinés aucun ne porte de marques de travail ni de signes d'usure. On voit cependant à la fréquence des ouvrages de météorologie et d'astronomie que le Dauphin dut avoir du goût pour ces sciences.

Pierre de CLAIRAMBAULT, « en 1676, puis en 1693, fut chargé de prêter son concours successivement à Bossuet et à Fénelon pour l'instruction historique du fils et des petits-fils de Louis XIV, et la compilation qu'il entreprit à cet effet nous a été conservée. ». Cf. Ph. LAUER, *Catalogue des Manuscrits de la collection Clairambault. Introduction,* 1932.

Mais dans ces documents d'archives de toutes sortes, qui commencent à François Ier, il est impossible de distinguer ce qui fut fait à la demande de Bossuet. Tout au plus peut-on noter une grande insistance sur les Guerres de Religion. D'ailleurs Clairambault, mort en 1740 à 90 ans, n'avait que 30 ans lorsque s'achevait l'éducation du Dauphin. ...

Nous pensons avoir fait pour les manuscrits relatifs à l'instruction du Dauphin l'inventaire complet des bibliothèques publiques de France, et de celles qui s'ouvrent au public. La Pierpont Morgan Library de New-York nous a envoyé la photocopie des siens, mais les pièces des collections privées nous ont échappé. Toutefois la masse inventoriée nous semble suffisante pour définir le type des exercices du Dauphin, comme pour servir de base au texte critique — qui reste à établir — des ouvrages de Bossuet produits en cette période.

Nous avons pu voir à la Réserve des Estampes de la Bibliothèque Nationale quelques dessins que le Dauphin exécuta sous la direction d'Israël SYL-VESTRE (cf. Floquet, *Bossuet précepteur,* p. 196), et nous les indiquerons. Il n'y en a point au cabinet des dessins du Louvre.

Nous donnons donc sous forme de compléments :

1) L'indication des manuscrits dont nous ne connaissons pas la teneur, qui nous ont été signalés.

2) La liste des dessins du Dauphin que nous avons retrouvés.

3) Un billet de lui témoignant de l'influence du Roi sur cette éducation.

1. Manuscrits signalés.

98. Collection du Docteur Lucien-Graux, n° 687, 4 pages in-4°, Catalogue de vente, mars 1958, 6ᵉ partie, n° 34.

« Dans le paiement les Sarrasins s'étant mecontez d'une grande somme il leur renvoya ... qu'on executeroit le traité et qu'on delivreroit le Roy. »

[X, 42, l. V, Louis IX. — A été signalé dans : *Enfants d'autrefois. L'enfant dans l'art, la vie et livre français du XVIIᵉ au milieu du XIXᵉ siècle.* Préface de Edmond PILON. Avant-propos de René PICHARD DU PAGE. Catalogue de l'exposition organisée par les Amis de la Bibliothèque de Versailles, mai-juin 1931.]

3. L'éducation artistique du Dauphin.

99. B.N. Réserve des amateurs Ad. 12. — Dessin, moyen format, du 15 novembre 1675, donné à Simon Mariage. [Pièce jointe qui l'authentifie. Représente une marine.]

100. *Ibid.*, dessin à la plume du palais de Madrid fait par monseigneur Dauphin en 1677.

101. *Ibid.*, un paysage à la plume.

En outre, la bibliothèque du Dauphin contenait les ouvrages suivants d'André FÉLIBIEN :

102. *Conférences de l'académie royale de peinture et de sculpture pendant l'année 1677,* 1668, in-4°.

103. *Description de la grotte de Versailles,* 1672, in-4°.

104. *Noms des peintres les plus célèbres et les plus connus, anciens et modernes,* 1679, in-12.

La louange du Roi à propos de l'éducation du Dauphin ayant été le sujet de concours de l'Académie française pour le prix de poésie de 1677, *le Mercure Galant* (le nouveau *Mercure*) rend compte des vers couronnés (ceux de La Monnoye), dans sa livraison de septembre 1677, qui est dédiée à Montausier. *Le Mercure* loue abondamment tous les maîtres du Dauphin et il insiste sur les dispositions artistiques du Prince : « Il a une si parfaite connaissance des Fables, que dès ses premières années il ne voyait point de tapisserie qui en représentât quelqu'une qu'il ne l'expliquât aussitôt. Il sait très bien les mathématiques, il dessine et grave admirablement, et on fut surpris un jour qu'étant entré chez Mr Sylvestre, en passant par les galeries du Louvre, il prit un burin et grava sur le champ un paysage qui méritait toutes les louanges qu'il reçut. Il a gravé le château de Saint-Germain, dont il a donné une estampe à Monsieur de S. Aignan. » *Mercure Galant*, septembre 1677, pp. 227-228.

3. Un billet du Dauphin.

105. Il est conservé à la bibliothèque de Saint-Sulpice : feuillet de 4 pages dont la première est écrite par le Dauphin, d'une main encore enfantine, comme un brouillon de lettre à son père, sans aucune indication de date. Nous transcrivons littéralement ce billet.

« Je me donne l'honneur Monseigneur decrire à votre Majeste touchant ce quelle ma commandé de bien servir Dieu et de mapliquer afin que je devienne honneste homme par ce moien la. ————————————————————— Jáccompliray tres soigneusement ce que vous mávez fait lhonneur de me commander afin de meriter que vous me conserviez votre amitié et que vous ne mabandonniez pas si Dieu me donne un frere ce que je souhaite. »

[Ce billet peut se placer ou bien avant la naissance de Philippe, 1er duc d'Anjou, le 5 août 1668, ou après la mort de celui-ci, 10 juillet 1671, et avant la naissance de Louis-François, second duc d'Anjou, le 14 juin 1672, ou encore après la mort de ce dernier, le 4 novembre 1672.

Ce qui est intéressant à noter, c'est l'état de tremblement quasi-religieux du fils aîné devant la grâce royale.]

TABLE ET COMMENTAIRE
DES ILLUSTRATIONS
figurant dans le Tome I

(Cf. André Virely, *Bossuet, Essai d'iconographie*, Mâcon, 1938, pp. 35-37). Virely adopte la date de 1673, donnée par le *Catalogue manuscrit des peintres et graveurs de portraits*, conservé aux Estampes, à la B.N.

L'abbé Mazière de Monville, dans *La vie de Pierre Mignard, premier peintre du Roy*, 1730, donne, dans sa liste des « Portraits gravés d'après Pierre Mignard » (p. LXVIII) « Jacques-Bénigne Bossuet, Evêque de Meaux, etc..., gravé par François de Poilly », et place encore « le grand évêque de Meaux », p. 126, entre M. de Louvois et la Comtesse de Grignan. Listes dressées postérieurement et qui ne veulent pas dire que Bossuet fût déjà évêque de Meaux à la date du portrait. C'est l'abbé de Monville qui nous a conservé la lettre où Bossuet console Mignard sur la nouvelle (fausse) de la mort de sa fille aînée. Lettre non datée que les éditeurs mettent en 1672 (*Corr.*, I, 271).

Depuis 1938 le tableau a subi une excellente restauration, qui accentue la jeunesse des traits du visage.

Meaux. Les Amis de Bossuet. Salle du Vieux Chapitre
Photo Mathias, Meaux.

I [acobus] Laurus, c'est-à-dire Giacomo Lauro ou Lauri, romain, connu de 1584 à 1637 environ ; il s'est inspiré du plan d'Edouard Brédin, 1574, qui est bien plus clair que le sien, mais il l'a mis à jour pour ce qui est de la construction des nouvelles églises. Voir dans *La formation humaniste*, pp. 6-7.

B.N. Estampes. Photo. Bibliothèque Nationale, Paris.

Intérieurs et extérieurs du Collège de Navarre. Les deux planches sont des gravures en taille-douce de Martinet, dans Poncelin-Martinet, *Histoire de Paris*, 1781, t. III. Voir dans *La formation humaniste*, pp. 26-27.

Photo Bibliothèque Nationale.

Cf. *O.O.*, IV, 271 : « N'en doutons pas, Chrétiens, quoique nous soyons relégués dans cette dernière partie de l'univers, etc.

Fonds français 12822, folio 364 r°.
Photo Bibliothèque Nationale.

Appendice, n° 49. Correspond dans l'*Abrégé de l'Histoire de France* au livre IX, Règne de Louis XII, année 1503, *Œuvres*, X, 164 :

« Le prince, arrivé à Lyon auprès de Louis, fit l'accord à ces conditions que le mariage de Charles, fils de l'archiduc, se ferait avec Claude, fille aînée du roi, à qui il donnerait en dot le royaume de Naples et le duché de Milan ; qu'en attendant que le mariage pût s'accomplir, les deux rois jouiraient de leur partage, et que l'archiduc aurait l'administration de la part de son beau-père, qui devait venir à Charles ; que l'affaire des limites se traiterait à l'amiable et que, cependant, les pays contestés seraient séquestrés entre les mains du même archiduc.
Ces choses étant arrêtées et signées... »
Le correcteur est intervenu dans chaque proposition, pour changer le verbe lui-même ou bien la construction. Nous soulignons les formules que, sur une rédaction déjà revue et raturée par le Dauphin, dégage la plume de Bossuet :

— *ad Ludouicum*. — Le nom de la personne qui fait le but, est inséré dans la proposition où s'exprime le mouvement.;
— pacem fecit : *pepigit uti* ;
— Philippi : *archiducis*. — C'est le titre, pas le nom qui est important ;
— filiam ducturum : *uxorem haberet* ;
— pro dote daret : *doti daretur* ;
— sua sorte fructuros : *potirentur* ;
— partem gubernaturum : *partem Carolo obuenturam administraret* ;
— de limitibus amicè transigendum : *amicè transigeretur* ;
— atque intera : *dum id fieret* ;
— de qua litigarent : *litigium erat* ;
— sequestrandas : *sequestraretur*.

On voit que le Dauphin affectionnait les formes participiales et adjectives du verbe... Les corrections de Bossuet visent l'élégance et la vigueur de la latinité. Il n'enrichit pas notablement le sens. Voir *La Philologie du Précepteur*, p. 104, citation n° 38, et pp. 114, 115, 122, 123.

Meaux. Grand Séminaire. D¹, folio cxxi r°.

Photo Mathias.

Appendice, n° 57. Il s'agit de l'*Abrégé de l'Histoire de France*, Livre XIII, règne de Charles VIII, Œuvres, X, 144.
A lire ainsi : (Nous plaçons entre crochets < > les parties raturées, à l'endroit même où elles s'insèrent logiquement. L'écriture de Bossuet est distinguée de celle du Dauphin par l'impression en caractères italiques).
<En mesme temps>. *Aussi tost* Charles <à l'inceu de la gouvernante> alla luy-mesme à la Tour <de Bourges> *de Bourges à l'insceu de la gouvernante*, et délivra Louis à qui il découvrit <sa résolution> *ses intentions*. Ce prince <genereux> alla <où estoit la princesse> *en Bretaigne où le Comte de Dunois et le Prince d'Orenge <se re-> travaillerent avec luy tres utilement à persuader la Princesse, elle ceda à leurs raisons et aux prieres de ses etats qui regardaient ce mariage comme le seul salut*. <on eut> le Pape <donna> <Innocent VIII> *donna les dispenses nécessaires <pour le mariage> et Charles VIII épousa Anne*. <le <testament> contract portoit qu'ils quitteroient tous deux la pretension qu'ils avoient sur la Bretaigne s'ils mouroient sans enfans <et> *par le contrat ils se cedoient l'un à l'autre <toutes> leurs prétentions sur la Bretaigne en cas de mort sans enfans*, et> le roy fit un traité avec les <seigneurs, qu'il leur conserveroit leurs privileges>, *Etats pour la conservation des Privileges du pais*. *Mais* Maximilien <se> remplit toute l'Europe de ses plaintes, il disoit que c'estoit une chose <horrible> *indigne* que <le beau-fils enlevast la femme de son beau-père> *son gendre chassast sa* <fem-> *propre femme et ravist*

celle de son beau-père. <Henri> *le Roy d'Angleterre* <ialous> *ialoux d'un si grand accroissement de la France* <desce-> <vi-> *vint à Calais et assiegea Boulogne.*

On voit que Bossuet, tout en s'efforçant de laisser subsister les mots écrits par la main du Dauphin, a pratiquement refait la page. Voir dans *La Philologie du Précepteur,* p. 104, citation n° 38, et surtout p. 122. Menues différences avec le texte qui a été imprimé en 1747.

Meaux. Grand Séminaire. D³, folio 36 r°.

Photo Mathias.

Sur l'éducation artistique du Dauphin, voir à *la Philologie,* p. 117, n. (100) et à l'*Appendice,* p. 239, n° 101, ici reproduit.

B.N. Estampes. Réserve des Amateurs Ad. 12.

Photo Bibliothèque Nationale.

Cf. « *Litterae humaniores* » pp. 170-174, où nous avons cité les annotations issues de Bossuet, d'après la transcription de Marty-Laveaux. On voit ici la note portée dans notre texte au n° 117 : « Les termes de déclarer et de maintenir me semblent trop juridiques. »

Fonds français 9187, folio 2 v°.

Photo Bibliothèque Nationale.

C.-J. Chaumier sculp.

Chaumier, graveur inconnu, qui signe une marque ou un ex-libris attribué à un membre de la famille Pajot, conseiller au Parlement de Metz, de 1674 à 1685. D'après Weigert, *Graveurs du XVIIe siècle.*

B.N. Estampes, Va. 342, t. IV.

Photo Bibliothèque Nationale.

TABLE DES MATIERES

contenues dans le tome I

CHAPITRE III

LA PHILOLOGIE DU PRECEPTEUR

CHAPITRE IV

« LITTERAE HUMANIORES »